Pôlefiction

De la même auteure
chez Gallimard Jeunesse :

La Passe-miroir :

Christelle Dabos

La Passe-miroir

2. Les Disparus du Clairdelune

GALLIMARD JEUNESSE

Souvenirs du Livre I

Les Fiancés de l'hiver

Après la Déchirure, qui a mis fin à l'ancien monde, la vie s'est concentrée sur quelques territoires distincts, des arches suspendues dans les airs. Habitée par des familles dotées de pouvoirs particuliers, chacune d'elles est dirigée par un lointain ancêtre, appelé « esprit de famille ».

La jeune Ophélie est une Passe-miroir, faculté rare chez les habitants d'Anima. Maladroite, solitaire et réservée, elle fait également une excellente *liseuse* : en saisissant un objet, elle *lit* son histoire, percevant la trace de tous ceux qui l'ont touché avant elle.

Le jour où un mariage forcé la contraint à quitter son univers et sa famille pour l'arche lointaine du Pôle, son monde vole en éclats. Thorn, son fiancé, est un homme rude et énigmatique. À ses côtés, Ophélie découvre la ville flottante de la Citacielle, faite de distorsion spatiale et d'illusions d'optique. Une cour composée de clans rivaux y gravite autour de leur ancêtre commun, Farouk, le tout-puissant et immortel esprit de famille, s'affrontant dans un triste mélange de ruse, de manipulation, d'artifices et de trahisons. Pour ne rien arranger, Thorn est l'intendant du Pôle, ce qui lui vaut d'être détesté de chacun.

Projetée dans cet univers impitoyable, Ophélie explore les coulisses d'un monde où elle ne peut faire confiance à personne. En attendant le mariage, elle est contrainte de cacher son identité et, déguisée en domestique, elle entrevoit le vrai visage de la cité et de ses habitants. Elle apprend ainsi l'existence du Livre de Farouk, un très ancien et très énigmatique document auquel l'esprit de famille voue une véritable obsession. La terrible vérité s'impose à elle : Thorn souhaite l'épouser pour hériter de son pouvoir de *liseuse*, qui lui permettra de déchiffrer le Livre.

Alors qu'Ophélie reçoit un télégramme lui annonçant la venue prochaine de sa famille, des événements tragiques frappent Thorn et sa tante Berenilde : derniers survivants du clan des Dragons, ils doivent réclamer la protection de Farouk. Ophélie s'apprête à être officiellement présentée à la cour ; armée d'une détermination nouvelle, elle est bien décidée à trouver sa voie dans ce labyrinthe d'illusions.

Illustrations : Laurent Gapaillard
© Éditions Gallimard jeunesse, 2015, pour le texte
© Éditions Gallimard jeunesse, 2018, pour la présente édition

Bribe : rappel

Au commencement, nous étions un.

Mais Dieu nous jugeait impropres à le satisfaire ainsi, alors Dieu s'est mis à nous diviser. Dieu s'amusait beaucoup avec nous, puis Dieu se lassait et nous oubliait. Dieu pouvait être si cruel dans son indifférence qu'il m'épouvantait. Dieu savait se montrer doux, aussi, et je l'ai aimé comme je n'ai jamais aimé personne.

Je crois que nous aurions tous pu vivre heureux en un sens, Dieu, moi et les autres, sans ce maudit bouquin. Il me répugnait. Je savais le lien qui me rattachait à lui de la plus écœurante des façons, mais cette horreur-là est venue plus tard, bien plus tard. Je n'ai pas compris tout de suite, j'étais trop ignorant.

J'aimais Dieu, oui, mais je détestais ce bouquin qu'il ouvrait pour un oui ou pour un non. Dieu, lui, ça l'amusait énormément. Quand Dieu était content, il écrivait. Quand Dieu était en colère, il écrivait. Et un jour, où Dieu se sentait de très mauvaise humeur, il a fait une énorme bêtise.

Dieu a brisé le monde en morceaux.

*

Ça me revient, Dieu a été puni. Ce jour-là, j'ai compris que Dieu n'était pas tout-puissant. Je ne l'ai plus jamais revu depuis.

La conteuse

La partie

Ophélie était aveuglée. Dès qu'elle risquait un regard par-dessous son ombrelle, le soleil l'assaillait de toutes parts : il tombait en trombe du ciel, rebondissait sur la promenade en bois verni, faisait pétiller la mer entière et illuminait les bijoux de chaque courtisan. Elle y voyait assez, toutefois, pour constater qu'il n'y avait plus ni Berenilde ni la tante Roseline à ses côtés.

Ophélie devait se rendre à l'évidence : elle s'était perdue.

Pour quelqu'un qui était venu à la cour avec la ferme intention de trouver sa place, ça se présentait plutôt mal. Elle avait rendez-vous pour être officiellement présentée à Farouk. S'il y avait une personne au monde qu'il fallait ne surtout pas faire attendre, c'était bien cet esprit de famille.

Où se trouvait-il ? À l'ombre des grands palmiers ? Dans l'un des luxueux palaces qui s'alignaient le long de la côte ? À l'intérieur d'une cabine de plage ?

Ophélie se cogna le nez contre le ciel. Elle s'était penchée par-dessus le parapet pour chercher Farouk, mais la mer n'était rien de plus qu'un mur. Une immense fresque mouvante où le bruit des vagues était aussi artificiel que l'odeur de sable et la ligne d'horizon. Ophélie remit ses lunettes en place et observa le paysage autour d'elle. Presque tout était faux ici : les palmiers, les fontaines, la mer, le soleil, le ciel et la chaleur ambiante. Les palaces eux-mêmes n'étaient probablement que des façades en deux dimensions.

Des illusions.

À quoi s'attendre d'autre quand on se trouvait au cinquième étage d'une tour, quand cette tour surplombait une ville et quand cette ville gravitait au-dessus d'une arche polaire dont la température actuelle ne dépassait pas les moins quinze degrés ? Les gens d'ici avaient beau déformer l'espace et coller des illusions dans chaque coin, il y avait quand même des limites à leur créativité.

Ophélie se méfiait des faux-semblants, mais elle se méfiait encore plus des individus qui s'en servaient pour manipuler les autres. Pour cette raison, elle se sentait particulièrement mal à l'aise au milieu des courtisans qui étaient en train de la bousculer.

C'étaient tous des Mirages, les maîtres de l'illusionnisme.

Avec leur stature imposante, leurs cheveux pâles, leurs yeux clairs et leurs tatouages claniques, Ophélie se sentait parmi eux plus petite, plus brune, plus myope et plus étrangère que jamais. Ils abaissaient parfois vers elle un regard sourcilleux. Sans doute se demandaient-ils qui était cette demoiselle qui essayait coûte que coûte de se dissimuler sous son ombrelle, mais Ophélie se garda bien de le leur dire. Elle était seule et sans protection : s'ils découvraient qu'elle était la fiancée de Thorn, l'homme le plus haï de toute la magistrature, elle ne donnait pas cher de sa peau. Ou de son esprit. Elle avait une côte fêlée, un œil au beurre noir et une joue entaillée, consécutive-ment à ses dernières mésaventures. Autant ne pas aggraver son cas.

Ces Mirages apprirent au moins une chose utile à Ophélie. Ils se dirigeaient tous vers une jetée-promenade sur pilotis qui, par un effet d'optique plutôt réussi, donnait l'illusion de surplomber la fausse mer. À force de plisser les yeux, Ophélie comprit que le scintillement qu'elle apercevait à son bout était dû au reflet de la lumière sur une immense structure de verre et de métal. Cette Jetée-Promenade n'était pas un nouveau trompe-l'œil ; c'était un véritable palais impérial.

Si Ophélie avait une chance de trouver Farouk, Berenilde et la tante Roseline, ce serait là-bas.

Elle suivit le cortège des courtisans. Elle aurait voulu se faire aussi discrète que possible, mais c'était compter sans son écharpe. À moi-tié enroulée autour de sa cheville et à moitié gesticulant sur le sol, elle faisait penser à un boa constricteur en pleine parade amoureuse. Ophélie n'avait pas été capable de lui faire lâcher prise. Si elle était très contente de revoir son écharpe en forme, après des semaines de sépara-tion, elle aurait voulu éviter de crier sur les toits qu'elle était animiste. Pas avant d'avoir retrouvé Berenilde, du moins.

Ophélie inclina davantage son ombrelle sur son visage quand elle passa devant un kiosque à gazettes. Elles affichaient toutes en gros titres :

FIN DES DRAGONS :
QUI VA À LA CHASSE PERD SA PLACE

Ophélie jugea cela d'un absolu mauvais goût. Les Dragons étaient sa belle-famille et ils venaient de périr en forêt dans des circonstances dramatiques. Aux yeux de la cour, ce n'était pourtant jamais qu'un clan rival en moins.

Ophélie s'engagea sur la Jetée-Promenade. Ce qui n'était plus tôt qu'un scintillement indéfinissable se transforma en feu d'artifice architectural. Le palais était encore plus gigantesque qu'elle ne l'avait cru. Son dôme en or, dont la flèche s'élançait vers le ciel comme la foudre, rivalisait avec le soleil ; il n'était pourtant que le point culminant d'un édifice beaucoup plus vaste, tout de verre et de fonte, piqué de tourelles orientales ici et là.

« Et tout ceci, pensa Ophélie en embrassant des yeux le palais, la mer et la foule de courtisans, tout ceci n'est que le cinquième étage de la tour de Farouk. »

Elle commençait vraiment à avoir le trac.

Son trac se transforma en panique quand elle vit deux chiens, aussi blancs et aussi massifs que des ours polaires, venir dans sa direction. Ils l'observaient avec une fixité insistante, mais ce n'étaient pas eux qui épouvantèrent Ophélie. C'était leur maître.

— Bonjour, mademoiselle. Vous vous promenez seule ?

Ophélie n'en crut pas ses yeux en reconnaissant ces boucles blondes, ces lunettes en culs de bouteille et ce visage joufflu d'angelot.

Le chevalier. Le Mirage sans qui les Dragons seraient encore en vie.

Il avait peut-être l'allure d'un petit garçon comme les autres – plus empoté que les autres, même –, ce n'en était pas moins un fléau sur lequel aucun adulte n'avait de prise et dont sa propre famille avait peur. Les Mirages se contentaient en général de répandre des illusions autour d'eux ; le chevalier, lui, les insufflait directement à l'intérieur des gens. Cette déviance de pouvoir, c'était sa marotte. Il s'en était servi pour frapper d'hystérie une servante, emprisonner la tante Roseline dans une bulle de souvenirs, retourner contre les Dragons les Bêtes sauvages qu'ils chassaient, et tout cela sans jamais se faire prendre la main dans le sac.

Ophélie trouvait incroyable qu'il n'y eût personne, dans toute la cour, pour l'empêcher de se montrer en public.

— Vous semblez perdue, constata le chevalier avec une extrême politesse. Voulez-vous que je vous serve de guide ?

Ophélie ne lui répondit pas. Elle était incapable de déterminer ce qui, du « oui » ou du « non », signerait son arrêt de mort.

— Vous voilà enfin ! Où donc étiez-vous passée ?

Au profond soulagement d'Ophélie, c'était Berenilde. Elle fendait la foule de courtisans dans un gracieux mouvement de robe, aussi paisiblement qu'un cygne traverserait un lac. Pourtant, quand elle glissa le bras d'Ophélie sous le sien, elle le serra de toutes ses forces.

— Bonjour, madame Berenilde, bredouilla le chevalier.

Ses joues étaient devenues très roses. Il essuya ses mains contre sa marinière avec une maladresse presque timide.

— Dépêchez-vous, ma chère petite, dit Berenilde sans accorder ni un regard ni une réponse au chevalier. La partie est presque terminée. Votre tante garde notre place.

Il était difficile de déchiffrer l'expression du chevalier, ses culs-de-bouteille lui faisant des yeux particulièrement insolites, mais Ophélie fut à peu près certaine qu'il était déconfit. Elle trouvait cet enfant incompréhensible. Il ne s'attendait tout de même pas à être remercié pour avoir causé la mort de tout un clan, non ?

— Vous ne me parlez plus, madame ? demanda-t-il pourtant d'une voix inquiète. Vous n'aurez donc pas un seul mot pour moi ?

Berenilde marqua une hésitation, puis tourna vers lui son plus beau sourire.

— Si vous y tenez, chevalier, j'en aurai même neuf : vous ne serez pas éternellement protégé par votre âge.

Sur cette prédiction, lancée d'un ton presque anodin, Berenilde prit la direction du palais. Lorsque Ophélie jeta un regard en arrière, ce qu'elle vit lui donna froid dans le dos. Le chevalier la dévorait des yeux, elle, et non Berenilde, son visage déformé par la jalousie. Allait-il lancer ses chiens à leurs trousses ?

— De toutes les personnes avec lesquelles vous ne devez jamais vous retrouver seule, le chevalier est en tête de liste, murmura Berenilde en serrant davantage le bras d'Ophélie. Vous n'écoutez donc jamais mes recommandations ? Hâtons-nous, ajouta-t-elle en pressant le pas. La partie touche à sa fin, nous ne devons surtout pas faire attendre le seigneur Farouk.

— Quelle partie ? haleta Ophélie.

Sa côte fêlée lui faisait de plus en plus mal.

— Vous allez faire bonne impression à notre seigneur, ordonna Berenilde sans se départir de son sourire. Nous comptons aujourd'hui beaucoup plus d'ennemis que d'alliés : sa protection sera un poids décisif dans la balance. Si vous ne lui plaisez pas au premier coup d'œil, vous nous condamnez à mort.

Elle posa une main sur son ventre, incluant dans cette déclaration l'enfant qu'elle portait.

Gênée pour marcher, Ophélie n'en finissait plus de secouer l'écharpe qui s'entortillait à son pied. Les mots de Berenilde ne l'aidaient pas du tout à se sentir moins nerveuse. Son appréhension était d'autant plus grande qu'elle avait encore dans la poche de sa robe le télégramme de sa famille. Inquiétés par son silence, ses parents, ses oncles, ses tantes, son frère, ses sœurs et ses cousins avaient décidé d'avancer de plusieurs mois leur arrivée au Pôle. Ils ignoraient évidemment que leur sécurité aussi dépendrait du bon vouloir de Farouk.

Ophélie et Berenilde pénétrèrent dans la rotonde principale du palais, qui était plus spectaculaire encore vue de l'intérieur. Cinq galeries en irradiaient et chacune d'elles était aussi imposante qu'une nef de cathédrale. Le moindre murmure de cour, le moindre froufrou de robe prenait sous les grandes verrières une ampleur formidable. Il n'y avait ici que du beau monde : des ministres, des consuls, des artistes et leurs muses du moment.

Un majordome en livrée d'or s'avança vers Berenilde.

— Si ces dames veulent bien me suivre au jardin de l'Oie. Le seigneur Farouk les recevra dès la fin de sa partie.

Il leur fit emprunter l'une des cinq galeries tout en débarrassant Ophélie de son ombrelle.

— Je préfère la garder, déclina-t-elle poliment quand il voulut aussi récupérer son écharpe, perplexe de trouver cet accessoire vestimentaire à une place aussi inappropriée qu'une cheville. Croyez-moi, elle ne me laisse pas le choix.

Avec un soupir, Berenilde s'assura que la voilette d'Ophélie dissimulait bien son visage derrière une barrière de dentelle.

— Ne montrez pas vos blessures, c'est du dernier mauvais goût. Si vous tirez bien vos épingles du jeu, vous pourrez considérer la Jetée-Promenade comme votre deuxième maison.

En son for intérieur, Ophélie se demanda quelle pouvait bien être sa première maison. Depuis qu'elle était arrivée au Pôle, elle avait déjà visité le manoir de Berenilde, l'ambassade du Clairdelune, l'intendance de son fiancé, et elle ne s'était sentie chez elle nulle part.

Le majordome les introduisit sous une vaste verrière à l'instant précis où des applaudissements en jaillirent, ponctués de « bravo ! » et de « joli coup, mon seigneur ! ». Incommodée par la dentelle blanche de sa voilette, Ophélie essaya de comprendre ce qui se passait entre les palmiers du jardin d'intérieur. Une assemblée de nobles emperruqués s'était regroupée sur la pelouse, autour de ce qui ressemblait à un petit labyrinthe. Ophélie était trop petite pour jeter un coup d'œil par-dessus l'épaule des gens devant elle, mais Berenilde n'eut aucun mal à leur frayer un passage jusqu'à la première place : dès qu'ils la reconnaissaient, les nobles se retiraient d'eux-mêmes, moins pour la beauté du geste que pour garder une distance prudente. Ils attendraient le verdict de Farouk avant d'aligner leur comportement sur le sien.

En voyant Berenilde revenir avec Ophélie, la tante Roseline cacha son soulagement derrière une grimace mécontente.

— Il faudra un jour que tu m'expliques, marmonna-t-elle, comment je suis censée chaperonner une gamine qui échappe sans cesse à ma vigilance.

Ophélie avait maintenant une vue imprenable sur la partie. Le labyrinthe était composé d'une série de dalles numérotées. Sur certaines d'entre elles, des oies étaient attachées à des piquets. Deux domestiques se tenaient à des emplacements précis sur le chemin en spirale et semblaient attendre des directives.

Elle se tourna vers l'endroit où tous les regards convergeaient à cet instant : une petite estrade ronde qui dominait le labyrinthe. Là, installé à une jolie table peinte dans le même blanc que l'estrade, un joueur était en train d'agiter le poing, prenant un plaisir manifeste à impatienter l'assistance. Ophélie le reconnut à son haut-de-forme éventré et au sourire impertinent qui lui fendait le visage en deux : il s'agissait d'Archibald, l'ambassadeur de Farouk.

Quand il ouvrit enfin le poing, un tintement de dés résonna au milieu du silence.

— Sept ! annonça le maître de cérémonie.

Aussitôt, l'un des domestiques s'avança de sept dalles et, à la stupéfaction d'Ophélie, disparut au fond d'un trou.

— Notre ambassadeur n'est vraiment pas chanceux au jeu, ironisa quelqu'un derrière elle. C'est sa troisième partie et il tombe *toujours* sur le puits.

En un sens, la présence d'Archibald rassurait Ophélie. Ce n'était pas un homme sans défauts, mais il était ici ce qui se rapprochait le plus d'un ami et il avait au moins le mérite d'appartenir au clan de la Toile. Il n'y avait que des Mirages parmi les courtisans, à quelques exceptions près, et il flottait autour d'eux un parfum d'hostilité qui rendait l'air irrespirable. S'ils étaient tous aussi tortueux que le chevalier, ça promettait de charmantes journées en perspective.

Comme le reste de l'assistance, Ophélie se concentra cette fois sur la table de l'autre joueur, en haut de l'estrade. Au début, à cause de sa voilette, elle eut l'impression de n'y voir qu'une constellation de diamants. Elle finit par comprendre qu'ils appartenaient aux nombreuses favorites qui enserraient Farouk dans un entrelacs de bras, l'une peignant ses longs cheveux blancs, l'autre blottie contre son torse, une autre encore agenouillée à ses pieds, et ainsi de suite. Le coude posé sur la table, beaucoup trop petite pour sa taille, Farouk semblait aussi indifférent aux caresses qu'on lui prodiguait qu'à la partie à laquelle il se livrait. En tout cas, Ophélie le déduisit à la façon dont il bâilla bruyamment en jetant ses dés. De là où elle était, elle ne distinguait pas bien son visage.

— Cinq ! chantonna le maître de cérémonie au milieu des applaudissements et des exclamations de joie.

Le second domestique se mit aussitôt à bondir de case en case. Chaque fois, il atterrissait sur une dalle occupée par une oie qui cacardait furieusement et essayait de lui mordre les mollets, mais il la quittait aussi vite, allant de cinq en cinq, jusqu'à finir pile sur la dernière case, au centre de la spirale, acclamé par les nobles comme un champion olympique. Farouk avait gagné la partie. Ophélie, elle, trouva le spectacle irréel. Elle espérait que quelqu'un se soucierait rapidement de sortir l'autre domestique de son trou.

Sur l'estrade, un petit homme en complet blanc profita de la fin de la partie pour s'avancer vers Farouk avec ce qui ressemblait à un nécessaire à écrire. Il arborait un immense sourire tandis qu'il lui parlait dans le creux de l'oreille. Déconcertée, Ophélie vit Farouk tamponner négligemment un papier que l'homme lui tendait, sans même en lire une seule ligne.

— Prenez exemple sur le comte Boris, lui chuchota Berenilde. Il a attendu le bon moment pour obtenir un nouveau domaine. Préparez-vous, ça va être à nous.

Ophélie ne l'entendit pas. Elle venait de remarquer la présence sur l'estrade d'un autre homme qui attira toute son attention. Il se tenait en retrait, si sombre et si immobile qu'il serait presque passé inaperçu s'il n'avait soudain fait claquer le couvercle de sa montre. À sa vue, Ophélie sentit une bouffée brûlante lui monter du fond du corps jusqu'à lui enflammer les oreilles.

Thorn.

Son uniforme noir à col officier et aux lourdes épaulettes n'était pas adapté à la chaleur étouffante – certes illusoire, mais très réaliste – de la verrière. Guindé de la tête aux pieds, raide comme la justice, silencieux comme une ombre, il ne semblait pas à sa place dans l'univers extravagant de la cour.

Ophélie aurait donné n'importe quoi pour ne pas le trouver ici. Fidèle à lui-même, il allait prendre le contrôle de la situation et lui dicter son rôle.

— Mme Berenilde et les dames d'Anima ! annonça le maître de cérémonie.

Quand toutes les têtes se tournèrent vers Ophélie dans un silence accablant, seulement perturbé par le cacardement des oies, elle prit une profonde inspiration. Le moment était enfin venu pour elle d'entrer dans la partie.

Elle y trouverait sa place, envers et contre Thorn.

La môme

Ophélie s'avança jusqu'à l'estrade en sentant sur elle des regards si brûlants de curiosité qu'elle se demanda si elle n'allait pas finir par prendre feu. Elle ignora de son mieux le clin d'œil polisson que lui adressa Archibald depuis sa table de jeu et gravit les marches blanches de l'estrade en se concentrant sur une seule pensée : « Mon avenir va dépendre de ce qui se jouera ici et maintenant. »

Peut-être fut-ce à cause de la nervosité que lui inspirait Thorn, de la voilette en dentelle qui l'empêchait de voir correctement, de l'écharpe enroulée à son pied ou de sa maladresse pathologique, le fait est qu'Ophélie heurta la dernière marche de l'escalier. Elle se serait étalée de tout son long si Thorn ne l'avait rattrapée au vol en lui empoignant le bras et en la rétablissant de force sur ses jambes. Ce raté n'échappa cependant à personne : ni à Berenilde dont le sourire s'était figé, ni à la tante Roseline qui avait enfoui son visage dans ses mains, ni à la côte fêlée d'Ophélie qui pulsait rageusement contre son flanc.

Il y eut des rires à travers tout le jardin de l'Oie, mais ils furent vite réprimés quand on s'aperçut que Farouk, lui, n'avait pas l'air de trouver la situation amusante du tout. Il n'avait pas bougé d'un cheveu depuis la fin de la partie, le coude toujours sur la table, l'air profondément ennuyé, ses favorites en diamants collées à son corps comme si elles en étaient le prolongement naturel.

Ophélie elle-même avait oublié Thorn dès l'instant où l'esprit de famille avait posé sur elle son regard indéchiffrable, aux iris d'un bleu pâle, presque blanc. En fait, tout était blanc chez Farouk – ses longs cheveux lisses, sa peau éternellement jeune, ses habits impériaux – mais Ophélie, pour sa part, ne remarqua que ses yeux. Les esprits de famille étaient impressionnants par nature. Chaque arche, à une exception près, possédait le sien. Puissants et immortels, ils étaient les racines du grand arbre généalogique universel, les parents communs à toutes les grandes lignées. Les rares fois où Ophélie avait rencontré sa propre ancêtre sur Anima, Artémis, elle s'était sentie minuscule. Ce n'était pourtant rien en comparaison de ce que lui inspirait Farouk à cet instant. Ophélie était séparée de lui par la distance protocolaire, et même ainsi, sa puissance psychique l'écrasait tandis qu'il l'observait avec une fixité de statue, sans un battement de paupières, sans un état d'âme.

— Qui est-ce ? demanda Farouk.

Ophélie ne pouvait pas lui reprocher de ne pas se souvenir d'elle. La seule fois où ils s'étaient croisés, c'était de loin, elle était travestie en valet et ils n'avaient pas échangé un seul regard. Elle fut déconcertée quand elle s'aperçut que la question incluait également Thorn et Berenilde, sur lesquels Farouk avait reporté ses yeux inexpressifs. Ophélie savait que les esprits de famille possédaient une très mauvaise mémoire, mais tout de même ! Thorn était le surintendant de la Citacielle et de toutes les provinces du Pôle ; en tant que tel, il avait la responsabilité des finances et d'une bonne partie de l'administration judiciaire. Quant à Berenilde, elle était enceinte de Farouk et, la veille encore, ils avaient passé la nuit ensemble.

— Où est l'aide-mémoire ? réclama Farouk.

— Je suis là, mon seigneur !

Un jeune homme, qui devait avoir à peu près l'âge d'Ophélie, surgit de derrière le fauteuil de Farouk. Il possédait le tatouage frontal et la beauté blonde du clan de la Toile. Probablement un cousin d'Archibald.

— M. l'ambassadeur a sollicité une audience afin de vous entretenir au sujet de la situation de votre intendant M. Thorn, de sa tante Mme Berenilde et de sa fiancée Mlle Ophélie.

L'aide-mémoire s'était exprimé d'une voix douce et patiente, en désignant tour à tour à Farouk les personnes qu'il nommait. Archibald s'était avancé le premier, son haut-de-forme posé de guingois sur ses cheveux mal peignés. Ophélie était certaine qu'il avait fait exprès de ne pas se raser : plus l'instant était solennel, plus l'ambassadeur défiait les convenances.

— À quel sujet ? demanda Farouk, déjà accablé d'ennui.

— Au sujet de la disparition du clan des Dragons, mon seigneur, rappela l'aide-mémoire avec une douceur angélique. Le funeste accident qui a coûté la vie à vos chasseurs. M. Archibald vous a tout expliqué ce matin. Lisez, mon seigneur, vous l'avez noté dans votre pense-bête.

L'aide-mémoire remit alors à Farouk un carnet dont les pages, à force d'être manipulées, étaient tout écornées. Avec une infinie lenteur, celui-ci décolla son coude de la table de jeu et le feuilleta. Les favorites s'adaptaient aux moindres mouvements de son corps, délaçant leurs bras ici pour les relacer aussitôt ailleurs. Ophélie observait la scène avec un mélange de fascination et de répulsion. Sous leurs diadèmes de diamants, leurs colliers de diamants et leurs bagues de diamants, elles ne ressemblaient plus tellement à des femmes.

— Les Dragons sont morts ? dit Farouk.

— Oui, mon seigneur, répondit l'aide-mémoire. Vous l'avez écrit en dernier.

— « Les Dragons sont morts », répéta-t-il, cette fois en se relisant. (Il marqua une longue hésitation, immobile comme un bloc de marbre, puis il tourna une autre page de son pense-bête.) Berenilde appartient au clan des Dragons. Je l'ai écrit, là.

Farouk avait déclaré cela en détachant chaque syllabe. L'accent du Nord prenait une ampleur d'orage dans sa bouche. Un orage lointain, à peine audible, mais bel et bien menaçant. Quand il releva les yeux de son pense-bête, Ophélie y découvrit une lueur inquiétante qu'il n'y avait pas un instant plus tôt.

— Où est Berenilde ?

Sans une phrase, sans une révérence, Berenilde s'avança vers lui pour lui caresser la joue avec la tendresse d'une véritable épouse. Cette fois, Farouk parut immédiatement la reconnaître. Il la contempla sans rien dire, lui non plus, mais Ophélie sentit qu'il y avait bien plus dans leur silence que dans tous les discours du monde.

Ce fut Thorn qui, en faisant impatiemment claquer le couvercle de sa montre, brisa le charme. Farouk se remit alors en mouvement avec la lenteur d'un iceberg à la dérive, s'empara du stylographe que lui tendit son aide-mémoire et ajouta une nouvelle note à son pense-bête. Ophélie se demanda s'il écrivait « Berenilde est vivante » afin de ne plus l'oublier.

— Donc, madame, reprit Farouk, vous venez de perdre toute votre famille. Je vous présente mes condoléances.

Sa voix de cave ne trahissait aucune émotion, à croire que ce n'était pas une branche entière de sa propre descendance qui venait de disparaître dans un bain de sang.

— Fort heureusement, je ne suis pas la seule survivante, s'empressa de préciser Berenilde. Ma mère fait une cure en province, ignorante des récents événements. Quant à mon neveu, ici présent, il va bientôt prendre femme. La relève des Dragons est assurée.

Ophélie eut presque de la peine. Un jour, elle essaierait d'annoncer à Berenilde que ce mariage-là resterait blanc et qu'il n'y aurait pas d'enfants.

Lorsque des chuchotis de protestation s'élevèrent parmi les nobles, réunis autour de l'estrade des joueurs, le mot « bâtard » fut prononcé très distinctement. Thorn ne chercha même pas à défendre son honneur. Le front dégoulinant de sueur, il avait le nez collé au cadran de sa montre à gousset, à croire qu'il était en train de prendre un retard considérable dans son emploi du temps.

— Voilà pourquoi j'ai sollicité cette audience, intervint Archibald avec un large sourire. Que vous le vouliez ou non, ma chère Berenilde, votre neveu n'a jamais été reconnu par les Dragons et votre mère n'est plus toute jeune. D'ici peu, vous serez l'unique représentante de votre clan. Voilà qui remet en question votre position à la cour, vous en conviendrez de bonne foi.

La tirade fut accueillie par de petits applaudissements. En digne représentant de l'ambassade, Archibald avait exprimé tout haut ce que chacun pensait tout bas. Ophélie se retourna en entendant derrière elle un bruit de machine à écrire : un greffier s'était installé à une table de joueur et consignait tout ce qui se disait.

— Pour cette raison, enchaîna alors Archibald d'une voix claironnante, j'ai offert à Mme Berenilde et à Mlle Ophélie l'amitié officielle de ma famille.

La déclaration jeta un froid terrible dans le jardin de l'Oie et les applaudissements cessèrent aussitôt. Les Mirages ignoraient jusqu'à cet instant qu'une alliance avait été conclue entre Berenilde et le clan de la Toile.

— Il s'agit d'une amitié diplomatique, pas d'une

31

alliance militaire, précisa Archibald avec l'expression hilare de celui qui raconte une bonne plaisanterie. La Toile veut veiller à ce qu'il n'arrive rien de fâcheux à ces dames, mais elle tient à préserver sa neutralité politique et à rester en dehors de vos petits meurtres de couloir. Nous nous engageons donc formellement à ne menacer la vie de personne, ni à engager quelqu'un pour le faire à notre place.

Ophélie fut soufflée par la désinvolture dont Archibald faisait preuve pour aborder un sujet aussi grave. Elle nota également qu'il avait passé sous silence l'enjeu principal de ladite amitié : Berenilde avait fait de lui le parrain officiel de son futur enfant. La descendance directe d'un esprit de famille, ce n'était pourtant pas un petit détail.

— L'amitié de ma famille a ses propres limites, mon seigneur, déclara Archibald à l'intention de Farouk. Accepteriez-vous de prendre vous-même ces femmes sous votre protection, ici, à la cour ?

Farouk l'écoutait à peine. Son corps était voûté d'ennui, coudes sur les genoux, et tout ce qu'il possédait de concentration semblait réservé au pense-bête qu'il feuilletait mollement.

Ophélie se demanda d'où lui venait cette gêne qu'elle ressentait dans le bras, puis elle comprit que c'était la main de Thorn. Il ne l'avait plus relâchée depuis son faux pas et il enfonçait ses longs doigts osseux dans sa chair. Il les serra davantage quand Farouk se figea au milieu de son pense-bête et que ses sourcils blancs se haussèrent dans un mouvement sans fin.

— La *liseuse*. J'ai écrit ici que Berenilde m'apporterait une *liseuse*. Où est-elle ?

— Elle est ici, mon seigneur, dit l'aide-mémoire en désignant Ophélie. À côté de M. son fiancé.

« Nous y voilà », songea Ophélie qui noua ses mains pour calmer leur tremblement.

— Oh, dit Farouk en refermant son pense-bête. C'est donc elle.

Un silence tomba sur l'assemblée quand il s'approcha d'Ophélie et s'accroupit devant elle, pareil à un adulte qui se mettrait à la hauteur d'un enfant. Elle ne s'était pas préparée à un tel face-à-face.

Farouk souleva la voilette de dentelle pour examiner son visage avec un parfait sans-gêne. Tandis qu'il la dévisageait longuement, attentivement, Ophélie lutta de toutes ses forces pour ne pas prendre ses jambes à son cou. La puissance mentale de Farouk lui brouillait la vue, lui déchirait la tête, la submergeait corps et âme.

— Elle est abîmée, constata-t-il d'une voix déçue, comme s'il y avait escroquerie sur la marchandise.

Le greffier tapa consciencieusement ces mots sur sa machine à écrire.

— Et puis, poursuivit Farouk, je n'aime pas les mômes.

Ophélie comprenait mieux pourquoi personne ne faisait allusion à la grossesse de Berenilde devant lui. Elle respira profondément. Si elle ne prenait pas la parole, là, maintenant, tout son avenir en serait compromis. Elle échangea un bref regard avec la tante Roseline, qui lui faisait signe de s'exprimer franchement, puis elle considéra bien en face le visage de Farouk, sa beauté inhumaine, en s'obligeant à ne surtout pas en détourner les yeux.

— Je ne suis peut-être pas ce qu'on peut appeler une grande personne, mais je ne suis plus une môme.

Ophélie possédait une toute petite voix qui ne portait pas loin et qui l'obligeait souvent à répéter ses phrases ; aussi avait-elle puisé dans ses poumons le souffle nécessaire pour se faire entendre de tous les gens présents sur l'estrade. Elle ne s'adressait pas seulement à Farouk, mais à Thorn, à Berenilde, à Archibald, à toutes ces personnes qui avaient pris la fâcheuse habitude de la traiter comme une fillette.

Farouk tapota pensivement sa lèvre inférieure, puis il rouvrit son pense-bête aux premières pages. Ophélie était suffisamment près pour deviner, à l'envers, une écriture maladroite et un nombre impressionnant de croquis. Farouk s'attarda sur le dessin d'un bonhomme avec des bras comme des bâtons, des boucles coloriées en marron-orange et une grosse paire de lunettes.

— C'est Artémis, expliqua-t-il de sa voix traînante. Puisqu'elle est ma sœur et puisqu'elle est votre esprit de famille, je suppose que cela fait de vous une sorte d'arrière-arrière-arrière-arrière-petite-nièce ? Oui, finit-il par admettre en louchant sur le dessin, je suppose que vous me faites un peu penser à elle. Surtout les lunettes.

Ophélie se demanda quand Farouk avait vu sa sœur pour la dernière fois, parce que Artémis ressemblait à tout sauf à ce gribouillis et qu'elle ne portait pas de lunettes. Les esprits de famille ne quittaient jamais leur arche. Ils avaient peut-être partagé une enfance commune autrefois, avant la Déchirure, mais ils ne semblaient pas en conserver un souvenir très vif. Ils n'avaient aucune mémoire, un possible effet secondaire de leur prodigieuse longévité, et cela auréolait de mystère leur passé – le passé de l'humanité entière, en fait. Même Ophélie, toute *liseuse* fût-elle, ne savait rien de leur histoire personnelle. Elle se demandait parfois s'ils avaient eu eux-mêmes des parents, à une époque très reculée.

— Donc, petite d'Artémis, reprit Farouk, vous savez *lire* le passé des objets ?

— À mon grand regret, soupira Ophélie, c'est la seule chose que je sache faire convenablement de mes dix doigts.

Ça et s'enfuir à travers les miroirs, mais c'était plus difficile à caser dans des références professionnelles.

— Ne le regrettez pas.

Un éclat venait de s'allumer sous les paupières tombantes de Farouk. D'un geste à la lenteur interminable, il plongea une main à l'intérieur de son grand manteau impérial et en sortit un ouvrage dont la reliure était incrustée de pierres précieuses. Proportionnellement à la taille de Farouk, c'était un livre de poche ; à l'échelle d'Ophélie, c'était l'équivalent d'une encyclopédie.

— Vous pourriez, par exemple, *lire* mon Livre.

L'appréhension qu'elle éprouva en voyant cet objet fut presque aussi vive que sa curiosité. Un

Livre comme celui-là méritait bien sa majuscule. Ophélie avait longtemps cru qu'il n'en existait qu'un seul de cette sorte, sur Anima, dans les archives privées d'Artémis : un document si singulier et si ancien que les meilleurs *liseurs*, dont elle faisait partie, n'étaient jamais parvenus à le décrypter. En arrivant au Pôle, Ophélie n'avait pas seulement appris qu'il y en avait d'autres à travers les arches, elle avait surtout découvert que celui de Farouk était l'enjeu central de son mariage.

Aussi, quand elle vit enfin de ses propres yeux ce Livre auquel son destin était lié, Ophélie sentit ses mains la démanger et se tendre instinctivement vers lui. En perçant son secret, elle pourrait peut-être se libérer ?

— Pas elle.

Cette voix lugubre avait résonné comme un gong funéraire. C'était la première fois que Thorn prenait la parole depuis le début de l'entrevue. Il semblait avoir attendu cet instant précis pour tirer brusquement sur le bras d'Ophélie de façon à la faire reculer et la placer derrière lui, bien cachée dans son ombre.

— Moi.

Toujours accroupi, son Livre dans les mains, Farouk battit des paupières en haussant les yeux vers Thorn, hébété, comme s'il avait été arraché à une sieste.

— C'est moi qui *lirai* votre Livre, répéta Thorn d'un ton catégorique. Quand j'aurai hérité le pouvoir de ma femme, dans quatre mois et neuf jours, et que j'aurai appris à m'en servir. C'est dans notre contrat.

Thorn rangea sa montre à gousset, plongea les doigts dans une poche extérieure de son uniforme et déploya d'un coup sec un papier administratif. Son autre main n'avait toujours pas lâché sa fiancée. Ophélie savait que ce geste-là n'était ni affectueux ni protecteur. C'était un avertissement lancé à Farouk et à toute sa cour : lui, Thorn, avait la propriété exclusive de son don de *liseuse*.

Elle se contracta de la tête aux pieds. De toutes les découvertes qu'elle avait faites au Pôle, celle-ci était de loin la plus répugnante. La cérémonie du Don était un rituel nuptial au cours duquel les deux époux se communiquaient leurs pouvoirs familiaux respectifs. Thorn s'était bien gardé de dire à Ophélie qu'il avait organisé leur mariage dans la seule intention d'hériter de son animisme et de faire ses propres preuves en tant que *liseur*. Il tenait de sa mère une mémoire prodigieuse et semblait penser que l'accouplement de leurs pouvoirs familiaux lui permettrait de remonter assez loin dans le temps pour déchiffrer le Livre de Farouk.

Thorn n'était pas intéressé par la démarche historique en elle-même. Il ne songeait qu'à son ambition personnelle.

— Prendrez-vous ma fiancée et ma tante sous votre protection d'ici à mon mariage ? insista Thorn. Ainsi que tous les Animistes qui viendraient au Pôle, afin d'entretenir avec eux de bons rapports diplomatiques ?

Certes, l'accent du Nord était particulièrement marqué chez lui, durcissant chaque syllabe, mais on aurait vraiment cru que demander cette faveur à Farouk lui écorchait les lèvres. Berenilde, pour sa part, observait un silence tranquille ; il fallait bien la connaître pour savoir que le velouté de son sourire cachait une certaine inquiétude.

Ophélie était consciente qu'ils jouaient ensemble sur les planches d'un théâtre, devant un public qui n'attendait qu'une fausse note pour les huer. Chaque mot, chaque intonation, chaque expression corporelle avait son importance. Mais sur cette scène, Thorn restait son plus grand adversaire. À cause de lui, on ne retiendrait d'elle que l'image d'une femme tapie dans l'ombre de son mari.

Farouk relut d'un air maussade les termes du contrat que Thorn lui présentait, puis il rangea le Livre dans son manteau et se redressa muscle après muscle, articulation après articulation, jusqu'à se mettre entièrement debout. Thorn était grand ; Farouk était gigantesque.

— Si elle n'est bonne qu'à *lire* et que je ne peux pas lui demander de *lire*, dit-il lentement, à quoi donc vais-je l'employer ? Je n'accepte dans mon entourage que des personnes capables de me distraire.

C'était maintenant ou jamais. Ophélie quitta l'ombre de Thorn, obligeant ce dernier à lui lâcher le bras, puis elle hissa les yeux vers Farouk de façon à le regarder en face, et tant pis pour la douleur que cela impliquait.

— Je ne suis pas distrayante, mais je peux me rendre utile. Je tenais un musée sur Anima, je pourrais en ouvrir un ici. Un musée, c'est comme une mémoire, souligna-t-elle en choisissant bien ses mots. C'est comme votre pense-bête.

Ophélie ne pouvait pas voir l'expression de Thorn, mais elle eut droit à celle de Berenilde qui ne souriait plus du tout. Ce n'était certainement pas ce à quoi elle pensait quand elle lui avait demandé de faire bonne impression. Ophélie ignora de son mieux les murmures choqués qui montaient de l'assistance, autour de l'estrade. Avec cette requête, elle avait probablement transgressé la moitié des règles de l'étiquette.

— Quel genre de musée teniez-vous ? demanda Farouk.

— Histoire primitive, répondit précipitamment Ophélie, soulagée d'avoir réussi à éveiller sa curiosité. Tout ce qui a trait à l'ancien monde. Je suis évidemment capable de m'adapter à vos ressources historiques.

Farouk parut réellement intéressé et, l'espace d'un instant, Ophélie crut avoir enfin décroché son musée, son indépendance et sa liberté. Aussi fut-elle incrédule quand elle entendit la réponse, fidèlement retranscrite par la machine à écrire du greffier :

— Histoire, donc. Parfait, petite d'Artémis, vous me raconterez des histoires. Ce sera le prix de la protection que je vous accorde, à vous et à votre famille. Je vous nomme vice-conteuse.

Les contrats

À peine Ophélie eut-elle redescendu les marches de l'estrade, déséquilibrée par son écharpe, abasourdie par ce qui venait de se passer, qu'un violent flash de lumière l'aveugla. C'était la première fois de sa vie qu'elle était prise en photographie et il fallait que ce fût au moment où elle avait l'air le plus découragé. Sa boîte noire sous le bras, enveloppé d'une fumée de magnésium, le photographe fonça à sa rencontre. Il s'agissait d'un Mirage chauve comme un œuf et bouillonnant comme une marmite.

— Mademoiselle l'Animiste ! Je suis M. Tchekhov, le directeur du *Nibelungen*, le journal le plus lu de toute la Citacielle. Pourriez-vous répondre à quelques questions ? Notre seigneur Farouk vient de vous nommer vice-conteuse, enchaîna-t-il sans laisser le temps à Ophélie d'accepter. Aurez-vous les épaules pour rivaliser avec l'excellentissime Éric, notre conteur en titre ? Il vous faudra beaucoup de talent pour partager l'affiche avec ses époustouflantes pantomimes. Personne, en quarante années de spectacle, n'a jamais tenu la concurrence face à lui ! Quelle est votre stratégie pour défendre votre place sur scène ?

Ophélie ne savait pas comment ce directeur de journal s'y prenait, mais elle avait trempé sa robe de transpiration rien qu'en l'écoutant. Une scène ? Parce que, en plus, elle devrait se produire sur une scène ?

Pour ne rien arranger, les courtisans la dévisageaient avec froideur, dans l'attente de sa réponse. À son soulagement, tout le monde cessa de s'intéresser à elle quand, en haut de l'estrade, Farouk posa un diadème sur la tête de Berenilde. Les Mirages applaudirent ce couronnement du bout des doigts.

En voyant Berenilde ainsi parée de ses diamants, les joues roses et les yeux brillants, magnifiée par la luminosité éclatante de la verrière, avec pour toile de fond les palmiers et les bougainvillées, Ophélie crut contempler une reine exotique. Une reine ? Non. Une courtisane.

— Je la plains, déclara la tante Roseline qui, à force de jouer des coudes, était enfin parvenue jusqu'à Ophélie. Ce ne doit pas être facile d'aimer un bonhomme qui a besoin de diamants pour se rappeler les femmes dont il partage l'intimité.

— Elle l'a accepté pour moi, murmura Ophélie. M. Farouk me protège de sa cour, mais Berenilde, elle, me protège de M. Farouk.

— Au fond, je te plains encore plus qu'elle. Je savais M. Thorn peu sentimental, mais tout de même, il faut avoir des rouages à la place du cœur pour ne voir en toi qu'une paire de mains. Tu es pâle comme une ampoule, s'inquiéta la tante Roseline. Ta côte te fait mal ?

41

Ophélie venait de détacher la voilette de son chapeau, agacée de voir le monde à travers de la dentelle.

— C'est ma propre bêtise qui me fait mal. Notre famille va débarquer d'un jour à l'autre et la sécurité de tout le monde dépendra de ma prestation sur scène. Vous me voyez vraiment en conteuse ?

La tante Roseline ouvrit et referma la bouche, visiblement embarrassée par la question, puis elle saisit Ophélie par les épaules.

— Fuyons ces courtisans tant qu'ils regardent ailleurs. Nous attendrons Berenilde dehors. Et attention où tu poses les pieds : ton écharpe n'a aucune tenue.

Ophélie eut un dernier regard pour l'estrade de jeu où les nobles affluaient pour féliciter Berenilde. Thorn s'y tenait toujours, mais il était la seule personne à ne prêter aucune attention à sa tante, entièrement absorbé dans la lecture du procès-verbal que venait de lui remettre le greffier. Ophélie détourna les yeux dès que Thorn releva les siens, luisants comme du métal, pour l'observer par-dessus la feuille dactylographiée.

— Ce n'est pas le grand amour, dites-moi !

La femme qui avait roucoulé ces mots s'avança entre les palmiers du jardin. De stature massive, elle était vêtue d'un voile aux pendeloques d'or qui devait peser formidablement lourd. Ophélie ne se sentit pas tellement rassurée en voyant le tatouage des Mirages sur ses paupières. Elle le fut encore moins quand la femme enveloppa son visage dans ses mains et examina ses blessures avec une familiarité déconcertante.

— C'est M. Thorn qui vous a arrangée de la sorte, ma colombe ?

Ophélie aurait voulu répondre que c'était peut-être la seule chose au monde dont Thorn n'était pas responsable, mais elle ne put que pousser un éternuement. Il se dégageait de cette femme un puissant parfum capiteux qui faisait tourner la tête.

— À qui avons-nous l'honneur ? demanda la tante Roseline.

— Je suis Cunégonde, répondit la Mirage sans détacher les yeux d'Ophélie. J'ai adoré ce que vous avez essayé de faire sur cette estrade, ma colombe. Nous sommes semblables, vous et moi.

Ses pendeloques d'or tintèrent comme des grelots quand elle leva le bras. Cunégonde désigna un Mirage dans le cortège de courtisans ; son embonpoint était si majestueux, son allure si superbe qu'on ne voyait pratiquement que lui. Une illusion très réussie faisait passer les rayures de sa redingote par toutes les couleurs de l'arc-en-ciel. Ophélie reconnut sans mal le baron Melchior. Elle l'avait croisé plus d'une fois dans les corridors du Clairdelune, quand elle y travaillait secrètement comme valet.

— Votre bête noire à vous, c'est M. Thorn, souffla Cunégonde dans l'oreille d'Ophélie. Ma bête noire à moi, c'est mon frère. Le baron aux doigts d'or ! Le grand illusionniste-couturier ! Le ministre des Élégances ! Il a même reçu la Légion d'honneur pour services rendus à la famille. Melchior a toujours eu droit aux feux de la rampe quand on me condamne, moi, à rester une artiste

43

de l'ombre. Et savez-vous pourquoi, ma colombe ? Parce que ces messieurs pensent qu'eux seuls sont capables de faire tourner la machine, ici-haut.

— Que devons-nous faire pour sortir de leur ombre ? demanda Ophélie, atteinte droit au cœur par ce discours.

— Allier nos forces, ma colombe. Pourquoi devrions-nous être rivales pour de ridicules histoires de clans ? Nous sommes des femmes avant tout. Des femmes à l'esprit d'entreprise, qui plus est !

— Enfin un discours sensé, intervint la tante Roseline. Je suis entièrement de votre avis, très chère madame. Je rentrerais l'esprit tranquille sur Anima si je savais ma nièce capable de se débrouiller par ses propres moyens. Quelle sorte d'art pratiquez-vous ?

Le sourire de Cunégonde s'élargit dans un glissement de lèvres rouges.

— Je tiens des Imaginoirs. Des établissements d'illusions coquines, si vous préférez. J'ai appelé les miens les *Délices érotiques* et, croyez-moi, je ne les destine pas qu'à ces messieurs.

À la façon dont la tante Roseline écarquilla les yeux, Ophélie sut que Cunégonde avait déjà cessé d'être une « très chère madame ».

— Il n'y a que deux catégories de femmes dans l'entourage de notre seigneur Farouk. Celles qui cèdent leurs charmes et celles qui cèdent leurs services. Si vous ne participez pas à son plaisir, vous ne survivrez pas longtemps ici. Puis-je voir vos mains, ma colombe ?

Après une hésitation perplexe, Ophélie déboutonna ses gants de *liseuse*. De ses ongles rouges, affûtés comme des lames, Cunégonde redessina les lignes de ses paumes avec une expression fascinée.

— Elles sont si petites et si ordinaires… Vous possédez pourtant les mains les plus craintes de toute la Citacielle.

— À cause du Livre de M. Farouk ? s'étonna Ophélie.

Cunégonde lui adressa un clin d'œil qui révéla fugacement le tatouage de sa paupière.

— Les objets n'ont aucun secret pour vous. En d'autres termes, vous êtes susceptible d'éventer toutes les cachotteries de la cour, et elles sont innombrables.

Ophélie promena un regard plus attentif sur les nobles rassemblés autour des haies du jeu de l'oie et s'aperçut qu'on lui décochait de loin des coups d'œil hostiles. Les dames, en particulier, vérifiaient nerveusement leurs accessoires de toilette, comme si le simple fait de perdre une épingle aurait pu les compromettre.

— Je vous propose un marché, ma colombe, reprit Cunégonde en serrant les mains d'Ophélie dans les siennes. Je mets mes meilleures illusions à votre service et je vous garantis un spectacle qui surpassera celui du conteur en titre. En échange, poursuivit-elle en baissant davantage la voix, vous laisserez traîner ici et là vos doigts pour moi.

Elle se tenait si proche que son parfum suffoquait Ophélie comme une fumerolle de volcan.

— Je vous remercie pour votre offre, répondit-elle en s'efforçant de ne pas tousser, mais je dois la décliner. Je ne *lis* aucun objet sans le consentement de son propriétaire.

Le sourire de Cunégonde s'accentua. Ses ongles, eux, s'enfoncèrent dans les mains d'Ophélie.

— Vous déclinez ?

— Je décline, madame.

— Il semblerait que je me sois méprise. J'avais cru voir sur cette estrade une jeune femme ambitieuse. Puis-je me permettre un petit conseil, ma colombe ? (Ses ongles s'enfoncèrent plus profondément et la tante Roseline ne put réprimer un mouvement d'inquiétude.) Ne dites jamais « non » à un Mirage.

— Est-ce une menace ?

C'était Archibald qui avait posé cette question. Les mains dans les poches trouées de sa redingote, son vieux haut-de-forme posé de travers, il s'était nonchalamment approché. Deux vieillardes l'accompagnaient ; elles portaient des vertugadins si amples et si noirs qu'elles ressemblaient à des cloches funéraires.

Cunégonde relâcha aussitôt les mains d'Ophélie.

— Une suggestion, monsieur l'ambassadeur, répondit-elle en s'adressant davantage aux vieillardes qu'à Archibald. Une simple suggestion.

Sur ces mots, Cunégonde s'en fut dans un bruissement de pendeloques, non sans un dernier regard appuyé pour Ophélie.

— Vous ne perdez pas un instant, fiancée de Thorn ! s'esclaffa Archibald. À peine introduite à la cour, vous vous faites déjà une ennemie. Et pas n'importe laquelle. Il n'y a rien de plus redoutable qu'une artiste désespérée.

Ophélie reboutonna ses gants en grimaçant de

douleur. Cunégonde n'y était pas allée de main morte avec ses ongles.

— Désespérée ? releva-t-elle.

Archibald sortit d'une poche de sa redingote un joli sablier bleu. Ophélie connaissait cet objet de réputation, même si elle n'en avait jamais utilisé. Il suffisait d'ôter la goupille pour déclencher le mécanisme et se retrouver transporté, le temps d'un tour de sablier, dans un endroit paradisiaque. « Essaie de te représenter les couleurs les plus vives, les parfums les plus enivrants, les caresses les plus affolantes, lui avait expliqué une fois Renard. Tu seras de toute façon en deçà de ce que peut te procurer cette illusion. »

— Les affaires de dame Cunégonde ne sont pas florissantes, dit Archibald. Ses Imaginoirs font faillite les uns après les autres depuis que cette chère Hildegarde a mis ces sabliers bleus en service. Quel aristocrate irait s'afficher publiquement dans un lieu honteux, quand il lui suffit de dégoupiller ceci en toute discrétion ? Permettez-moi de vous présenter votre escorte, enchaîna-t-il à brûle-pourpoint. J'avais promis une protection à cette chère Berenilde. La voici !

D'un geste théâtral, Archibald désigna les deux vieillardes qui se tenaient silencieusement derrière lui. Leurs yeux pâles, entre lesquels le tatouage familial semblait dessiner une mystérieuse ponctuation, se posèrent sur Ophélie avec une froideur professionnelle.

— Ce sont ces dames qui vont nous défendre ? s'indigna la tante Roseline. Des gendarmes n'auraient-ils pas été plus appropriés ?

47

— Vous logerez au gynécée, comme toutes les favorites de Farouk, expliqua Archibald. Les hommes n'ont pas le droit d'y pénétrer. Ne soyez pas inquiète, les Valkyries sont les meilleures garantes de votre sécurité.

Ophélie haussa les sourcils, impressionnée. Elle avait séjourné suffisamment longtemps au Clairdelune pour avoir entendu parler des Valkyries. Ces femmes s'étaient spécialisées dans les escortes diplomatiques : elles observaient chaque détail, écoutaient chaque conversation avec une attention scrupuleuse. Elles étaient télépathiquement reliées aux autres membres de la Toile et certains d'entre eux avaient pour charge de consigner nuit et jour tout ce que les Valkyries voyaient et entendaient. Les personnalités confiées à leurs soins étaient sous bonne surveillance. Ces services-là n'étaient pas offerts au premier aristocrate venu.

Ophélie redressa ses lunettes sur son nez de façon à regarder Archibald droit dans les yeux. C'était comme contempler le ciel à travers deux fenêtres.

— J'ai été victime d'une terrible méprise. Je ne suis pas compétente pour raconter des histoires. Monsieur l'ambassadeur, vous m'avez offert votre amitié : pouvez-vous m'aider à dissiper ce malentendu ?

Archibald secoua la tête avec un sourire mi-navré, mi-ironique. En dépit de ses cheveux mal peignés, de ses joues mal rasées et de ses vêtements mal rapiécés, il était insolemment beau.

— Passez-moi l'expression, fiancée de Thorn,

48

mais quand on fait son lit, on se couche. Surtout avec Farouk.

— Je n'ai pas eu le temps de bien plaider ma cause. Si je pouvais démontrer le bien-fondé de mon projet...

— Votre projet ? ricana Archibald. Vous voulez dire cette ridicule histoire de musée ? Oubliez ça immédiatement, vous n'intéresserez jamais personne ici avec une chose aussi ennuyeuse.

— Vous..., suffoqua la tante Roseline. Vous êtes plus grossier qu'une planche mal équarrie !

Archibald pivota vers elle, extrêmement amusé par l'insulte.

— Non, ma tante, dit Ophélie. Il a raison.

La lumière intense de la verrière faisait ressortir toute la poussière accumulée sur ses lunettes. Elle les ôta pour les essuyer dans la belle robe blanche que Berenilde lui avait offerte, sans se soucier de se salir, et se mit à réfléchir furieusement. Elle avait eu des semaines entières pour explorer de nouvelles idées, de nouvelles possibilités, et, au lieu de cela, elle s'était raccrochée à son ancienne vie.

— J'aimerais que vous regardiez attentivement ceci, l'interrompit Archibald. Je les ai « empruntés » au maître de cérémonie.

Il venait de sortir deux jolis dés, ceux avec lesquels il avait disputé la partie de jeu de l'oie. Il les tendit à Ophélie, mais c'est la tante Roseline qui s'en empara afin de les remettre elle-même à sa nièce. Elle avait assisté à suffisamment de débauches sous le toit d'Archibald pour ne tolérer ne serait-ce qu'un frôlement de doigts entre eux deux.

49

Ophélie vit que toutes les faces des dés étaient vierges.

— Comprenez-vous, fiancée de Thorn ? Ils sont pipés. Le maître de cérémonie est un Mirage, c'est lui qui décide quels chiffres doivent apparaître sur les dés qu'il lance.

— C'est pour ça que vous tombiez chaque fois sur le puits ? murmura Ophélie, frappée par cette révélation.

— Farouk gagne *toujours*. Vous auriez pu lui proposer d'ouvrir une fromagerie, il aurait décidé d'en faire une chocolaterie.

Au même instant, une clameur joyeuse s'éleva dans le jardin de l'Oie. Ophélie ne voyait plus l'estrade des joueurs, les palmiers et les fontaines lui obstruant la vue, mais elle supposa que la partie avait repris. Une nouvelle partie avec de nouveaux dés pipés.

— À moins d'être plus habile, dit-elle en repensant au comte Boris qui avait attendu la victoire de Farouk pour obtenir son domaine. J'aurais dû lui proposer de *lire* son Livre au lieu de parler du musée. Je me suis laissé damer le pion par Thorn.

Les yeux et le sourire d'Archibald s'agrandirent sous la même poussée de surprise.

— Allons, allons, on ne vous a donc pas raconté ce qui est arrivé aux *liseurs* qui vous ont précédée ici ?

— On m'a dit qu'ils ont tous échoué et que M. Farouk l'a assez mal pris. Je pourrais tenter ma chance. Je ne me fais pas confiance pour tout un tas de choses, mais je réalise d'excellentes expertises.

— Renoncez à celle-là, dit Archibald sans la moindre hésitation. Je vous ai bien observée tout à l'heure, sur l'estrade : vous avez failli tourner de l'œil parce que Farouk vous *regardait*. Imaginez un peu l'effet que produirait sur vous sa colère. J'ai vu des hommes pleurer du sang et devenir fous à lier après l'avoir déçu. Notre esprit de famille est incapable de se contrôler.

Ophélie secoua son pied, toujours empêtré dans l'écharpe. Si Archibald avait voulu l'effrayer, il avait réussi.

— Renoncez au Livre, insista-t-il. Ma famille a failli se ruiner en engageant les meilleurs experts pour le déchiffrer : philologues, *liseurs* et compagnie. J'ai au moins retenu une leçon, ce bouquin est une équation insoluble. Impossible à dater puisqu'il ne s'altère pas avec le temps. Impossible à traduire puisque son écriture n'a pas d'équivalent.

— Artémis, notre esprit de famille, possède un Livre semblable dans sa collection privée, fit observer Ophélie. Tous les esprits de famille en auraient-ils un ?

— Il est difficile de répondre à cette question, chaque arche ayant ses petits secrets, dit Archibald avec un sourire énigmatique. Mais laissez donc Thorn se briser les os à votre place. Vous ferez une adorable petite veuve.

En dépit du faux soleil, Ophélie frissonna de toute sa peau. Elle regarda tour à tour les deux Valkyries qui les écoutaient en silence, avec une indifférence professionnelle, puis elle demanda à voix basse :

— Pourquoi M. Farouk est-il à ce point obsédé par son Livre ?

Archibald partit dans un tel éclat de rire que son haut-de-forme tomba sur la pelouse.

— Cette question, fiancée de Thorn, répondit-il une fois son souffle retrouvé, c'est probablement l'unique point commun que vous partagez avec tous les habitants du Pôle. Le Livre est la seule idée fixe de Farouk. Je vous le dis et je vous le répète dans votre intérêt : n'abordez plus jamais, au grand jamais, le sujet avec lui.

Archibald récupéra son haut-de-forme, le fit tournoyer dans les airs et le réceptionna sur sa tête avec une gestuelle de clown. Ophélie le considéra pourtant très sérieusement. C'était peut-être un provocateur et un égocentrique, mais au moins, lui, il n'était pas faux.

— Je n'ai pas rencontré beaucoup de personnes ici qui se soucient de mon intérêt. Merci, monsieur l'ambassadeur.

— Oh, ne me remerciez pas. Plus je vous renseigne, plus votre dette envers moi grandit. Un jour, je vous réclamerai l'addition.

— Quelle dette, quelle addition ? s'étonna Ophélie. Vous m'avez offert votre amitié.

— Justement. Les bons comptes font les bons amis. Ne vous inquiétez pas, vous y prendrez tellement de plaisir que vous vous empresserez de vous endetter à nouveau.

Ophélie trouvait navrant que le seul soutien valable dont elle bénéficiait à la cour vînt d'un homme aussi concupiscent. Son passe-temps favori consistait à pousser les femmes à l'adultère ; si Ophélie n'avait pas été promise à Thorn, il ne se serait jamais intéressé à elle.

— Je t'avais dit de ne pas avoir d'aussi mauvaises fréquentations ! s'exclama la tante Roseline que l'indignation rendait plus jaune que d'habitude. Monsieur l'ambassadeur, je veillerai personnellement à ce que vous gardiez vos distances avec ma nièce !

Le sourire d'Archibald, extensible comme un élastique, n'en finissait plus de s'élargir.

— Je suis désolé de vous contredire, madame Roseline, car je vous apprécie déjà. Vous ne pourrez pas toujours avoir cette demoiselle à l'œil. Et vous non plus, monsieur l'intendant.

Ophélie se retourna si impulsivement que la douleur provoquée par sa côte fêlée lui coupa la respiration. Deux têtes plus haut, Thorn était là, juste derrière elle. Il se dressait comme un monolithe au milieu de la pelouse, une feuille dactylographiée à la main. Ophélie ne l'avait jamais vu à son aise nulle part, sur aucun siège, à aucune table, parmi aucune assemblée, mais elle devait admettre qu'il avait l'air particulièrement incommodé dans ce jardin exotique. La lumière crue faisait ressortir les deux balafres de sa figure, et la transpiration coulait abondamment de ses cheveux pâles. Ce devait être une véritable fournaise sous son uniforme de fonction. Loin d'en être ramolli, il semblait au contraire crispé de la tête aux pieds.

Thorn n'accorda pas plus d'importance à Archibald qu'il n'en aurait donné à un tapis.

— Je suis venu vous remettre votre contrat.

— Surtout, épargnez-moi vos commentaires, s'agaça Ophélie en lui arrachant le papier des mains.

Elle s'était battue face à Thorn et elle avait lamentablement perdu. Il suffisait d'une seule critique, d'un seul sarcasme pour qu'elle cédât pour de bon à la colère.

Thorn ne se laissa pas démonter le moins du monde.

— Je vous informe également que j'ai pu établir une liaison radiotélégraphique avec votre famille. Je suis parvenu à tous les rassurer sur votre sort et à reporter leur venue à plus tard.

C'était probablement la meilleure nouvelle de la journée. Pourtant, Ophélie vécut cette annonce comme un affront supplémentaire.

— Et il ne vous a pas traversé l'esprit que j'aurais été heureuse d'assister à cette liaison radiotélégraphique ? Depuis notre départ, mes parents n'ont reçu aucune de nos lettres et nous n'avons reçu aucune des leurs. Avez-vous la moindre idée de l'isolement dans lequel ça nous a plongées, ma tante et moi ?

— J'ai paré au plus pressé, répondit Thorn sans un regard pour Archibald qui semblait se régaler de la situation. La présence des membres de votre famille ici, par les temps qui courent, serait aussi dangereuse pour eux que pour nous. Je veillerai à ce que vos prochaines lettres leur parviennent.

— Et votre contrat à vous ? demanda Ophélie. Ai-je le droit d'en prendre connaissance ou ce ne sont pas non plus mes affaires ?

Thorn fronçait continuellement les sourcils,

mais la remarque d'Ophélie les enfonça d'un cran supplémentaire. Il sortit une enveloppe d'une poche intérieure de son uniforme.

— Je vous destinais ce fac-similé. Ne vous en séparez jamais et mettez-le sous le nez de Farouk aussi souvent que nécessaire.

Ophélie décacheta l'enveloppe. Elle fit tomber le papier qu'elle contenait, le ramassa sur la pelouse et le lut avec la plus grande attention. C'était la copie du contrat de Thorn. Tout était là : la mise en place des fiançailles avec une *liseuse* d'Anima (le nom d'Ophélie n'était pas mentionné explicitement), la date du mariage le 3 août et même, déjà programmée pour novembre, la date de *lecture* du Livre. Il apparaissait très clairement que la fiancée que Thorn aurait choisie serait déchargée de toute implication dans le présent contrat. Les lunettes d'Ophélie se rembrunirent quand arriva la contrepartie de la *lecture* du Livre :

En cas de succès, M. Thorn obtiendra un titre nobiliaire officiel et sa condition de bâtard sera désormais considérée comme nulle et non avenue.

Ophélie sentit sa gorge se nouer. Toute l'ambition de Thorn tenait en deux lignes. Il l'avait arrachée à sa famille et mise en danger pour jouer les aristocrates. Berenilde ne figurait nulle part ; il n'avait pas eu une seule pensée pour sa propre tante malgré les risques personnels qu'elle avait pris pour l'aider dans son entreprise.

Thorn ne se souciait de personne ; Ophélie décida de ne plus se soucier de lui.

— Un jour, je paierai l'addition, promit-elle à Archibald. Laissez-moi choisir de quelle façon, je veillerai à ce qu'elle soit équitable.

Archibald possédait une panoplie complète de sourires, mais jamais Ophélie ne l'avait vu grimacer de la sorte, comme si elle l'avait embarrassé. Cela ne dura qu'un battement de cils, car il donna bien vite une claque farceuse à son haut-de-forme.

— Je suis impatient de voir votre addition, fiancée de Thorn ! En attendant, je vais prendre congé de vous. J'ai quitté le Clairdelune trop longtemps, dit-il en tapotant son petit tatouage frontal. Quand le chat n'est pas là, les souris dansent.

Les souris, c'étaient ses sœurs qu'il couvait jalousement. Alors qu'il tournait des talons sur une pirouette, il faillit se cogner à la tante Roseline qui s'était placée en travers de son chemin. Avec la pointe de son menton relevée, sa figure chevaline et sévère, son minuscule chignon dressé vers le ciel et ses mains jointes sur sa robe austère, elle était la personnification de la dignité féminine.

— Monsieur l'ambassadeur, vous êtes plus lubrique qu'une salière. Je mentirais en prétendant nourrir une profonde sympathie pour M. Thorn, dit-elle avec un coup d'œil vers l'intéressé qui accordait plus d'attention à sa montre qu'à n'importe quoi d'autre, mais c'est lui le fiancé légitime. Donnez-moi une seule bonne raison pour que je vous autorise à fréquenter encore ma nièce.

— Vous me donnerez cette autorisation, affirma Archibald avec aplomb, car vous serez la première à rechercher ma compagnie.

Sur ces mots, et alors que la tante Roseline ouvrait déjà une bouche outragée, il déposa un petit baiser sur sa joue. Ophélie retint son souffle. Sa tante avait déjà classé les baisemains dans la catégorie des pratiques obscènes, elle n'allait jamais accepter une telle familiarité sans répondre par une gifle magistrale.

La gifle ne vint jamais. Ophélie n'en crut pas ses yeux quand elle vit le teint jaune de la tante Roseline se couvrir de rose et sa figure sèche se distendre sous l'effet d'une violente émotion. Elle contemplait Archibald comme si elle venait de s'envoler dans le ciel de son regard.

Archibald adressa un dernier coup de chapeau à la tante Roseline, aux Valkyries et à Ophélie, puis il disparut entre les palmiers en faisant joyeusement tournoyer la chaîne de son sablier bleu.

— Ma tante ? s'inquiéta Ophélie. Vous vous sentez bien ?

En vérité, elle semblait avoir rajeuni de vingt ans.

— Comment ? bredouilla la tante Roseline. Bien sûr que je me sens bien, quelle question. On étouffe sous cette verrière, ajouta-t-elle en s'éventant nerveusement. Sortons.

Ophélie la regarda s'éloigner, absolument déconfite. C'était une chose de voir toutes les dames de la cour tomber sous le charme d'Archibald, c'en était une autre de voir sa propre tante y succomber également.

— Je pense que vous allier à Archibald était une mauvaise idée, commenta Thorn en remontant sa montre à gousset.

Ophélie leva la tête vers lui avec toute la contenance qui lui restait.

— Bien. C'est tout ce que vous aviez à me dire ?

— Non.

L'acier du regard de Thorn avait durci, maintenant qu'ils étaient seuls. Ophélie s'en doutait. Après la façon dont elle avait cherché à le contrecarrer publiquement, juste sous le nez de Farouk, elle ne pouvait pas espérer réchapper à ce qui allait suivre.

— Livrez-moi le fond de votre pensée, s'impatienta-t-elle. Qu'on en finisse.

— Ce que vous avez fait, tout à l'heure, sur cette estrade, dit Thorn d'une voix lourde comme du plomb. C'était courageux.

Il rangea sa montre à gousset dans sa poche d'uniforme et s'en fut à son tour, sans un regard en arrière.

Bribe : première reprise

Au commencement, nous étions un. Mais Dieu nous jugeait impropres à le satisfaire ainsi, alors Dieu s'est mis à nous diviser.

Un mur. La lumière vacillante d'une lampe torche. Des gribouillis d'enfants punaisés sur chaque pan de papier peint.

Le degré de précision du souvenir est relativement élevé. Il a dû passer des dizaines d'heures à le fixer, ce mur. En revanche, il ne se rappelle plus à quoi ressemble le reste de la pièce. Pour le moment, rien d'autre n'existe en dehors du mur, de la lampe torche et de ces gribouillis d'enfants.

L'angle de la lumière change, puis s'immobilise. Il a dû poser la lampe sur une table, de façon qu'elle continue d'éclairer le mur. Non, l'angle de la lumière est trop bas pour une table. Plutôt une chaise ou un lit. Il se trouve probablement dans une chambre. Sa chambre ?

L'ombre de son corps, d'abord floue et

59

immense, s'affine à mesure qu'il se rapproche du mur. Qu'est-ce que tous ces gribouillis ont donc de si intéressant pour qu'il fasse une telle fixation sur eux ? Un dessin en particulier retient toute son attention : un barbouillage multicolore qui les représente ensemble, lui et les autres. Avec précaution, il retire une à une les quatre punaises.

Sous le dessin, un trou. À cet endroit précis du mur, il n'y a plus ni papier peint, ni revêtement, ni brique. Une cachette ?

Il plonge son regard au fond du trou. Tout est noir. Il ne distingue pas ce qui se trouve de l'autre côté du mur.

— Artémis ? s'entend-il chuchoter.

Il a beaucoup de mal à reconnaître cette voix grêle, bizarrement accentuée, qui lui sort de la gorge. C'est donc ainsi qu'il parlait, autrefois ?

— Artémis ! s'entend-il encore chuchoter, en tapotant discrètement contre le mur.

Un bruit infime de pas, le raclement d'une brique descellée et, enfin, un œil qui clignote tout au fond du trou. L'œil d'Artémis ?

— Je regardais les étoiles par la lucarne. C'est intéressant. (Artémis parle d'une voix posée, sans expressivité, étouffée par l'épaisseur du mur.) Tu devrais remettre ta brique en place comme je l'ai fait. Nous n'avons plus la permission de nous parler, rappelle-toi.

En fait, il aimerait bien se rappeler. Il se rappelle parfaitement l'œil d'Artémis, la voix d'Artémis, les paroles d'Artémis dans le trou du mur, mais il ne se rappelle pas pourquoi ils ont été séparés.

— Les autres, s'entend-il encore chuchoter. Tu sais s'ils vont bien ?

— Ils sont plus obéissants que toi, dit l'œil d'Artémis. Je n'ai pas parlé au mur de Janus depuis des jours. Il s'ennuyait un peu mais, oui, il allait bien. Il m'a donné des nouvelles du mur de Perséphone, qui allait bien aussi. Et toi ? Le mur d'Hélène ?

— Elle ne répond jamais.

— Elle entend tout, Hélène, dit l'œil d'Artémis. Elle entendrait un battement de paupières à l'autre bout de la maison. Si elle ne répond pas, c'est parce qu'elle obéit. On va faire pareil. Retourne te coucher.

Il ne s'entend pas répondre, cette fois. Est-ce le souvenir qui se dérobe déjà ? Non, c'est autre chose. Il n'a pas répondu à l'œil d'Artémis, parce qu'un imprévu l'en a empêché.

L'ombre de Dieu.

Il la revoit distinctement sur le mur, superposée à la sienne. Dieu se tient dans sa chambre, juste derrière lui. L'œil d'Artémis disparaît au fond du trou, tandis qu'elle remet précipitamment sa brique en place.

Il se rappelle à présent. C'est Dieu qui les a séparés, lui, Artémis, Hélène, Janus, Perséphone et tous les autres. Il peut presque ressentir la peur et la colère qui l'ont traversé à ce moment-là, en voyant l'ombre de Dieu sur le mur. Il faut qu'il se retourne, il faut qu'il arrête de contempler ce mur, il faut qu'il regarde Dieu en face.

Il se retourne enfin, mais sa mémoire refuse obstinément de donner un visage, une forme, une voix à Dieu qui s'approche lentement de lui.

Le souvenir s'achève ici.

Nota bene : « Scelle tes charmes. » Qui a prononcé ces paroles et que signifient-elles ?

La lettre

Les premières semaines d'Ophélie à la cour ne furent vraiment pas ce qu'elle avait imaginé. C'était sans doute lié au fait qu'elle n'y avait pas remis les pieds.

Après que Farouk l'eut nommée vice-conteuse, Ophélie avait été installée avec Berenilde au gynécée, au sixième étage de la tour, juste au-dessus de celui attribué à la Jetée-Promenade, et elle n'en était plus ressortie. Chaque matin, le grand chambellan franchissait la grille dorée de l'ascenseur, déroulait une feuille de papier et appelait une à une les courtisanes qui avaient été choisies pour servir d'escorte à Farouk. Si le nom de Berenilde était toujours sur sa liste, pas une fois celui d'Ophélie ne fut mentionné.

Or, s'il y avait un endroit où il ne faisait pas bon être oubliée de Farouk, c'était bien le gynécée.

Ce monde moelleux semblait tout droit sorti d'un imagier oriental. Le soleil ne s'y couchait jamais. Chaque courtisane disposait de son propre logement, et celui de Berenilde était une véritable ode à la volupté avec ses banquettes, ses coussins, ses tapis et ses ottomanes qui baignaient dans la lumière rayée des claires-voies.

Cette douceur était trompeuse. Les courtisanes qui vivaient au gynécée étaient presque toutes des Mirages et elles avaient vu d'un très mauvais œil l'intrusion de nouvelles rivales dans leur nid. À peine la grille de l'ascenseur se refermait-elle sur Berenilde que les hostilités commençaient. Un matin, Ophélie fut couverte de pustules de la tête aux pieds. Le lendemain, elle se mit à dégager une abominable odeur de fumier. Le surlendemain, elle ne pouvait plus faire un geste sans émettre de tonitruants bruits de flatulence. Ce n'étaient heureusement que des illusions éphémères qu'on lui jetait dès qu'elle avait le dos tourné et qui se dissipaient en quelques heures, mais l'inventivité dont ces courtisanes faisaient preuve pour l'humilier était sans limites.

— C'est intolérable ! finit par exploser la tante Roseline, quand Berenilde revint un soir de la Jetée-Promenade. À quoi elles nous servent, vos Valkyries, si chacun ici peut maltraiter cette gamine comme ça lui chante ?

Elle avait pointé un doigt dénonciateur sur les vieilles dames qui ne lui firent même pas l'honneur d'un sourcillement. Les Valkyries suivaient Ophélie et Berenilde partout où elles allaient, dormaient à leurs côtés, mangeaient à leur table, aussi discrètes et aussi silencieuses que deux ombres, mais jamais elles ne se mêlaient de leurs affaires quotidiennes.

— Pour le moment, ce ne sont rien de plus que des enfantillages, assura Berenilde en se tournant vers Ophélie qui était, cette fois-là, affublée d'un groin de cochon. Il ne faudrait toutefois pas que cette situation s'éternise. Je connais ces dames, leurs tentatives d'intimidation vont se faire de plus en plus audacieuses, et ce tant que notre seigneur n'aura pas reposé les yeux sur vous. S'il se désintéresse de votre personne, vous ne pourrez pas honorer votre contrat et sa protection ne tiendra plus. J'ai essayé de lui glisser un mot à votre sujet, mais comment voulez-vous que le grand chambellan vous inscrive sur sa liste, alors que vous présentez si mal ?

Installée à la table à thé du salon, Ophélie ne lui répondit pas, concentrée sur la lettre qu'elle essayait d'écrire à ses parents. Thorn s'était porté garant du courrier, mais c'était un véritable casse-tête de raconter sa vie ici sans complètement les épouvanter.

En ce qui la concernait, Ophélie était beaucoup moins préoccupée par les illusions qui la défiguraient que par cette charge de vice-conteuse qu'il lui faudrait tôt ou tard assumer. Elle n'avait trouvé aucun livre au gynécée pour l'aider à rassembler des idées et, faute de mieux, elle mettait son temps libre à profit pour améliorer sa diction avec des exercices de prononciation. Elle aurait au moins voulu savoir quel genre d'histoires Farouk aimait écouter. Elle ne savait déjà pas elle-même celles qu'elle aurait aimé raconter.

L'esprit de famille du Pôle me demande de lui conter des histoires animistes, finit-elle par écrire à son grand-oncle. *N'auriez-vous pas des idées à me soumettre ?*

Le grand-oncle était archiviste et le membre de la famille dont Ophélie se sentait le plus proche ; pourtant, même à lui elle n'osa raconter ce qui se passait réellement ici.

Chaque jour, Renard et Gaëlle lui manquaient davantage. Ils étaient les seuls véritables amis qu'Ophélie s'était faits au Pôle, mais ils gravitaient dans un monde différent du sien et ils menaient une vie déjà assez pénible comme ça. Elle faisait ses besoins dans des toilettes en or, pendant qu'ils récuraient celles du Clairdelune.

Il arrivait parfois à Ophélie de regretter la livrée de Mime qui lui avait longtemps garanti un parfait anonymat. Par exemple, quand elle croisait Cunégonde au gynécée. La Mirage fournissait les autres courtisanes en illusions coquines et elle avait ses entrées à peu près partout. Ophélie tressaillait chaque fois qu'elle entendait le bruissement de son voile à pendeloques ou qu'elle respirait son puissant parfum au détour d'une galerie. Cunégonde ne lui adressait jamais la parole, mais elle ne manquait aucune occasion de lui faire sentir, par un regard éloquent, qu'elle n'avait pas oublié son affront au jardin de l'Oie.

Si Cunégonde mettait Ophélie mal à l'aise, c'était peu de chose comparé à ce que lui inspirait le chevalier lorsqu'elle le voyait. Et elle le voyait beaucoup trop souvent à son goût.

Il existait au gynécée des heures de visite spécialement réservées aux enfants. Ce n'étaient jamais des enfants directs de Farouk – celui que portait Berenilde était l'exception qui confirmait

66

la règle –, mais certaines courtisanes avaient été autrefois des femmes mariées et des mères de famille. Le chevalier en profitait pour apporter des cadeaux à Berenilde. Il créait pour elle les plus belles illusions de fleurs et de parfums, mais elle refusait obstinément chacun de ses présents.

— Ne lui ouvrez jamais la porte en mon absence, ne cessait-elle de recommander à Ophélie et à la tante Roseline. C'est la première fois que quelqu'un tient tête à cet enfant, ses réactions peuvent être imprévisibles.

Berenilde ne croyait pas si bien dire. Le chevalier était si obsédé par elle, si désemparé par son dédain, si maladivement jaloux qu'il s'en prit un jour à un autre enfant à qui elle avait eu le malheur de sourire. L'enfant se mit à courir à travers le patio et à se rouler sur le sol en appelant sa mère à l'aide, comme s'il était consumé par des flammes invisibles. Il n'en garda aucune séquelle, apparente du moins, et le chevalier assura que c'était « pour de rire », mais Ophélie fut horrifiée par la scène. Elle se réveillait depuis chaque nuit en sursaut en croyant voir luire des lunettes en culs de bouteille au pied de son lit.

— Je ne sais pas comment vous faites pour vous contenir de la sorte, grommela la tante Roseline en jetant un coup d'œil nerveux par l'entrebâillement des persiennes. Ce petit Mirage me hérisse les épingles sur la tête. Il faudra un jour que vous m'expliquiez pourquoi vous l'appelez tous « chevalier ». C'est un vrai danger public, oui !

— C'est lui qui s'est autoproclamé ainsi, soupira

Berenilde. Et vous ne connaissez pas le plus drôle. Il l'a fait en mon honneur. Il prétend être mon chevalier servant.

— Il n'y a donc pas un seul adulte pour le maîtriser ? Nous n'allons tout de même pas passer notre temps à nous cacher de lui.

— Le comte Harold est son oncle et son tuteur. C'est un vieil homme un peu dur d'oreille. Il se montre rarement dans le monde et se consacre davantage à l'élevage de ses chiens qu'à l'éducation de son neveu. Je suppose que j'ai contribué à faire de cet enfant ce qu'il est devenu, murmura Berenilde en caressant l'arrondi de son ventre. Une volonté qui ne connaît aucune limite.

— Pourquoi dites-vous cela ? lui demanda Ophélie.

Elle ne lui répondit pas. Il y eut, dans ses beaux yeux, une lueur de tristesse qui leur était inhabituelle et qui laissa Ophélie profondément songeuse. Cette histoire avait probablement un rapport avec le manoir que Berenilde avait hérité des propres parents du chevalier. Ophélie se rappelait encore la surprise qui l'avait saisie la première fois qu'elle avait découvert cet étrange domaine, son automne artificiel et sa mystérieuse chambre d'enfant qui semblait attendre le retour de celui qui l'avait autrefois occupée. Berenilde avait toutes les raisons du monde de haïr le chevalier, mais, au fond, elle ne mettait pas beaucoup d'ardeur à le rejeter.

Ce fut vrai, en tout cas, jusqu'au soir où le chevalier s'approcha un peu trop près d'Ophélie.

Il avait profité d'une courte absence de Bere-

nilde pour se faufiler en douce dans son appartement, à l'insu de la tante Roseline et des Valkyries.
Abasourdie, Ophélie l'avait vu entrer dans la salle
de toilette, où elle était occupée à prendre son
bain, et se mettre à lui faire la conversation le plus
naturellement du monde.

Lorsque Berenilde avait surpris le chevalier
accoudé à la baignoire d'Ophélie, elle était devenue livide et, incapable de contenir plus longtemps
son pouvoir, elle l'avait projeté à l'autre bout du
couloir. Lorsqu'il s'était relevé, très choqué, ses
épaisses lunettes étaient cassées.

— Si vous vous en prenez à cette enfant, avait
sifflé Berenilde, je vous tuerai de mes propres
griffes. Allez-vous-en et ne réapparaissez plus
jamais devant moi.

Le chevalier s'était alors enfui du gynécée,
décomposé de rage et de chagrin, et n'y était
plus revenu ni le lendemain, ni les jours suivants.
Ophélie, quant à elle, ne vit plus jamais Berenilde
de la même façon. Cette femme difficile, qui lui
avait bien souvent mené la vie dure, l'avait défen-
due comme sa propre fille.

— Ce que vous avez fait est admirable, la féli-
cita la tante Roseline. Nous allons enfin connaître
un peu la paix !

La suite des événements ne lui donna pas tout
à fait raison.

Un matin d'avril, le claquement de la boîte aux
lettres retentit à travers l'appartement. Le cœur
d'Ophélie fit des bonds de lapin en voyant son
nom sur l'enveloppe. Mais elle réalisa rapide-

ment que ce n'était pas du tout un courrier de
sa famille :

Mademoiselle la vice-conteuse,
Votre mariage avec M. l'intendant est programmé
pour le 3 août. Je suis au regret de vous informer
que vous serez morte avant, à moins que vous ne
suiviez mon conseil. Quittez le Pôle au plus tôt et
ne revenez jamais.
DIEU NE VEUT PAS DE VOUS ICI.

— Qu'est-ce que c'était ? demanda la tante
Roseline.
— Une erreur, mentit Ophélie après avoir caché
la lettre. Quelle phrase devrais-je le plus travailler
pour mon élocution selon vous ? « Un gradé Dragon dégrade un Dragon gradé » ou « Pour qui sont
ces serpents qui sifflent sur vos têtes » ?
Ophélie attendit d'être dans son lit pour relire
plusieurs fois son courrier.

DIEU NE VEUT PAS DE VOUS ICI.

Ophélie avait reçu des menaces par le passé,
mais jamais encore sur un tel ton. Est-ce que
c'était une farce ? La religion et la théologie
étaient un folklore désuet sur Anima, comme sur
beaucoup d'arches où les esprits de famille incar-
naient l'absolu à eux seuls. Le « Dieu » de cette
lettre était-il censé désigner Farouk ?
Le message n'était évidemment pas signé et
l'enveloppe n'indiquait aucun expéditeur. Ophélie retira les gants de *liseuse* qu'elle portait pour

dormir et palpa chaque centimètre de papier. Ce n'était pas faire un usage malhonnête de son pouvoir que de s'en servir sur une lettre qui lui était destinée, n'est-ce pas ? En particulier, une menace de mort.

Elle fut toutefois déconcertée de ne rien ressentir de spécial : aucune impression forte, aucune vision particulière. La lettre avait été tapée à la machine à écrire, mais l'auteur avait forcément dû la toucher d'une façon ou d'une autre. Après un examen plus attentif, Ophélie releva des marques sur la feuille, ainsi que sur l'enveloppe, comme si elles avaient été maniées à l'aide d'une pince.

Malgré le faux soleil qui pénétrait par les interstices des persiennes, qui gorgeait de lumière la moustiquaire du lit et qui faisait peser sur son corps une chaleur aussi accablante qu'un édredon, Ophélie eut un frisson glacé. Il lui était impossible de *lire* des objets manipulés à distance. Ce messager anonyme semblait très bien renseigné sur ce qu'elle pouvait faire et ne pas faire avec ses mains.

Ce n'était pas ce que la lettre disait qui la troubla le plus, c'était surtout ce qu'elle ne disait pas. Pourquoi voulait-on coûte que coûte faire échouer le mariage de Thorn ? Était-ce une simple rivalité de clans, dans cette interminable guerre d'influence qui se jouait autour de Farouk ?

Ophélie bondit hors du lit et fouilla dans son désordre jusqu'à remettre la main sur le fac-similé du contrat que Thorn lui avait confié.

71

En cas de succès, relut-elle, *M. Thorn obtiendra un titre nobiliaire officiel et sa condition de bâtard sera désormais considérée comme nulle et non avenue.*

Si Ophélie y réfléchissait bien, cet enjeu était somme toute dérisoire. Thorn était déjà un haut fonctionnaire redouté, qu'il fût anobli ne changerait fondamentalement rien pour ses ennemis. Et cela ne pouvait signifier qu'une chose. Ce qui inquiétait le camp adverse, ce n'était pas la montée en grade de Thorn : c'était la *lecture* du Livre de Farouk à proprement parler.

Mais là encore, pourquoi ?

— Thorn, dans quelle soupière êtes-vous allé me mettre ?

La semaine suivante, par un interminable après-midi de « chemises de l'archiduchesse sont-elles sèches et archisèches », alors qu'Ophélie et la tante Roseline essayaient par la même occasion de faire sécher leur propre linge sur la terrasse, le téléphone du boudoir sonna.

— J'ai une communication pour Mlle Ophélie, annonça une voix de femme dès qu'elle décrocha le combiné.

— Euh... c'est moi.

— Vous êtes Mlle Ophélie ?

— Oui. À qui ai-je l'honneur ?

— Vous êtes invitée à entrer en correspondance avec l'intendance, veuillez patienter un instant.

Ophélie s'apprêtait à protester, n'ayant aucune envie d'être mise en relation avec quoi que ce fût qui émanerait de l'intendance, mais elle fut distraite par un bruit de grêle. Elle avait renversé le contenu de sa boîte de pinces à linge sur le parquet. Elle était en train de les ramasser, le combiné de téléphone coincé entre l'épaule et le cou, quand une voix maussade lui résonna dans l'oreille.

— Allô ?

Entendre Thorn éveilla en Ophélie une telle nervosité qu'elle songea sérieusement à lui raccrocher au nez.

— Allô ? répéta Thorn.

— Vous avez changé de secrétaire ? demanda Ophélie, assise sur le parquet, au milieu des pinces à linge.

— Non. Pourquoi me parlez-vous de lui ?

À cette intonation brutale, Ophélie pouvait visualiser le froncement de sourcils qui l'accompagnait.

— Je viens d'avoir une femme au téléphone.

— Une standardiste, expliqua Thorn, comme si c'était la plus élémentaire des évidences. La tour de Farouk et l'intendance ne sont pas reliées au même central téléphonique et nous n'avons pas de systèmes automatiques.

Ophélie ne comprenait rien à ce jargon. Sur Anima, les téléphones se débrouillaient bien sagement entre eux, et puis voilà.

— Que vouliez-vous me dire ?

— Il me semble que c'est plutôt à vous de me dire quelque chose, rétorqua la voix monocorde de Thorn. Je n'ai reçu aucune nouvelle de votre part depuis votre emménagement.

La dernière pince à linge qu'Ophélie allait ranger dans sa boîte s'anima brusquement pour lui mordre le doigt, contaminée par sa colère. Elle songea un instant à lui parler de la lettre dactylographiée, lui mettre sous le nez le danger auquel ils étaient en train de l'exposer, lui et sa maudite ambition, mais qu'est-ce que cela aurait changé ? Thorn était déjà conscient des risques et il n'avait pas annulé les fiançailles pour autant.

— Il n'y a rien que vous ayez besoin de savoir.

— Vous êtes toujours fâchée contre moi, constata Thorn d'un ton neutre. Je pensais pourtant que nous avions remis les pendules à l'heure. Nous étions tombés d'accord sur le fait que nous avions emprunté, l'un et l'autre, un mauvais chemin.

Ophélie ferma les yeux sous le coup de l'émotion. La pince à linge, déchaînée, s'agitait à son doigt comme un crabe furieux.

— Non, Thorn. Vous êtes tombé d'accord tout seul.

— Vous devriez considérer...

— Écoutez-moi bien, le coupa Ophélie. Je vous plaignais sincèrement parce que je croyais que Berenilde avait arrangé ce mariage, que nous étions ses deux marionnettes. Je sais maintenant qu'il n'y a jamais eu qu'une seule marionnette depuis le début et que c'était moi. Que vous ayez voulu m'épouser pour mes mains, je peux accepter cette idée, j'ai vu dans quel monde vous avez grandi. Mais l'avoir appris par une autre bouche que la vôtre, conclut-elle dans un murmure sourd, ça, je ne vous le pardonnerai jamais.

Un silence de tombe avait soudain empli le cornet acoustique du téléphone. À défaut de s'être vidée de sa colère, Ophélie s'était vidée de son souffle ; ses exercices de diction auraient au moins servi à quelque chose. Elle se concentra sur le papier peint à fleurs du boudoir, essayant de faire abstraction de cette pince à linge qui déchirait hargneusement la couture de son gant.

— Vous avez entendu ce que je viens de vous dire, Thorn, ou je dois vous le répéter ?

— Ne le répétez pas.

L'accent du Nord durcissait tellement sa voix qu'il était difficile de savoir quand il était mécontent et quand il ne l'était pas.

— Bon. Y a-t-il autre chose avant que je raccroche le téléphone ?

Ophélie espérait que non. Sa main tremblait si fort qu'elle n'était pas certaine de pouvoir garder encore longtemps le lourd combiné de nacre contre son oreille.

— Je pense que vous devriez venir, répondit Thorn après un instant de réflexion. Seule, de préférence.

— Pardon ?

La qualité d'écoute étant médiocre, avec des grésillements de ligne, Ophélie n'écartait pas la possibilité d'avoir mal entendu.

— Je vous donne rendez-vous. Un rendez-vous officiel, de futur mari à future épouse. Vous me recevez toujours ?

— Oui, oui, je vous reçois, bredouilla-t-elle. Mais enfin, pourquoi nous voir ? Je viens de vous dire…

— Nous ne pouvons tout simplement pas nous permettre d'être ennemis, trancha Thorn. Vous me compliquez la vie avec votre rancœur, nous devons impérativement nous réconcilier. Je n'ai pas le droit de pénétrer dans le gynécée : retrouvez-moi à l'intendance, insultez-moi, giflez-moi, cassez-moi une assiette sur la tête si ça vous chante, et puis n'en parlons plus. Votre jour sera le mien. Ce jeudi m'arrangerait. Disons… (Il y eut, dans le cornet acoustique, un bruit de pages tournées à la hâte.) Entre onze heures trente et midi. Je vous note sur mon emploi du temps ?

Suffoquée, Ophélie raccrocha le combiné avec autant de colère que si elle l'avait abattu sur le crâne de Thorn.

— Ce soleil ne vaut vraiment rien ! déclara la tante Roseline en la voyant revenir. Les draps sont plus intelligents que nous, ils ont parfaitement compris que c'était du toc. Les chemises de notre archiduchesse ne sont pas près d'être sèches.

La colère noire dans laquelle baignait Ophélie depuis sa conversation téléphonique avec Thorn se dissipa un soir, lorsqu'un domestique déposa deux lettres et trois colis à l'appartement. Ophélie redouta d'abord de nouvelles menaces de mort, mais il y avait cette fois « ANIMA » inscrit sur le cachet de la poste.

— Alors, alors, qu'est-ce que ça raconte ? s'impatienta la tante Roseline pendant qu'Ophélie déchirait maladroitement l'enveloppe de la première lettre.

— Maman est furieuse mais soulagée, expliqua Ophélie à mesure qu'elle lisait. Elle m'accuse de lui avoir provoqué de violentes palpitations avec mon silence. Elle voudrait que je lui envoie des photographies la prochaine fois, elle n'a rien compris à mes descriptions. Elle est très étonnée d'apprendre que nous avons autant de soleil en plein hiver polaire et me demande si je ne me suis pas trompée d'arche. Ah, elle m'offre un nouveau manteau, mais il paraît qu'il a aussi mauvais caractère que la couturière… Ce doit être le gros colis qui remue, là. Elle espère que je fais bonne impression à ma nouvelle famille.

— Elle devrait commencer par espérer que ta belle-famille te fasse bonne impression à toi, marmonna la tante Roseline entre ses longues dents. Et ensuite ?

— Ensuite, c'est Agathe qui continue. Elle va avoir un nouveau bébé.

— Déjà ? Eh bien, ta sœur ne perd pas de temps.

— Elle dit que ça ne l'empêchera pas de venir au mariage. Elle a confectionné une robe assortie à ses yeux, qu'elle compte porter spécialement pour l'occasion. Elle l'a déjà adaptée à la taille d'une grossesse de six mois. Elle a aussi prévu de jolies robes blanches pour nos petites sœurs.

— C'est tout ?

— Non. Elle me reproche de ne pas leur avoir fait parvenir une liste de mariage. Elle voudrait remplacer mon écharpe par un châle, mais elle hésite sur la couleur.

— Des manteaux, des robes, des châles…, énuméra la tante Roseline en roulant des yeux. Et ensuite ?

— C'est papa qui poursuit. Il veut savoir si je m'entends bien avec mon fiancé et sa famille, il a hâte de me revoir pour le mariage et il me…

— Il te quoi ? Je n'ai pas bien entendu la fin de ta phrase.

Ophélie ne l'avait pas prononcée. *Je te demande pardon.* Elle sentit sa gorge se nouer, son nez piquer et ses yeux devenir encore plus flous que d'habitude. Elle dut prendre sur elle pour poursuivre sa lecture d'une voix à peu près recomposée.

— Hector termine la lettre. Il me demande pourquoi il fait soleil et nuit en même temps au Pôle, pourquoi j'ai écrit « Citacielle » au lieu de « Citadelle » et pourquoi je parle de tout sauf de Thorn. Il m'envoie une toupie qu'il a animée lui-même et qui ne s'arrête jamais de tourner. Ce doit être le petit colis qui ronronne.

— Ton frère est le plus intelligent de tous, décréta la tante Roseline.

Elle avait profité de ce qu'Ophélie ouvrît la deuxième enveloppe pour souffler le plus discrètement possible dans un mouchoir. De son côté, Ophélie espérait que sa tante ne remarquerait pas à quel point son propre menton tremblait.

— C'est mon parrain, dit-elle avec un sourire irrépressible. Un mot de moi et il prend le premier dirigeable en partance pour le Pôle.

Ophélie ne lui en demandait pas tant, bien sûr. Elle mettait suffisamment la tante Roseline en danger pour ne pas impliquer en plus un autre membre de la famille. Pourtant, ces quelques mots lui procurèrent un réconfort inouï.

— Le dernier colis est de lui. Il n'en dit pas plus pour me laisser la surprise.

Ophélie déchira le papier renforcé du paquet. Il

contenait un livre illustré, plutôt épais, qui sentait un peu la cave et qui portait le titre :

CONTES D'OBJETS ET AUTRES HISTOIRES ANIMISTES
(ADAPTATION LIBRE DES FABLES
DU VIEUX MONDE)

En espérant que ça te sera utile, gamine, disait une écriture penchée en haut de la première page. *Artémis en possède un exemplaire dans sa collection privée, ça plaira peut-être à son frère ?*

Si le grand-oncle s'était tenu là, devant elle, Ophélie se serait jetée dans ses bras.

— Votre parrain a le sens de l'à-propos.

Berenilde avait attendu qu'elle eût fini la lecture de son courrier pour s'approcher d'elle dans un frou-frou de robe. Ses deux doigts bagués pinçaient un carton d'invitation : dès qu'Ophélie s'en saisit, l'illusion d'un feu d'artifice miniature lui explosa au nez.

VEILLÉE SURPRISE !
LE SEIGNEUR FAROUK CONVIE TOUTE LA COUR
À LE REJOINDRE AU THÉÂTRE OPTIQUE DU SPLENDIDE,
CE SOIR, À MINUIT SONNANT.

— Toute la cour, releva Ophélie. Vous croyez que je suis incluse dedans ?

— Vous devriez lire l'invitation en entier, suggéra Berenilde.

Les lunettes d'Ophélie blêmirent sur son nez quand elle prit connaissance du programme de la soirée :

LES PANTOMIMES LUMINEUSES DU CONTEUR
SUIVIES DES HISTOIRES INÉDITES
DE LA VICE-CONTEUSE

— C'est une plaisanterie ?

— C'est dans une heure, assura Berenilde avec le plus grand sérieux. Et dire que je viens juste de rentrer de la Jetée-Promenade ! Cela me laisse à peine le temps de changer de toilette.

Le théâtre

Ophélie relut pour la vingtième fois la première phrase des *Contes d'objets et autres histoires animistes* sans parvenir à la comprendre. Les conversations et les rires ambiants ne l'aidaient pas. L'ascenseur qui descendait du sixième au cinquième étage de la tour était comble : écrasée entre les vertugadins des vieilles Valkyries, assises à côté d'elle sur une banquette, plus sévères et plus silencieuses que jamais, Ophélie feuilletait fébrilement le livre du grand-oncle. Devait-elle choisir ce conte-là ? Ou plutôt celui-ci ? Elle était continuellement interrompue par des favorites qui venaient lui souhaiter bonne chance avec une ironie mal dissimulée. Berenilde dut recourir à des trésors de diplomatie et de flatterie pour les éloigner.

— Perruques mal poudrées ! jura la tante Roseline. Elles ne nous ont pas adressé la parole une seule fois depuis notre arrivée, et maintenant qu'on a besoin de calme, elles sont incapables de tenir leur langue. Et toi, arrête de tourner ces pages, dit-elle en tapant les doigts d'Ophélie, tu fais du surplace. Choisis un seul conte et lis-le plusieurs fois en entier.

Ophélie appliqua ce conseil à la lettre. Elle piocha une histoire au hasard, « La Poupée », la parcourut de bout en bout sans en retenir une seule ligne, puis recommença. Elle ne décrocha pas les yeux de son livre quand la grille de l'ascenseur s'ouvrit sur le soleil éblouissant de la cour, ni quand elle fut entraînée par une foule de nobles à travers une galerie de la Jetée-Promenade, ni quand le lacet de sa bottine se défit, menaçant plusieurs fois de la déséquilibrer, ni quand elle monta un escalier à tapis rouge et tringles d'or.

Elle ne leva le nez de son livre que lorsqu'un majordome vint lui tousser dans l'oreille.

— Pour Mlle la vice-conteuse, c'est par ici.

Ophélie battit des paupières, aveuglée. Elle se trouvait dans le hall d'accueil du théâtre dont les dalles blanches, les colonnes blanches et les statues blanches réverbéraient la lumière des fenêtres comme de la neige. Une flûte de champagne dans une main, un sablier bleu dans l'autre, toute la haute société de la Citacielle se trouvait là. Les femmes étaient vêtues de toilettes sophistiquées et parées de longs colliers de perles ; les hommes portaient des complets blancs, des nœuds papillon noirs et des canotiers à ruban bleu. Ophélie s'était rarement sentie aussi démodée dans sa petite robe violette qui la boutonnait jusqu'au menton, sa vieille écharpe mal tricotée et ses cheveux informes qu'elle avait oublié de coiffer.

— Par ici, mademoiselle la vice-conteuse, répéta

patiemment le majordome en toussant contre son poing. (Il lui désignait une porte dérobée, derrière le comptoir d'accueil.) Normalement, Mlle la vice-conteuse aurait dû passer par l'entrée des artistes, derrière le théâtre.

— M. Farouk est-il là ?

— Oui, le seigneur est déjà installé à sa place. Il est impatient d'écouter les histoires de mademoiselle. Désolée, madame, ajouta le majordome quand la tante Roseline fit mine de suivre Ophélie derrière le comptoir. Cet espace est interdit au public.

— De quoi ? s'indigna la tante Roseline. Mais voyons, c'est ma nièce !

— Pas au *Splendide*, madame. Ici, mademoiselle est la vice-conteuse du seigneur Farouk. L'accès à la scène est rigoureusement contrôlé pour des raisons de sécurité.

— Voyons, je ne porte pas d'explosifs sous ma robe !

— Ne vous inquiétez pas, ma tante, tout ira bien, promit Ophélie qui n'en pensait pas un mot. Essayez de vous trouver une place près de la scène. Si je vous vois, ça me donnera du courage.

— Tiens, lui souffla la tante Roseline en lui glissant un peigne dans la main. Dès que tu as un instant, essaie de démêler tes cheveux.

— Un dernier conseil, madame ? demanda Ophélie en se tournant vers Berenilde.

Pour la première fois, le sourire que lui destina la belle veuve ne ressemblait pas à l'une de ces expressions sur mesure qu'elle se composait avec la dextérité d'une actrice. C'était un sourire un peu fragile, qui tremblait aux commissures. Un sourire de mère inquiète.

— Soyez impressionnante. (Berenilde posa sa main, toute gantée de velours, sur la joue d'Ophélie.) Je ne vous dis pas cela pour vous angoisser. Je vous le dis parce que vous en êtes capable, j'en ai été témoin plus d'une fois.

Ophélie ne se sentit pas impressionnante du tout quand elle se dirigea vers la porte dérobée d'un pas chancelant, et moins encore lorsque Cunégonde se dressa en travers de sa route, son grand ongle rouge pointé sur elle.

— Eh bien, eh bien, ma colombe, est-ce là tout votre matériel ? demanda-t-elle en désignant son livre. Sachez que mon offre tient toujours : vos mains contre mes illusions. Acceptez, murmura-t-elle d'une voix roucoulante, et je vous fournirai dès ce soir des effets spéciaux si grandioses qu'ils suffiront à faire de vous la nouvelle conteuse en titre.

— Je ne suis pas intéressée, déclina Ophélie.

Cunégonde secoua la tête d'un air navré ; les pendeloques dorées de son voile tintinnabulèrent comme des grelots.

— Vous êtes une tête de mule. (Elle se pencha sur Ophélie jusqu'à effleurer son oreille de ses lèvres.) N'avez-vous donc pas entendu la rumeur ? lui murmura-t-elle très bas. Votre cher Archibald aurait perdu l'un de ses invités dans des circonstances tout à fait obscures. Peut-être devriez-vous revoir vos amitiés, ma colombe.

Estimant la conversation close, Ophélie se faufila par la porte dérobée et s'engouffra dans les coulisses du théâtre. Elle n'avait pas la moindre idée de ce à quoi Cunégonde faisait allusion et c'était pour le moment le cadet de ses soucis.

Le cœur battant, morte de trac, elle se posa sur la première chaise qu'elle trouva. Elle s'aperçut après coup qu'elle était assise à côté d'un vieil homme qui passait méticuleusement un chiffon sur une petite plaque de verre peint. Il portait la marque des Mirages sur les paupières.

— Bonsoir, lui chuchota-t-elle. Je suis Ophélie. Vous êtes M. Éric, le conteur en titre ?

Avec des gestes lents, le vieil homme pivota sur sa chaise de façon à se tourner vers Ophélie. Il était musculeux pour son âge. Sa chevelure et sa barbe, teintes en bleu, se mêlaient sur son torse en une seule et même tresse qui touchait presque le sol. Durant un bref instant, il haussa des yeux surpris par-dessus la tête d'Ophélie, peut-être déconcerté par sa masse de boucles mal coiffées, puis il fronça les sourcils, teints en bleu également.

— J'espère que vous êtes très inspirée, mademoiselle la vice-conteuse, dit-il en roulant ses « r » comme s'il mâchait du roc. Parce qu'en ce qui me concerne, je vais faire en sorte que plus jamais nos deux noms ne soient associés sur un carton d'invitation.

Sur ces mots, il empoigna sa boîte à plaques d'une main, une lanterne magique de l'autre, et s'en fut vers un autre recoin des coulisses.

À présent qu'elle était seule, avec son écharpe agitée pour unique compagnie, Ophélie sentit ses genoux s'entrechoquer l'un contre l'autre. Elle n'était pas prête. Elle avait déjà oublié la moitié de son histoire de poupée, mais si elle la relisait une seule fois encore, elle se rendrait malade à coup sûr. Elle se rappela la souffrance qu'elle avait éprouvée quand Farouk s'était contenté de la regarder, sur l'estrade du jeu de l'oie : que se passait-il donc quand on décevait une créature pareille ? En cas d'échec, Ophélie aurait-elle droit à une seconde chance ou son avenir entier se trouverait-il compromis ?

Elle passa le peigne de la tante Roseline dans ses épais cheveux, essayant de s'occuper les mains, mais elle cassa une dent dès le premier nœud.

— Buvez ceci.

Ophélie loucha sur le verre qui venait de surgir devant son nez. De l'autre côté se tenaient Archibald et son irréductible sourire.

— Sans façon, marmonna Ophélie en détournant aussitôt les yeux.

Elle avait la gorge sèche, mais Berenilde lui avait fait une si longue énumération des poisons qui circulaient à la cour qu'elle avait retenu l'essentiel : il ne fallait jamais accepter le cadeau d'un inconnu. Et malgré tout ce temps passé à l'ambassade, Ophélie connaissait très mal Archibald.

— Je vous promets que ce n'est que de l'eau, dit-il d'une voix enjôleuse. Regardez, j'en bois une gorgée.

Il joignit le geste à la parole, d'un mouvement caricatural, puis tendit à nouveau le verre à Ophélie. Elle l'accepta, cette fois, mais elle refusa toujours de regarder Archibald en face.

— Qu'est-ce que vous faites ici ? demanda-t-elle

sur la défensive. Les coulisses sont interdites au public.

Archibald retourna la chaise où le vieil Éric se trouvait un instant auparavant et s'y assit à l'envers, nonchalamment accoudé sur le dossier.

— Je ne suis pas ambassadeur pour des prunes. J'ai mes entrées presque partout. Et puis, j'estime que vous avez le droit d'être au courant.

— Au courant de quoi ?

Archibald s'empara d'une glace appuyée contre un mur, la dépoussiéra d'un coup de manche et la brandit d'un geste théâtral. Ophélie n'avait pas traversé un seul miroir depuis qu'elle avait été consignée au gynécée, mais elle fut très tentée de se plonger dans celui qu'Archibald lui tendait et de ne plus jamais en ressortir.

Sa tête était affublée de deux oreilles d'âne.

Ophélie aurait voulu se les arracher, mais sa main passa au travers comme si elles étaient faites en fumée. Des illusions, évidemment. « Vous êtes une tête de mule », avait dit Cunégonde. Il n'y avait qu'un Mirage pour appliquer une expression au pied de la lettre.

Archibald observa Ophélie qui serrait maintenant son verre avec force.

— Vous m'inspirez une certaine curiosité, fiancée de Thorn. C'est assez nouveau pour moi, je n'ai pas l'habitude.

Il pencha sa chaise en avant et se tordit le cou pour croiser le regard d'Ophélie. Elle eut à peine le temps d'apercevoir, à la lueur de la bougie, son sourire perplexe, ses grands yeux couleur ciel et ses cheveux blonds en bataille qu'elle tourna la tête et cala sa main contre ses lunettes, à la façon d'une œillère.

— C'est un effet de mon imagination ou vous fuyez mon regard ? s'esclaffa Archibald.

— Je ne sais pas comment vous vous débrouillez pour charmer les femmes, mais je n'ai aucune envie de succomber à mon tour. Surtout ce soir.

Depuis ce qui s'était passé au jardin de l'Oie, la tante Roseline rougissait violemment dès qu'Archibald était mentionné dans une conversation. Ophélie avait bien essayé d'en parler avec elle pour comprendre ce qu'il lui avait fait, mais elle se dérobait chaque fois en changeant de sujet.

— Ce n'est pas très commode pour discuter, observa posément Archibald.

— Je n'ai pas envie de discuter. Vous êtes en train de me distraire.

Avec un réflexe d'acrobate, Archibald rattrapa au vol le verre qu'Ophélie venait de laisser échapper.

— Exact. Je vous distrais de votre peur. Bon, soupira-t-il, s'il n'y a que cela pour vous mettre à l'aise. (Archibald posa le verre sur le guéridon voisin, agrippa les bords de son haut-de-forme et, d'un coup sec, se l'enfonça jusqu'au nez.) Voilà, vous n'avez plus rien à craindre de mon regard.

Il était si ridicule ainsi, avec sa voix nasillarde et ses touffes de cheveux qui poussaient à travers le fond décollé de son chapeau, qu'Ophélie se surprit à sourire.

— Restez sérieux un instant, monsieur l'ambassadeur. Pourquoi êtes-vous ici ? Vous ne vouliez pas juste m'offrir un verre d'eau, n'est-ce pas ?

Archibald lova son menton entre ses bras, qu'il avait croisés sur le dossier de sa chaise. À cause du haut-de-forme enfoncé, Ophélie ne voyait plus de son profil que la fente immense d'un sourire.

— Je vous l'ai dit, fiancée de Thorn. Par curiosité. Dois-je vous rappeler que vous avez officiellement fait de moi votre ami ? Voilà un moment que je vous observe. Au début, ce n'était qu'un coup d'œil de temps en temps, pour vérifier que vous n'étiez pas en danger de mort, mais j'y ai pris goût. Vos exercices de prononciation, vos petites maladresses, vos manières animistes, votre constance à toute épreuve, votre tante aussi : j'aime cette matière qui compose votre quotidien. La lecture de votre courrier, tout à l'heure, a bien failli me pincer le cœur.

Ophélie était ébahie, non pas à cause de ce qu'Archibald lui disait, mais à cause de sa propre étourderie. Les Valkyries ! Comment avait-elle pu perdre de vue que ces grand-mères étaient reliées à chaque membre de la Toile, Archibald compris ? Pendant tout ce temps, Ophélie avait parlé, mangé, dormi devant une foule de personnes. Elle pensa au nombre de fois où elle s'était pris de quoi lire en allant aux cabinets, et ce juste sous le nez des vieilles dames. Pour la peine, elle oublia presque le brouhaha qui gagnait en ampleur derrière les rideaux de théâtre, au fur et à mesure que les courtisans prenaient place dans la salle.

— C'est très embarrassant.

— Pourquoi ? s'étonna Archibald sous son chapeau.

— Ça ne vous gêne pas, vous, de n'avoir aucune

intimité ? de partager avec l'ensemble de votre famille tout ce que vous voyez, tout ce que vous faites ?

Se balançant sur sa chaise, à l'aveuglette, Archibald haussa les épaules avec désinvolture.

— Ça nous fait faire des économies sur les factures téléphoniques. Mais n'allez pas vous mettre en tête des idées fausses, fiancée de Thorn. Vous semblez croire qu'en ce moment même, toute la Toile boit nos paroles. Les choses ne se passent pas exactement de cette façon... Comment vous expliquer ? (Sous le haut-de-forme, la bouche d'Archibald se plissa en une moue pensive avant de déplier un nouveau sourire.) Je sais ! Imaginez-vous, vous et votre famille, réunies dans une seule pièce. Chacun d'entre vous vaque à ses propres occupations : l'ambiance est mélangée, confuse et bruyante en permanence, vous voyez le tableau ? Si vous vouliez savoir ce que fait votre sœur ou votre mère, à cet instant précis, vous devriez donc vous tourner vers elles et tendre l'oreille. Il vous serait évidemment impossible de savoir ce que font tous les autres au même moment. Eh bien, c'est à peu près pareil pour nous !

— Mais M. Farouk, murmura Ophélie, soudain frappée par une pensée, n'est-il pas censé concentrer en lui tous les pouvoirs de sa descendance ? Je veux dire... Et s'il écoutait chacune de vos conversations ? S'il nous écoutait, là, maintenant ?

— Il a la puissance de concentration d'un noyau de cerise, rétorqua Archibald. Il n'est déjà pas capable de suivre une conversation normale. Non, vraiment, j'ai déjà fait plusieurs voyages sur d'autres arches et je n'ai jamais vu un esprit de famille aussi indigne de son propre pouvoir.

C'était une maigre consolation pour Ophélie de savoir que, si cette soirée devait se finir en désastre, elle aurait au moins appris une chose ou deux.

— J'ai reçu une lettre anonyme, déclara-t-elle à brûle-pourpoint.

— Quelle sorte de lettre ?

— La sorte dissuasive. Je pense que ça a un lien avec le Livre de M. Farouk.

— Les menaces sont très à la mode par ici. Restez près des Valkyries.

Ophélie ne pouvait pas voir le regard d'Archibald, à cause de son chapeau enfoncé, mais elle aurait juré qu'il s'était contracté sur sa chaise en dépit de son sourire. Elle se rappela soudain les mots que lui avait chuchotés Cunégonde.

— C'est vrai, ce qu'on raconte ? Vous avez... euh... *perdu* un invité ?

— Je suis incapable de mentir, dit Archibald. Permettez-moi de ne pas répondre à cette question.

Les coups du brigadier résonnèrent dans l'atmosphère, derrière les grands rideaux noirs, mettant un terme au bourdonnement du public.

— Seigneur, mesdames, mesdemoiselles et messieurs, il est minuit ! proclama une voix enjouée. Que la veillée commence !

À l'obscurité qui tomba comme une nuit brutale, Ophélie comprit que toutes les lampes du théâtre avaient été éteintes. Seule la bougie du guéridon permettait maintenant de distinguer le contour des échelles et des meubles dans les coulisses.

Ophélie retint son souffle en entendant s'élever la voix du vieil Éric sur un fond d'accordéon :

— Mon seigneur, il vous sera conté ce soir comment un vagabond borgne a changé le destin de trois héros !

Il prononçait toujours ses « r » comme de la rocaille, mais son timbre était complètement différent de celui qu'il avait employé pour menacer Ophélie. Le vieil Éric déployait à présent une voix grave, ample, envoûtante qui retenait l'attention dès les premiers mots. Une voix de véritable conteur. En l'écoutant, Ophélie aurait bien bu un deuxième verre d'eau pour éclaircir la sienne. Elle se leva de sa chaise, marcha sur la pointe des pieds et aperçut, dans l'entrebâillement des grands rideaux noirs, un petit pan de scène.

Ce dont Ophélie fut témoin lui fit comprendre à quel point le vieil Éric avait raison. Associer leurs prestations dans un même spectacle, c'était une insulte à la profession.

Une grande toile blanche avait été tendue sur l'avant-scène, dissimulant à sa vue une bonne partie du public. Le vieil Éric se tenait caché à l'arrière-scène, ses doigts dansant avec virtuosité sur les deux claviers d'un accordéon ; près de lui, le dispositif de la lanterne magique projetait sur la toile blanche, dans un faisceau de lumière, l'illusion animée de la plaque de verre. Un grand personnage encapé pénétrait dans une grotte où un nain était occupé à forger une épée. Contemplée des coulisses, l'illusion se déroulait à l'envers par rapport au public et elle tournait en boucle au bout de quelques secondes, mais cela ne changeait rien à la beauté de la scène. Ophélie découvrait chaque fois de nouveaux détails au réalisme incroyable : les étincelles produites par le marteau du nain forgeron, les reflets irisés sur les parois glacées de la grotte, le mouvement de cape du vagabond borgne. Il était difficile de croire que tout cela n'était qu'un spectacle en deux dimensions, sans relief ni profondeur.

Ophélie essaya d'entrapercevoir le public, de l'autre côté de l'écran en toile. Ce qu'elle distingua dans la pénombre la laissa profondément pensive. Aucun noble ne regardait la pantomime. Les spectateurs des rangées de derrière n'applaudissaient, ne s'exclamaient, ne riaient que si les spectateurs des rangées de devant applaudissaient, s'exclamaient et riaient. On aurait dit les ondulations produites par un caillou jeté dans l'eau, l'épicentre de cet étrange séisme étant évidemment Farouk, assis au premier rang. Ophélie le savait, même si la toile l'empêchait de le voir. C'était exactement comme le soir de l'Opéra du printemps. On bâillait si Farouk bâillait, on complimentait si Farouk complimentait.

Ophélie demeura un long moment à regarder le vieil Éric changer ses plaques d'illusions sans jamais interrompre la musique de son accordéon ni le fil de son épopée héroïque, peuplée de monstres et de géants, où les morts côtoyaient les vivants dans une fantasmagorie macabre. Les différents épisodes du conte étaient plus horrifiques les uns que les autres ; il n'y était question que d'honneur à reconquérir, d'amours incestueuses et de meurtres sanglants.

Ophélie se sentit un peu bête avec son histoire de poupée et ses oreilles d'âne.

— Il est bon, murmura-t-elle, une fois qu'elle eut regagné sa chaise. Il est très bon.

— C'est le conteur officiel de la cour, dit Archibald en pouffant de rire. Vous vous attendiez à quoi ?

Toujours assis à l'envers sur sa chaise, il avait gardé son haut-de-forme enfoncé jusqu'au nez, mais Ophélie ne le trouvait plus drôle du tout. Elle contempla la couverture des *Contes d'objets et autres histoires animistes* comme si un miracle pouvait encore en surgir.

— Je n'ai jamais eu autant le trac de ma vie, avoua-t-elle. Je ne pourrai pas égaler M. Éric.

— En effet, répondit Archibald avec sa franchise coutumière.

— Laissez-moi seule, monsieur l'ambassadeur, supplia Ophélie. S'il vous plaît.

Archibald se leva sans dévisser son haut-de-forme, puis il pencha sa moitié de tête vers Ophélie, sa bouche dévoilant une rangée de dents comme un sourire d'épouvantail.

— Vous ne pouvez pas l'égaler, insista-t-il dans un chuchotis. À vous de vous différencier.

Ophélie regarda Archibald s'éloigner à tâtons, les bras tendus, tel un étrange chapeau qui aurait été pourvu d'un corps.

La poupée

« Me différencier », se répéta Ophélie en caressant l'écriture de son grand-oncle, sur la première page du livre. *En espérant que ça te sera utile, gamine.* Depuis le départ d'Archibald, Ophélie avait dressé la liste de ce qui la différenciait du vieil Éric, mais aucune ne jouait en sa faveur. Son conte était moins impressionnant, sa voix moins charismatique, elle ne savait ni jouer d'un instrument de musique ni utiliser un projecteur à illusions.

Et grâce à Cunégonde, elle portait maintenant des oreilles d'âne.

Ophélie sentit son estomac se replier sur lui-même, alors que les applaudissements ovationnaient la fin d'un nouveau conte. Combien de plaques le vieil Éric avait-il encore à montrer ? Comme pour répondre à sa question, le major-dome fit un passage furtif en coulisses.

— Ce sera à mademoiselle dans dix minutes. Que mademoiselle se tienne prête.

Ophélie posa un regard affolé autour d'elle, à la recherche de quelque chose capable de lui changer les idées. Sur le guéridon voisin, il n'y avait que la bougie, le verre vide et des pages de gazette dont le vieil Éric s'était probablement servi pour envelopper ses plaques. Ophélie défroissa fébrilement l'une d'elles. C'était un ancien numéro du *Nibelungen*, la date remontait déjà à quelques semaines en arrière.

ATTENTION AUX CAFARDS !

Ils sont partout. Ils s'infiltrent dans nos demeures, dans nos existences, au cœur même du pouvoir. Ils sont la décadence personnifiée. Notre intendant ? De la noblesse bâtarde. Sa tante ? Une sinistre race en voie d'extinction. Et les voilà maintenant qui introduisent à la cour, dans le saint des saints, une Animiste sans éducation ! Ne vous fiez pas à ses airs niais, cette intrigante attendra que vous ayez les yeux ailleurs pour poser sur vos affaires ses petites mains fouineuses. Les étrangers, chers lecteurs, sont comme les cafards. Laissez-en un pénétrer dans votre maison, et ils se mettront bientôt à pulluler. Et comme si cette invasion de nuisibles ne suffisait pas, les déchus demandent aujourd'hui à revenir parmi nous ! Ces clans dégénérés auraient-ils déjà oublié les erreurs commises par leurs propres parents ? De grâce, ressaisissons-nous et tenons tous ces cafards loin de notre prestigieuse Citacielle !

L'article était illustré par une gravure qui représentait Thorn. Le dessinateur avait rendu caricaturales la maigreur de ses jambes, la longueur de son nez et la grimace de sa bouche.

Rappelons que la mère de M. l'intendant, aujourd'hui déchue, était hier encore la plus infâme des comploteuses, commentait la légende. *Telle mère, tel fils ?*

Ophélie déchira la gazette. Elle était tellement révoltée qu'elle en avait complètement oublié sa peur. Décadents, bâtards, étrangers, nuisibles, dégénérés : de quel droit ce directeur de journal traitait-il des êtres humains avec autant de mépris ? Ophélie ignorait tout des déchus, elle n'en avait encore jamais rencontré, mais elle gardait à l'esprit les paroles de Berenilde quand elle lui avait expliqué la mécanique de ce monde : « Il y a les familles qui ont les faveurs de notre esprit Farouk, celles qui ne les ont plus et celles qui ne les ont jamais eues. » Ophélie avait vu par elle-même à quel point il était facile de les perdre et de les gagner, ces faveurs-là.

Farouk voulait écouter une histoire animiste ? Eh bien, il allait l'entendre.

— Mademoiselle la vice-conteuse ? Hem, hem. Mademoiselle la vice-conteuse ? répéta le major-dome.

Ophélie s'aperçut soudain que le plancher et sa chaise vibraient sous les applaudissements du public. La prestation du vieil Éric était terminée.

— C'est à moi ? J'arrive.

Le livre du grand-oncle sous le bras, Ophélie passa dans l'entrebâillement des rideaux noirs et se cogna au vieil Éric, encombré de son accordéon et de sa lanterne magique. Sa longue tresse bleue, qui mêlait cheveux et barbe, ruisselait de transpiration.

— À votre tour, à présent, dit-il sur un ton de défi, en faisant vibrer chaque « r ».

Quand Ophélie s'avança sur les planches de la scène, son trac était parti. En fait, elle avait la curieuse impression de ne plus rien ressentir du tout, comme si elle avait oublié ses émotions dans les coulisses. Le dispositif de projection avait été retiré ; maintenant que la toile blanche n'était plus là, Ophélie avait une vue panoramique sur les rangées des spectateurs qui s'étalaient du parterre aux balcons. L'auteur de la lettre de menaces se trouvait-il parmi eux ?

L'entrée d'Ophélie fut accompagnée par des murmures choqués. Ses oreilles d'âne n'y étaient certainement pas étrangères. Il n'y eut qu'un seul applaudissement pour l'accueillir : Ophélie ne la voyait pas, mais elle savait que c'était la tante Roseline qui claquait ainsi des mains, malgré les toux embarrassées dans l'assistance. Personne d'autre ne se serait hasardé à exprimer le moindre signe de sympathie tant que Farouk ne l'aurait pas fait.

« Ils veulent tous lui faire croire qu'il tire les ficelles, pensa-t-elle. Il n'est que leur pantin. »

Ophélie s'avança tout au bout de la scène, les yeux plissés derrière ses lunettes. Comme elle l'avait supposé, Farouk était assis au premier rang. Encore qu'*assis* n'était pas le terme approprié : il était couché en travers de six fauteuils. Sa tête était posée sur la robe de Berenilde qui lissait ses longs cheveux blancs d'un geste maternel. Il fermait les paupières, comme s'il s'était endormi ; sa grande main blanche tenait mollement un verre de lait qui menaçait à tout instant de se renverser. Transformées en couverture de diamants, les autres favorites s'étaient lovées où elles avaient pu le long de son corps gigantesque. À l'exception de Berenilde, qui l'encouragea d'un mouvement de lèvres silencieux, tous les yeux luisaient de mépris.

« Me différencier. »

Ophélie s'agenouilla sur les planches, éteignit plusieurs bougies en soufflant dessus et, sous les murmures choqués, s'assit maladroitement au bord de la scène, ses jambes pendant comme si elle était installée sur une balançoire. Farouk était son seul public, elle voulait être le plus près possible de lui.

— Bonsoir, dit-elle aussi fort que le permettait sa petite voix.

Ophélie attendit les coups de bâton traditionnels qui annonceraient le début de la représentation, comme elle l'avait entendu faire pour le vieil Éric, mais comme rien ne vint, elle décida de se débrouiller seule. Elle frappa elle-même du talon sur le bois de la scène jusqu'à ce que Farouk entrouvrît une paupière.

— Bonsoir, répéta-t-elle en tenant son livre à deux mains. J'ai ici un recueil de contes animistes que je viens juste de recevoir par la poste. Je n'ai eu que le temps d'en lire un, ma prestation sera donc courte et peut-être pas très fidèle à l'original. Je vous demande par avance de m'en excuser.

Ophélie se concentra tout entière sur le premier rang, sur les genoux de Berenilde, sur le visage somnolent, sur la paupière entrouverte, sur cette petite étincelle qui seule trahissait la présence d'un regard. Farouk était trop loin, ou trop endormi, pour qu'Ophélie pût ressentir sa présence psychique : elle allait devoir forcer sur ses cordes vocales.

— Il était une fois la poupée d'une petite fille, se lança-t-elle. C'était une poupée ordinaire, comme on en trouve beaucoup sur Anima : elle battait des cils, levait les bras ou remuait la tête selon les humeurs de sa propriétaire.

Parmi les rangées arrière, là où la pénombre était le plus dense, une spectatrice cria : « Plus fort ! »

— Comme beaucoup de jouets animistes, la poupée avait fini par développer son propre caractère. Elle fermait les yeux si elle voulait être tranquille. Elle agitait les bras quand sa robe était sale. Elle faisait non de la tête pour exprimer son désaccord. Elle se mit même à marcher sur ses jambes articulées.

— Plus fort ! cria quelqu'un d'autre dans la salle.

— Arriva le moment où la poupée en eut assez d'être une poupée. Elle ne se sentait plus à sa place sur une étagère. Elle ne voulait plus être le jouet d'une petite fille. Elle avait un rêve. Son propre rêve. Elle voulait être une actrice.

— Plus fort ! crièrent plusieurs voix à l'unisson, encouragées par le silence de Farouk.

— Une nuit, la poupée quitta son étagère, sa chambre et sa maison. Elle s'en fut seule par le monde sur ses jambes articulées. Elle ne pensait qu'à réaliser son rêve. La poupée finit par croiser la route d'une troupe de marionnettistes.

Il y avait tellement de « plus fort ! » dans la salle, à présent, qu'Ophélie avait elle-même du mal à s'entendre. Et comme si l'ambiance n'était pas assez confuse, la tante Roseline s'était dressée au milieu des rangées centrales pour applaudir furieusement.

Ophélie était bien décidée à ne pas se laisser déconcentrer. Elle n'avait pas encore délivré son message à l'étincelle sous la paupière.

— Les marionnettistes imaginaient déjà le spectacle que ferait une poupée pareille et le profit qu'ils pourraient en tirer. Ils flattèrent la poupée. Ils lui dirent qu'elle était faite pour être actrice et qu'ils pourraient l'aider à réaliser son rêve. Et la poupée les crut sans se rendre compte qu'elle n'avait jamais été aussi poupée de sa vie.

Ophélie se tut. Elle avait rarement prononcé autant de mots d'affilée et, comme si ce n'était pas assez épuisant, les « plus fort ! » bourdonnaient dans toute la salle jusqu'à recouvrir sa voix.

Blotties contre le corps de Farouk, les favorites criaient en chœur avec les autres. Berenilde ne parvenait plus à cacher son désarroi derrière son sourire. Quand Ophélie vit la paupière de l'esprit de famille tomber comme un rideau sur l'étincelle du regard, elle sut qu'elle avait perdu la bataille.

— Plus fort ! Plus fort ! Plus fort !

Il se produisit alors deux événements inattendus. D'abord, les favorites du premier rang se mirent à tomber les unes après les autres comme une pluie de diamants. Ensuite, le verre de lait vola à travers la salle et éclaboussa de blanc les visages bouche bée des rangées arrière. Tout s'était déroulé si vite qu'Ophélie mit un temps à comprendre ce qui venait de se passer.

Farouk se tenait debout, culminant au-dessus des spectateurs de toute la hauteur de sa taille. Depuis la scène, Ophélie ne voyait de lui qu'un immense manteau impérial, où la blancheur des cheveux se fondait dans celle de la fourrure. Jamais elle n'aurait cru Farouk capable de se déplacer avec une telle vivacité. Quand elle entendit le roulement de tonnerre qui lui faisait office de voix, elle fut bien contente de ne pas être à la place du public.

— Coupez-lui la parole encore une fois…

Farouk n'eut pas besoin d'en dire davantage. Le silence de stupeur qui était tombé sur la salle de théâtre faisait presque mal aux oreilles. Ceux qui avaient été aspergés de lait n'osèrent même pas s'essuyer.

Avec une extrême lenteur, la tête de Farouk se détourna des spectateurs. Elle pivota sur son cou, sans que le reste du corps bougeât d'un pouce, jusqu'à adopter un angle tout à fait alarmant. Seul un esprit de famille pouvait se contorsionner à ce point sans craindre de briser ses os. Quand la tête de Farouk se fut complètement tournée vers la scène, elle s'avéra aussi inexpressive qu'à son habitude. Pourtant, ce seul regard donna l'impression à Ophélie que la foudre venait de lui traverser les oreilles.

— Qu'est-il arrivé à la poupée ?

Ophélie avait été tellement prise au dépourvu par la réaction de Farouk qu'elle en avait oublié son histoire. Toutes les émotions qu'elle avait laissées en coulisses étaient revenues à la charge, dans un mélange indescriptible d'étonnement, d'épouvante et de fébrilité. Son écharpe, tout aussi intimidée, l'étranglait presque à force de se serrer autour de son cou.

— Je vous raconterai la fin une prochaine fois, monsieur.

Les sourcils de Farouk remuèrent de façon infime. Ophélie n'aurait su déterminer si c'était là un signe de contrariété ou de réflexion, mais elle eut tout le temps d'entendre battre son cœur durant le long silence qui s'ensuivit. Si elle l'obtenait, cette *prochaine fois*, elle aurait remporté sa toute première victoire.

— Votre histoire, finit par articuler Farouk en découpant chaque syllabe, je ne suis pas certain qu'elle me plaise vraiment.

— Mais vous voulez connaître la fin. Vous voulez savoir si la poupée restera le jouet des marionnettistes, n'est-ce pas ?

Ophélie espérait que le tremblement de sa voix ne s'entendait pas trop. Elle pouvait presque sentir l'hostilité du public lui picoter la peau, mais cette fois personne n'osa crier : « Plus fort ! »

Le corps de Farouk se tourna nonchalamment jusqu'à être enfin dans l'alignement normal de sa tête. Il s'avança vers la scène d'un pas si lent que le temps semblait se figer sur son passage. Plus il se rapprochait, plus la migraine d'Ophélie prenait des proportions dramatiques ; il s'arrêta juste à temps, alors que la douleur se propageait dans tout le corps d'Ophélie sous forme d'intolérables névralgies.

— Non, je ne veux pas connaître la suite. Je n'aime pas cette histoire. Mais vous, ajouta-t-il d'un ton songeur, vous sonnez juste.

Aux chuchotis stupéfaits qui parcoururent aussitôt la salle de théâtre, Ophélie supposa que c'était là une sorte de compliment.

— Je vous nomme vice-conteuse, déclara Farouk.

— Je suis déjà vice-conteuse.

— Ah ? Parfait, nous éviterons ainsi de la paperasse inutile.

Ophélie se cramponna des deux mains à son livre de contes. Farouk lui faisait tellement mal qu'elle aurait voulu le supplier de parler un peu plus vite et de reprendre ses distances. Il déplia le bras, un geste négligent dont Ophélie comprit la signification en voyant le jeune aide-mémoire surgir sur une cabriole pour lui remettre son pense-bête. Farouk trempa une plume dans l'encrier que l'aide-mémoire lui tendait, hissé sur la pointe des pieds, et se mit à écrire laborieusement.

— Vous me raconterez une autre histoire demain soir, mademoiselle la vice-conteuse.

Ophélie et son écharpe sursautèrent en même temps quand un tonnerre d'applaudissements s'éleva de toute la salle. Les gens qui criaient : « Plus fort ! » un instant auparavant s'étaient levés de leur fauteuil pour lancer des bravos et des baisers du bout des doigts.

Alors que les lampes à gaz se rallumaient lentement, Ophélie ne vit plus Farouk qui refermait mollement son pense-bête, ni Berenilde qui venait à sa rencontre dans un gracieux ondoiement de robe, ni la tante Roseline qui lui adressait d'amples mouvements d'ombrelle.

Elle ne vit que Thorn dans son grand uniforme noir, tout au fond de la salle, bien à l'abri des regards. Il n'applaudissait pas.

Les contes

Le changement s'introduisait dans la vie d'Ophélie par la fente de la boîte aux lettres. Du jour au lendemain, des sabliers de toutes les couleurs furent adressés à « Mlle la vice-conteuse ». Bal en costume d'illusions, thé aux jardins suspendus, place au balcon de l'Opéra, salon littéraire dans les bains thermaux : le couvercle de la boîte n'en finissait plus de claquer.

Ophélie admirait profondément la Mère Hildegarde, mais elle n'aimait pas ces sabliers-invitations dont elle était l'inventrice.

C'était un moyen de locomotion qui ne manquait pourtant pas d'ingéniosité : il suffisait d'ôter la goupille pour déclencher le mécanisme de retournement, puis être aussitôt transporté à la destination prévue, et ce jusqu'à l'écoulement complet du sable. La quantité de celui-ci et la taille du goulet étaient proportionnelles à l'importance du convive, l'invitation pouvant ainsi varier de quelques minutes à plusieurs jours.

Ophélie aurait peut-être pu s'y habituer s'il n'y avait pas eu les sabliers bleus. À force de s'en voir proposer, elle avait souvent failli en dégoupiller par inadvertance. S'il y avait une catégorie de sabliers qu'elle s'était promis de ne jamais utiliser, c'étaient bien celle-là. On en trouvait absolument partout à la cour, sur les plateaux des domestiques, au milieu des flûtes de champagne, dans des distributeurs automatiques. Combien de nobles Ophélie n'avait-elle pas vus disparaître quelques minutes, puis réapparaître à leur place dans un état d'extrême euphorie ? Lorsqu'elle demandait où menaient ces sabliers, on lui répondait : « Au paradis, voyons ! », ce qui ne la rassurait pas le moins du monde.

— Je ne répondrai plus aux invitations, décidat-elle un matin, alors qu'elle s'était installée dans son lit pour travailler. Toutes ces fêtes m'épuisent et je dois préparer mes contes.

À peine eut-elle ouvert le livre de son grandoncle que Berenilde le referma sur ses doigts et l'obligea à se lever.

— Je vous conseille au contraire de toutes les honorer.

— Pourquoi ? Je ne me sens pas à ma place là-bas. Il me semble que je ne suis l'obligée que de M. Farouk.

— Je suis d'accord avec la gamine, renchérit la tante Roseline. Il ne peut y avoir qu'un passager par sablier et elle est la seule ici à en recevoir. Comment nous faisons, nous, pour la chaperonner ?

— Je sais, soupira Berenilde. Le fait est qu'Ophélie est venue au Pôle dans le cadre d'une alliance diplomatique. En déclinant les invitations de ces dames et de ces messieurs, elle leur ferait un terrible affront et chaque affront se paye tôt ou tard. Mais ne vous inquiétez pas, assura-t-elle à Ophélie de sa plus belle voix de velours, c'est un effet de mode, ça ne durera pas. Et tant que notre seigneur aimera vos histoires, personne n'osera s'en prendre à vous.

Ophélie devait reconnaître qu'elle avait trouvé en Farouk un public indulgent au-delà de toutes ses espérances. Chaque soir, elle pensait que ce serait le dernier, qu'il s'apercevrait soudain qu'elle n'avait aucun talent. Et chaque soir, contre toute attente, il lui réclamait de nouveaux contes pour le lendemain.

Son visage de marbre n'exprimait jamais la moindre émotion : pas un sourire quand l'histoire était censée être drôle, pas un sourcillement quand elle était censée être triste. Et lorsque Ophélie refermait son livre pour marquer la fin de sa prestation, Farouk n'émettait aucun commentaire, ne posait aucune question. Il dénouait simplement les membres de son corps gigantesque et, avant de s'en aller, déclarait d'une voix lente :

— Vous me raconterez une autre histoire demain soir, mademoiselle la vice-conteuse.

Alors seulement les applaudissements jaillissaient de la salle comme une mécanique bien huilée.

— Je me demande si M. Farouk prend vraiment du plaisir à m'écouter, confia Ophélie à la tante Roseline. En fait, je me demande s'il m'écoute tout court.

— Je ne sais pas s'il t'écoute, mais le moins que l'on puisse dire, c'est qu'il te regarde.

C'était précisément ce qui embarrassait Ophélie. Elle sentait bien que Farouk la dévorait des yeux depuis le pied de la scène. Cela n'avait rien à voir avec le regard avide dont il enveloppait jalousement Berenilde, ni avec le regard lourd d'ennui qu'il destinait au reste du monde. Non, le regard qu'il posait sur Ophélie était flou et perçant à la fois, comme s'il cherchait à la traverser de part en part, à découvrir quelqu'un d'autre à l'intérieur. Elle aurait tellement voulu lui faire prendre conscience de tout ce qui ne tournait pas rond dans sa famille ! À quoi bon se donner cette peine s'il n'écoutait pas ? Un soir, Ophélie avait raconté deux fois d'affilée la même histoire, dans l'espoir de le faire réagir, mais il ne s'était rendu compte de rien.

La seule histoire à lui avoir fait impression, c'était celle de la poupée et il ne voulait plus en entendre parler.

« Qu'est-ce que Farouk attend de moi exactement ? » se demandait Ophélie nuit après nuit, tout en caressant l'écharpe roulée en boule près de son oreiller.

Peut-être se faisait-elle des idées, mais il lui semblait qu'il cherchait maintenant à travers elle ce qu'il cherchait avant à travers son Livre. Le fait est qu'il n'y avait plus jamais fait allusion en sa présence, à croire qu'il lui était pour le moment complètement sorti de la tête.

Ophélie ne pouvait pas en dire autant.

Un mois après avoir reçu son étrange lettre de menace, elle continuait de se demander pourquoi certains redoutaient tant la *lecture* de ce Livre par Thorn. Artémis aussi en possédait un et, à la connaissance d'Ophélie, personne sur Anima n'avait jamais été assassiné en essayant de le déchiffrer. Qu'est-ce qui rendait le Livre de Farouk si singulier et si inquiétant ? Contenait-il, quelque part au milieu de son étrange alphabet, un secret compromettant ? Farouk le savait-il lui-même sans être capable de se le rappeler ?

« Il suffirait que je lui propose mes services une fois, songea Ophélie en faisant pianoter ses doigts sur son lit. Juste une fois… »

En tant que *liseuse*, elle se consumait de curiosité professionnelle et, en tant que fiancée, elle brûlait de prendre sa revanche sur Thorn.

— Je suis vice-conteuse, déclara finalement Ophélie à son écharpe. Je vais me concentrer sur mon travail et essayer de rester en vie. Ce sera déjà un bon début.

Malheureusement pour elle, M. Tchekhov ne laissait jamais passer une occasion de lui attribuer une place de choix dans les gros titres du *Nibelungen*.

Ce matin de mai ne fit pas exception à la règle :

UNE VICE-CONTEUSE BIEN VICIEUSE

— Vous jouez à un jeu dangereux, ma fille, commenta Berenilde après avoir lu l'article en entier. Votre petit numéro n'échappe à personne. Vous vous servez de vos contes pour critiquer la cour, et les courtisans détestent ça.

— Ce n'est pas à la cour que je m'adresse, dit Ophélie qui écrivait de nouvelles idées sur un calepin. C'est à M. Farouk.

C'était son seul moyen d'expression, sa seule façon de donner du sens à ce qu'elle faisait.

— Entendez-vous faire l'éducation de notre esprit de famille ?

Enveloppée dans un peignoir de soie rose, Berenilde semblait plus amusée que fâchée. Comme chaque matin, elle s'était installée dans son fauteuil pour feuilleter la gazette tandis que la tante Roseline coiffait ses magnifiques cheveux blonds. À six mois de grossesse, le ventre de Berenilde bombait tellement ses robes qu'elle ne pouvait plus le cacher aux yeux du monde, et la tante Roseline s'était mise à la chaperonner presque autant que sa nièce : elle jetait toutes ses cigarettes dans le vide-ordures, lui confisquait ses verres de liqueur et lui interdisait de pratiquer les nouvelles danses à la mode, beaucoup trop turbulentes à son goût. Elle désapprouvait par-dessus tout la façon dont Farouk l'invitait à rejoindre sa chambre, au dernier étage de la tour, nuit après nuit.

— Si vous étiez réellement courageuse, poursuivit Berenilde, ce serait à mon neveu que vous vous adresseriez. Vous trouvez toujours des excuses pour ne pas avoir à lui parler au téléphone : hier vous aviez mal à la gorge, avant-hier aux oreilles... Vous ne pensez pas que ce pauvre garçon a suffisamment de soucis pour devoir en plus vous courir après ?

Ophélie se contracta sur son calepin. Sa dernière conversation avec Thorn ne lui avait pas donné envie de renouveler l'expérience.

— Justement. Il a d'autres tapis à battre en ce moment, autant que je le laisse tranquille.

En cela, elle ne mentait pas. La Citacielle traversait une véritable crise alimentaire depuis que les Dragons avaient été massacrés. Sans ses chasseurs attitrés, la cour se retrouvait privée de gibier et les garde-manger se vidaient à une vitesse préoccupante. Les Mirages s'étaient bien essayés à l'art de la chasse, mais l'expérience avait été catastrophique : habitués à leurs petites illusions douillettes, loin des dures réalités extérieures, ils avaient tous failli finir égorgés. Ophélie n'avait jamais vu de Bêtes sauvages autrement que sur des croquis. Cela lui avait suffi pour comprendre que le talent hypnotique des Mirages n'était pas adapté à la faune monstrueuse du Pôle. Ils n'étaient parvenus qu'à rendre les Bêtes encore plus enragées. Moralité : en attendant de trouver une solution, l'intendance invitait tout le monde à se serrer la ceinture.

— Je vous préviens, dit Berenilde en la considérant posément par-dessus sa gazette, si vous brisez ce qui tient lieu de cœur à mon neveu, je vous découpe en lamelles.

Ophélie versa le café à côté de sa tasse. Elle était bien placée pour savoir que ce n'était pas là de la simple rhétorique : Berenilde s'était déjà fait les griffes sur elle pour moins que ça.

— Oh, ne prenez pas cette mine, déclara Berenilde. Vivre avec des Animistes n'est pas de tout repos non plus pour une femme enceinte. Les portes claquent pour un oui ou pour un non, les horloges indiquent des heures tout à fait fantaisistes, les robinets s'écoulent dès qu'on s'approche

112

du lavabo et ce manteau, mes aïeux, ce manteau ! soupira-t-elle avec un regard désapprobateur pour la silhouette qui s'agitait furieusement sur sa patère. J'ai parfois l'impression de vivre dans une maison hantée.

Ophélie devait admettre que sa mère lui avait envoyé un manteau au caractère épouvantable. Dès qu'elle l'avait sorti de son paquet, il s'était débattu comme un forcené et la tante Roseline avait dû le saisir par-derrière pour le suspendre à la patère. Toutes les occupantes de l'appartement, Valkyries incluses, avaient depuis pris l'habitude de contourner prudemment ce coin de pièce pour éviter les lourdes manches à boutons qui se balançaient avec rage.

Ophélie récupéra le *Nibelungen* et passa les innombrables caricatures qui les tournaient en ridicule, elle et Thorn. Il était difficile de trouver dans ce journal des informations dignes d'intérêt. Tchekhov se contentait de multiplier les articles haineux sur la noblesse déchue, les arrivistes étrangers et, de façon générale, tous ceux qui n'étaient pas des Mirages. Sa cible privilégiée restait la Mère Hildegarde : à chaque page, il invitait son lectorat à cesser de se procurer auprès d'elle des sabliers bleus, des agrumes, des épices et de nouvelles maisons.

Ophélie finit par tomber sur un article qui n'était ni une caricature ni une antipublicité :

BRACONNAGE : ENCORE ET TOUJOURS
LES DÉCHUS !

— «Alors que la famine arrive aux portes de notre belle Citacielle, les déchus s'adonnent allègrement au braconnage, lut Ophélie à mi-voix. Ils volent la viande destinée à nos assiettes et la redistribuent au peuple des sans-pouvoirs. Cette grossière manipulation vise évidemment à redorer leur blason. Les déchus prétendent combler le vide laissé par nos anciens chasseurs, mais nous ne céderons pas ! » C'est vraiment de la mauvaise foi, s'agaça-t-elle en refermant le *Nibelungen*. Ils ont simplement réussi là où les chasseurs de la cour ont échoué. J'aimerais bien avoir un autre avis sur les déchus que ce qu'en dit ce journal.

— En quoi ces pauvres gens vous concernent-ils ? désapprouva Berenilde. Ils sont le passé et nous sommes l'avenir.

— Ils sont un peu mon avenir tout de même, rétorqua Ophélie. Certains d'entre eux seront bientôt des membres de ma famille. Vous m'avez dit une fois que la mère de Thorn était une Chroniqueuse et j'ignore encore tout de ce clan.

Berenilde eut un regard nerveux vers les Valkyries, assises sur une banquette du salon, toujours attentives et silencieuses, comme si elle trouvait très embarrassant d'avoir une telle conversation devant des témoins.

— Les déchus sont des nobles qui ont commis des fautes particulièrement graves, ma chère petite. Si graves qu'ils se sont condamnés, eux et tous leurs descendants, au bannissement définitif de la cour. Ils ont perdu leurs privilèges, leurs propriétés et ils n'ont pas le droit de pénétrer à l'intérieur des villes.

— En d'autres termes, dit Ophélie avec un froncement de sourcils, ils doivent vivre à l'état sauvage, parmi les Bêtes, sans avoir le droit de chasser ? C'est les condamner à mort.

— Ne vous tracassez pas pour eux, ironisa Berenilde en portant une tasse de thé à ses lèvres. Ils se débrouillent parfaitement bien pour survivre.

— Ma future belle-mère également ?

Le sourire de Berenilde se tordit et elle reposa sa tasse sur sa soucoupe, à croire que le thé était soudain devenu trop amer.

— Votre future belle-mère est un sujet de conversation à proscrire. Le simple fait de l'évoquer en public pourrait gravement nuire à la réputation de Thorn.

— Mais pourquoi ? insista Ophélie. Qu'a-t-elle donc fait de si terrible ?

— Thorn sera bientôt votre mari, décréta Berenilde d'un ton sans réplique. C'est à lui que vous devriez poser vos questions.

Ophélie ne s'obstina pas. Elle s'était promis de ne plus avoir affaire à Thorn aussi longtemps que ce serait diplomatiquement possible.

Sa maladresse en décida autrement.

Le fait est qu'Ophélie avait fini par se passer des sabliers de la boîte aux lettres. Elle avait suffisamment fréquenté les lieux de sociabilité pour bien connaître leurs miroirs. Elle reprit vite l'habitude de se servir de son pouvoir comme moyen de locomotion, faisant sursauter les élégants et les coquettes qui la voyaient surgir du reflet qu'ils étaient en train d'admirer.

D'avoir retrouvé sa liberté de mouvements

procura une intense satisfaction à Ophélie, mais sans doute manqua-t-elle de prudence. Aller d'un miroir à un autre impliquait d'être à la fois bien concentré et en harmonie avec soi-même. Les privations de sommeil, les successions de fêtes, la peur de ne pas trouver sa place, tout cela aurait dû l'inciter à utiliser son pouvoir de Passe-miroir avec parcimonie au lieu de bondir d'un endroit à un autre.

Toujours est-il qu'un après-midi, aux premiers jours de juin, Ophélie se retrouva coincée.

Sa tête s'était bloquée au niveau des épaules, au beau milieu de la glace d'un fumoir, mais le reste de son corps refusait de suivre. Elle essaya de faire demi-tour depuis sa glace de départ, où son pied se tenait toujours sur la pointe des orteils, mais son autre jambe et ses deux bras semblaient se débattre dans le vide. Il fallut un moment à Ophélie pour comprendre qu'ils s'étaient chacun empêtrés dans un miroir différent. Elle eut beau jouer des épaules pour porter son poids vers l'avant, elle ne se dégagea pas d'un centimètre. Elle se trouvait dans trop d'endroits en même temps, elle ne parvenait pas à coordonner ses mouvements.

— S'il vous plaît ? appela Ophélie depuis le miroir qui emprisonnait sa tête.

Cette partie-là de son corps avait émergé dans l'un des nombreux fumoirs de la Jetée-Promenade et, comme par un fait exprès, les lieux étaient déserts.

En équilibre inconfortable sur chaque jambe, Ophélie appela à l'aide pendant ce qui lui parut une éternité quand, enfin, quelqu'un quelque part se décida à tirer sur l'une de ses mains. Elle s'abandonna de tout son corps à cette impulsion brutale, avec l'impression douloureuse d'être arrachée d'une pluralité de mondes, puis elle tomba à la renverse sur du parquet.

Sonnée, Ophélie ne vit autour d'elle que des silhouettes floues qui poussaient des exclamations affolées et des aboiements furieux. Elle chercha ses lunettes à tâtons sur le parquet, mais une bonne âme les lui tendit et l'aida à se remettre debout. Les « je vous désole » et « je suis remerciée » qu'Ophélie bredouillait confusément moururent sur ses lèvres dès qu'elle reconnut Thorn en la personne de son bienfaiteur.

— Qu'est-ce que vous faites ici ?

C'était la première question qui était venue à l'esprit d'Ophélie. Deux têtes au-dessus d'elle, Thorn fronça ses interminables sourcils, ce qui n'arrangea rien à la contraction naturelle de ses traits. Il portait sous le bras un ensemble de formulaires qui indiquait assez clairement qu'il était en plein exercice de ses fonctions.

— Ce serait plutôt à moi de vous demander ce que votre main faisait dans ce miroir, maugréa-t-il. Ces dames ont beau être habituées aux extravagances, elles ont frôlé l'apoplexie.

Ophélie s'aperçut qu'elle venait de débouler au beau milieu d'une exposition canine. Une foule de vieilles aristocrates tout en lorgnettes et de grosses chiennes tout en rubans la considéraient d'un air indigné.

Quand elle haussa les yeux, elle comprit qu'elle se trouvait dans les jardins suspendus... ou plutôt, *sous* les jardins suspendus. Le deuxième étage de la tour n'aurait été qu'une salle d'exposition classique, avec ses beaux parquets cirés et ses grandes glaces murales, si le plafond n'avait été entièrement recouvert de jungle tropicale. Il suffisait de lever le nez pour plonger dans un monde végétal tout de cèdres, d'acajous, de fleurs carnivores et de perroquets multicolores. Une fois, Ophélie avait même cru apercevoir le pelage tigré d'un fauve dans le remous des fougères.

— Pardonnez-moi, mesdames, j'étais complètement coincée, dit-elle en repoussant les flots de cheveux qui s'étaient déversés de son chignon. Ça ne m'était pas arrivé depuis longtemps.

À l'âge de douze ans, alors qu'elle tentait son premier passage de miroir, elle s'était coincée dans deux endroits à la fois. Elle en était ressortie complètement inversée, incapable de coordonner sa droite et sa gauche. Elle ne se rappelait pas ce qui lui avait pris de se lancer dans une expérience aussi saugrenue au milieu de la nuit ; en revanche, elle se souvenait parfaitement des longues séances de rééducation qui avaient suivi. Elle devait déjà son incurable maladresse à un accident de miroir ; elle espérait que ce raté ne la rendrait pas encore plus gauche.

Thorn se tourna vers les vieilles aristocrates avec une raideur d'automate.

— Si vous voulez bien m'excuser, dit-il d'un ton qui ne s'excusait de rien du tout. Veuillez remplir vos formulaires, je viendrai les récupérer dans cinq minutes.

Sans demander son avis à Ophélie, Thorn lui empoigna l'épaule et l'entraîna dans une antichambre vide, où de faux oiseaux exotiques voletaient entre le beau sol lambrissé et les lianes du plafond.

— Bien, dit Thorn avec son timbre neutre de comptable. Quand Mlle la vice-conteuse aura honoré ses rendez-vous avec tous les habitants du Pôle, acceptera-t-elle de me consacrer enfin un peu de son temps ?

Il semblait à Ophélie que ses cheveux, toujours scrupuleusement peignés vers l'arrière, prenaient de plus en plus la couleur de l'argent. Même l'acier des yeux avait perdu de son tranchant. Était-ce la crise alimentaire qui le mettait dans un état pareil ?

— Vous m'avez aidée à me décoincer. Je suppose que je peux vous accorder un instant.

— Pas ici et pas maintenant, dit Thorn avec un coup d'œil méfiant vers la porte de l'antichambre. Venez demain à l'intendance. Peu importe l'heure, j'annulerai tous mes rendez-vous.

— J'en parlerai à Berenilde, soupira Ophélie. Nous essaierons…

— Je ne veux ni de ma tante ni de la vôtre, abrégea-t-il d'un geste catégorique. Vous viendrez seule. Cette situation ne peut plus durer, j'exige que vous vous réconciliiez avec moi.

Ophélie n'apprécia pas du tout ce ton autoritaire. Si Thorn n'avait pas porté sur les épaules une tête aussi épouvantable, elle aurait refusé net.

— Qu'est-ce que vous étiez en train de faire, exactement ? demanda-t-elle en lui prenant les formulaires des mains.

— Je procède au recensement de toutes les Bêtes domestiques.

Ophélie faillit éclater de rire en imaginant Thorn en train de compter des caniches, mais quand elle devina pourquoi il le faisait, elle écarquilla des yeux horrifiés.

— Vous ne songez quand même pas à...

— J'envisage toutes les possibilités pour nous épargner la famine, répondit-il en consultant sa montre à gousset. Si cela ne tenait qu'à moi, je choisirais prioritairement les ministres les plus gras, mais l'anthropophagie est une pratique illégale, même au Pôle.

Ophélie jeta un coup d'œil par la porte entrouverte de l'antichambre et vit les vieilles aristocrates qui s'interrompaient sans cesse au milieu de leur formulaire pour peigner et complimenter leurs énormes chiennes.

— Elles savent ce que vous attendez d'elles ?

— Elles le sauront dès que j'en aurai fini avec vous, maugréa Thorn sans états d'âme, la dureté de ses propos soulignée par celle de son accent. Mes cinq minutes sont écoulées, puis-je avoir votre réponse ? Viendrez-vous me voir, oui ou non ?

Ophélie le dévisagea avec un mélange de répulsion et de pitié, comme si elle avait devant elle un sinistre directeur de pompes funèbres.

— Je n'aimerais vraiment pas vivre dans vos souliers.

Thorn était un homme si peu expressif qu'Ophélie interpréta d'abord sa raideur immobile comme une attente ; quand elle s'aperçut qu'il la fixait intensément sans plus ciller ni respirer, elle comprit que, en réalité, elle lui avait coupé le souffle.

— Je vous concède qu'ils ne sont pas très

confortables, finit-il par articuler au bout d'un très long silence. Un peu plus que cela, même. (Il vérifia son col officier déjà parfaitement boutonné, passa la main dans ses cheveux déjà parfaitement peignés, remonta sa montre déjà parfaitement à l'heure, puis se racla la gorge.) J'en déduis que votre réponse est non. Puis-je ?

Thorn avait tendu la main pour récupérer ses formulaires, un geste professionnel si mécanique qu'Ophélie se sentit absurdement coupable. Elle fut néanmoins obligée d'admettre que Berenilde avait vu juste : c'était bel et bien par lâcheté, plus encore que par colère, qu'elle avait passé ces dernières semaines à le fuir.

Alors qu'elle lui rendait ses papiers, Ophélie le regarda droit dans les yeux.

— Vous avez raison, nous ne pouvons pas passer le restant de notre vie à nous éviter. Il faut que nous trouvions ensemble un compromis. Je viendrai à l'intendance demain, avant mes contes. Et je viendrai seule.

Il fallait être observateur pour remarquer le relâchement infinitésimal des sourcils froncés de Thorn.

— À demain, donc, dit-il.

L'oublié

Pareille à un vent d'altitude, Ophélie survolait
l'ancien monde. C'était une terre intacte, telle
qu'elle devait l'être autrefois avant d'avoir inexplicablement éclaté en morceaux. Ophélie contemplait depuis le ciel ses villes, ses forêts, ses mers
et ses campagnes qui restaient hors de sa portée.
D'aussi loin qu'elle s'en souvînt, elle avait toujours
fait ce rêve, mais il prit cette fois une tournure
inhabituelle. Les nuages se transformèrent en tapis
et à peine Ophélie y posa-t-elle le pied qu'il n'y
eut plus d'ancien monde, plus de mers, plus de
villes, plus de campagnes. Elle se trouvait à présent
dans une chambre. Pas n'importe laquelle : c'était
sa chambre d'enfant, sur Anima. Ophélie se tenait
debout face au miroir mural et son reflet était
tout rajeuni, emmitouflé dans un peignoir, avec
des cheveux encore roux qui bouclaient autour de
son visage. Que faisait-elle ici, au beau milieu de
la nuit ? Quelque chose l'avait réveillée, mais quoi ?
Ce n'étaient pas sa sœur Agathe qui dormait sur le
lit du haut ni les meubles qui bougeaient parfois
en douce. Non, c'était autre chose. C'était le miroir.

Ophélie ouvrit grands les yeux, le cœur battant à tout rompre. Elle observa d'un air hébété le chaton tigré qui jouait avec son écharpe. Il détala de la table à manger quand Ophélie se redressa sur sa chaise. Elle s'était endormie au beau milieu du petit déjeuner et de son livre de contes.

— J'ai fait un drôle de rêve, dit-elle à la tante Roseline qui arrivait avec la cafetière.

— Si tu as vu un chat, ce n'était pas un rêve. Il s'est introduit par la fenêtre. Berenilde s'est enfermée dans la salle de bains en attendant qu'on le chasse. Elle n'aime vraiment pas les animaux.

— Non. Enfin si, j'ai vu le chat, mais ce n'était pas mon rêve. J'ai cru… je ne sais pas… entendre quelque chose, marmonna Ophélie en frottant ses yeux sous ses lunettes. (À présent qu'elle refaisait surface, le rêve perdait en précision et en intensité. Elle ne se rappelait plus tellement ce qui l'avait perturbée à ce point.) Ce doit être à cause de l'accident de miroir d'hier. Ça m'a rappelé des souvenirs.

— Oui, on en parle sous la rubrique insolite, soupira la tante Roseline.

Elle avait posé sur la table le *Nibelungen* du jour qui titrait ironiquement :

L'ÉTRANGÈRE LAISSE TRAÎNER SES BOUTS
CHEZ LES AUTRES !

— La semaine dernière, il parlait d'un embouteillage de matelas dans un ascenseur, rétorqua Ophélie en feuilletant négligemment la gazette. Je crois que je vais arrêter de lire ce ramassis de bêtises, ce n'est pas ce que j'appelle de l'information.

Ophélie essaya de se concentrer sur la pile de lettres et de sabliers qui s'amoncelaient sur le plateau réservé au courrier du jour. Il n'allait pas être simple de dégager un moment de liberté entre deux invitations, à l'insu de Berenilde et de la tante Roseline, pour rendre visite à Thorn.

— Tu as vu comment tu t'es accoutrée ? l'interrogea sa tante, désignant les coutures le long de ses manches, qui étaient à l'envers. Je pense que tu devrais éviter les miroirs tant que tu n'es pas reposée, continua-t-elle en lui servant du café. Tu te rends compte que tu pourrais en garder des séquelles ? Comme je n'aime pas non plus les sabliers, je suggère que nous prenions les ascenseurs ensemble, d'accord ? Et tant pis si tu arrives en retard à tes rendez-vous.

Ophélie avala son café de travers, referma son livre sur son écharpe et se leva si brusquement qu'elle renversa sa chaise en arrière.

— Je suis désolée, ma tante, je dois partir. Laissez Berenilde prendre tranquillement son bain, vous la préviendrez après.

— Pardon ? Mais où ? Comment ? bégaya la tante Roseline, abasourdie.

Ne prenant même pas la peine de répondre, Ophélie se dirigea vers les deux Valkyries, assises sur leur banquette habituelle, les bras croisés en travers de leur grande robe noire. Elles étaient aussi raides, aussi silencieuses et aussi vigilantes qu'au premier jour.

— Archibald ? appela Ophélie en se penchant

sur les vieilles femmes. Archibald, si vous m'écoutez, sachez que je serai devant votre cabinet dans une minute. Si vous voulez m'épargner d'être arrêtée par vos gendarmes, retrouvez-y-moi dès que possible. Venez avec votre régisseur, je vous expliquerai tout sur place. Merci d'avance.

Les Valkyries s'entre-regardèrent avec un sourcillement sévère, choquées d'être prises pour un central téléphonique.

— Quelle épingle te pique ? s'impatienta la tante Roseline en suivant Ophélie vers sa chambre, sa cafetière toujours en main.

Pour toute réponse, celle-ci lui remit le billet qu'elle venait de décacheter et qui ne contenait que quelques mots griffonnés à la hâte :

R. est dans le pétrin. Tu lui en dois une, alors sors-le de là.

Signé G.

— Qui est R. ? Qui est G. ?

— Mes amis du Clairdelune, dit Ophélie en retirant sa robe pour la remettre à l'endroit.

Jusque-là, elle avait fait le choix de ne jamais parler ouvertement ni de Renard ni de Gaëlle. Elle avait toujours pensé qu'elle causerait plus de tort que de bien en affichant son intérêt pour les domestiques d'une autre famille. De telles amitiés étaient interdites ici-haut, et sa réputation aurait moins souffert que la leur. Pourtant, dès l'instant où elle avait lu le message de Gaëlle, Ophélie avait senti un feu s'allumer dans tout son corps. Elle n'était plus capable de réfléchir froidement aux conséquences de ses actes et de ses paroles. Renard l'avait aidée comme personne au Clairdelune. Il n'y avait plus d'invitations, plus de sabliers, plus de protocole, plus de bienséance qui tinssent ; seul comptait le besoin impérieux de lui rendre la pareille.

Plantée au milieu du couloir, la tante Roseline considéra tour à tour le billet, puis sa nièce, puis la porte de la salle de bains où Berenilde chantonnait le dernier opéra à la mode.

— Nous irons ensemble. Il est hors de question que tu te promènes seule dans le repaire de ce libertin.

Ophélie ne put s'empêcher de remarquer la façon dont les joues cireuses de sa tante avaient rougi. Ce trouble-là était plus éloquent que n'importe quel avertissement : côtoyer Archibald, c'était jouer avec le feu.

— Non, ma tante. Vous ne savez pas traverser les miroirs et les ascenseurs sont trop lents. En incluant les correspondances et les contrôles, il me faudrait presque une heure pour me rendre au Clairdelune. Mon ami a besoin de mon aide, c'est peut-être urgent, coupa-t-elle d'un ton catégorique comme sa tante s'apprêtait à répliquer. Je ne vous empêche pas de me retrouver là-bas, mais, s'il vous plaît, ne me ralentissez pas.

La tante Roseline serra et desserra ses longues dents avant de reposer bruyamment sa cafetière sur une console.

— Je te rejoins aussi vite que possible. D'ici là, ne te laisse surtout pas emberlificoter par M. l'ambassadeur.

Sans plus perdre un instant, Ophélie plongea tête la première dans le grand miroir de sa psyché. Elle refit surface à travers la glace d'un corridor qui menait au cabinet privé d'Archibald. La dernière fois qu'elle s'y était reflétée, c'était juste avant de faire sa montée officielle à la cour. Il lui semblait que c'était il y avait une éternité.

À peine Ophélie posa-t-elle le pied sur l'épais tapis bleu, au milieu du paysage doré des boiseries, des bronzes et des lampes à gaz, qu'elle vit un gendarme en faction froncer les sourcils sous son bicorne et se diriger vers elle d'un pas militaire. L'ambassade n'était pas le lieu le mieux gardé de la Citacielle pour rien.

— Retournez... à votre poste. Mademoiselle... est l'invitée de... M. l'ambassadeur.

Un homme hors d'haleine venait de surgir à l'autre bout du corridor. Ophélie reconnut Philibert, le régisseur du Clairdelune. À cause de son visage parcheminé, tous les domestiques l'appelaient Papier-Mâché. C'était un homme si terne de peau, d'habits et de caractère qu'il avait en temps normal la capacité de se fondre dans n'importe quel décor ; en cet instant, toutefois, on ne voyait que lui avec sa perruque de travers, ses joues écarlates, son jabot trempé de sueur et sa respiration sifflante.

— Mademoiselle, l'accueillit-il en trébuchant, son registre sous le bras. J'ai accouru... dès que monsieur m'a téléphoné. Il m'a demandé... de vous introduire dans son cabinet. Il vous y rejoindra... bientôt.

Ophélie se tint très droite sur le siège qui lui

fut offert, releva le menton, croisa les mains sur sa robe bien à l'endroit et afficha un calme qu'elle ne ressentait pas. Pour la première fois, elle appliquait à la lettre les leçons de posture que Berenilde s'était évertuée à lui inculquer depuis des mois. S'il fallait jouer les parfaites dames du monde pour venir au secours de Renard, elle le ferait.

— Monsieur le régisseur ? appela-t-elle en le cherchant des yeux.

— Mademoiselle désire-t-elle quelque chose ?

Philibert se tenait juste à côté de la porte, son registre sous le bras. À présent qu'il avait retrouvé son souffle et son teint terreux, il avait déjà endossé sa transparence coutumière.

— Le valet Renold fait partie des employés fixes du Clairdelune, n'est-ce pas ?

— Je ne comprends pas bien mademoiselle, dit-il d'un ton monocorde. Mademoiselle a-t-elle eu à déplorer un mauvais service lors de son dernier passage ici ?

Berenilde n'avait pas jugé bon de faire étalage de la petite mascarade à laquelle elles s'étaient adonnées des semaines durant au Clairdelune en travestissant Ophélie en valet. Cela rendait parfois les conversations un peu compliquées.

— Je ne déplore rien du tout, au contraire. J'ai apprécié les manières de ce domestique et je vous demande simplement de ses nouvelles. Sert-il toujours Mme Clothilde ?

— Voilà qui est embarrassant, mademoiselle, dit Philibert qui semblait tout sauf embarrassé. La regrettée Mme Clothilde nous a malheureusement quittés il y a plusieurs semaines. Mademoiselle n'était pas à l'enterrement ?

Ophélie resta sans voix. Elle savait que la grand-mère d'Archibald était d'une santé fragile, mais elle avait séjourné suffisamment longtemps sous ce toit pour que la nouvelle lui fît un choc.

— Mais Renold ? Qu'est-il devenu ?

Ce fut au tour de Philibert d'être choqué. Qu'une invitée du Clairdelune accordât plus d'attention au sort d'un valet qu'à la perte d'une aristocrate, cela défiait probablement à ses yeux toutes les convenances.

— Puisque mademoiselle insiste pour le savoir. (Il chaussa ses bésicles cerclées d'or et ouvrit le registre dont il ne se séparait jamais.) Le dénommé Renold séjourne actuellement dans nos oubliettes.

Les lunettes d'Ophélie pâlirent sur son nez.

— Comment est-ce arrivé ?

— À la colonne *motifs*, j'ai noté *absence de clef*. Les clefs font office de papiers d'identité dans notre service. Les gendarmes effectuent des contrôles tous les jours pour des raisons de sécurité. Il en va de l'honneur de l'ambassade, mademoiselle.

— Voyons, c'est ridicule, s'indigna Ophélie. Ce valet travaille ici depuis des années. Vous ne pouvez pas le jeter en prison parce qu'il a oublié une fois de présenter sa clef.

— Il n'a pas oublié de la présenter, mademoiselle, dit Philibert en la considérant avec une perplexité grandissante. D'après ce qui est consigné ici, il n'en possédait pas. (Comme s'il paraissait se rendre compte lui-même de la singularité de cet état de fait, le régisseur lut plus attentivement son registre.) Ah, je comprends mieux. Au décès de la regrettée Mme Clothilde, Renold a déposé son ancienne clef, comme l'exige la procédure. Il a dû subir un contrôle avant qu'un nouveau poste et une nouvelle clef lui soient attribués. Ce n'est vraiment pas de chance, conclut-il d'un ton égal.

— Vous voulez dire qu'il croupit dans vos oubliettes depuis des semaines parce que vous avez tardé à mettre sa situation en règle ?

— Seul monsieur peut lever la sentence. Et monsieur est terriblement occupé, je n'ai pas encore eu le temps de lui en toucher un mot. De toute façon, nous n'avons plus besoin des services de Renold, notre personnel est au complet. Et puis un domestique qui a fréquenté les oubliettes donnerait une image déplorable à notre maison.

Ophélie était si scandalisée qu'elle lutta de toutes ses forces pour ne pas arracher son registre des mains de Philibert et en déchirer chaque page. Archibald, un homme occupé ? Vingt-trois ans que Renard travaillait pour cette famille et il était traité avec moins de considération qu'un panier à linge !

— Vous avez le sens de l'inattendu, fiancée de Thorn.

Archibald venait d'entrer dans son cabinet avec un sourire ensommeillé. Hormis son indécrochable haut-de-forme, il portait sur lui un vieux pyjama troué à rayures rouges et noires. Il était aussi mal peigné et aussi mal rasé qu'à son habitude. Même affublée d'une robe à l'envers, Ophélie aurait eu l'air mieux éduquée que lui.

— Je vous ai réveillé, constata-t-elle poliment.

Dans sa précipitation, elle avait perdu de vue l'heure matinale. Elle ne s'en excusa pas le moins du monde. C'était la première fois qu'elle éprouvait autant de colère pour quelqu'un d'autre que Thorn.

— Et d'une manière fort peu orthodoxe, ricana Archibald en s'affalant dans son fauteuil habituel. Je ne vous avais pas placée sous la vigilance des Valkyries pour que vous en fassiez un usage personnel. (Il s'étira avec un long bâillement, s'accouda à un bras du fauteuil et posa sur Ophélie un regard pétillant.) Venir me voir si bas dans les étages de la Citacielle sans personne pour vous chaperonner ? Vous mettez votre respectabilité en danger.

— J'avais un service urgent à vous demander. Je vous en rendrai un en retour pour vous dédommager.

Les sourcils et le sourire d'Archibald eurent le même mouvement d'expansion.

— Imprévisible, anticonformiste et entreprenante. Prenez garde, un de ces jours je pourrais finir par tomber amoureux de vous. Et quelle faveur puis-je donc accorder à la fiancée de Thorn ?

Il n'aurait pas été très intelligent de faire l'énumération de toutes les insultes animistes qu'Ophélie avait en tête à cette seconde. Elle s'obligea à respirer profondément pour chasser la vilaine coloration rouge qui avait envahi ses lunettes.

— Nous sommes en manque de personnel au gynécée, je suis venue vous emprunter un homme de confiance. S'il vous plaît, ajouta-t-elle après une hésitation, s'armant de toute la politesse dont elle était capable.

Accoudé sur son fauteuil, Archibald considéra Ophélie avec une expression fascinée.

— Vous m'avez sorti du lit à six heures du matin à cause d'un problème de domesticité ?

— J'en ai discuté avec votre régisseur. Vous avez un valet inoccupé qui a été victime d'un vice de forme. J'aimerais l'engager avec votre permission.

— Il s'agit de Renold, monsieur, précisa Philibert avec son professionnalisme dépassionné. Il servait votre regrettée grand-mère.

Archibald haussa les épaules tout en jouant du bout du pied avec sa pantoufle.

— Aucun souvenir de lui, je vous crois sur parole. Je ne vois pas d'inconvénient à le céder à la fiancée de Thorn. À une condition, ajouta-t-il avec un sourire goguenard pour Ophélie. Vous m'avez promis une contrepartie : je la veux maintenant.

Ophélie glissa sa main dans son écharpe remuante pour contenir leur nervosité, à l'une comme à l'autre. Elle veilla à conserver un maintien et un sourire de jeune fille bien élevée. Elle ferait illusion aussi longtemps que Renard ne serait pas tiré de ses oubliettes.

— Vous me prenez au dépourvu. Si vous m'accordez un peu de temps...

— Maintenant, la coupa Archibald avec une douceur redoutable.

Il bondit sur ses pantoufles, fit une courbette théâtrale et lui tendit galamment une main pour l'inviter à se lever. Ophélie était déjà trop peu à l'aise pour accepter le bras d'un homme ; que celui-ci fût vêtu d'un pyjama troué ne l'aidait pas tellement.

— J'ai peur de n'avoir rien apporté avec moi qui puisse vous intéresser.

— Détrompez-vous, déclara Archibald en lui tapant amicalement la tête. Vous êtes venue avec vous-même, je ne souhaite rien d'autre ! Suivez-moi, fiancée de Thorn, mon régisseur fera le nécessaire pour votre valet en attendant.

« En attendant quoi ? » se demanda Ophélie. Archibald l'entraînait déjà hors de son cabinet, son bras en travers des épaules, avec une familiarité à la fois tendre et impérative.

— Que voulez-vous de moi, monsieur l'ambassadeur ?

— Ne soyez pas inquiète. Je suis certain que vous allez adorer.

Dans le doute, Ophélie détourna les yeux aussi loin que possible de ceux d'Archibald. Elle avait vu une fois la tante Roseline céder à l'appel de ce ciel, elle n'avait aucune envie de perdre la tête à son tour. Il la fit discrètement entrer dans la salle de billard. Tout y était vert, du tapis du billard aux banquettes en velours, en passant par les grands rideaux de damas, le papier peint des murs et les abat-jour des lampes. Quand Ophélie réalisa qu'ils étaient seuls, elle posa aussitôt ses mains sur ses lunettes.

— Allons bon, dit Archibald avec un éclat de rire, vous remettez ça !

— Pourriez-vous me promettre de ne pas utiliser votre charme sur moi ? S'il vous plaît, monsieur l'ambassadeur, ça me mettrait vraiment à l'aise pour poursuivre notre entretien.

Il y eut un long silence pendant lequel Ophélie eut tout le temps de contempler ses gants contre la paroi des lunettes.

« Je ne me rendais pas compte que vous me redoutiez à ce point. »

Cette phrase, Ophélie ne l'avait pas entendue avec ses oreilles ; elle lui venait de l'intérieur. Elle avait oublié qu'Archibald était capable de lui imposer ses pensées et elle craignit un instant que son sortilège pût s'infiltrer en elle en empruntant le même chemin de traverse.

— S'il vous plaît, monsieur l'ambassadeur.

— Contrairement à ce que vous imaginez, fiancée de Thorn, je n'ai ni le pouvoir ni l'envie de voler le cœur des femmes. Si elles me cèdent, ce n'est pas parce qu'elles m'aiment, c'est parce qu'elles se sentent seules.

Les yeux d'Ophélie se plissèrent sous ses lunettes. Cette fois, c'était la véritable voix d'Archibald qui s'était exprimée, mais elle avait une sonorité inhabituelle, presque sérieuse.

— Vous ne me croyez pas ? Ma famille a reçu de Farouk le don inestimable de la transparence. Vous jugez ce manque d'intimité embarrassant, mais je ne ressentirai jamais la solitude tant qu'un membre de mon clan vivra. Ce que j'offre à toutes ces pauvres épouses, c'est simplement ceci : un instant de pure transparence où j'efface entre nous la frontière qui distingue le « moi » de l'« autre ». Je n'ai pas envie de vous faire une promesse que nous pourrions un jour regretter tous les deux. Une communion des âmes... c'est plutôt romantique, vous ne trouvez pas ?

Ophélie trouva surtout cela formidablement impudique, bien plus que tout ce qu'elle avait imaginé. Elle détestait l'idée qu'Archibald se fût imposé à sa tante de cette façon. Il prétendait arracher les femmes à leur solitude, mais il n'écoutait que son égoïsme. Même si ça lui brûlait les lèvres, Ophélie s'abstint évidemment de le dire. Elle ne se trouvait pas en position d'offenser son hôte, elle était ici pour Renard et pour Renard seulement. Elle se laissa donc faire quand Archibald lui écarta les mains de façon à la regarder bien en face. Son haut-de-forme posé de guingois, il déployait un sourire désinvolte qui jurait avec la gravité de sa voix.

— Vous êtes là pour me rendre une faveur, dois-je vous le rappeler ? (Il remua soudain ses sourcils, promena un regard sur la salle de billard déserte, puis revint à Ophélie avec une expression navrée.) Oh, je commence à comprendre. Vous croyez que je vous ai emmenée ici pour cocufier Thorn ? Non, non, ce n'est pas prévu aujourd'hui. S'il n'y a que cela pour vous tranquilliser, j'ai d'autres préoccupations à l'esprit pour le moment. En fait, nous attendons quelqu'un.

Ophélie fut tellement prise au dépourvu qu'elle en oublia sa colère.

— Qui ?

— Moi.

Une apparition cauchemardesque venait de pénétrer dans la salle de billard.

La pipe

Ophélie ne comprit plus rien à rien quand elle reconnut la Mère Hildegarde. C'était un mélange si chaotique de graisse et d'os, de bigoudis et de cigares – elle en fumait deux à la fois – qu'il était impossible de déterminer au premier coup d'œil s'il s'agissait d'un homme ou d'une femme. Sa peau, quelle que fût sa couleur d'origine, était aujourd'hui couverte de taches de vieillesse. Comment imaginer un instant que derrière cette apparence momifiée se cachait une architecte de génie, la célèbre conceptrice des sabliers, une femme capable de remodeler l'espace comme s'il était fait en caoutchouc ? Seuls ses petits yeux noirs trahissaient, par leur éclat intense, une intelligence hors du commun.

— Je ne suis pas du matin, grommela la Mère Hildegarde d'une voix gutturale, au fort accent étranger. Je suis venue parce que c'est toi en personne qui m'as appelée, Augustin.

— Archibald, madame. Archibald. Je vous avais demandé de venir seule.

Ophélie venait aussi de remarquer, avec un

136

battement de cœur plus fort, la petite femme qui accompagnait la Mère Hildegarde. Elle était vêtue d'un uniforme de machiniste et coiffée d'une casquette plate qui essayait, en vain, de contenir les boucles sombres de ses cheveux et de dissimuler ses yeux. En vérité, un regard pareil était impossible à cacher : de l'œil bleu électrique ou du monocle noir, il était difficile de déterminer quel côté de son visage était le plus fascinant.

Gaëlle.

Avait-elle quitté les sous-sols du Clairdelune pour voir Ophélie ? Quelle folie ! Gaëlle n'était pas plus ouvrière de naissance qu'Ophélie n'était noble : c'était une Nihiliste, la dernière survivante d'une lignée dont le pouvoir familial permettait d'annuler celui des autres clans du Pôle. Son monocle seul permettait de filtrer son « mauvais œil », comme elle l'appelait elle-même. Le simple fait de se montrer en public lui faisait courir le risque d'être reconnue et de subir le même sort que sa famille. Ophélie aurait voulu la supplier d'arrêter de rentrer la tête dans les épaules et de pencher la visière sur ses yeux : c'était une véritable invitation à la dévisager.

— C'est ma petite-fille, déclara la Mère Hildegarde. Tout ce qui me concerne la concerne aussi.

Ce n'était pas la première fois qu'Ophélie surprenait cette vieille dame en train de mentir pour protéger quelqu'un. Au sourire sceptique qu'affichait Archibald, elle supposa qu'il avait l'habitude.

— Elle pourrait être votre concubine, cela ne changerait rien au fait que je n'ai pas réclamé sa présence ici. Mais puisque vous êtes là, mademoiselle la machiniste, dit-il à l'intention de Gaëlle, pourriez-vous vérifier les toilettes du premier étage ? On m'a signalé que la chasse d'eau était capricieuse.

— Oui, *señor*, grommela Gaëlle avec le même accent que la Mère Hildegarde, à croire qu'elles étaient vraiment parentes.

Elle s'en fut en rasant les murs, mains dans les poches, non sans décocher un dernier regard furtif à Ophélie. Celle-ci comprit le message aussi clairement que si Gaëlle le lui avait soufflé dans l'oreille : à elle de jouer pour tirer Renard de ses oubliettes.

— C'est la petite dont tu m'as parlé au téléphone ? demanda la Mère Hildegarde en la fixant de ses yeux noirs. Celle qui se coince dans les miroirs ?

Archibald posa sur la tête brune d'Ophélie une main possessive, à croire que c'était à lui qu'elle était fiancée et non à Thorn.

Il ne tenait aucun compte des claques furibondes que l'écharpe lui administrait.

— Madame, permettez-moi de vous présenter la meilleure *liseuse* d'Anima. Dès que j'ai appris qu'elle venait nous rendre visite, j'ai pensé que ce serait enfin l'occasion de clarifier notre… situation.

Il prenait beaucoup de soin à choisir ses mots, ce qui rendait Ophélie de plus en plus confuse.

— J'espère pour vous que ce ne sera pas long, dit la Mère Hildegarde en écrasant l'un après l'autre ses deux cigares dans un cendrier sur pied. J'ai travaillé sur les plans du comte Boris jusqu'au milieu de la nuit.

— Surtout ne bougez pas, murmura Archibald à Ophélie en raffermissant la prise de sa main sur sa tête.

La Mère Hildegarde ferma précautionneusement la porte à clef, non sans avoir jeté un coup d'œil soupçonneux dans le couloir, puis elle claqua des doigts. Il n'y eut pas un déplacement d'air, pas un mouvement d'éclairage, et pourtant le cœur d'Ophélie lui remonta dans la gorge aussi brutalement que si elle venait de chuter au fond d'un puits.

— Inspirez lentement, lui dit Archibald en lui ébouriffant amicalement les cheveux. Ça va passer.

Ophélie considéra son environnement avec une attention nouvelle. Dans la salle de billard, c'étaient toujours les mêmes étoffes vertes et la même lumière de sous-bois, mais certains détails différaient. Les billes de couleur, rangées dans les poches du billard un instant plus tôt, se tenaient à présent en formation de jeu, comme si une partie venait juste d'être interrompue. L'odeur des lieux aussi avait changé. Elle était fortement imprégnée de tabac froid, et pour cause : le cendrier, rempli de mégots à ras bord, n'avait pas été vidé. Pourtant, quand la Mère Hildegarde y avait éteint ses cigares, quelques secondes plus tôt, Ophélie aurait juré qu'il était parfaitement nettoyé.

Un doublon. Ils se trouvaient dans un espace jumeau de la salle de billard ; si troublante que fût la ressemblance, ce n'était pas le même endroit. Ophélie savait que la Mère Hildegarde était capable de superposer deux pièces l'une sur l'autre – elle avait d'ailleurs failli une fois rester prisonnière du doublon d'une bibliothèque –, mais elle ignorait que l'architecte pouvait effectuer une bascule d'un espace à l'autre sur un simple claquement de doigts.

Archibald poussa Ophélie vers un divan sur lequel quelqu'un avait oublié une très jolie pipe en porcelaine.

— Je vous présente votre contrepartie, fiancée de Thorn ! *Lisez*-moi cette pipe. Avant que vous ne me posiez la question d'usage : oui, même si je l'ai prêtée à un invité le temps de son séjour chez moi, j'en reste l'heureux propriétaire.

C'était une requête si inattendue qu'Ophélie ne sut plus quoi dire. Elle interrogea du regard la Mère Hildegarde ; au milieu de la tête pleine de bigoudis, les petits yeux noirs l'examinèrent en retour. La vieillarde semblait dans l'expectative, comme si elle attendait de voir la jeunette faire ses preuves. Ophélie s'aperçut qu'elle avait elle-même envie de gagner l'estime de cette femme brillante, de cette personnalité insoumise, de cette étrangère qui s'était accomplie à travers sa profession.

Elle prit place sur le divan, à côté de la pipe en porcelaine.

— Vous avez délibérément évité de la toucher depuis qu'elle a atterri ici, n'est-ce pas ? Y a-t-il quelque chose que je dois savoir avant d'entamer ma *lecture* ?

— Non, dit Archibald en adressant un signe d'avertissement à l'intention de la Mère Hildegarde. Nous vous donnerons des explications après. Je préfère ne pas vous influencer.

Ophélie examina la pipe à la lumière de la

lampe la plus proche : elle était bien marquée des armoiries du Clairdelune. Ses mains libérées de ses gants de *liseuse*, elle s'en saisit à nouveau, et fut aussitôt traversée par une décharge d'émotion si forte qu'il lui fallut reposer l'objet sur sa robe le temps de se ressaisir.

« Ce ne sont pas mes sentiments, se répéta-t-elle plusieurs fois. Ce n'est pas moi. »

À force de ne plus pratiquer, elle commettait des erreurs de débutante. Elle attendit que ses doigts cessassent de trembler, puis reprit sa *lecture* là où elle l'avait interrompue. L'anxiété était toujours là, mais Ophélie la contempla cette fois avec du recul, pareille à une spectatrice devant une peinture sombre et tourmentée. Le tabac ne lui faisait plus aucun effet. Elle avait beau en inhaler, jour après jour (ou plutôt jour avant jour, puisque les *lectures* se déroulaient dans le sens inverse du temps), cela ne la calmait plus du tout. Tout ça à cause de deux satanées lettres ! Mais elle était à l'ambassade depuis un mois maintenant, et il ne lui était rien arrivé pour l'instant. Ophélie ne devait pas arrêter de fumer. Dès que l'effet du tabac se dissipait, elle revoyait les corps bleuis qui flottaient à la surface du lac. Évidemment, elle ne regrettait rien. Elle n'avait fait que son travail : des braconniers, ça restait des braconniers. On ne va tout de même pas se lancer dans des procès interminables avec ces gens-là. Le journal a raison : les déchus, c'est comme les cafards. Il paraît qu'ils s'infiltrent partout en douce aujourd'hui, dans les murailles, dans les villes, à la Citacielle, peut-être même à la cour ! À tous les coups, ces lettres ridicules, ça vient d'eux. Ils se prennent pour la justice divine, ces gaillards ? La justice, c'est elle, Ophélie ! Mais tout va pour le mieux, elle est à l'ambassade depuis hier, elle peut dormir sur ses deux oreilles à présent. Et une petite pipe ne fera pas de tort.

Ophélie reposa la pipe sur le divan. Son cœur battait la chamade.

— Je suppose que si vous m'avez demandé cette expertise, dit-elle d'une voix un peu tremblante, c'était pour avoir des informations à propos du dernier utilisateur. Dois-je m'en tenir à lui ?

Assis au bord de la table de billard, les coudes plantés dans les cuisses, Archibald l'observait avec une curiosité amusée.

— Vous ne ressemblez plus du tout à une petite fille quand vous prenez vos airs professionnels. Oui, vous pouvez vous arrêter là.

Ophélie essaya de ne pas trahir son émotion personnelle tandis qu'elle reboutonnait ses gants sur chaque poignet. Cette *lecture* l'avait chamboulée.

— Vous pouvez parler à votre aise devant Mme Hildegarde, assura Archibald comme elle hésitait. Après tout, sa réputation est autant en jeu que la mienne dans cette affaire.

La Mère Hildegarde émit un ronflement dont il était difficile de savoir si c'était un rire ou un soupir.

— C'est assez délicat, dit Ophélie. Vous êtes peut-être le propriétaire de cette pipe, mais qu'est-ce qui me garantit que vous n'allez pas vous servir de ce que j'ai *lu* pour porter préjudice à celui qui l'a fumée ?

— Ce n'est pas pour lui porter préjudice, promit-il avec son calme imperturbable. Vous savez que je ne mens jamais. Je vous écoute, qu'avez-vous à m'apprendre ?

— De toute évidence, ce monsieur était extrêmement anxieux. Il n'avait pas la conscience tranquille et c'est pour cette raison qu'il vous a demandé asile ici, au Clairdelune. Il craignait... eh bien... des représailles.

— Impressionnant, murmura Archibald avec des yeux mi-clos de chat. Avez-vous appris de qui il avait peur et pourquoi ?

— Il serait peut-être préférable que vous lui posiez la question directement.

— Ophélie, je ne vous le demanderais pas si ce n'était pas important.

Entendre son prénom dans cette conversation sonna faux aux oreilles d'Ophélie. Jusqu'à présent, elle avait toujours été pour Archibald « la fiancée de Thorn ». Se mettait-il enfin à la prendre au sérieux ou essayait-il de jouer la carte sentimentale ? De toute façon, entre aider Renard à quitter ses oubliettes et protéger la vie privée d'un criminel, Ophélie n'eut pas à tergiverser longtemps.

— Des braconniers. Des déchus.

La Mère Hildegarde émit un sifflement appréciateur.

— C'est vrai qu'elle est douée, la petite *liseuse*.

— Vous le saviez déjà ? s'étonna Ophélie.

— Je prends un soin méticuleux à me renseigner sur mes invités, dit doucereusement Archibald, toujours assis au bord du billard. Je savais que celui-ci s'était comporté comme un malpropre avec des déchus et je savais que son acte était suffisamment grave pour qu'il craigne pour sa vie.

— Pourquoi m'avoir demandé cette *lecture*, alors ?

— Pour répondre à une question toute simple. Que faisait exactement mon invité avant qu'il ne laisse sa pipe sur ce divan ?

Ophélie fronça les sourcils. Pour répondre à cette question, il fallait qu'elle se remémorât sa première impression au moment de commencer sa *lecture*.

— J'ai ressenti une forte agitation tout au long de son séjour chez vous. Ce monsieur fumait beaucoup pour se calmer les nerfs, mais il trouvait le tabac de moins en moins efficace. C'est cela, sa dernière pensée : le tabac ne lui suffisait plus.

— Et c'est tout ?

— Et c'est tout.

— Voilà qui est contrariant.

— Pourquoi ?

Archibald échangea un regard entendu avec la Mère Hildegarde avant de revenir à Ophélie.

— Parce que vous venez peut-être de *lire* les derniers instants du prévôt des maréchaux.

Ophélie écarquilla les yeux.

— Votre invité disparu ! réalisa-t-elle soudain. C'était donc lui ?

— Le vieux *señor* ne manquera à personne, ricana la Mère Hildegarde. C'est à cause de gens comme lui que cette arche est pourrie jusqu'à la banquise.

Son accent caractéristique lui faisait prononcer

le « g » de « gens » à la façon d'un raclement de gorge.

— Madame Hildegarde, dit Archibald avec un sourire angélique, je vous ai déjà demandé de garder pour vous vos commentaires personnels.

Ophélie considéra sous un tout nouvel angle la jolie pipe en porcelaine, abandonnée sur le velours vert du divan.

— Cet invité... M. le prévôt... il a été tué ?

— Nous l'ignorons, répondit Archibald avec un hoquet d'épaules. Il a été vu pour la dernière fois par son valet, il y a deux semaines, assis sur ce divan, en train de fumer la pipe. L'instant d'après, il n'y était plus. Disparu sans laisser de traces ! Peut-être est-il parti de son plein gré, sur un coup de tête, mais son valet ne semble au courant de rien. Vous comprendrez que si des malfaiteurs ont pu s'introduire chez moi et enlever un de mes invités, au nez et à la barbe de mes gendarmes, ça porte gravement atteinte à l'honneur de ma famille. Ainsi qu'à celui de l'architecte qui devait faire de l'ambassade une place inviolable, ajouta-t-il avec un clin d'œil complice pour la Mère Hildegarde. Nous avons eu l'idée de poser une salle jumelle par-dessus celle-ci, le temps de l'enquête. C'est quand même plus discret que de condamner la porte et ça limite les commérages. Heureusement pour nous, M. le prévôt n'a pas de proches qui pourraient ébruiter l'affaire.

— Il y avait des lettres, murmura Ophélie d'un ton pensif. Des lettres que M. le prévôt a reçues et qui l'obsédaient. Des lettres de menace.

Ophélie se sentit glacée rien que d'en parler.

Pourquoi cet homme avait-il pensé à une « justice divine » ? Était-il possible que l'auteur de ces lettres fût la même personne que celui qui lui avait demandé de quitter le Pôle ? *DIEU NE VEUT PAS DE VOUS ICI.* Non, elle se montait sans doute la tête. Entre punir un homme d'avoir assassiné des braconniers et empêcher une femme de se marier, il n'y avait absolument aucun rapport.

— Il m'a déjà parlé une fois de ces lettres, confirma Archibald, mais il s'est bien gardé de me les montrer. Je suppose qu'il les jugeait embarrassantes. Ça confirmerait l'hypothèse de l'enlèvement.

La Mère Hildegarde claqua des doigts et Ophélie fut saisie d'un nouveau tournis tandis que les lieux changeaient subtilement d'apparence. Les billes colorées avaient disparu du billard pour regagner les poches latérales, la queue était sagement rangée parmi les autres dans le râtelier et il n'y avait plus de pipe en porcelaine sur le divan. Ils étaient revenus dans la première salle.

— Tu devrais y réfléchir à deux fois avant de loger un officier véreux, Augustin, grommela la Mère Hildegarde. Si tu avais un peu de fierté, c'est aux déchus que tu accorderais ta protection. Des gars qui connaissent le vrai froid et la vraie faim.

— Vous n'êtes pas une philanthrope non plus, rétorqua Archibald. Vous ne les distribuez pas gratuitement, vos agrumes et vos épices.

Ophélie savait qu'il existait en effet une Rose des Vents très spéciale, quelque part au Clairdelune. Ce raccourci enjambait des milliers de kilomètres et permettait de relier le Pôle à l'arche natale de la Mère Hildegarde, Arc-en-Terre. Tout ce que le garde-manger de la cour possédait d'exotique provenait de là.

— Comme si j'avais le choix, ricana la Mère Hildegarde. C'est *ton* régisseur qui possède la clef de *ma* Rose des Vents.

— *Mon* régisseur, comme vous dites, madame, a intégré l'ambassade sur *vos* recommandations.

La Mère Hildegarde se fendit d'un sourire énigmatique.

— Un de ces jours, Augustin, il se pourrait bien que ma famille referme le passage et que je file à l'arcadienne. L'air du Pôle me convient de moins en moins. Ça pue trop l'arrogance par ici.

Sur ces mots, elle déverrouilla la porte et s'en fut d'un pas claudicant. Ophélie la vit rejoindre Gaëlle qui l'attendait déjà dans le couloir, la visière de sa casquette toujours penchée sur ses yeux, sa combinaison éclaboussée d'eau sale.

— Pourquoi Mme Hildegarde vous appelle-t-elle Augustin ? demanda Ophélie une fois qu'elles furent parties.

Les mains enfoncées dans les poches de son pyjama, Archibald contempla songeusement les vestiges de cigares dans l'élégant cendrier sur pied.

— C'est le nom de mon arrière-grand-père. Il paraît que je suis son portrait craché et je crois qu'ils ont connu autrefois une petite amourette. Mme Hildegarde est une très vieille dame, vous savez. Elle maîtrise l'espace sur le bout du doigt, mais le temps, c'est une autre affaire. (Archibald soupira si fort que les cheveux blonds qui lui tombaient sur le visage voletèrent dans tous les sens.) Il n'empêche qu'elle devrait vraiment tenir sa langue, elle a l'art et la manière de se faire des ennemis. Moi, je peux me permettre d'être provocateur, mais elle... qui la défendra le jour où elle aura de sérieux ennuis ?

Archibald se tut et, dans le bleu de ses yeux, une ombre passa comme un nuage. Ophélie se demanda comment cet homme s'y prenait pour être si horripilant et si désarmant à la fois.

— Et Thorn ? Que lui avez-vous fait pour qu'il vous déteste à ce point ?

Quand Archibald se tourna vers elle, son haut-de-forme redressé d'une chiquenaude, son regard avait retrouvé son éclat estival.

— Il est l'incarnation de l'ordre et je suis celle du chaos. Cela répond-il à votre question ?

— Il vous a tout de même accusé d'avoir nui à sa tante, dit Ophélie en se rappelant la conversation mémorable qu'ils avaient eue juste après le massacre des Dragons.

— Ah, ça ?

En quelques gestes rapides, Archibald s'empara d'une queue de billard et disposa trois billes sur le beau tapis de table.

— Vous commencez à me connaître un peu, Ophélie. J'ai l'esprit de contradiction, il suffit qu'on me pose un interdit pour que je veuille le transgresser.

— Quel rapport avec Berenilde ? s'étonna-t-elle.

— Il est évident, voyons. La préférée de Farouk, une femme magnifique, dangereuse, fidèle en amour... Elle est le fruit interdit par excellence ! J'étais très jeune à l'époque, je n'ai pas pu résister.

J'ai un peu forcé sur mon pouvoir de transparence, avoua-t-il en tapotant placidement son tatouage frontal. Berenilde était si absorbée par moi qu'elle a négligé la tour pendant une semaine. Farouk n'a pas apprécié et, histoire de faire bonne mesure, il l'a dispensée d'y monter pendant une année. Berenilde a failli ne pas se relever de cette humiliation. Son cher neveu m'en rend responsable, à juste titre d'ailleurs.

Archibald fit glisser la queue de billard entre deux doigts, et la bille blanche en projeta une de couleur rouge dans un trou. Le bruit de la collision résonna avec une netteté si parfaite qu'Ophélie eut l'impression de quitter brutalement un état hypnotique.

— N'allez pas croire que je n'ai aucun regret, reprit Archibald, tandis qu'il envoyait une autre bille dans un trou. Cette affaire est allée loin. Thorn s'est avéré encore plus inconséquent que je ne l'ai été moi-même. Il m'a attaqué devant des témoins, à coups de poing et à coups de griffe ; j'en ai gardé deux belles cicatrices.

Ophélie avait vraiment du mal à imaginer la scène. Thorn perdait rarement son sang-froid et il n'avait jamais levé le petit doigt pour sa tante. Le geste le plus affectueux qu'Ophélie avait surpris entre lui et Berenilde, c'était quand il lui avait tendu la salière à table.

— Un bâtard, qui plus est fils d'une déchue, ne doit pas s'attaquer à une personne de haute naissance, conclut la voix d'Archibald par-dessus un nouveau carambolage de billes. Quand bien même ce serait pour venger l'honneur d'un membre de

149

sa famille. Je n'ai pas porté plainte de peur qu'il soit envoyé en prison, mais il a reçu un avertissement formel du tribunal : la prochaine fois qu'il lève la main sur un noble, ce sera la Mutilation.

Archibald prononça ce dernier mot en imitant un coup de ciseaux avec les doigts. La Mutilation. C'était l'ultime punition, celle où un esprit de famille reprend son pouvoir à l'enfant qui en a fait mauvais usage. Cette sentence n'avait jamais été appliquée sur Anima, mais Ophélie savait qu'on la pratiquait sur d'autres arches. On lui avait toujours dit qu'une personne n'était mutilée que si elle mettait sa famille entière en danger. Pourquoi fallait-il donc que chaque chose fût à ce point excessive, ici, au Pôle ? À force de vivre à l'autre bout du monde, loin des autres familles, perdait-on tout sens de la mesure ?

« Je ne sais pas ce qui m'inquiète le plus, songea Ophélie. Que je ne m'y habitue jamais ou que je finisse au contraire par m'y faire. »

— Monsieur ?

Elle tressaillit en entendant la voix impersonnelle de Philibert juste à côté d'elle. Le petit homme terne se tenait dans la salle de billard, son registre sous le bras, à croire qu'il était là depuis toujours.

Habitué aux apparitions subites de son régisseur, Archibald ouvrit tranquillement une tabatière et aspira la poudre par chaque narine. Quand il sortit un mouchoir de sa manche, Ophélie s'aperçut qu'il était aussi troué que son chapeau et son pyjama.

— Alors, Philibert ! Ce valet ?

Pour toute réponse, le régisseur fit un signe en direction de la porte. Deux gendarmes amenèrent un homme voûté dans la lumière des lampes. Ils le soutenaient chacun par un bras, tant ses jambes vacillaient sous son poids. Ophélie crut que son cœur venait de lui tomber tout au fond du ventre. Le Renard qu'elle connaissait était une flambée de cheminée ; cet homme-là évoquait un tas de cendres. Elle dut chercher longtemps la trace d'un regard au milieu des épis de barbe hirsute, mais quand elle le trouva, elle n'eut plus aucune hésitation. C'était bel et bien Renard.

— Vous auriez dû le laver avant, grimaça Archibald en appuyant son mouchoir troué sur son nez, il sent extrêmement mauvais. Je ne peux décemment pas offrir ça à une dame, allez en chercher un autre.

— Notre accord impliquait mon expertise et cet homme, dit Ophélie d'une voix ferme. Ne revenons pas sur ces clauses, si vous le voulez bien.

Perplexe, Archibald se contenta d'enfoncer ses mains dans ses poches de pyjama et d'observer d'un air amusé le doigt qui pointait hors d'un trou.

— J'ai quelquefois du mal à vous suivre, mais si c'est là votre désir, qu'il en soit ainsi. Vous comprendrez cependant que je ne peux vous livrer la marchandise dans cet état, il y va de l'honneur de l'ambassade. Philibert, veillez à ce que cet homme soit lavé, rasé, épouillé, coiffé et habillé convenablement.

— Bien, monsieur.

— Pendant ce temps, ma chère, vous êtes mon invitée ! dit Archibald en offrant à Ophélie son sourire le plus tape-à-l'œil. Avez-vous déjà joué au croquet de salon ?

Ophélie comprit que cette ultime condition ne serait pas négociable et qu'elle devrait se mordre la chair des joues quelques heures encore. Elle se fit la promesse solennelle que, une fois Renard arraché de cet endroit, elle enverrait le manteau de sa mère dans la chambre personnelle d'Archibald.

— Un instant, je vous prie, demanda-t-elle, alors que les gendarmes s'apprêtaient à emmener Renard.

Ophélie s'approcha doucement de lui, mais il continuait de promener dans la salle de billard un regard déboussolé. Elle crut au début que Renard ne la reconnaissait pas – après tout, il ne l'avait contemplée sous sa véritable apparence qu'une seule fois et il ignorait alors qui elle était –, mais elle finit par comprendre qu'il ne la voyait tout simplement pas. À force d'être privé de lumière, il était aveuglé par les lampes. Renard ne voyait rien, ne comprenait rien et personne ne se donnait la peine de lui expliquer la situation. Ophélie luttait contre l'envie de lui crier qu'elle était Mime, qu'il n'avait plus rien à craindre et qu'elle lui rendrait la dignité qu'on lui avait volée.

— Bonjour, Renold, dit-elle à la place, consciente d'être au croisement de tous les regards. Je suis la fiancée de M. Thorn et vous travaillerez désormais pour moi. Je vous fournirai de plus amples explications tout à l'heure.

Au milieu des broussailles de la barbe, des cheveux et des sourcils, les paupières de Renard battirent plusieurs fois, comme s'il essayait d'entrevoir la personne qui lui parlait à travers la brume. Il y avait une telle stupéfaction sur ses bribes de visage, visibles çà et là entre les touffes sales, qu'Ophélie sut qu'il l'avait enfin reconnue. Elle guetta une étincelle dans le regard, un sourire de connivence ou un soupir soulagé, mais au lieu de cela Renard détourna la tête en s'assombrissant tout à fait.

— Oui, mademoiselle, dit-il dans un murmure rauque.

Le cœur à l'envers, Ophélie commençait à se demander si elle avait pris la bonne décision.

La question

Le silence qui régnait dans l'ascenseur était le plus inconfortable qu'Ophélie avait jamais vécu. Les métaux grinçaient, les meubles craquaient, les flûtes de champagne s'entrechoquaient, le phonographe vocalisait et le groom se raclait la gorge.

Repliée derrière ses deux tours d'écharpe, Ophélie contempla douloureusement Renard. Les bras le long du corps dans une posture presque militaire, il se tenait entre le buffet de dégustation et le guéridon du tourne-disque, à croire qu'il était lui-même un meuble d'ascenseur. Ses cheveux, lavés et peignés, avaient recouvré un peu de leur flamboyance et sa barbe avait disparu au profit d'une mâchoire puissante. Ses yeux verts, enfin accoutumés à la lumière, regardaient droit devant lui et nulle part à la fois. Sa colonne vertébrale s'était redressée comme une barre de fer et, si son corps amaigri flottait dans l'uniforme de fonction, il avait conservé sa charpente d'armoire à glace. La métamorphose qui s'était opérée en une journée avait quelque chose de spectaculaire. Ophélie ne comprenait pas pourquoi cet homme, qui ressemblait enfin à Renard, restait un étranger pour elle.

— Stop ! ordonna soudain la tante Roseline.

Obéissant à l'autorité animiste, le frein à main de l'ascenseur s'abaissa sous le regard éberlué du groom. La cabine s'immobilisa dans une cacophonie de bois, de verre et de métal.

— N'y touchez pas, dit la tante Roseline au groom qui empoignait le frein pour le débloquer. Cet ascenseur ne repartira pas tant que je ne l'aurai pas décidé.

Elle fit grincer sa denture chevaline tandis qu'elle considérait tour à tour Renard et Ophélie comme deux enfants coupables.

— Nom d'un pot à moutarde, ce n'est pas possible, il n'y en a pas un pour rattraper l'autre ! Je ne comprends rien à vos petites histoires, mais je sais une chose. Quand cette porte se sera ouverte, dit-elle en pointant du doigt la grille dorée de l'ascenseur, nous devrons tous avoir la tête haute. Gamine, tu viens de te faire une effroyable réputation. On ne traverse pas les miroirs d'un libertin, et ce au détriment de toutes ses autres invitations, sans en subir les conséquences. Berenilde est furieuse contre toi et, pour une fois, je ne lui donne pas tort. Je te soutiendrai quoi qu'il arrive, ajouta-t-elle d'un ton moins brutal en voyant les lunettes d'Ophélie bleuir, mais au moins, de grâce, va jusqu'au bout de ce que tu entreprends !

Renard, qui avait perdu un instant sa contenance professionnelle, se remit vite au garde-à-vous.

— Si je suis un embarras pour ces dames,

qu'elles ne s'encombrent pas de moi. Je ne veux pas...

— Ça suffit, le coupa Ophélie.

Ce fut en entendant le son étranglé de sa voix qu'elle réalisa à quel point l'attitude de Renard la mettait au supplice.

— Je n'ai que faire d'un valet. En revanche, enchaîna-t-elle comme Renard desserrait ses grandes mâchoires, je propose de vous employer comme assistant. Vous serez logé, nourri et rémunéré en échange de vos opinions et de vos conseils.

Ophélie s'écoutait parler avec un sentiment d'irréalité. Elle avait tout dit sauf l'essentiel. Pourquoi les seules paroles qui comptaient refusaient-elles de sortir ? À quoi bon être capable de s'adresser chaque soir à un public de nobles vénéneux, si elle ne parvenait même pas à parler sincèrement à un ami ?

— Je suis navré, mademoiselle, répondit Renard. Je ne suis qu'un valet. Je n'ai pas d'opinions à avoir ni de conseils à donner.

Ophélie avait l'impression que chaque mot qu'il prononçait lui tombait dans l'estomac comme un charbon incandescent. Il y avait des moments où elle aurait voulu être capable d'extérioriser ses émotions avec la même facilité que ses sœurs.

— Prenez au moins le temps de réfléchir à ma proposition. Je dois me rendre sans tarder au théâtre optique, dit-elle avec un coup d'œil pour l'horloge d'ascenseur. Accompagnez-moi à titre d'essai, nous en reparlerons après mes contes.

— Bien, mademoiselle.

Il y avait dans ces deux mots polis une telle

inflexibilité qu'Ophélie sut que Renard avait déjà fait son choix : il ne voulait pas de cette main qu'elle lui tendait. Elle aurait voulu empêcher le frein de se débloquer, l'ascenseur de reprendre son élévation et la grille de s'ouvrir. Si Ophélie en avait eu le pouvoir, elle aurait arrêté le temps, puis elle l'aurait retourné comme un gant. Redevenir une petite personne sans responsabilités. Se réfugier derrière le comptoir de son musée. Avoir pour seule compagnie la société des objets. Au fond, elle n'était peut-être bonne qu'à ça.

— Nous ne sommes pas en avance, déclara la tante Roseline en voyant l'escalier désert du théâtre. Berenilde doit être déjà installée à sa place. Je vais essayer de me trouver un fauteuil libre. Quant à toi, dit-elle en époussetant l'écharpe d'Ophélie, concentre-toi sur ce que tu as à faire. Il sera toujours temps de s'inquiéter plus tard.

— Suivez-moi, dit Ophélie à Renard. J'ai mes entrées à l'arrière.

Tandis qu'ils contournaient le théâtre, Ophélie n'eut pas une seule pensée pour la scène qui l'attendait de l'autre côté des murs de marbre blanc. Elle mettait chaque pas à profit pour chercher les mots qui pourraient lui rendre Renard.

Elle perdit le fil dès qu'elle aperçut le chevalier sur un banc, dans l'ombre d'un palmier, juste à côté de l'entrée des artistes. Il était en train de jouer avec un bilboquet et, malgré toute l'application qu'il y mettait, il ne réussissait pas à enfiler la boule. Ses chiens géants se tenaient couchés à ses pieds, la langue pendant hors de leur gueule, indisposés par l'illusion climatique qui ne convenait pas à leur race.

— Je vous attendais, déclara-t-il en apercevant Ophélie.

Dans la bouche d'un enfant pareil, ces trois mots valaient toutes les menaces de mort.

— Je ne peux pas vous parler, dit-elle en se dirigeant résolument vers l'entrée des artistes. Vous allez me mettre en retard.

Les deux chiens lui coupèrent la route. Ils s'étaient déplacés en silence, sans manifester le moindre signe d'agressivité, mais ils faisaient tout de même chacun la taille d'un taureau. Renard lui-même, qui ne connaissait pas le chevalier comme Ophélie le connaissait, marqua une hésitation inquiète.

Le chevalier remonta ses épaisses lunettes rondes sur son nez. Elles étaient en tout point semblables à la paire que Berenilde avait cassée lorsqu'elle l'avait projeté à travers le couloir.

— J'avais juste une toute petite question à vous poser, mademoiselle Ophélie. Répondez-moi et je vous laisse tranquillement aller à votre travail. (Il donna une impulsion à la boule de son bilboquet et, une fois encore, manqua son coup.) Pouvez-vous me dire la différence essentielle qui existe entre vous et moi ?

Ophélie savait déjà que cette conversation n'annonçait rien de bon. Son écharpe, qui somnolait jusqu'à présent sur ses épaules, commença à s'agiter.

— Non ? fit le chevalier d'un air déconfit. C'était une devinette pourtant facile. La différence entre

158

nous, dit-il alors avec le plus grand sérieux, c'est que Mme Berenilde vous aime bien. Ce n'est pas un compliment que je vous fais. Vous n'occupez dans le cœur de Mme Berenilde qu'une toute petite place, vous comprenez ? Elle vous aime bien et puis voilà. Mme Berenilde et moi, c'est tout à fait autre chose. Nous sommes unis par un lien plus fort que l'amour et la haine.

Il y avait un tel sens de l'absolu dans ces paroles qu'il était difficile de croire qu'elles émanaient d'un petit garçon.

— C'est pour elle que je suis devenu chevalier, pour elle seule. Je l'ai aimée plus que ma propre maman. Je l'ai couverte de cadeaux. Je l'ai même débarrassée de sa famille.

Ophélie se sentit glacée d'horreur. C'était la première fois que le chevalier mentionnait explicitement sa responsabilité dans le massacre des Dragons.

— Ainsi, c'était bien vous, murmura-t-elle.

Une partie d'elle avait toujours refusé de croire cet enfant coupable de tels crimes.

— Ils étaient horribles, rétorqua le chevalier en haussant les épaules. Ils la détestaient tous parce qu'elle avait de meilleures manières qu'eux. Ils ne voulaient pas qu'elle sorte vivante de cette chasse. Je *devais* la protéger, dit-il en ratant un nouveau coup de bilboquet, c'est mon rôle de chevalier. J'ai pris toutes les précautions pour que sa sensibilité ne soit pas heurtée, crut-il bon de préciser. J'ai fait le nécessaire pour qu'elle n'assiste pas à la mise à mort.

Ophélie se le rappelait, oui. Il s'était arrangé

pour lancer tous les gendarmes du Clairdelune à ses trousses et il avait plongé la tante Roseline dans un état d'hypnose presque fatal. Même si Berenilde l'avait voulu, elle n'aurait pas pu participer à la chasse dans ces conditions.

— Il y avait des enfants, murmura Ophélie. Des enfants de votre âge.

Elle était tombée une fois sur une photographie, dans le *Nibelungen*, où l'on voyait les cadavres atrocement mutilés des chasseurs à moitié dégagés de la neige. Elle avait reconnu l'un des triplets de Freyja. Il lui arrivait encore d'en faire des cauchemars.

— C'étaient tous des chasseurs, dit le chevalier en secouant ses bouclettes blondes. Les chasseurs risquent leur vie chaque fois qu'ils affrontent des Bêtes. S'ils avaient été plus aimables avec Mme Berenilde, je ne m'en serais pas mêlé. Je devais la proté...

— Vous n'avez pas idée du mal que vous lui avez fait, le coupa impulsivement Ophélie. Et du mal que vous continuez de lui faire.

Très choqué, le chevalier tordit ses fins sourcils et ses huskies retroussèrent aussitôt leurs babines, révélant d'impressionnantes rangées de crocs.

Réalisant son imprudence, Ophélie allait proposer à Renard de déguerpir, mais elle s'aperçut soudain qu'il n'était déjà plus là. Elle n'arrivait pas à croire qu'il était parti comme ça, sans un mot.

— Comment osez-vous me dire, à *moi*, que je fais du mal à Mme Berenilde ? murmura le chevalier. Ou alors, vous ne savez pas ce que faire du mal signifie. Vous voulez que je vous l'enseigne, mademoiselle ?

Il avait prononcé cette dernière phrase avec une extrême lenteur, tandis que ses yeux, grossis par les verres de ses lunettes, pénétraient Ophélie jusqu'au fond de l'âme. Avec une sensation nauséeuse de déjà-vécu, elle sut qu'elle devait cesser de regarder cet enfant en face. Elle n'en gardait aucun souvenir, mais elle eut soudain la conviction qu'il l'avait déjà piégée une fois de cette façon par le passé.

Le soleil s'éteignit, le décor exotique disparut et Ophélie se sentit tomber dans la plus noire et la plus glaciale des nuits.

— Mademoiselle la vice-conteuse, tout le monde vous attend ! s'exclama une voix enjouée.

Le chevalier sursauta, les chiens dressèrent les oreilles et l'illusion dans laquelle s'enfonçait Ophélie vola en éclats. Elle se sentit aussi étourdie que si on l'avait empêchée de tomber dans un puits au dernier moment.

À sa grande surprise, c'était le baron Melchior qui venait à leur rencontre de sa démarche distinguée. Sa redingote, adaptée aux proportions volumineuses de son corps, était entièrement tissée dans une illusion de Voie lactée. Des étoiles filantes traversaient même son chapeau claque sous forme de traînées lumineuses. Il n'était pas le ministre des Élégances pour rien. Ses moustaches blondes semblaient ponctuer sa figure ronde de deux points d'exclamation.

— Bonjour, oncle Melchior, dit le chevalier avec une politesse d'enfant modèle.

— Mon cher neveu, vous n'avez pas la permission de promener vos chiens ici, répondit le baron. Et puis, avez-vous vu l'heure ? Vous devriez vite rentrer chez votre oncle Harold et vous mettre au lit.

Sous la poussée d'un sourire, ses moustaches s'étaient soulevées telles des baguettes de prestidigitateur.

— Veuillez me pardonner, oncle Melchior, vous avez raison. Au revoir, mademoiselle Ophélie, dit le chevalier. Nous nous reverrons très bientôt.

Cette promesse, murmurée avec un signe de la main et un sourire en coin, donna à Ophélie l'impression que son estomac s'était transformé en plomb.

Dès que le chevalier et ses chiens se furent éloignés, avalés par les ombres rayées des palmiers, le baron Melchior poussa un soupir de soulagement.

— Cet enfant est de plus en plus incontrôlable. Heureusement que votre valet est venu me chercher.

En voyant que Renard se tenait derrière le baron, droit et impassible comme n'importe quel domestique, Ophélie se sentit morte de honte. L'espace d'un instant, elle avait cru qu'il l'avait abandonnée.

— Mon neveu nous cause à tous bien du souci, déplora le baron Melchior en lissant ses moustaches.

— Et que faites-vous pour que ça change ?

En temps normal, jamais Ophélie ne se serait risquée à s'adresser à un Mirage sur ce ton. Elle aurait dû éprouver de la reconnaissance pour celui-ci, mais ses nerfs continuaient de lui envoyer des impulsions défensives à travers tout le corps.

Elle n'oubliait pas non plus que le baron Melchior était le frère de Cunégonde, et Cunégonde n'avait rien d'une amie.

Nullement offensé, le baron Melchior jeta des coups d'œil prudents aux alentours du théâtre, comme s'il craignait de voir le chevalier revenir à la charge.

— Excellente question. Stanislav a lâché un de ses chiens sur ma petite nièce, parce qu'elle avait eu un mot malheureux pour notre chère Berenilde. Quatorze ans, mademoiselle la vice-conteuse, et jamais plus cette enfant ne marchera normalement. Tout ce sang, toute cette violence…, dit-il avec une grimace de dégoût. À cause d'un seul mot.

— Stanislav, répéta pensivement Ophélie. Je ne connaissais pas le vrai nom du chevalier. Vous saviez que c'était lui, l'assassin des Dragons ?

Elle s'était tellement attendue à ce que le baron Melchior fît l'indigné ou l'ignorant qu'elle s'étonna de le voir acquiescer. Il décocha un nouveau regard par-dessus son épaule, s'assurant qu'ils n'étaient pas écoutés, puis murmura :

— J'avais des soupçons. Nous en avions tous. Voyez-vous, il y a extrêmement peu de Mirages qui savent utiliser leur pouvoir sur des animaux. Stanislav a perdu ses parents dans des circonstances quelque peu… particulières. Il est sous la tutelle de mon cousin Harold, son oncle, mais je soupçonne celui-ci de lui avoir transmis un savoir répugnant et dangereux. Harold n'est pas un criminel, précisa aussitôt le baron Melchior. Jamais il n'aurait demandé à Stanislav d'agir de façon aussi inconsidérée. Mais il est possible, il est même probable qu'il ait involontairement créé l'événement. Il est très regrettable que le nom des Mirages soit associé à cette navrante affaire.

— Vous avez à ce point peur de lui ? demanda Ophélie, d'un ton provocateur.

Le baron Melchior ne cessait de tournoyer sur lui-même comme une énorme toupie, à toujours vérifier que personne n'approchait. Son embonpoint était tel qu'Ophélie le soupçonnait de ne pas observer les mesures de rationnement imposées par l'intendance, depuis la pénurie de viande. Comme chaque ministre digne de ce nom, le baron passait beaucoup de temps à la salle du Haut Conseil familial, au premier étage de la tour : il y régnait, disait-on, un banquet perpétuel où tous les prétextes étaient bons pour boire et pour manger.

— C'est un tantinet plus compliqué que cela. Jamais un Mirage ne dénoncera publiquement un autre Mirage. En revanche, ajouta le baron Melchior avec un sourire en coulisse, un Mirage peut donner un petit coup de pouce au destin.

— Le destin ?

— Autrement appelé « M. Thorn ». J'ai cru comprendre que M. notre intendant procédait au recensement des Bêtes domestiques. Si j'étais lui, j'irais fureter du côté de chez Harold. Je ne vous ai évidemment rien dit, n'est-ce pas ?

— Je… D'accord, dit Ophélie qui n'était pas certaine de tout bien saisir. Je dois vraiment y aller, à présent.

— Juste un petit instant !

Le baron Melchior s'approcha d'elle et fit jouer ses gros doigts bagués devant son nez, comme s'il voulait lui jeter un sort. Un peu perplexe, Ophélie se demanda quelle épingle le piquait, puis elle s'aperçut qu'il était en train de faire naître des embryons d'illusions dans le tissu même de sa robe. Les formes éthérées gagnèrent en précision, en couleur, en mouvement, et bientôt des papillons bidimensionnels voletèrent le long du corps d'Ophélie, comme des motifs qui se seraient éveillés à la vie. C'était la première fois qu'elle assistait à l'éclosion d'une illusion. Le baron n'avait pas volé sa réputation de grand couturier.

— Officiellement, je suis venu *uniquement* pour vous remettre ce cadeau. Un modeste présent du ministre des Élégances à Mlle la vice-conteuse. Nous n'avons eu aucun autre sujet de conversation, n'est-il pas ?

Sur ces mots, adressés autant à Ophélie qu'à Renard, le baron Melchior s'en fut avec un coup de chapeau poli.

— Mlle la vice-conteuse est enfin arrivée, soupira le majordome quand Ophélie eut actionné la sonnette de l'entrée des artistes. Nous commencions à nous inquiéter de son absence. M. le conteur a commencé sa prestation.

— Où en est-il ?

— Le voyageur borgne a déjà changé le destin des deux premiers héros, mademoiselle la vice-conteuse. Il s'apprête à rencontrer le troisième.

Voilà qui laissait encore un peu de temps à Ophélie. Le vieil Éric racontait toujours la même épopée, soir après soir ; à force de l'entendre, elle savait quand se tenir prête.

— Je suis navré, dit le majordome avec un regard vague pour Renard, cette entrée est interdite au public.

— C'est mon assistant, rétorqua Ophélie d'un ton catégorique. J'ai impérativement besoin de lui. Il restera dans les coulisses. Ne me mettez pas en retard, s'il vous plaît, ajouta-t-elle, comme le majordome semblait réfléchir à la question.

— Que Mlle la vice-conteuse veuille bien me pardonner, dit-il en s'effaçant pour les laisser entrer.

Faisant signe à Renard de la suivre, Ophélie s'enfonça dans la pénombre familière des coulisses. Même si elle avait appris à bien connaître les lieux, cela ne l'empêchait pas de se cogner aux échelles, aux chaises et aux éléments de décor qui semaient le passage d'embûches. La voix rocailleuse du vieil Éric et la musique funèbre de l'accordéon, étouffées par l'épaisseur des rideaux noirs, rendaient l'obscurité plus obscure encore.

Ce soir, pourtant, c'était le silence de Renard qui semblait se répercuter contre chaque surface.

Ophélie s'appuya contre un meuble et attendit que les secousses nerveuses qui agitaient son corps se fussent calmées. Ses jambes, changées en gélatine, ne la portaient plus.

— Mademoiselle ? demanda la voix de Renard, qui avait failli la percuter.

— Donnez-moi un instant, murmura Ophélie. C'est cet enfant. Il me terrifie. Je vous remercie d'être allé chercher de l'aide. (Elle prit une profonde inspiration.) Vous auriez préféré rester au Clairdelune, n'est-ce pas ?

Elle se retourna lentement vers la silhouette massive de Renard qui faisait grincer le plancher. Ils n'étaient plus que des ombres parmi les ombres, des présences sans visage, des voix dépourvues de bouche. Ophélie comprit qu'ici, dans cette dissolution des formes, il lui serait peut-être possible de parler enfin. Elle tira sur l'écharpe pour dégager son visage et libérer ses mots.

— Je sais que vous vous y sentiez chez vous, murmura-t-elle au condensé de noir qui lui faisait face. Vous vous entendiez bien avec tout le monde, vous connaissiez chaque recoin comme votre poche, vous saviez comment et quand tirer vos épingles du jeu. Et puis il y a Gaëlle, balbutia Ophélie d'une voix plus basse encore. Vous l'avez toujours appréciée. C'est elle qui m'a prévenue, vous savez ? Et moi, Renold, je me suis octroyé le droit de vous arracher de cet endroit.

Quelque part devant elle, Renard n'était plus qu'une respiration tendue.

— Vous êtes libre, souffla Ophélie. Libre de partir, libre de rester. Je ne vous ferai pas quitter une cage pour une autre, d'autant que, vous l'avez vu, je ne mène vraiment pas une vie de tout repos. J'ai décidé de votre sort sans prendre le temps de réfléchir ni de vous parler. J'ai été égoïste… et je le suis encore, fut-elle obligée d'admettre après quelques secondes de réflexion. Je le suis encore, car, tout au fond de moi, je voudrais que vous choisissiez de rester à mes côtés. Je sais

que m'excuser ne changera plus rien, mais voilà :
excusez-moi.

— Non, mademoiselle.

Renard avait murmuré une réponse à peine
audible, mais Ophélie n'aurait pas été plus secouée
s'il l'avait hurlée à tue-tête.

— Non, mademoiselle, répéta-t-il d'un ton rude.
Même pour tous les sabliers du monde, je n'aurais
pas voulu rester au Clairdelune.

Il y eut un mouvement d'ombres quand Renard
s'appuya sur ce qui devait être une échelle. Le
haut de son crâne rencontra un petit rayon de
lumière qui s'échappait entre deux rideaux de
théâtre. Quelques cheveux roux s'illuminèrent
comme s'ils avaient pris feu.

— Mademoiselle a l'air de me croire fâché. Ne
peut-elle donc pas comprendre que je suis juste
très embarrassé ?

— Embarrassé ?

Ophélie s'était attendue à tout sauf à cela. Elle
contempla le profil de Renard, auréolé par la
faible lumière. Il frottait nerveusement sa crinière
de lion, se croyant invisible dans l'obscurité des
coulisses.

— Après ce qui s'est passé, je ne pourrais jamais
me sentir à l'aise ni en la présence de mademoiselle, ni en celle de M. son fiancé. Mademoiselle
prétend faire de moi son assistant ? Elle veut
bénéficier de mes opinions et de mes conseils ?
Si j'avais un peu de décence, je ne devrais même
pas la regarder.

— De quoi parlez-vous ? demanda Ophélie,
interdite.

Deux lueurs vertes s'allumèrent dans l'ombre : Renard écarquillait les yeux.

— Eh bien, bredouilla-t-il, rapport au fait que... vous savez... (À présent que le masque professionnel craquelait, sa voix reprenait un accent nordique à couper au couteau.) Je... je me suis entièrement déshabillé devant mademoiselle.

Ophélie se sentit si incrédule et si soulagée à la fois qu'il lui semblait que le gonflement dans sa poitrine venait d'éclater comme un ballon forain.

— Et c'est tout ? s'enroua-t-elle. Voyons, Renold, je n'étais moi-même qu'un valet. Comment auriez-vous pu deviner ?

— Ça ne change rien au fait que j'ai manqué de respect à mademoiselle. Je l'ai tutoyée, je l'ai traitée avec familiarité, je lui ai pris ses sabliers et, par-dessus le marché, j'ai fait ma toilette sous son nez. Bien sûr, j'ignorais qui était mademoiselle. Je ne l'ai découvert qu'en repassant la gazette, je l'ai reconnue sur une photographie. La fiancée de M. l'intendant, soupira Renard en détachant chaque syllabe. Des valets ont été pendus pour moins que ça.

Les applaudissements firent trépider le parquet sous leurs pieds. Le vieil Éric avait terminé son conte, bientôt il aurait rangé son projecteur à illusions.

— Écoutez, Renold, dit Ophélie en essayant de se faire entendre par-dessus la clameur. Vous êtes celui qui m'a appris les rouages de ce monde et qui m'a protégée des gendarmes quand je n'étais personne. Ce sont les seules choses que je retiens aujourd'hui. Je ne demanderai à aucun autre que vous d'être mon conseiller. Alors réfléchissez-y une bonne fois, vous me donnerez votre réponse après mes contes. M. Farouk attend que j'entre en scène.

Quand les veilleuses à gaz se rallumèrent à l'intérieur des coulisses, Ophélie s'aperçut que Renard était stupéfait.

— Le Seigneur Immortel ? *Il* est ici ?

— C'est à lui que je raconte mes histoires animistes. Restez dans les coulisses, chuchota Ophélie avant de se faufiler entre les rideaux de théâtre. Je vous expliquerai tout après.

Ce fut quand elle s'avança sur scène, éblouie par les feux de la rampe, au milieu des applaudissements forcés du public, qu'Ophélie eut une prise de conscience inconfortable.

Elle n'avait pas la plus petite idée de ce qu'elle allait raconter à Farouk.

L'affront

Alors qu'elle s'asseyait à sa place habituelle, tout au bord de la scène de théâtre, Ophélie mesura la portée des paroles de sa tante dans l'ascenseur. Il y avait beaucoup plus de monde que d'habitude sur les rangées de fauteuils, et pas un dandy qui réprimât un bâillement, pas un noble qui consultât sa montre, pas une dame qui jouât avec ses perles. Non, ce soir, dans la pénombre veloutée de la salle, chaque spectateur pointait sur Ophélie ses jumelles de théâtre. La veille encore, elle n'était pour eux qu'une petite étrangère un tantinet simplette ; une journée chez Archibald venait de lui faire perdre toute son innocence. Elle avait fait son baptême du vice, son premier pas vers la dépravation, bref, elle était en train de devenir leur égale et ils envisageaient désormais de la surveiller d'un peu plus près.

Aucun de ces nobles ne l'inquiétait davantage que Berenilde, assise au premier rang, ses diamants scintillant dans le jeu d'ombre et de lumière. Jusqu'à présent, elle l'avait toujours encouragée d'un regard avant sa représentation. Pas cette fois.

S'il y avait bien un soir où Ophélie n'aurait pas dû oublier son livre de contes au gynécée, c'était celui-ci.

Seul Farouk ne paraissait pas ressentir l'ambiance délétère qui baignait la salle comme une eau stagnante. Il quitta son fauteuil et s'approcha de la scène comme il avait pris l'habitude de le faire. Aussi inexpressif qu'une statue, ses longs cheveux l'enveloppant comme une cape blanche, il s'assit au milieu des coussins que le directeur du théâtre avait placés là à son intention, désireux de faciliter ce curieux rituel.

Farouk attendait le conte ; Ophélie attendait l'inspiration.

Le silence qui s'installa entre eux fut si long que les spectateurs commencèrent à échanger des chuchotis, en prenant garde à ne pas trop élever la voix tout de même ; un verre de lait leur avait suffi. Ophélie savait qu'elle devait prendre la parole sans tarder, mais sa tête sonnait désespérément creux. Même les histoires qu'elle connaissait par cœur, à force de les raconter, voletaient à travers sa mémoire sans se poser, pareilles aux papillons que le baron Melchior avait projetés sur sa robe.

— Seriez-vous d'accord pour que nous reportions les contes d'objets à demain ? demanda-t-elle timidement.

Les courtisans, assis trop loin pour l'avoir entendue, continuaient de chuchoter dans l'ombre des jumelles. Farouk, quant à lui, n'avait pas bougé d'un cil. Il continuait de poser son regard trouble sur Ophélie, comme s'il ne l'avait pas entendue

172

non plus. Ce fut au bout d'un interminable tête-à-tête qu'il finit par articuler, d'une voix extrêmement grave et extrêmement lente :

— Racontez votre histoire.

— Je suis désolée, monsieur. Ce soir, je n'y arrive pas.

Les lourdes paupières de Farouk se baissèrent à demi et son regard se fit plus attentif. Cette simple hausse de concentration propagea son onde mentale dans l'atmosphère. Ophélie se contracta de la tête aux pieds quand la vague l'atteignit. Le pouvoir de Farouk s'attaquait directement au système nerveux et il n'y avait rien qu'elle pût faire pour s'en protéger.

— Vous n'y arrivez pas, répéta-t-il.

— Non. Je vous présente toutes mes excuses.

Farouk tourna lentement, très lentement la tête. Interprétant le signal, le jeune aide-mémoire accourut au petit trot et lui remit son pense-bête.

— Là, dit-il. J'ai écrit : « La vice-conteuse me racontera des histoires chaque soir. »

Ophélie sentit sa bouche devenir sèche. Comment une personne pouvait-elle à ce point nier la volonté d'une autre ? Elle se demanda, tout en promenant son regard sur les rangées de spectateurs, si ce n'était pas son égocentrisme, plus encore que son étrange pouvoir familial, que ce père avait communiqué à l'ensemble de sa progéniture.

Ophélie s'écouta soudain parler, comme si sa bouche savait mieux qu'elle ce qu'il fallait faire :

— Il était une fois, sur Anima, la poupée d'une petite fille. C'était une poupée articulée capable de

173

bouger la tête toute seule, de lever les bras toute seule, de marcher sur ses jambes toute seule. La poupée aimait beaucoup la petite fille, mais arriva un jour où elle ne voulut plus être son jouet. Elle désirait avoir son propre rêve. Elle désirait être une actrice.

— Je n'aime pas cette histoire, la coupa Farouk. Racontez-en une autre.

Ophélie inspira profondément, puis poursuivit :

— Une nuit, la poupée quitta la chambre de la petite fille. Elle voyagea à travers le monde, d'arche en arche. Elle ne pensait qu'au moyen de réaliser son rêve. La poupée finit par tomber sur des marionnettistes.

Habituellement, Ophélie ménageait des pauses et mélangeait plusieurs contes. Ce soir, toutefois, elle s'exprimait d'une voix rapide et dans un état second. La colère, la fatigue et la peur avaient pris le contrôle de sa langue, et elle ne savait plus très bien à qui, d'elle ou de Farouk, ce conte s'adressait réellement.

— Les marionnettistes promirent à la poupée de faire d'elle une actrice. C'est ainsi que, chaque soir, elle se produisit sur les planches de leur petit théâtre. Tout le monde se bousculait pour la voir. Et pourtant, chaque soir, après le spectacle, la poupée n'était pas heureuse. Elle pensait de plus en plus souvent à sa petite fille. Elle ne comprenait pas pourquoi elle se sentait si vide. N'avait-elle pas réalisé son propre rêve ? N'était-elle pas enfin devenue une actrice ?

— C'est assez.

Farouk avait interrompu Ophélie pour la seconde

fois. Il y eut un remous nerveux dans toute la salle.

Ophélie savait qu'elle aurait dû s'en tenir là. Pourtant, la suite du conte s'échappa d'elle, comme s'il était doué d'une vie propre :

— Et un jour, la poupée finit par découvrir toute la vérité. Être actrice n'était pas son rêve à elle. C'était depuis le début le rêve de la petite fille. La poupée n'avait jamais cessé d'être son jouet.

À peine prononça-t-elle le dernier mot du conte qu'Ophélie fut traversée par une douleur si violente qu'elle dut se cramponner au rebord de la scène pour ne pas tomber en avant. Elle sentit le sang couler de son nez et se répandre sur son menton. Le pouvoir de Farouk s'était propagé comme une onde de choc. Alors qu'il défaisait son invraisemblable posture, démêlant un à un ses membres pour se mettre debout, son visage perdit son inexpressivité de marbre. Ses sourcils blancs se haussèrent, ses yeux pâles s'agrandirent et ses muscles faciaux se distendirent dans un seul et même mouvement de dilatation.

Ophélie fut empoignée par le bras et tirée en arrière. C'était le vieil Éric qui avait bondi des coulisses pour la relever de force.

— Que mon seigneur reprenne place, il lui sera raconté une nouvelle variante du vagabond borgne ! annonça-t-il d'une voix si puissante que ses « r » évoquaient des coups de tonnerre. Le spectacle continue !

Sur scène, des machinistes s'activaient déjà pour remettre en place le dispositif du projecteur à illusions. Emportée vers l'arrière-scène, piétinant sa propre écharpe affolée, Ophélie vit une dernière fois l'expression décomposée de Farouk avant que la toile blanche de l'écran ne tombât entre eux comme un rideau.

— Vous êtes complètement inconsciente, grommela le vieil Éric dans sa barbe, quand il fut certain de ne pas être entendu. Vous voulez faire tomber la foudre sur votre tête ?

Ophélie avait cru qu'il s'était emparé de l'occasion pour reconquérir le haut de l'affiche ; en le voyant aussi effrayé qu'elle, elle commençait à comprendre qu'il venait peut-être de lui sauver la vie.

— J'étais à court d'idées, bredouilla-t-elle en postillonnant du sang. Je ne pensais pas que cette histoire le mettrait dans cet état.

— Si je détourne son attention maintenant, il aura peut-être oublié votre affront, grommela le vieil Éric en enfilant les bretelles de son accordéon. Il ne faut pas lui laisser le temps de noter l'incident dans son pense-bête. C'est tout le théâtre qui pourrait en subir les conséquences.

Sur ces mots, il poussa rudement Ophélie dans les coulisses. À peine fut-elle avalée par l'obscurité que la voix hypnotique du conteur s'éleva pour recouvrir les huées du public. Désorientée, Ophélie s'éloigna d'un pas tremblant tandis qu'elle prenait peu à peu la mesure de ce qu'elle venait de faire. Quand elle sentit les mains solides de Renard rencontrer les siennes dans le noir, elle s'y accrocha comme à une bouée de sauvetage.

— Je crois que, cette fois, j'ai vraiment fait une bêtise.

— Vous voulez toujours de mes opinions et de mes conseils, mademoiselle ? Voici mon opinion : vous avez urgemment besoin d'être conseillée. Et voici mon conseil : écoutez toujours mon opinion.

Ce fut beaucoup plus tard dans la nuit qu'Ophélie eut enfin une pensée pour Thorn.

Recroquevillée dans son lit, accablée par la chaleur tropicale, elle était en proie à une telle anxiété que son animisme, exceptionnellement fébrile, contaminait tout le mobilier de la chambre. La moustiquaire en baldaquin se gonflait comme une voile de bateau, les cintres du paravent cliquetaient les uns contre les autres, les lunettes galopaient le long du lit avec une démarche de crabe furieux, le soulier gauche tapait du talon sur la moquette et les persiennes grelottaient dans leurs gonds, faisant trembler la lumière illusoire du soleil à travers les interstices.

Ophélie avait longtemps cherché le sommeil pour mettre un terme à ce remue-ménage, mais dès qu'elle fermait les yeux, elle revoyait le visage décomposé de Farouk, comme s'il s'était imprimé sous ses paupières. Il lui avait fallu quatre mouchoirs pour venir à bout de son saignement de nez et son corps était encore parcouru de névralgies douloureuses. Ophélie ne s'expliquait pas comment un simple conte avait pu à ce point bouleverser cet esprit de famille. Lorsque Farouk lui avait dit qu'il n'aimait pas cette histoire, elle avait cru que c'était parce qu'il reconnaissait ses propres courtisans à travers les marionnettistes, et que cette vérité-là le dérangeait. Elle réalisait maintenant qu'elle s'était lourdement trompée : il y avait autre chose dans ce conte. Le pouvoir de Farouk était devenu si incontrôlable que le théâtre entier avait dû être évacué. Il s'était depuis enfermé au dernier étage de la tour et, d'après son aide-mémoire, il était inapprochable pour le moment.

Ophélie l'était devenue également.

Jusqu'à nouvel ordre, elle était *persona non grata*. Renard avait passé la moitié de la nuit à décrocher le téléphone pour noter tous les rendez-vous annulés. Quant à Berenilde, elle l'avait sermonnée comme jamais, la traitant tour à tour d'effrontée, d'idiote et d'ingrate.

— Si nous perdons la protection de notre seigneur, répéta-t-elle en se contractant des deux mains sur son ventre, nous sommes condamnées !

Pour toutes ces raisons, Ophélie était incapable de calmer la nervosité des accessoires de sa chambre. Et ce fut en voyant le grand miroir de la psyché se balancer furieusement dans son cadre qu'elle s'était soudain rappelé son rendez-vous manqué avec Thorn.

Ophélie se tira du lit et enfonça une main dans son reflet. Elle s'étonna de ne pas sentir l'étoffe des manteaux dans la penderie de l'intendance. Cela signifiait que Thorn avait laissé la porte de son armoire ouverte et qu'il attendait toujours sa visite, malgré l'heure tardive de la nuit. Après une hésitation, elle attrapa ses lunettes qui marchaient en crabe sur le lit, puis enfila sa robe de chambre et ses bottines.

Quand Ophélie passa du miroir de sa chambre

à celui de la penderie, la différence de température fut telle qu'elle en eut le souffle coupé. C'était comme quitter l'été pour pénétrer au plus dur de l'hiver.

L'intendance était l'archétype même de la discipline avec ses dossiers parfaitement alignés, ses casiers fermés à clef et ses cotes étiquetées sur chaque étagère. Ophélie crut donc s'être trompée de miroir quand elle découvrit, dans l'éclairage vacillant d'une lampe, des centaines de papiers qui dansaient à travers la pièce comme les oiseaux d'une volière.

Un vent glacial s'engouffrait à l'intérieur avec la force d'un torrent ; s'il avait le mérite d'être vrai, à la différence des brises de cour qu'elle respirait à longueur de journée, il emportait la paperasse dans d'incontrôlables tourbillons blancs. Ophélie posa les pieds sur le sol, de façon à ne pas froisser toute cette administration, en se demandant où était Thorn et pourquoi il avait ouvert la fenêtre.

Ce fut en s'approchant de l'œil-de-bœuf et en entendant du verre crisser sous ses souliers qu'Ophélie comprit que la fenêtre n'était pas ouverte : quelqu'un l'avait brisée. Cette surprise-là ne fut rien en comparaison de l'étonnement qui la saisit quand elle trouva enfin Thorn, au milieu de la tempête de papiers.

Il pointait son pistolet sur elle.

Les promesses

Ophélie fut tellement choquée qu'elle n'eut
pas la présence d'esprit d'avoir peur. Thorn était
méconnaissable. Le sang s'écoulait de son front,
de ses narines, de sa bouche comme les innombrables affluents d'un seul fleuve, barbouillant les
cheveux, engluant les paupières, dévalant la pente
vertigineuse du nez et peignant de longues traînées pourpres sur la chemise blanche.

— Ah, c'est vous, dit-il en abaissant le canon
de son pistolet. Vous devriez vous annoncer en
arrivant, je ne vous attendais plus.

Thorn s'était exprimé d'une voix grave et posée,
à peine gêné par sa lèvre fendue, à croire qu'aucune apocalypse n'avait ravagé son intendance.
D'un mouvement de main, il fit pivoter le pistolet
sur lui-même et le présenta à Ophélie par la crosse.

— Prenez-le. N'appuyez sur la détente que si
c'est strictement nécessaire. Ils ne reviendront
sans doute pas, mais restons vigilants.

Ophélie n'eut pas un regard pour l'arme ; elle
ne voyait que le sang. Elle fournissait des efforts
considérables pour ne pas avoir l'air horrifié.

— Qui vous a fait ça ?

— Cette question-là ne me tracasse plus tellement, dit Thorn avec flegme. Je le leur ai bien
rendu. En revanche, j'aurais apprécié qu'ils
fouillent mon bureau avec davantage de soin. Je
vais en avoir pour des heures à tout remettre en
ordre.

Comprenant qu'Ophélie ne toucherait pas au
pistolet, Thorn le glissa sous sa ceinture et attrapa
au vol une feuille de papier qui tourbillonnait
devant lui.

— « Demande de subvention pour l'embellis-
sement extérieur des habitations », déchiffra-t-il
entre ses dents. Ça, c'est pour la pile du téléphone.

Incrédule, Ophélie vit Thorn traverser le cata-
clysme administratif à longues enjambées et
coincer le formulaire sous ce qui avait dû être
autrefois l'appareil de téléphonie. Elle repéra des
piles semblables dans toute la pièce, sous la cor-
beille, sous le cendrier, sous des pieds de chaise,
tels d'étranges nids cherchant à échapper au vent.
Sur chaque papier, il y avait le sang de Thorn.
Ophélie trouva extraordinaire qu'un homme aussi
méthodique n'eût pas pensé prioritairement à se
soigner, alerter la sécurité et réparer la fenêtre
avant de se soucier de ranger. Il était maintenant
assis sur le parquet, occupé à trier tout ce qui lui
tombait sous la main.

Ophélie noua son écharpe de façon à contenir
ses cheveux que le vent agitait dans tous les sens,
puis elle risqua un coup d'œil par l'œil-de-bœuf.
Elle vit d'abord l'aplomb vertigineux du mur qui

se perdait dans la brume, tout en bas. Ceux qui avaient brisé la vitre depuis l'extérieur étaient de fameux acrobates. L'espace d'un instant, elle s'était demandé si le chevalier n'avait pas récidivé, mais ça ne ressemblait pas à sa façon de faire.

Quand elle se tourna vers la penderie d'où elle était venue, Ophélie comprit mieux pourquoi elle l'avait trouvée ouverte : elle aussi avait été sauvagement vidée de ses affaires. Ophélie ramassa un manteau jeté par terre, qu'elle parvint à pincer dans le cadre de l'œil-de-bœuf. Le vent cessa d'inonder la pièce et les papiers retombèrent mollement au sol comme des feuilles d'automne.

Claquant des dents, Ophélie ouvrit au maximum le robinet du radiateur en fonte et tourna les vis des lampes à gaz, augmentant autant que possible la lumière et la chaleur des flammes. Comment pouvait-il faire aussi froid au début du mois de juin ?

Thorn la laissa faire sans un mot ni un regard. Ses membres repliés comme de grandes pattes d'araignée, il était toujours installé sur le parquet, occupé à récolter, examiner et classifier tout ce qui ressemblait à du papier. Ses yeux métalliques, à demi obstrués par les croûtes sombres, étincelaient de concentration au milieu de la surface ravagée du visage. Quand il repoussa ses cheveux en arrière, ils restèrent figés comme des épines rouges.

— Thorn, murmura prudemment Ophélie. Je ne voudrais pas vous affoler, mais vous... eh bien... vous n'avez pas très bonne mine.

— Coupure au front, fracture du nez, deux

molaires cassées et quelques muscles froissés, énuméra-t-il sans lever le regard de son tri. Ne vous laissez pas impressionner par le sang, ce n'est que le mien.

— Vous avez une pharmacie ?

— J'en avais une. Dernier tiroir du bureau.

Ophélie s'accroupit sous la table, trouva un coffret de bois laqué et en déversa accidentellement le contenu par terre. À sa grande surprise, il n'y avait là que des dés : des dizaines, des centaines de petits dés. C'était la collection la plus bizarre et la plus inutile qu'elle avait jamais vue.

Elle finit par localiser le tiroir à pharmacie derrière le fauteuil du bureau, guidée par l'odeur étourdissante qu'il dégageait. Les flacons qu'il avait contenus étaient cassés. Dans l'espoir de trouver un survivant, Ophélie farfouilla les débris avec précaution, mais aucune bouteille n'était intacte et il n'y avait ni pansement, ni bandage, ni compresse, ni sparadrap.

— Vous devez voir un docteur, conclut-elle.

— Non, répondit Thorn, je dois ranger ces documents. L'intendance rouvrira ses portes à huit heures tapantes, pas une minute de plus.

Tandis que son écharpe s'ébrouait frileusement sur ses épaules, Ophélie s'agenouilla sur le parquet, en face de la silhouette arachnéenne de Thorn. Elle lui remit le paquet de feuilles qu'elle avait ramassées en chemin.

— À votre guise. Maintenant dites-moi : que s'est-il passé exactement ?

Thorn examina un fac-similé à la lumière d'une lampe, tandis qu'il répondait :

— Deux individus masqués ont pénétré dans l'intendance par effraction, après avoir escaladé le mur extérieur. Ils m'ont posé quelques questions auxquelles je n'ai évidemment pas répondu, puis ils ont cherché ici ce qu'ils n'ont pas obtenu de moi. Mes griffes abâtardies ne valent peut-être pas celles de ma famille paternelle, mais, couplées à un pistolet, elles peuvent être dissuasives : ces messieurs sont repartis bredouilles par la fenêtre. (Pour illustrer ses propos, énoncés à la façon d'un procès-verbal, Thorn fouilla sa poche de chemise et sortit un sachet de velours noir.) Un nez et un auriculaire, annonça-t-il en secouant le sachet. Mes agresseurs seront désormais dotés de signes distinctifs qui faciliteront une future enquête.

— Qu'est-ce que ces gens vous voulaient ? demanda Ophélie en essayant de ne pas se focaliser sur le sachet. Que cherchaient-ils ?

— Des informations confidentielles. Il se trouve que je suis en charge d'un dossier délicat qui implique des personnalités importantes.

Ophélie retint son souffle, tandis que lui revenait le souvenir de sa lettre de menace.

— À cause du Livre de M. Farouk ?

— Quoi ? grommela Thorn. Aucun rapport. Je me consacre actuellement à la réhabilitation des déchus.

En un battement de paupières, Ophélie se remémora tous ces articles de gazette qui mettaient la population de la Citacielle en garde contre les déchus et la position ambiguë de Thorn à leur sujet.

— Leur réhabilitation ? Berenilde m'a dit que les crimes de ces clans étaient trop graves pour être jamais pardonnés.

— Ce n'est pas exact.

Si le corps dégingandé de Thorn ne bougeait presque pas, tordu en position de tailleur, ses bras et ses mains longilignes allaient et venaient sans cesse entre le chaos et l'ordre. Il défroissait, pliait, puis alignait les innombrables pièces de comptabilité ; sa méticulosité était telle que pas un seul papier ne débordait des nouvelles piles qu'il agençait. En y regardant de plus près, Ophélie s'aperçut que chacune de ces piles respectait même les lignes des lames du parquet, et cela dans une symétrie visuelle absolument parfaite. Elle eut une pensée pour la collection invraisemblable de dés et de flacons qu'elle avait trouvée sous le bureau et se demanda sérieusement si Thorn n'était pas un peu toqué.

— Les déchus sont d'excellents chasseurs, les seuls qui soient aptes à affronter la faune de cette arche et protéger les populations. Si vous visitiez les villes du Pôle, vous verriez que ce sont des héros aux yeux des sans-pouvoirs. C'est à cause de cela, et de cela seulement, qu'ils sont redoutés ici-haut.

— Comment convaincre la cour de leur donner une nouvelle chance, dans ce cas ?

— Grâce à la loi, répondit Thorn en s'attaquant à une autre pile de documents. La Constitution prévoit la possibilité de commuer le bannissement définitif en bannissement temporaire si c'est dans l'intérêt général. J'en ferai la démonstration aux prochains états familiaux, ce 1er août. Le dossier contient des arguments de poids, bien à l'abri dans un coffre-fort. D'ici là, l'intendance représentera les déchus et les placera sous sa protection officielle, n'en déplaise aux intimidateurs, conclut-il avec une loquacité toute professionnelle.

Ophélie se rappela soudain cette pipe de porcelaine qu'elle avait *lue* pour Archibald. Le prévôt des maréchaux avait tué des déchus pour braconnage et, aujourd'hui, il était porté disparu. Si Ophélie n'avait pas observé scrupuleusement le secret professionnel, elle aurait été tentée de partager cette information avec Thorn.

— Que sont les états familiaux ? demanda-t-elle à la place. Je n'en ai jamais entendu parler.

— Ils ne se tiennent qu'une fois tous les quinze ans. À cette occasion, Farouk préside le Conseil des ministres et entend les doléances des trois états : les nobles, les déchus et les sans-pouvoirs.

— Et pourquoi serait-ce à vous de représenter des déchus ? Vous avez tout de même tué l'un des leurs.

Fronçant les sourcils, Ophélie se rappela comme si c'était hier la façon dont Thorn avait annoncé la nouvelle au dîner, entre deux cuillerées de soupe, à croire que c'était la chose la plus anodine du monde.

— Légitime défense, rétorqua Thorn sans états d'âme. Si un déchu se met au service d'un noble pour se salir les mains à sa place, il doit en assumer les conséquences. De toute façon, les déchus n'ont pas le droit d'entrer à la cour, y compris pendant les états familiaux : ils sont obligés de désigner un représentant. Ils ont fait un choix très raisonnable en misant sur moi.

Ophélie resserra davantage les bras autour de ses jambes et enfouit son menton dans l'écharpe. Le froid qui l'envahissait soudain était plus pernicieux que celui qui régnait dans l'intendance. Elle trouvait Thorn glaçant à lui parler ainsi, le nez dans ses papiers, sans jamais la regarder en face. Entre sa chemise salie, ses intonations neutres et ses gestes mécaniques, il évoquait un automate rouillé soumis à un mouvement perpétuel.

Au bout d'un silence, cependant, il consulta sa montre à gousset, tachée de sang elle aussi.

— Vous en avez fini avec vos questions ? Bien. C'est donc à mon tour.

Thorn noua ses mains autour des genoux et mit enfin au repos ses grands bras, qui pendaient maintenant à chaque épaule comme des poids morts. Son corps entier, moitié voûté, moitié tordu, s'était figé comme une machine à l'arrêt ; quant à sa sinistre figure, sillonnée par le sang et noircie par les coups, elle affichait une inexpressivité vaguement maussade.

Ce calme n'était qu'une façade. Ophélie se raidit des pieds à la tête lorsqu'il leva enfin vers elle son long nez abîmé. Son regard s'enfonça dans le sien comme une lame de rasoir.

— Que faisiez-vous chez Archibald aujourd'hui ?

Les intonations neutres de Thorn avaient cédé la place à une voix de plomb. Ophélie fut déstabilisée par la tournure personnelle qu'avait prise la conversation. Elle ne comprenait même pas comment Thorn pouvait être au courant de cela en s'étant isolé ici toute la journée.

— Oh, ça ? Ce serait un peu long à expliquer.

— Nous avions rendez-vous, souligna Thorn avec une lenteur redoutable. Pourquoi Archibald plutôt que moi ? Qu'est-ce qui le rend plus fréquentable ?

— Là n'est pas le problème, bredouilla-t-elle. Il y a eu un imprévu, c'est tout.

— Que dois-je donc faire pour que vous mettiez un terme à cette punition que vous m'infligez ?

À présent, les yeux de Thorn évoquaient du métal porté à incandescence. Recroquevillée sur elle-même, Ophélie rentra le cou dans son écharpe tout en s'obligeant à ne surtout pas détourner la tête. Elle ne voulait pas le montrer, mais Thorn lui faisait soudain un peu peur.

— Ce n'était vraiment pas prémédité. En fait, je vous avais oublié.

En entendant cette réponse, Thorn se mit à considérer Ophélie avec une telle intensité qu'elle eut la sensation de rétrécir dans sa robe de chambre, tandis que lui, au contraire, ne semblait cesser de s'agrandir. Il fronça les sourcils jusqu'à faire craqueler son masque de sang séché.

— Vous ne m'aimez vraiment pas.

Ophélie sentit un frisson électrique se propager sur sa peau. Elle connaissait bien cet effet : c'était celui que produisait un Dragon prêt à sortir les griffes. Le geste instinctif qu'elle esquissa pour protéger son visage eut pour conséquence immédiate de décomposer celui de Thorn. La sévérité de ses traits avait cédé la place à la consternation.

— Alors nous en sommes là ? Vous vous méfiez à ce point de moi ?

— Mes nerfs ont été mis à rude épreuve aujourd'hui, se justifia Ophélie. Et puis, vous devriez vous regarder dans une glace quand vous faites cette tête. Vous vous trouveriez effrayant vous auss…

— Jamais je ne vous ferai du mal.

Thorn l'avait coupée avec une spontanéité si abrupte qu'Ophélie se sentit ébranlée. Pour la première fois depuis longtemps, elle crut en sa sincérité.

— Il y a plusieurs façons de faire du mal à quelqu'un. Je n'accorde plus ma confiance qu'à très peu de personnes et, pour le moment, ni vous ni Archibald n'en faites partie.

Thorn contempla ses grandes mains ensanglantées et, d'un geste vain, un peu gauche, il les frotta contre sa chemise, comme s'il prenait enfin conscience de ce à quoi il ressemblait.

— J'ai beaucoup d'ennemis, se renfrogna-t-il. Je ne veux plus vous compter parmi eux, alors dites-moi ce que je dois faire. C'est bien pour cela que vous êtes venue ici, n'est-ce pas ? Vous avez un marché à me proposer, je vous écoute.

Ophélie aurait préféré avoir cette discussion ailleurs que sur ce parquet inconfortable, avec pour interlocuteur un homme sans plaies ni bosses, mais elle n'avait pas l'intention de reculer.

— Je veux un travail.

— Un travail, répéta Thorn, son accent durcissant chaque consonne de ce mot. Vous en avez déjà un.

— Je ne suis définitivement pas faite pour être vice-conteuse. Ma prestation de ce soir a été un désastre, elle s'est d'ailleurs très mal terminée. Je ne crois pas que M. Farouk voudra encore m'écouter.

Si Thorn fut contrarié par cette nouvelle, il ne le montra pas.

— Il ne vous retirera pas sa protection. Vous êtes trop importante. Il finira par oublier. Il finit toujours par oublier.

Ophélie espérait de tout son cœur qu'il avait raison. Rien que de repenser à ce qui s'était produit lui déclenchait des névralgies atroces.

— J'ai réfléchi à la question et je souhaiterais tenir un cabinet de *lecture*. Je pourrais réaliser des expertises pour authentifier des objets de famille ou des…

— Accordé, dit Thorn sans en écouter davantage.

Ophélie haussa les sourcils, stupéfaite d'avoir obtenu si rapidement gain de cause.

— Évitez juste de montrer vos performances devant Farouk, poursuivit-il. Ça pourrait lui inspirer l'idée de vous essayer sur son Livre, et le Livre, c'est mon affaire. Autre chose ?

— J'ai engagé un assistant, mais je n'ai actuellement aucun moyen de le rémunérer. Je ne suis pas très familière de ces questions d'argent. D'ici à ce que je puisse le rétribuer, pouvez-vous lui verser des gages pour ses services ?

— Accordé. Autre chose ?

— Euh… oui, balbutia Ophélie qui ne s'attendait pas à ce que cela aussi fût expédié si vite.

J'ai peur à la longue de ne plus être capable de distinguer les illusions de la réalité. Je veux revoir le monde extérieur.

— Accordé, dit Thorn avec sa voix de couperet. La nuit polaire est terminée et les températures remontent, vous pourrez bientôt prendre l'air. Autre chose ?

— Depuis mon arrivée, je vis continuellement dans les jupons de votre tante. Je veux un domicile personnel, peu importent sa taille et son emplacement.

— Accordé. Autre chose ?

Ophélie savait que Thorn était prêt à faire quelques concessions, mais pas un instant elle n'avait imaginé qu'il lui céderait ainsi sur tous les plans, sans émettre d'objections. Il était réellement sérieux au sujet de leur réconciliation. Ophélie décida de l'être également. Elle dénoua son écharpe, éclaircit ses lunettes et repoussa sa forêt de boucles brunes pour cesser de se cacher.

— J'ai une dernière faveur à vous demander, la plus importante de toutes. Promettez-moi d'être honnête à l'avenir. Que je ne sois pour vous qu'une paire de mains, ce n'est plus un problème, dit-elle en serrant et desserrant ses gants. J'assumerai ce rôle du moment que c'est clairement établi entre nous et que chacun y trouve son compte. Je suis même prête à vous apprendre à *lire* quand vous aurez hérité de mon animisme, après la cérémonie du Don ; et vous m'apprendrez, vous, à apprivoiser mes griffes. Ce sera notre seul devoir conjugal, articula-t-elle en insistant sur chaque mot. Mais voilà, pour que je vous fasse confiance à nouveau,

ne me dissimulez plus rien qui me concerne directement.

Cette fois, Thorn observa un long silence renfro-
gné, uniquement troublé par le vent qui cherchait
la faille dans les coutures du manteau, à coups de
bourrasques et de tourbillons.

— Accordé, finit-il par grommeler.

Ils demeurèrent un long moment à se dévisager mutuellement, tandis que flottait une gêne
nouvelle dans l'atmosphère. Ophélie aurait bien
amorcé un geste symbolique, une main tendue,
un sourire aimable, mais Thorn était aussi rigide
qu'un bloc de marbre.

Puisqu'ils en étaient aux confidences, autant en
profiter.

— Vous comptez sur votre mémoire personnelle pour amplifier la *lecture* du Livre. Elle est
donc si exceptionnelle ?

Thorn grimaça en entendant Ophélie mentionner le Livre.

— Un peu plus que cela, même.

— Mais cette mémoire, insista Ophélie, je vais
en hériter en plus de vos griffes, à la cérémonie
du Don ?

— Tout dépendra de votre réceptivité. Ça n'a
rien d'une science exacte.

— Et que faites-vous de votre réceptivité à
vous ? Après tout, votre mémoire ne fera peut-être
pas de vous un bon *liseur*. Et puis, ajouta-t-elle en
se remémorant le contrat, vous ne vous êtes donné
que trois mois pour apprendre à vous servir de
mon pouvoir familial. En ce qui me concerne, ça
m'a réclamé des années.

192

— L'échec est une éventualité, concéda Thorn.

Ophélie le regarda intensément. Il faisait des pieds et des mains pour exaucer Farouk, mais il ne semblait pas réellement se soucier de l'issue d'une telle entreprise...

— Et que se passera-t-il si vous décevez M. Farouk après lui avoir tant promis ? Vous croyez qu'il vous anoblira en dépit de tout ?

— Bien sûr que non, dit Thorn sur le même ton égal. Vous seriez alors débarrassée d'un mari encombrant.

Si c'était un sarcasme, Ophélie ne le trouva pas amusant du tout.

— Vous ne devriez pas prendre cette *lecture* à la légère. D'autres la prendront très au sérieux pour vous, à commencer par M. Farouk. J'ai reçu une lettre bizarre... Peu importe... Le fait est que ce Livre et les secrets qu'il renferme semblent en déranger certains. Plus encore peut-être que vos déchus, conclut Ophélie en montrant les débris de verre sur le sol.

Thorn expulsa un soupir qui, à travers ses côtes cassées, évoqua un sifflement de théière.

— Cessez de parler du Livre à tort et à travers. Et si ce n'est pas trop vous demander, dit-il en empoignant une liasse de feuilles, cessez d'attirer l'attention sur vous. J'aimerais à présent reprendre mon tri, avec votre permission.

— J'ai vu le chevalier aujourd'hui. Il m'a tout avoué.

Ophélie n'avait jamais vraiment eu l'occasion de parler avec Thorn de la façon dont il avait vécu la perte de sa famille. Du peu qu'elle en savait, son demi-frère et sa demi-sœur lui avaient mené une enfance difficile et ils ne s'étaient pour ainsi dire plus adressé la parole depuis l'âge adulte. Aussi Ophélie fut-elle déconcertée par la façon dont le corps entier de Thorn s'était soudain contracté.

— Devant témoins ?

— Non. Je me demande quand même s'il n'est pas un peu fou.

Au moment où elle disait cela, Ophélie fut frappée par une pensée. Qui d'autre qu'un fou enverrait une lettre de menace en concluant par « DIEU NE VEUT PAS DE VOUS ICI » ?

— Mais j'ai également eu une conversation très intéressante avec le baron Melchior, poursuivit-elle. Il m'a dit que les Mirages redoutent le chevalier autant que nous. Il m'a laissé un message pour vous.

— Quel message ?

— M. le baron vous recommande de perquisitionner chez son cousin Arnold… non… Harold. Il m'a dit que ça pourrait vous aider dans votre recensement des Bêtes domestiques, et peut-être même davantage. Vous comprenez ce qu'il a voulu dire ?

— Je prends acte, se contenta de marmonner Thorn en feuilletant ce qu'il restait d'un catalogue.

Ophélie fronça les sourcils. Et quoi ? C'était tout ? Pour quelqu'un qui s'était engagé à ne plus faire de dissimulations, il ne fournissait pas beaucoup d'efforts. Ophélie se mit debout, engourdie de froid, en époussetant sa robe de chambre. Elle était épuisée.

— Je vais me coucher. N'oubliez pas vos promesses.

— Je n'oublierai pas. Je n'oublie jamais rien.

Thorn avait repris et sa voix professionnelle et son rangement discipliné, comme si sa parenthèse de vie privée venait déjà de se refermer. Ophélie pensa que, dans deux mois, elle serait liée à ce phénomène pour le restant de ses jours.

« Si nous survivons jusque-là », songea-t-elle en promenant son regard sur le spectacle apocalyptique de l'intendance.

— Vous devriez nettoyer le sang et réparer la fenêtre avant de recevoir vos visiteurs, ne put-elle s'empêcher de sermonner Thorn. Ne donnez pas aux gens des raisons supplémentaires de vous trouver douteux.

Sans lever le nez de son catalogue, Thorn sortit sa montre à gousset et, au lieu de consulter l'heure, il la serra énergiquement dans son poing.

— Vous m'avez voulu honnête avec vous. Vous apprendrez donc que vous n'êtes pas pour moi qu'une paire de mains. Et je me contrefiche que les gens me trouvent douteux, du moment que je ne le suis pas à vos yeux. Vous me rendrez votre confiance lorsque j'aurai tenu toutes mes promesses, maugréa-t-il en tendant sa montre à Ophélie sans remarquer son expression ahurie. Et si vous doutez encore de moi à l'avenir, *lisez*-la. Je vous téléphonerai bientôt au sujet de votre cabinet, ajouta-t-il négligemment en guise d'au revoir.

Ophélie traversa le miroir, puis regagna son

lit, dans l'atmosphère brûlante du gynécée. Elle contempla la montre de Thorn qui pulsait comme un cœur mécanique et sut que cette nuit encore elle aurait du mal à trouver le sommeil.

La clochette

— Ophélie, c'est maman… *krshhh*… J'ai bien reçu ta dernière lettre… *krshhh*… Bravo, beaucoup de petits mots polis pour ne rien dire du tout… *krshhh*… Tu n'as jamais su mentir convenablement… *krshhh*… Je sais quand l'un de mes enfants me fait des cachotteries… *krshhh*… Alors comme ça, tu veux tenir ta propre famille hors de ta vie ?… *krshhh*… C'est mal nous connaître, ma fille… *krshhh*… Nous arriverons par le *Boréal* du 4 juillet, à deux heures de l'après-midi… *krshhh*… Inutile d'annuler, cette fois, nous resterons jusqu'au mariage… *krshhh*… Comme je ne fais pas confiance à ton fiancé, je préfère utiliser cet animaphone… *krshhh*… Prévois un logement pour vingt et une personnes, ton frère et tes sœurs viennent avec nous… *krshhh*… Ophélie, c'est maman… *krshhh*… J'ai bien reçu ta dernière…

Du doigt, Ophélie arrêta le cylindre qui tournait en boucle dans le phonographe miniature et rangea l'animaphone dans sa poche. Le mécanisme n'était muni d'aucun dispositif d'actionnement – ni manivelle, ni clef, ni cordon –, aussi seul un

Animiste pouvait-il le mettre en marche. Ophélie étant un peu lente avec son pouvoir, il lui avait fallu de la persévérance pour entendre enfin le message de sa mère depuis que le petit colis lui avait été remis par le préposé postal.

— Voilà, dit-elle en s'adressant à la tante Roseline et à Berenilde. Quel est votre sentiment ?

Ophélie ne savait trop elle-même, de la joie ou de la panique, quelle émotion faisait le plus battre son cœur.

— J'en pense que le 4 juillet, c'est la semaine prochaine, dit la tante Roseline d'un air contrarié. Ils sont déjà tous à bord du *Boréal*. Cette fois, nous ne pourrons plus retarder leur venue. Et ta mère, gamine, ça ne va pas être un moule à tarte.

— Mon sentiment à moi, dit Berenilde avec un sourire onctueux, c'est que cela tombe on ne peut plus mal.

Elle eut une œillade éloquente pour la devanture sur laquelle un peintre en lettres était en train de tracer au pinceau « EXPERTISE & AUTHENTIFI-CATION », ce qui aurait été du plus bel effet si des ectoplasmes n'avaient collé leurs vilaines grimaces de l'autre côté de la vitrine. Ces illusions avaient été jetées au cours de la nuit et aucune d'elles ne s'était encore dissipée.

— Pardon, mesdames.

La tante Roseline et la Valkyrie durent s'écarter pour laisser le passage à deux ouvriers qui déplaçaient un bureau. « Non, pas un bureau, songea Ophélie. *Mon* bureau. » Elle avait obtenu de Thorn ce petit cabinet pour lancer son activité de *liseuse* : il était encore à l'état de chantier et on

198

cherchait déjà à le saboter. Berenilde avait raison, ce n'était vraiment pas le meilleur moment pour accueillir sa famille.

Cela faisait maintenant trois semaines que Farouk s'était enfermé au dernier étage de la tour sans plus donner signe de vie. À en croire les gazettes, un tel événement ne s'était pas produit depuis des décennies. La liste des invités de la Jetée-Promenade, que le grand chambellan dressait habituellement en fonction de l'emploi du temps de l'esprit de famille, avait été laissée en suspens pour une durée indéterminée. Les innombrables salons et jardins du palais avaient aussitôt été pris d'assaut par toute l'aristocratie de la Citacielle, y compris les nobles qui n'y avaient jamais été conviés jusque-là. Il régnait sur place une ambiance crispée où chacun se sentait roi et où les disputes protocolaires étaient devenues quotidiennes. Les Mirages et la Toile avaient toujours été des clans dotés d'un sens aigu de la famille : à présent, leurs membres se querellaient sans cesse pour des histoires de préséance.

Thorn avait mis à profit ce climat désordonné pour aménager le cabinet d'Ophélie dans un ancien vestiaire de la Jetée-Promenade. Suffisamment bien placé pour attirer un minimum de clientèle, suffisamment discret pour échapper à la vigilance de Farouk.

Incommodée par les odeurs de peinture fraîche, Berenilde appliqua un mouchoir brodé sur son visage.

— Provoquer notre seigneur avec cette ridicule histoire de poupée... À quoi pensiez-vous donc ?

Par votre faute, nous avons perdu pratiquement toute notre protection.

Depuis le scandale qu'avait déclenché Ophélie au théâtre optique, la Toile lui avait retiré sa surveillance personnelle. Archibald avait eu beau essayer de plaider sa cause, sa famille s'était montrée inflexible : on ne leur attribuerait désormais plus qu'une seule Valkyrie dont la mission serait de veiller uniquement sur Berenilde et le bébé à naître.

Ophélie s'abstint de faire remarquer qu'elle ne voyait pas grande différence en ce qui la concernait. Les Valkyries n'avaient empêché ni les humiliations ni les menaces, et ces vieillardes étaient glaçantes à les suivre comme leurs ombres sans jamais prononcer un mot. S'il fallait attendre d'être tué sous leurs yeux pour obtenir gain de cause, Ophélie aimait autant se débrouiller seule.

— Ne vous inquiétez pas, madame, dit-elle à la place. M. Farouk tient énormément à vous, il ne cessera jamais de vous protéger.

— Qu'est-ce que vous vous imaginez ? Cela fait déjà un moment qu'il ne me touche plus, c'est à peine s'il me regardait ces derniers temps. À l'instant où je serai mère, je cesserai définitivement d'exister à ses yeux. Mon temps de grâce a toujours été compté, murmura Berenilde avec amertume, je le savais depuis le début. Je ne pensais simplement pas que ça se conclurait de cette manière.

Ophélie eut un regard coupable pour ce ventre bombé qu'elle tenait sans cesse dans ses mains, comme si l'enfant qu'il abritait pouvait lui échapper à tout instant.

— Ce qui est fait est fait, se reprit Berenilde en haussant le menton. Pour votre famille, Thorn trouvera une solution. Ah, le voilà justement !

De fait, la clochette de l'entrée venait de retentir, tandis que l'intendant inclinait son interminable silhouette dans l'encadrement de la porte. Avec son uniforme noir à épaulettes et ses cheveux peignés vers l'arrière, il était déjà plus présentable que la dernière fois qu'Ophélie l'avait vu, même si ses blessures avaient laissé, çà et là, des traînées sombres sur sa peau. Il eut un bref regard pour les illusions cauchemardesques qui éclaboussaient la vitrine.

— Ne vous attendez pas à être ensevelie sous les clients, dit-il en guise de bonjour.

La tante Roseline ouvrit la bouche, prête à prendre la parole, mais Berenilde glissa son bras sous le sien et l'entraîna plus loin.

— Venez, laissons mon neveu et votre nièce discuter à leur aise.

Ophélie les regarda zigzaguer entre les ouvriers du chantier. L'intention était charmante, mais elle ne se sentit plus à l'aise du tout.

Côté façade, Thorn était l'impassibilité même avec son profil sévère dont le grand nez se hissait loin au-dessus des destinées humaines. Côté dos, cependant, son index ne cessait de marteler le poignet de l'autre main. Un peu gênée, Ophélie se demanda s'il se sentait aussi nerveux en sa compagnie qu'elle l'était en la sienne. À présent qu'ils avaient conclu un marché, tout aurait dû être clarifié entre eux, mais elle avait gardé de leur conversation à l'intendance un arrière-goût indéfinissable. Et plus la date du mariage se rapprochait, plus elle ressentait un trac absurde.

— J'ai reçu un message de ma mère, dit-elle sans préambule. Elle sera ici la semaine prochaine. Elle et vingt autres membres de ma famille.

Thorn se tint tellement silencieux qu'Ophélie crut un instant qu'il n'avait pas écouté.

— Vingt et un, grommela-t-il enfin. Vingt et un Animistes qu'il faudra loger, nourrir et protéger pendant plus d'un mois. Ces gens n'ont donc pas d'obligations chez eux ?

— Notre famille travaille dans la conservation du patrimoine. Les services ferment en été. Vous ne prenez jamais de vacances, vous ?

En voyant Thorn froncer sourcils et cicatrices, Ophélie eut l'impression d'avoir proféré une grossièreté.

— Vos parents tenteront de vous rapatrier sur Anima, déclara-t-il. Ils ne m'aiment pas et votre mère est impulsive. Si forte soit la tentation, ne leur fournissez aucune raison de vous faire quitter le Pôle avant que nous soyons mariés. Si vous pouviez éviter d'aborder certains sujets devant votre famille, ce serait idéal.

Ophélie fronça les sourcils.

— Et devant les Doyennes d'Anima ? demanda-t-elle avec raideur. C'est par leur entremise que vous et votre tante avez organisé le mariage. Elles doivent déjà en connaître les véritables raisons.

— Non, répondit Thorn à sa surprise. Elles ne nous ont pas posé de questions. En fait, elles semblaient soulagées de savoir enfin quoi faire de vous.

Ophélie serra le petit animaphone dans la poche de sa robe. « Nous t'accordons une dernière chance », avait dit la Doyenne juste avant son départ. Quel que fût l'angle sous lequel elle considérait sa situation actuelle, ça ne ressemblait pas tellement à de la chance.

— Je suis une mauvaise comédienne. J'ai moi-même du mal à trouver une bonne raison de rester. Alors, convaincre mes parents du contraire…

— Vous êtes contractuellement liée à Farouk. Les retombées diplomatiques seraient très lourdes en cas de désistement, pour votre famille comme pour la mienne.

— Je sais déjà tout cela, s'agaça Ophélie.

Elle parlait « mal du pays » et Thorn répondait « affaire d'État ». Sans doute avait-il perçu son irritation, car il daigna enfin descendre son grand nez vers elle.

— Préféreriez-vous m'entendre dire que je voudrais être votre raison de rester ? J'en doute.

— … lettre… *krshhh*… Bravo, beaucoup de petits mots polis pour ne rien dire du tout… *krshhh*… Tu n'as jamais su mentir…

Ophélie arracha la main de sa poche pour faire taire l'animaphone. Sa nervosité avait réenclenché le mécanisme.

— Non, dit-elle d'une voix tendue, il faudrait que vous m'aidiez à rassurer mes parents quand ils seront là. Je ne vous demande pas de jouer au gendre exemplaire, mais êtes-vous seulement capable de sourire ?

Ophélie ne sut pas si Thorn avait entendu sa question : la clochette de l'entrée venait de recouvrir sa voix. Elle n'en crut pas ses lunettes quand elle vit que le visiteur qui franchissait sa porte était Lazarus en personne, l'arches-trotteur de réputation interfamiliale.

— Toc, toc, c'est ouvert ? demanda-t-il joyeusement en soulevant son immense haut-de-forme. Bonjour, très chères *ladies* !

En plus de son accent si particulier qui escamotait chaque « r » et déformait chaque voyelle, Lazarus était doté de longs cheveux argentés, d'un visage imberbe prolongé en calvitie, d'une grande redingote blanche et de deux yeux qui pétillaient de malice derrière leurs bésicles roses. Cette allure de vieux prestidigitateur cachait un infatigable voyageur et un génial entrepreneur. Il venait de la Cité de Babel, qu'il prononçait « Babaul », une arche cosmopolite et avant-gardiste dont Ophélie avait entendu parler depuis l'enfance. C'était la première fois que Lazarus visitait le Pôle, mais il faisait partie de ces rares touristes de passage que la cour accueillait à bras ouverts.

— Je suis là pour affaires ! s'exclama-t-il en posant un regard plein de curiosité sur les illusions grimaçantes de la vitrine.

Ophélie prit son expression la plus professionnelle. Elle n'aurait pas pu imaginer meilleur début pour sa nouvelle carrière. Lazarus n'était au Pôle que pour quelques semaines tout au plus, et chaque aristocrate se le disputait afin de l'avoir dans son salon. C'était pourtant la porte de son cabinet à elle, la pestiférée, qu'il avait choisi de franchir.

En plus, Lazarus n'était pas venu seul. Walter, son majordome mécanique, tout droit sorti d'une manufacture babélienne, le suivait avec des mouvements raides et saccadés.

— C'est vous qui disiez que je ne devais pas attendre de clients ? murmura Ophélie à l'intention de Thorn.

Ce dernier ne répondit pas. Dès l'instant où la clochette avait retenti, il avait repris sa distance réglementaire et sa posture d'officier de police, comme si adresser la parole à sa fiancée en public était inconvenant.

— Bonjour, monsieur Lazarus, l'accueillit Ophélie en venant à sa rencontre.

Elle essayait de ne pas dévisager Walter de peur de paraître impolie. C'était la première fois qu'elle croisait ce majordome mécanique dont tout le monde parlait déjà à la Citacielle. Il ressemblait aux mannequins articulés dont on se sert pour apprendre le dessin : sa tête métallique était dépourvue de visage et il possédait des rouages apparents à chaque jointure de ses membres. D'après ce que les gens disaient – et surtout d'après ce que Renard disait de ce que ces gens disaient –, Walter était capable de porter les valises, servir le thé et jouer aux échecs, ce qui constituait en soi une prouesse spectaculaire même s'il ne gagnait aucune partie.

— Vous êtes Miss Ophélie, la *liseuse* d'Anima ? demanda Lazarus, alors qu'il l'examinait par-dessus ses bésicles roses.

205

— Oui, monsieur.

— C'est merveilleux ! s'enthousiasma-t-il en confiant son haut-de-forme et sa canne à Walter. Je suis allé sur Anima deux fois, c'est tellement pittoresque. Vos petites maisons de brique ont du caractère… je veux dire au sens propre, un vrai caractère, pas toujours excellent d'ailleurs. Une porte m'a coincé les doigts, une fois, parce que j'avais oublié d'essuyer mes souliers sur le paillasson. Ainsi vous êtes venue du bout du monde pour vous établir ici ? J'ai une grande estime pour les personnes qui s'ouvrent aux cultures des autres familles !

Alors que le vieux Lazarus secouait frénétiquement sa main dans la sienne, Ophélie s'abstint de lui dire que ce n'était pas par esprit d'ouverture qu'elle avait atterri au Pôle. Il allait lui donner encore plus le mal du pays s'il continuait de lui parler d'Anima de cette façon.

— Vous êtes comme cette incroyable architecte dont j'ai tant entendu parler à mon arrivée, poursuivit-il passionnément en prononçant « incroyabeul ». Cette Citacielle, c'est un vrai chef-d'œuvre, je m'émerveille à chaque étage ! Miss Hildegarde, c'est ça ? Une authentique Arcadienne, vous rendez-vous compte ? J'espère la rencontrer aussi, mais elle est insaisissable ! J'ai beaucoup, beaucoup voyagé, mais je n'ai jamais visité Arc-en-Terre. Cette arche est indécelable, on la dit coincée dans un repli de l'espace. Pourtant, les Arcadiens ont créé des raccourcis partout dans le monde ! Vous connaissez les Roses des Vents interfamiliales ? s'enflamma-t-il, comme s'il parlait des plus grandes merveilles jamais inventées par l'homme. Il y en a une implantée sur chaque arche. Si, si, sur chaque arche, mademoiselle, même chez vous, sur Anima ! Si les Arcadiens acceptaient d'ouvrir leurs Roses des Vents au public, ils révolutionneraient les transports. Fini, les dirigeables ! Hélas, c'est une famille très, très secrète qui ne veut pas être dérangée. Les Arcadiens importent et exportent volontiers, mais attention, à la moindre turbulence, ils remballent leurs affaires et ferment les Roses des Vents. Avez-vous déjà goûté les mandarines d'Arc-en-Terre ? Ce sont les meilleures !

— Que puis-je pour votre service ? l'interrompit Ophélie le plus poliment possible.

Lazarus avait déroulé son discours d'une traite sans cesser de lui secouer la main et elle commençait à avoir mal aux doigts.

— Vous ? s'étonna-t-il. Rien de particulier, je ne vous importune pas plus longtemps. En fait, je cherchais M. l'intendant, on m'a dit que je le trouverais ici.

Horriblement déçue, Ophélie vit Lazarus libérer sa main pour partir à l'assaut de celle de Thorn.

— Cher monsieur, je vous rencontre enfin ! Vous êtes aussi insaisissable que Miss Hildegarde. J'espérais vous voir depuis le jour de mon arrivée, je...

— L'intendance n'achètera pas vos automates.

Thorn avait coupé Lazarus d'une voix morne, sans toucher au bras qui s'était élancé vers lui. Loin de s'offenser, le vieil explorateur parut au contraire plutôt amusé par ce refus.

— Vous êtes fidèle au portrait qu'on dépeint

de vous, monsieur l'intendant. Accordez-moi au moins une minute de votre précieux temps. Ne vous arrêtez pas aux considérations commerciales et essayez d'entrapercevoir ce que représente réellement Walter, déclara Lazarus avec un geste théâtral pour le mannequin en livrée. Il n'est pas un jouet de grande personne. Il est la fin de la domestication de l'homme par l'homme, ni plus ni moins ! Walter se chargera des basses besognes et il le fera avec les manières les plus civilisées du monde. Walter ! appela Lazarus avec deux grandes articulations de bouche. Salutation !

Dans un mouvement raide, le majordome mécanique s'inclina à la perpendiculaire... et lâcha le chapeau et la canne de Lazarus, comme s'il ne pouvait pas respecter plus d'une instruction à la fois.

— Blast ! pesta Lazarus en sortant une énorme clef de sa redingote. J'ai oublié de le remonter.

— L'intendance n'achètera pas vos automates, se contenta de répéter Thorn.

Ophélie tressaillit en entendant la clochette de l'entrée sonner une fois encore. C'était Renard qui brandissait triomphalement un carnet de cuir dans l'entrebâillement de la porte.

— Et de quatre, mademoiselle !

Bien qu'il ne fût plus tout à fait valet, il avait adopté la livrée jaune miel de la domesticité de cour afin de mieux se fondre dans le décor. Entre ses galons d'or et sa crinière rousse, il était aussi flamboyant que Thorn était obscur. Ophélie se sentit prendre des couleurs rien qu'à le regarder. Grâce à lui, les trois longues semaines qu'elle venait de vivre au ban de la société avaient été tout juste respirables.

— Je vous ai dégoté quatre nouveaux clients potentiels, mademoiselle. Leurs employés sont des aminches, autant vous dire que c'est un bon filon, chuchota-t-il en faisant défiler les pages du carnet sous son pouce. Ce sont des marchands d'art, des prêteurs sur gages et des banquiers. Avec ces illusions qui traînent partout, ils ne distinguent plus l'authentique de la contrefaçon. Vos petites mains leur diront tout ce qu'ils ont besoin de savoir, vous serez la reine de la démystification !

— En d'autres termes, l'ennemie publique numéro un, commenta Thorn d'une voix funèbre.

Renard avait beau être bâti comme une armoire, il dut se cambrer en arrière pour répondre à son regard. Ce fut comme si un vent d'hiver venait de souffler sur sa belle assurance et de le renvoyer à son ancienne condition.

— Que... que monsieur veuille me pardonner, bégaya-t-il en baissant aussitôt les yeux. Je n'avais évidemment pas l'intention de mettre Mlle sa fiancée en difficulté. J'essayais...

— Ne l'écoutez pas, Renold, s'empressa d'intervenir Ophélie. Je trouve l'idée excellente. Et puis, ajouta-t-elle avec un geste éloquent pour la vitrine barbouillée d'illusions, ce n'est pas comme si j'étais en odeur de sainteté.

— Pardonnez-moi, monsieur le serviteur, s'immisça le vieux Lazarus avec un sourire aimable. Quelle est votre opinion personnelle sur la domestication de l'homme par l'homme ?

Regardant d'un air hésitant le majordome

mécanique que lui présentait Lazarus, Renard fut tiré d'affaire par la clochette de l'entrée qui résonna plusieurs fois. Le baron Melchior était en train de se démener, le plus élégamment possible, pour faire passer son formidable embonpoint dans le cadre de la porte. Entièrement vêtu d'habits arc-en-ciel, il ressemblait à une montgolfière sur jambes. Ses longues moustaches gominées se soulevèrent dans un sourire dès qu'il aperçut Thorn.

— Monsieur l'intendant, je me demandais où vous étiez !

— Ici, répondit Thorn comme une évidence.

— Mesdames, salua le baron Melchior avec un coup de chapeau pour Berenilde, la tante Roseline, puis Ophélie au fur et à mesure qu'il traversait le chantier du cabinet en faisant attention de ne pas salir ses beaux souliers blancs. Tiens, monsieur Lazarus, vous êtes là aussi ? Ravi de vous revoir. Ah, la, la, monsieur l'intendant, nous n'avons pas le *Nibelungen* !

— Servez-vous, suggéra Thorn en désignant du menton les couches de gazettes qui protégeaient le parquet des travaux.

— Je vous parle du numéro d'aujourd'hui. Il n'est pas paru. Mon cousin Tchekhov dirige le *Nibelungen* depuis plus de trente ans et jamais encore cela ne s'est produit.

— Que voulez-vous que j'y fasse ?

— Rien, convint le baron Melchior de bonne foi. L'inconvénient, c'est que mon autre cousin, ici présent, avait transmis une petite annonce pour la gazette du jour, spécialement à votre attention.

Comme le *Nibelungen* n'est pas paru, il est venu vous la dicter de vive voix.

Le baron Melchior était si corpulent qu'Ophélie n'avait pas remarqué qu'il était talonné par un autre Mirage. Ce dernier ne passait pourtant pas inaperçu avec ses bijoux qui le faisaient étinceler de la tête aux pieds. Il portait le tatouage de sa caste sur les paupières, des bagues à tous les doigts et des perles dans chaque tresse de sa barbe blonde. Même sa belle canne d'argent était incrustée de pierres précieuses – ou, plus probablement, d'illusions de pierres précieuses. Son visage, encadré par deux pendants d'oreilles en or, était imprégné d'une solennité offensée. Comme presque tous les nobles, il arborait un beau sablier bleu dans sa poche de montre.

Ophélie reconnut en lui le tout premier Mirage qu'elle avait croisé, la nuit où elle s'était échappée du manoir de Berenilde pour explorer la Citacielle. Elle l'avait alors pris pour un roi.

— J'exige rrréparrration !

— Du calme, cousin Harold, le tempéra le baron Melchior. Nous sommes entre personnes civilisées, nous allons arranger tout ceci à l'amiable.

Ophélie remonta ses lunettes sur son nez. C'était donc lui le comte Harold, le tuteur du chevalier ? Il ne semblait pas disposé à écouter les conseils de son cousin, car il enchaîna d'une voix plus forte encore, en martelant le sol de sa canne et en faisant rouler ses « r » comme des tremblements de terre :

— Je rrrefuse qu'un bâtarrrd porrrte plainte contrrre un homme de mon rrrang et de mon imporrrtance !

— Ce n'est pas moi, mais l'intendance qui porte plainte, rectifia Thorn avec un calme souverain. Pour « élevage non déclaré de nombreuses Bêtes domestiques et expérimentations animales sans autorisation », récita-t-il de mémoire. Vos chiens ont été soumis à des manipulations hypnotiques répétées. De telles pratiques sont rigoureusement interdites par la loi.

— Rrrendez-moi mes chiens ! Et rrrendez-moi mon neveu !

— Je n'ai pas procédé personnellement à son arrestation, répondit posément Thorn. Vous pourrez lui rendre visite à l'hôtel de police.

Ophélie écarquilla les yeux. Le chevalier avait été arrêté ? La tante Roseline laissa échapper un « nom d'une épingle à nourrice ! » et Berenilde elle-même dut s'asseoir sur une chaise pleine de plâtre en étouffant une exclamation de surprise.

— Vous avez mal enseigné à votre pupille comment employer son pouvoir, enchaîna Thorn avant que le comte Harold ne fît à nouveau trembler les murs du cabinet de *lecture*. Il s'est rendu responsable de blessures graves pouvant entraîner la mort. L'intendance a décidé d'introduire un dossier de Mutilation, conclut-il avec une impersonnalité professionnelle. Vous récupérerez votre neveu dès que cette demande aura été traitée.

— Rrrendez-moi mes chiens et rrrendez-moi mon neveu, bâtarrrd ! exigea le comte Harold, qui n'avait visiblement rien écouté. Si vous ne me les rrrendez pas, dit-il en pointant Ophélie de sa canne, c'est moi qui vous prrrendrai cette petite gueuse d'étrrrangèrrre !

— Comte Harold ! s'indigna le baron Melchior sans cesser de sourire. En tant que ministre des Élégances, je ne tolérerai pas ce langage auprès d'un haut fonctionnaire et d'une invitée diplomatique. Et en tant que cousin, je vous supplie de ne pas mettre notre famille dans l'embarras. Votre neveu s'en charge déjà bien assez.

Le comte crispa un instant ses doigts bagués autour de son sablier bleu, comme s'il luttait contre la tentation de le dégoupiller ici et maintenant. De fait, une veine enflait à sa tempe et Ophélie se demandait si elle n'allait pas finir par exploser. Elle n'aurait pas été fâchée de le voir dégoupiller son sablier, disparaître quelques instants, puis réapparaître dans un état de douce euphorie.

— Qu'est-ce que vous cherrrchez donc à fairrre, bâtarrrd ? s'entêta-t-il. Prrrovoquer un Mirrrage ?

— J'ai recueilli des confidences des plus intéressantes, répondit Thorn sans se départir de son flegme. Deux mercenaires m'ont affirmé avoir été engagés par vos soins pour me dissuader de défendre la cause des déchus aux prochains états familiaux. Estimez-vous chanceux que je n'aie pas pu obtenir d'eux des aveux signés.

— Vous n'êtes rrrien, dit le comte Harold en caressant les perles de sa barbe avec ses doigts bagués, dans un geste plein de mépris. Votrrre pèrrre était un barrrbarrre et votrrre mèrrre une conspirrratrrrice. Où sont-ils aujourrrd'hui ? Les Mirrrages, c'est l'État !

Lazarus, qui avait cessé de remonter Walter depuis un moment, observait la scène en prenant

213

des notes avec une curiosité quasi scientifique. Ophélie aurait cru voir un zoologue en train d'étudier le comportement d'une espèce animale peu commune.

Le baron Melchior, de plus en plus embarrassé, décida de prendre les choses en main. Il fouilla lui-même les poches du comte, sortit un magnifique cornet acoustique en argent et le lui introduisit dans l'oreille.

— Nous vous avons entendu, articula-t-il dans le pavillon, laissez-moi maintenant m'occuper des détails avec M. l'intendant.

Le comte Harold pinça ses lèvres d'un air outragé, mais il se tint enfin tranquille, reposant les tympans de tout un chacun. Un ouvrier profita de l'accalmie pour se glisser derrière lui avec un seau de colle et des rouleaux de papier peint ; continuer les travaux dans ces conditions relevait d'un admirable professionnalisme.

— Veuillez excuser les propos de mon cousin, monsieur l'intendant, poursuivit le baron Melchior, les mains accrochées aux revers de son gros veston arc-en-ciel. Il a été très choqué par l'arrestation de son neveu et la saisie de ses huskies. Les Mirages ne vous feront pas obstacle, assura-t-il en baissant le ton pour que le comte Harold ne l'entendît pas, malgré son cornet acoustique. Les Bêtes sont plus imprévisibles que les animaux ordinaires et leur intelligence se prête mal à nos illusions. Nous condamnons formellement ces expérimentations clandestines.

Coincée entre la haute silhouette de Thorn et l'énorme ventre de Melchior, Ophélie se garda d'intervenir. Elle voyait bien les efforts que faisait le baron pour ne pas trop se compromettre. Malgré ses sourires et cette façon qu'il avait de lisser son interminable moustache, entre le pouce et l'index, il semblait encore plus nerveux que lors de leur dernière rencontre. Ses yeux ne cessaient de rouler dans leurs orbites, comme s'il craignait d'être poignardé par son ombre. Ophélie trouvait cette inquiétude un peu excessive, mais elle n'oubliait pas – elle n'oublierait jamais – que le baron Melchior était celui qui avait rendu possible l'arrestation du chevalier. Il y avait bien longtemps qu'elle ne s'était pas sentie aussi soulagée.

Elle s'étonna de ne pas retrouver la même émotion dans les yeux de Berenilde, toujours assise sur sa chaise, qui fixaient les motifs du papier peint fraîchement posé. Elle caressait son ventre d'un air songeur.

— Alorrrs, au sujet de votrrrre plainte ? gronda le comte Harold en revenant à la charge, son cornet acoustique brandi à l'envers. Que décidez-vous, bâtarrrd ?

— Et au sujet de mes automates ? relança Lazarus en agitant la clef de Walter.

— Et au sujet de notre famille ? s'exaspéra la tante Roseline.

Ophélie était abasourdie. Elle avait l'impression que le monde entier s'était donné rendez-vous dans son cabinet de *lecture* pour parler de tout sauf de *lecture*. Comme si l'ambiance n'était pas assez confuse, le téléphone se mit à sonner comme un grelot. C'était la première fois qu'Ophélie l'entendait. Elle le chercha un moment sous les feuilles de gazette qui protégeaient le mobilier de la peinture et finit par le trouver, flambant neuf, sur la dernière marche d'un escabeau.

— Oui ? demanda-t-elle dans l'entonnoir du téléphone.

À cause du brouhaha ambiant, Ophélie n'entendit pas le nom que la standardiste lui annonça. Elle se boucha l'oreille, et la voix d'Archibald résonna enfin avec une sonorité de cuivre.

— Vous avez l'air si désemparée, petite demoiselle, que je ne résiste pas à l'envie d'apporter mon grain de sel ! Et puis ainsi, j'étrenne votre nouvelle ligne téléphonique.

Ophélie eut un coup d'œil réprobateur pour la Valkyrie qui escortait Berenilde, comme si Archibald se cachait derrière son énorme robe noire. De le savoir toujours à l'affût, de l'autre côté de ce regard, ça la mettait mal à l'aise. En plus de l'attention d'Archibald, Ophélie s'aperçut qu'elle venait aussi de s'attirer celle de Thorn, malgré les sollicitations bruyantes et répétées dont il était l'objet ; en le voyant contracter chaque trait de sa sinistre figure, elle lui tourna le dos et se prit d'un intérêt intense pour le bec de gaz qu'un ouvrier était en train de visser au mur.

— L'instant est très mal choisi. Veuillez rappeler plus tard.

— Il va falloir que vous parliez beaucoup plus fort pour que je vous entende, ricana Archibald dans le cornet. Ou plutôt non, gardez le silence et écoutez-moi. Vous vous rappelez ce petit service que vous m'avez rendu l'autre jour ?

— Euh, oui, pourquoi ? Vous avez eu des nouvelles de M. le prévôt ?

— Non, répondit la voix hilare d'Archibald. Ça a recommencé.

— Qu'est-ce qui a recommencé ? bredouilla Ophélie en collant sa bouche contre le combiné en cuivre. Qu'avez-vous fait ?

— Le problème n'est pas ce que j'ai fait, mais ce que je n'ai pas réussi à empêcher. J'allais vous demander de me passer Thorn, mais c'est inutile, ajouta Archibald sur un ton anecdotique. Il fonce droit sur vous.

Ophélie n'eut pas le temps de se retourner que le combiné lui fut arraché des mains.

— Qui est à l'appareil ? demanda Thorn d'une voix autoritaire.

Il était si haut perché sur ses jambes qu'Ophélie dut grimper les marches de l'escabeau pour se hisser à la même altitude que lui. À la crispation musculaire qui se propagea dans ses mâchoires, elle comprit que toute sa concentration était désormais consacrée à son interlocuteur téléphonique. Il ne paraissait même plus entendre Lazarus, le comte Harold et la tante Roseline qui continuaient de lui parler d'automate, de chiens et de famille comme un disque d'opérette rayé.

Ophélie décrocha le deuxième écouteur du téléphone pour entendre ce qu'Archibald était en train de raconter à Thorn.

— … toute la différence entre vous et moi. Vous êtes aussi prévisible qu'une horloge astronomique ! Vous voulez tout contrôler, j'avais fait le pari que vous ne résisteriez pas à la tentation de prendre ce téléphone.

— Ça suffit, siffla Thorn. Je vous donne dix secondes pour me convaincre de ne pas vous raccrocher au nez.

— À propos de M. Tchekhov, l'insupportable directeur du *Nibelungen* : que ses cousins ne le cherchent plus, il a vraisemblablement été enlevé. Je vous ai convaincu de ne pas raccrocher ? ironisa la voix d'Archibald.

Juchée sur l'escabeau, Ophélie eut une vue imprenable sur les yeux de Thorn, d'ordinaire si étroits, qui s'écarquillaient avec lenteur.

— Quand, où, par qui et pourquoi ? articula-t-il méthodiquement.

— La nuit dernière, au Clairdelune, je ne sais pas et je ne sais pas, répondit Archibald avec autant de légèreté que s'il s'agissait d'un jeu de devinettes.

Ophélie prenait lentement la mesure de cette nouvelle. Après le prévôt des maréchaux, c'était le deuxième Mirage qui disparaissait dans l'enceinte du bastion le mieux gardé de toute la Citacielle. Si l'ambassade ne pouvait plus offrir un asile diplomatique à ses hôtes, les intrigues de cour ne connaîtraient plus de bornes.

« Pourquoi ? se demanda Ophélie en fermant les paupières. Pourquoi cela arrive-t-il maintenant que les Dragons sont morts et que le chevalier a été arrêté ? Pourquoi de nouvelles haines doivent-elles forcément prendre la relève des anciennes ? »

— Que faisait M. Tchekhov au Clairdelune ? demanda Thorn, plus pragmatique. Et qu'est-ce

218

qui vous permet d'affirmer qu'il s'agit d'un enlèvement ?

Dès l'instant où il prononça ces mots, un
silence brutal tomba sur le cabinet de *lecture* et
les ouvriers suspendirent leurs travaux. Seul le
comte Harold, malgré les signes que lui adressait
le baron Melchior pour le faire taire, continuait de
vociférer en exigeant de Thorn qu'il lui présentât
des excuses.

— M. Tchekhov recevait des lettres malinten-
tionnées, déclara la voix insouciante d'Archibald
au téléphone. Quand on lit son torchon, on comprend pourquoi. Il m'a dit craindre pour sa vie et
m'a demandé asile. Je le soupçonne d'avoir saisi
cette excuse pour venir fouiner chez moi. Il a
déménagé ici l'atelier de son journal avec presse
rotative, bobines de papier et compagnie.

— Abrégez, ordonna Thorn.

— Le fait est que, la nuit dernière, j'ai organisé
un bal travesti... D'ailleurs, maintenant que j'y
pense, je vous avais invité et vous n'êtes pas venu.

— Abrégez, répéta Thorn entre ses dents.

— Au beau milieu du bal, M. Tchekhov s'est
rendu aux toilettes et il n'en est jamais revenu.
Mes gendarmes ont fouillé le domaine de fond
en comble, il reste introuvable. S'il vous faut un
signalement : la dernière fois qu'il a été vu, il portait une perruque blanche et une robe de femme
à volants bleus.

À la façon dont le vaste front de Thorn se plissa,
Ophélie sut qu'il était en train de réfléchir à pleine
vapeur et que les perspectives qu'il entrevoyait
déjà ne l'enchantaient guère. Un peu malgré elle,

elle éprouva une certaine admiration pour cette capacité qu'il avait à gérer chaque crise sans jamais se départir de son sang-froid.

— Y a-t-il eu un incident notable avant sa disparition ? Une querelle ? Une menace ?

— Nous parlons de M. Tchekhov, ricana Archibald. Il fait son pain des querelles et des menaces ! Je m'apprêtais d'ailleurs à l'expulser, il n'a pas cessé d'insulter Mme Hildegarde et je ne permets à personne d'insulter mon architecte personnelle sous mon toit.

— Vous m'avez parlé de lettres, rappela Thorn.

— Ah oui, nous les avons trouvées dans ses effets personnels. Patience !

— Je patiente, dit Thorn qui s'impatientait à vue d'œil.

— Non, je ne parle pas à vous, je parle à ma sœur. Patience, passe-moi l'une de ces lettres. Peu importe laquelle. Merci. (Il y eut, dans l'écouteur d'Ophélie, un bruit de papier.) « Monsieur Tchekhov, lut Archibald, vous n'avez pas tenu compte de mes précédents avertissements. Si vous vous obstinez à produire votre déplorable journal, je prendrai moi-même les mesures qui s'imposent. » Tapé à la machine, pas de signature, mais il y a une drôle de phrase en majuscules, juste en dessous : « DIEU EXIGE VOTRE SILENCE. »

Thorn était si interloqué que, pour une fois, il ne sut pas immédiatement quoi répondre.

Il ne se rendit pas compte qu'Ophélie, elle, avait failli tomber de l'escabeau. La lettre. Tchekhov avait reçu la même lettre qu'elle. Et il avait disparu.

— L'intendance va devoir ouvrir une enquête et entendre tous les témoignages, décréta Thorn. Je serai sur place dans une heure. Jusque-là, interdiction formelle de quitter l'ambassade.

À peine Thorn eut-il raccroché le téléphone que la clochette de l'entrée carillonnait déjà. Ophélie se promit de la faire retirer pour ne plus jamais avoir à l'entendre.

— Les visites sont terminées, annonça Thorn d'un ton catégorique. Ma présence est réclamée ailleurs.

— Je ne suis pas ici pour vous, monsieur l'intendant, mais pour Mlle la *liseuse*, répondit une petite voix polie. Un client souhaite la voir.

Cette fois, Ophélie dégringola de l'escabeau. C'était le jeune aide-mémoire de Farouk qui se tenait sur le seuil de son cabinet.

— Notre seigneur vous attend dehors, dit-il avec un sourire angélique en lui tenant la porte. Il souhaite vous parler.

Le client

Si sa vitrine n'avait pas été recouverte par plusieurs couches d'illusions, peut-être Ophélie aurait-elle remarqué à quel point l'atmosphère avait changé au-dehors. Le vestiaire où avait été aménagé son cabinet se trouvait tout au fond d'une galerie du palais de la Jetée-Promenade. Il fallait traverser pratiquement un kilomètre de tapis, de portes-fenêtres, de tables à thé et de colonnades avant d'y parvenir. Aussi Ophélie eut-elle un choc en voyant toute la cour réunie devant sa porte. La foule était si dense et la galerie si étroite que les nobles avaient envahi les entresols, armés de jumelles de théâtre, pour ne rien manquer du spectacle. Ce ne fut pas leur nombre qui frappa toutefois Ophélie, mais leur silence.

— Quelle impressionnante réunion de famille, commenta Lazarus en coiffant son haut-de-forme blanc, à croire qu'il assistait à une coutume locale. Walter, ajoute cette scène à ma photothèque, je te prie.

Le majordome mécanique sortit un appareil photographique puis, dans un éclair de lumière et un nuage de fumée, prit un cliché de ses chaussures.

Ophélie, quant à elle, se demanda si elle ne s'était pas cogné la tête en dégringolant de l'escabeau : ses lunettes ne cessaient plus de s'assombrir et de s'éclaircir. Quand elle les décrocha de son nez, elle finit par comprendre que ce n'étaient pas ses lunettes qui s'affolaient, mais le palais tout entier. Le soleil du cinquième étage, qu'elle n'avait jamais vu ni se coucher ni se voiler, clignotait derrière les vitraux comme une ampoule mal vissée. Ces variations d'éclairage laissaient deviner par intermittence la véritable nature des lieux. Ophélie découvrit, le temps d'un clignotement, un plafond gris à la place de la coupole en verre et un mur de brique là où la mer scintillait de l'autre côté des baies vitrées. Sans son maquillage, la Jetée-Promenade prenait des allures de hangar.

Dès l'instant où elle aperçut Farouk, entre deux clins de soleil, Ophélie sut que c'était lui qui mettait l'illusion à mal. Ce géant qu'elle avait toujours vu avachi sur lui-même, à bâiller pour un oui ou pour un non, se dressait au milieu de la galerie avec la gravité d'une statue commémorative. À cet instant, son allure était si impériale, sa beauté si inhumaine, sa blancheur si éclatante et son expression si glaciale qu'il incarnait le Pôle à lui seul.

Ophélie fut parcourue de frissons dès qu'il fit gronder le tonnerre de sa voix :

— Je vous trouve enfin.

Avec un parfait sans-gêne, Thorn se présenta à Farouk de façon à éclipser Ophélie derrière lui.

— Je viens d'être informé d'événements préoccupants au Clairdelune, exposa-t-il de son timbre le plus administratif. Je vous présente mon rapport.

Ophélie contempla le dos noir de l'uniforme avec stupéfaction. Où Thorn trouvait-il cet aplomb pour dévier sur lui l'attention de Farouk ? Ses émanations psychiques étaient si oppressantes que, pour sa part, elle peinait à respirer.

— Qui êtes-vous ? demanda lentement Farouk.

— Votre intendant.

— Je ne suis pas ici pour cela.

— M. Tchekhov a disparu la nuit dernière, poursuivit Thorn avec l'impassibilité d'une machine à écrire. Ce n'est peut-être qu'une fausse alerte, mais nous allons devoir ouvrir une enquête.

— Je ne suis pas ici pour cela.

— Si la disparition est avérée, je préconise de renforcer la sécurité à tous les étages de la Cita...

Le grand corps de Thorn tituba sur le côté, comme s'il avait été déséquilibré par un coup porté en pleine figure. L'onde mentale de Farouk s'était propagée avec une telle violence qu'Ophélie elle-même sentit ses oreilles bourdonner comme des cloches. Elle entendit à peine les applaudissements des nobles aux balcons et l'exclamation horrifiée de Berenilde. En revanche, elle vit très distinctement le sang jaillir du nez de Thorn.

— Je ne suis pas venu pour cela, répéta Farouk. Je veux lui parler à *elle*.

Si chaque muscle de son corps n'avait pas été tétanisé, Ophélie aurait sérieusement envisagé de s'enfuir par le premier miroir venu. Incrédule, elle vit Thorn ramasser l'épaulette d'or qui s'était décrochée de son uniforme, sortir un mouchoir et tamponner ses narines avec autant de calme que s'il essuyait un simple rhume.

— J'ai eu vent des piètres performances de ma fiancée sur scène. Je m'emploie à lui trouver une autre occupation. Je vous demande de m'accorder encore un peu de temps.

La formulation manquait sans doute de délicatesse, mais Ophélie aurait été plus tranquille si Farouk s'était rangé à son avis. Au lieu de cela, il contourna lentement Thorn et se dirigea droit vers elle. Le silence s'était fait si dense, tout autour d'eux, qu'Ophélie entendit ses propres vertèbres craquer quand elle leva les yeux vers le magnifique visage de marbre. Farouk souffla un blizzard polaire jusque dans les profondeurs les plus reculées de son être.

— Comment osez-vous ? articula-t-il entre ses dents. De quel droit mettez-vous vos mains au service d'autres personnes que moi ?

Ophélie aurait aimé plaider sa cause, mais le psychisme de Farouk pétrifiait sa volonté. Elle ne parvenait plus ni à parler, ni à bouger, ni à penser. Son corps et son âme ne formaient plus qu'un seul et même bloc de glace.

— Vous jugez-vous supérieure à moi ? Me prenez-vous pour votre jouet ?

Ophélie avait déjà connu quelques frayeurs dans sa vie. Elle s'était étouffée avec un noyau de pêche, électrocutée en branchant une lampe, broyé les doigts à cause d'une fenêtre à guillotine et les choses n'avaient cessé d'empirer depuis qu'elle avait quitté Anima pour le Pôle. Toutefois, rien de ce qu'elle avait vécu jusqu'à présent n'était comparable à la peur qui la saisit ici et maintenant. Elle ne lisait dans le regard de Farouk aucun courroux, aucun dédain, rien de ce qui aurait pu se rapprocher un tant soit peu d'une émotion.

Non, ce qu'il y avait au fond de ce regard, c'était un désert.

Ophélie se sentit aspirée par cet espace infini. En un battement de cœur, elle mesura l'abîme qui séparait leurs deux temporalités : un immortel destiné à l'éternité ; une humaine condamnée à disparaître. « Tu n'es qu'une petite chose éphémère, lui souffla une voix. Et Farouk a le pouvoir de te rendre plus éphémère encore. » Il suffisait qu'il fronçât les sourcils et l'esprit d'Ophélie exploserait comme du givre.

Farouk plongea une main à l'intérieur de son grand manteau et en sortit le Livre.

— Vous avez la prétention de tenir votre propre cabinet ? Fort bien, je serai votre premier client.

— Ce n'est pas dans notre contrat.

Ophélie entendit à peine la voix tendue de Thorn. Elle était complètement prise dans les glaces de Farouk ; tout ce qui n'était pas ses yeux lui paraissait lointain et irréel.

— Prenez ce Livre.

— Elle n'est pas prête, souligna Thorn d'une voix lourde. *Je* ne suis pas prêt. Revoyez votre pense-bête.

— Je ne suis pas sûre que ce soit raisonnable, mon seigneur, intervint Berenilde en maîtrisant de son mieux le tremblement de sa voix. Cette chère petite n'est pas apte à être votre *liseuse*. Mon neveu le sera bientôt, lui.

— Et puis le cabinet de ma nièce n'a pas encore ouvert, renchérit la tante Roseline avec son pragmatisme accoutumé.

Farouk les ignora tous. Ophélie aurait voulu se tourner vers elles pour les rassurer d'un sourire, leur dire que tout allait bien se passer, que ce n'était qu'une expertise et que si elle échouait, tant pis, elle présenterait ses excuses de façon professionnelle.

Elle en fut incapable.

Farouk la terrorisait. Elle avait eu l'audace de lui tenir tête publiquement et c'est publiquement qu'il allait lui en faire payer le prix.

— Acceptez-vous, oui ou non, de vous occuper de mon Livre ? demanda-t-il en pesant de tout son regard sur elle.

— Non.

Ophélie avait gargouillé ce mot d'une voix qui lui fit honte. L'aura glaciale reflua aussitôt comme une marée descendante et Farouk rangea le Livre dans son manteau. Ophélie faillit détaler à toutes jambes quand il déploya sa gigantesque main vers elle. Il contracta les doigts autour de son crâne comme les serres d'un aigle.

— Je vous ai effrayée. Je vous demande pardon.

Des murmures de stupéfaction se répandirent comme une traînée de poudre à travers toute la rue piétonne, mais personne n'aurait pu être plus abasourdi qu'Ophélie en cet instant. Son corps chancelait tellement qu'elle se concentrait sur ses pieds pour ne pas s'écrouler sous le poids de la main.

— Il semblerait que vous m'ayez rappelé quelqu'un, expliqua Farouk d'un ton distrait. De toute évidence, vous n'êtes pas celle que je pensais.

Ophélie aurait été incapable de déterminer si c'était de la déception ou du soulagement qu'elle percevait dans sa voix.

— Je vous retire votre charge de vice-conteuse. Vous me rendez beaucoup trop nerveux.

Si elle n'avait pas été au bord des larmes, Ophélie aurait éclaté de rire.

— Moi, je vous rends nerveux ? s'entendit-elle répondre d'une voix étranglée. Avez-vous seulement idée de ce que je ressens maintenant en votre présence ?

— Regardez-moi.

La grande main quitta la tête d'Ophélie pour se glisser sous son menton et relever d'autorité son visage. Si celui de Farouk n'était toujours qu'un masque à la beauté inexpressive, ses yeux avaient retrouvé une petite lueur d'humanité. Maintenant que son emprise mentale s'était relâchée, Ophélie reprenait conscience du monde qui l'entourait. Le soleil avait cessé ses clignotements d'ampoule et le plafond ressemblait à nouveau à une verrière pleine de ciel. La lumière étincelait sur les jumelles des nobles, projetait l'ombre zébrée des palmiers contre les toilettes des dames et accentuait autant la pâleur de Berenilde que les rougeurs de la tante Roseline. Partout où Ophélie tournait les yeux, elle ne voyait que crispation et anxiété. Elle s'attendit à ce que Thorn fût le plus contracté de tous, aussi n'en crut-elle pas ses lunettes quand elle le vit en train de se tortiller pour reboutonner son épaulette, comme si la symétrie de son uniforme était prioritaire sur tout le reste.

— Encore maintenant, murmura Farouk en serrant la prise de ses doigts autour de son menton. Encore maintenant, vous m'y faites un peu penser.

— À qui ? s'étonna Ophélie.

— Je ne sais pas, avoua-t-il, vaguement troublé. Artémis, je suppose. Le fait est que je préfère mettre un terme à vos contes.

— Ils étaient la contrepartie de votre protection, rappela Ophélie d'une toute petite voix. Le contrat…

— Arrêtez donc de m'ennuyer avec vos contrats. Je n'ai nullement l'intention de me défaire de vous. Je trouverai une meilleure manière de vous employer, voilà tout. J'y réfléchirai à l'occasion.

Sur ces mots lancés négligemment, Farouk relâcha son menton et s'en fut au ralenti. Sidérée, Ophélie le suivit longtemps, longtemps, longtemps des yeux, tandis qu'il quittait la galerie en ramenant tous les courtisans avec lui. Lazarus lui-même se mit à courir derrière eux en appelant Walter : le majordome mécanique talonnait un homme qui portait le même chapeau que son maître.

Encore choquée par ce qu'elle venait de vivre, Ophélie sursauta quand Thorn déclara :

— Vous quittez la Citacielle aujourd'hui même.

Bribe : deuxième reprise

Dieu s'amusait beaucoup avec nous, puis Dieu se lassait et nous oubliait.

Des cailloux. Ils lui tombent dessus comme de la pluie. Il les regarde prendre leur envol dans le ciel, puis rebondir contre son corps. À en juger par ce souvenir, les cailloux ne manquent pas là où il se trouve : le sol est un mélange de briques, de tuiles et de verre cassés. Çà et là, quelques pans de façade tiennent à peine debout, avec des trous béants à la place des fenêtres. Il se rappelle la silhouette d'une grue de chantier dans le lointain. Le passage d'une guerre. Des hommes reconstruisent ce que d'autres hommes ont détruit.

Où est le mur aux dessins ? Où est la chambre ? Où est Dieu ?

Il oblige sa mémoire à retracer la trajectoire inverse des cailloux, depuis l'impact sur son corps, en remontant par l'arc de cercle dans le ciel, pour arriver au point d'origine. Des mioches. Ils sont quatre au milieu des décombres. Rectification : ils sont cinq. Une fillette pleure par terre. Ils sont tous mal peignés et mal habillés.

Leur ressemble-t-il ?

Non. Maintenant qu'il y songe, il se rappelle ses vêtements impeccables, ses longs cheveux bien nattés et ses mains d'une blancheur éclatante. Il est aussi propre qu'ils sont sales. Les mioches lui crient des mots qu'il ne comprend pas. Plus il se concentre sur ce souvenir, plus il se rappelle à quel point ils lui ont paru bizarres, ces mioches, lorsqu'il les a vus la première fois. Ils sont si petits, si raides, si fragiles… extrêmement fragiles.

La fillette qui pleure par terre, ça lui revient à présent : c'est sa faute à lui. Il n'a pas voulu lui faire mal, il ne l'a même pas touchée ; il s'est juste approché d'elle pour la regarder, par simple curiosité, et elle a éclaté en sanglots. Les cailloux, c'est probablement à cause de ça. Les mioches veulent l'éloigner de la fillette.

Il songe que ce souvenir-là ne présente pas grand intérêt lorsque, soudain, Artémis surgit dans la scène. Cette fois, elle n'a plus rien d'un œil au fond d'un trou. Ses cheveux roux sont tellement volumineux qu'ils ne laissent rien voir d'autre d'elle que des souliers vernis, des dentelles de robe et une paire de lunettes à monture dorée. Elle marche calmement sur les débris en direction des mioches. Ils ont cessé de jeter des cailloux, saisis par cette apparition, mais ils sont sur leurs gardes.

Artémis s'accroupit près de la fillette. Elles sont toutes les deux des enfants, mais la première est aussi grande, aussi flamboyante, aussi élégante que la seconde est petite, crasseuse et misérable. Artémis essuie ses larmes d'un geste ferme, dénué de tendresse. Quand elle est certaine d'avoir toute son attention, elle déroule un ruban de ses cheveux et lui donne vie. Les mioches ouvrent aussitôt des yeux fascinés et poussent des cris émerveillés. Artémis leur en fait cadeau, puis ils détalent comme des lapins en baragouinant dans leur langue bizarre.

Lui, il s'est contenté d'observer la scène de loin. Il se sent en faute et sa culpabilité s'accroît quand Artémis vient vers lui. Les briques forment un chemin sous ses pieds au fur et à mesure qu'elle avance.

— Tu dois y mettre un peu du tien. Nous ne sommes pas comme eux, Odin.

Odin ? C'est donc ainsi qu'il s'appelait autrefois ? Ce souvenir n'aura pas été complètement inutile, en fin de compte.

— Non, s'entend-il répondre. C'est eux qui ne sont pas comme nous. Je veux rentrer à la maison.

— Tu ne peux pas.

— De quoi nous punit-on ? D'abord on nous sépare, maintenant on nous abandonne.

Artémis décroche ses lunettes et il aperçoit ce que sera un jour son visage : une beauté masculine.

— Il faut toujours que tu dramatises, ajouta-t-elle avec son calme imperturbable. Nous devons nous mêler aux hommes, comprendre leur fonctionnement. C'est moins passionnant que les étoiles, mais c'est instructif quand même. Vois-le comme un nouveau défi. C'est d'ailleurs la dernière fois que je t'aide, Odin. Il faut que tu apprennes tout seul à t'entendre avec les hommes.

— Je ne comprends rien à ce qu'ils disent.

— Apprends-leur notre langue.

— Ils pleurnichent dès que je m'approche.

— Maîtrise ton pouvoir.

— Pourquoi devrais-je, moi, fournir des efforts ?

Artémis fronce imperceptiblement ses sourcils roux et éloigne à nouveau ses lunettes de ses yeux.

— Elles ne sont plus adaptées. Tu as remarqué comme nos corps changent vite ? J'ai hâte d'être arrivée à la fin de ma croissance. Les petites robes de dentelle, ce n'est définitivement pas pour moi.

— Pourquoi ? s'entend-il insister. Pourquoi devrait-on toujours obéir aux ordres ?

Artémis pose soudain sur lui un regard grave, plonge sa main dans les méandres de ses cheveux et en sort un livre de chair.

— Parce que c'est écrit.

Le souvenir s'achève ici.

Nota bene : « Scelle tes charmes. » Qui a prononcé ces paroles et que signifient-elles ?

Le train

Ophélie observait l'ancien monde depuis les nuages. Elle aurait voulu perdre de l'altitude, se plonger dans le dédale des villes, se mêler à la vieille humanité et percer les mystères du passé, mais tout cela restait inaccessible. Alors qu'elle se concentrait de toutes ses forces sur le monde d'en bas, un tapis se déploya sous ses pieds et Ophélie se retrouva dans sa chambre d'enfance, sur Anima. Elle se tenait devant le miroir mural, fixant son reflet. Elle était toute jeune, en peignoir de nuit, avec des cheveux bouclés qui n'avaient toujours pas bruni et de bons yeux qui n'avaient pas encore besoin de lunettes. Que faisait-elle debout, à cette heure-ci ?

Ah, oui. Ça l'avait sortie du lit. Ça se trouvait là, dans le miroir, juste derrière son reflet. Ça voulait lui demander quelque chose.

— Peux-tu me donner l'heure, je te prie ?

Ophélie se réveilla en sursaut et tourna la tête vers la tante Roseline qui s'agitait sur la banquette de train.

— Oh, pardon, tu dormais ?

— Somnolais seulement, marmonna-t-elle.

Ce qui ne l'avait pas empêchée de faire encore ce rêve. Depuis son dernier accident de miroir, c'était toujours la même vision finale : la chambre, la glace, le reflet. Elle se demandait vraiment ce que ça signifiait.

Ophélie tira sur la chaîne de la montre qu'elle avait rangée dans sa poche de manteau et, d'un geste malaisé, en souleva le couvercle. Il y avait là quatre cadrans miniatures incorporés dans le cadran horaire principal : un chronographe, un calendrier et deux dont Ophélie ne comprenait toujours pas la fonction. La montre de Thorn. « Si vous doutez encore de moi à l'avenir, *lisez*-la. » Cet homme avait une façon bien à lui d'essayer de gagner la confiance de quelqu'un.

— Bientôt minuit, dit-elle en remontant ses lunettes sur son nez.

— Ah, ces trains ! pesta la tante Roseline. On s'y ennuie comme des dessous-de-plat. Passe-moi une autre revue. Trouves-en une qui soit vraiment en mauvais état, que ça me tienne éveillée.

Ophélie chercha, parmi les vieux numéros du *Journal des dames et des modes*, l'exemplaire le plus froissé et le plus déchiré. Certains voyageurs passaient le temps en feuilletant des journaux ; la tante Roseline, dont l'animisme excellait dans la restauration du papier, passait le sien en les rafistolant.

Le *Septentrion-Express* ne cessait de quitter un tunnel pour un autre ; quand il n'y avait plus de tunnels, des remparts infranchissables prenaient aussitôt la relève de part et d'autre des rails. Ophélie n'avait vu que des murs depuis leur départ précipité de la Citacielle la semaine dernière. Un dirigeable les avait déposées dans une petite ville minière encerclée d'usines et, tôt ce matin, elles avaient pris le train à destination des Sables-d'Opale, une station balnéaire située tout au sud de l'arche. Les voies ferrées du Pôle étaient de véritables forteresses, conçues pour protéger les voyageurs des Bêtes sauvages.

Ophélie reporta son regard sur la montre, et son cœur se mit à battre plus vite que l'aiguille des secondes. D'après le télégramme que Thorn avait transmis à leur dernier hôtel, les vingt et un membres de sa famille avaient atterri dans le courant de la journée, puis ils avaient été invités à prendre une correspondance pour les Sables-d'Opale. Si leur train n'avait pas été retardé, ils étaient tous déjà sur place.

— Toujours décidée à ne rien dire à ta mère ? demanda la tante Roseline, comme si elle avait intercepté les pensées d'Ophélie.

— Je n'ai pas l'intention de lui mentir, mais je ne vois pas non plus l'utilité d'entrer dans les moindres détails.

Sa tante fit glisser ses longs doigts effilés sur une page froissée. Un fer à repasser n'aurait pas été plus efficace que son animisme patient et méticuleux.

— Nous ne leur avons rien écrit de ces *détails*, parce que la voie postale n'était pas fiable, rappela-t-elle. Je serai plus muette qu'une cloche sans battant si c'est ce que tu veux, mais toi, ma fille, tu devrais parler franchement tant que tu en as l'occasion. Que Thorn te tienne éloignée de la cour jusqu'à votre mariage, c'est bien joli, mais ça ne résout pas le principal problème. (La tante Roseline décocha un bref regard à Ophélie qui mordillait nerveusement les coutures de son gant.) Farouk s'est entiché de toi.

Un frisson parcourut Ophélie sur toute la surface de sa peau.

— Je lui rappelle quelqu'un, c'est différent. C'est un peu comme s'il se cherchait autant à travers moi qu'à travers son Livre.

Chaque fois qu'elle repensait à sa confrontation avec l'esprit de famille, elle était traversée par des émotions contradictoires. Une partie d'elle-même, vraisemblablement son instinct de survie, voulait se tenir le plus loin possible de son Livre. Quelle que fût cette vérité que cherchait confusément Farouk entre ses pages, Ophélie sentait que s'en approcher revenait à se mettre en danger de mort. Mais une autre partie d'elle-même, déraisonnablement professionnelle, se sentait frustrée d'avoir laissé passer la *lecture* la plus passionnante de toute sa carrière.

— Si encore il n'y avait que cette histoire de Livre, marmonna la tante Roseline. Voilà maintenant que des nobles se font enlever juste sous le nez des gendarmes ! Le Clairdelune est peut-être l'endroit le moins recommandable du Pôle, c'est aussi le plus protégé. Vraiment, ce qui se passe sur cette arche ne me dit rien qui vaille.

Ophélie se prit d'un intérêt subit pour les étincelles d'escarbille derrière la vitre. Même s'il n'y avait pas de lien formellement établi entre la disparition du directeur du *Nibelungen* et les lettres mystiques retrouvées dans ses affaires, Ophélie n'avait osé dire à personne qu'elle avait reçu un avertissement très similaire. Il s'était écoulé trois mois depuis et elle n'avait pas disparu, mais tout de même, elle y pensait souvent.

— Maman, papa et les autres seront tous repartis dans un mois, dit-elle. Je n'ai pas envie de les affoler pendant leur séjour ici. Si tout va bien, ils ne verront ni la cour ni M. Farouk. Moins il y aura de personnes mêlées à toutes ces histoires, mieux ce sera.

— Et moi ? Tu me feras les mêmes cachotteries quand je ne ferai plus partie de ta vie ?

Ophélie considéra avec stupeur le profil jaune et sec qui se concentrait sur une déchirure du *Journal des dames et des modes*.

— Ma tante… je ne voulais pas…

— Non, c'est moi, bredouilla la tante Roseline, je te présente mes excuses. Dans un mois, tu seras une femme mariée et ma mission de chaperon touchera à son terme. Après tout ce que j'ai vécu ici avec toi… eh bien, mon atelier de restauration me paraîtra plutôt ennuyeux.

La tante Roseline avait toujours été aux yeux d'Ophélie une femme aussi inébranlable qu'une poutre. La voir se fêler ainsi, sur cette banquette de train, lui noua la gorge. Elle aurait voulu trouver les bons mots, là, maintenant, pour vite colmater cette brèche et rendre à la tante Roseline toute sa solidité, mais Ophélie ne sut pas quoi lui dire. Il en allait toujours ainsi avec elle : plus elle avait le cœur gros et plus sa tête était vide.

Sa tante eut un sourire bref qui dévoila sa denture de cheval.

— C'est ironique, n'est-ce pas ? Tu n'aspires qu'à revenir vivre sur Anima et moi, je regretterais presque de ne pas pouvoir rester ici.

Dans l'impulsion du moment, Ophélie faillit lui avouer qu'elle ne voulait pas non plus la voir partir, mais elle se ravisa à temps. S'il y avait une chose qu'elle ne souhaitait à personne, et surtout pas à sa tante, c'était de vivre dans les mêmes murs que les siens.

Quand la tante Roseline leva enfin les yeux de sa revue, ce fut pour tourner un regard soucieux vers le fond du wagon-boudoir.

— Et qui veillera sur elle ?

Ophélie se pencha pour observer à son tour Berenilde, alanguie sur une multitude de coussins, la Valkyrie assise à côté d'elle comme une sinistre gouvernante. Elle caressait son ventre rebondi d'un air profondément songeur. Lorsque Thorn avait décidé d'expédier Ophélie à l'autre bout du Pôle, Berenilde avait aussitôt pris les choses en main. Elle avait choisi elle-même leur destination, organisé les préparatifs du voyage et réservé un hôtel entier pour accueillir la famille d'Ophélie jusqu'au mariage. Pourtant, depuis qu'elles avaient quitté la cour, Berenilde s'était enfoncée dans une étrange mélancolie et plus elles descendaient vers le sud, plus elle semblait préoccupée. Était-ce de s'éloigner de Farouk qui la rendait malheureuse ?

— Un neveu débordé, un mari mort et un

amant invivable, commenta la tante Roseline. Tu me promets de lui confisquer ses cigarettes et ses verres de vin quand je ne serai plus là ?

Ophélie acquiesça. Ce n'était pas la première fois qu'elle avait le sentiment que la tante Roseline et Berenilde s'étaient rapprochées, mais elle en eut à présent la certitude : en dépit de toutes leurs différences, une amitié bien réelle avait éclos entre les deux veuves.

— J'ai besoin de me dégourdir les jambes, dit Ophélie en se levant.

— Ne t'éloigne pas trop, nous ne devrions pas tarder à arriver.

Les wagons privés étaient très bien gardés. Ophélie dut présenter son billet à quatre contrôleurs sourcilleux avant d'accéder à la partie arrière du train. À la différence de la première classe, où la moindre ampoule défaillante était aussitôt remplacée, il n'y avait ici aucun éclairage. En revanche, les autres sens étaient assaillis par les bavardages, la transpiration et le tabac. Les wagons de deuxième et de troisième classe étaient uniquement occupés par des ouvriers et des cueilleuses qui rentraient chez eux après le travail.

Les sans-pouvoirs appartenaient à une catégorie de la population qui n'avait pas de lien de descendance avec un esprit de famille et qui n'avait, par conséquent, hérité d'aucun pouvoir familial. Ils étaient si différents des courtisans qu'Ophélie avait du mal à croire qu'ils fussent les habitants de la même arche. À la Citacielle, en raison du haut degré de consanguinité, tout le monde ressemblait à tout le monde : les nobles étaient pâles des pieds à la tête. Sur ces banquettes de train, la palette des couleurs était entièrement représentée, du blond platine au brun café, des peaux roses aux peaux cuivrées, des grands yeux clairs aux petits yeux noirs ; ils portaient sur le visage des traces de charbon, de plâtre ou de cambouis qui indiquaient qu'ils sortaient d'une mine, d'un chantier ou d'une usine. Et toutes ces couleurs s'animaient, discutaient, chantaient. L'accent des sans-pouvoirs était si prononcé, leur patois si particulier qu'Ophélie les comprenait à peine.

Elle joua des coudes pour traverser le wagon et atteindre la passerelle arrière du train, où se tenait accoudée la silhouette massive de Renard. Le vent chahuta dans sa robe et mit à mal les épingles de ses cheveux.

— Mademoiselle va attraper froid ! cria-t-il par-dessus le vent en voyant Ophélie se cramponner à la rambarde.

— J'ai besoin de vos conseils.

— Oh ? À quel propos ?

Ophélie ne répondit pas tout de suite. Elle contempla, entre les parois gigantesques des remparts, le défilé des rails qui semblaient se débobiner sans fin sous les roues du train. Malgré l'heure tardive, il faisait encore clair, mais cette clarté-là n'avait rien à voir avec l'illusion tropicale de la Jetée-Promenade et du gynécée ; c'était un interminable crépuscule où il ne faisait ni complètement nuit, ni complètement jour.

— Je me sens nerveuse comme une cafetière.

— Je vous demande pardon, mademoiselle ? s'écria Renard.

— Je me sens extrêmement nerveuse, répéta Ophélie en forçant sur sa voix. Je ne réussis pas à aimer ma nouvelle vie. Alors revoir ma mère, mon père, mon frère et mes sœurs... J'ai peur de ne pas parvenir à leur faire bonne figure.

— Andouille !

Ophélie haussa les sourcils avant de comprendre que ce n'était pas à elle que s'adressait Renard. Il avait pincé entre le pouce et l'index une petite boule tigrée qui cherchait à s'échapper de sa casquette de voyage. Andouille était un chaton qui collectionnait les bêtises ; il avait si bien pris l'habitude de s'inviter dans leur appartement, au gynécée, que Renard n'avait pas eu le cœur de s'en débarrasser malgré les insistances de Berenilde.

Renard posa Andouille au milieu de sa masse de cheveux roux et recoiffa sa casquette par-dessus.

— Il est tellement empoté qu'il serait capable de tomber du train. Tu sais, gamin, je suis tout bouillonnant au-dedans, moi aussi, déclara Renard en se penchant vers Ophélie. Je ne suis jamais allé dehors plus longtemps qu'un tour de sablier et c'est la première fois que je vais aussi loin de la Citacielle. C'est comme si je ne respirais pas comme d'habitude. (Il inhala à pleins poumons le parfum de l'air, curieux mélange de rail chaud et de neige fondue, puis il fronça ses sourcils rouges.) Je... je vous ai encore appelée « gamin » ?

— J'aime bien, assura Ophélie.

— Je suis confus, mademoiselle, c'est à cause de Mime, j'ai tellement pris le pli...

La sirène de la locomotive engloutit la voix de

Renard, et le souffle bruyant d'un tunnel les enveloppa.

— Si j'avais encore une famille, je ne m'embarrasserais pas de tralala ! s'égosilla Renard de façon à couvrir le vacarme du train. La gentille comédie et les petites cachotteries, réservez ça pour la cour ! Si vous en avez gros sur le palpitant, parlez à qui saura vous écouter !

Ophélie était en train de réfléchir à ce conseil quand elle perdit l'équilibre. Le poids de son corps se porta brusquement contre la rambarde de la passerelle et, si Renard ne l'avait pas rattrapée dans l'obscurité, elle serait sans doute passée pardessus bord.

— Que se passe-t-il ? s'inquiéta-t-elle. Le train penche ?

— Il monte, dit Renard. Une pente sacrément raide, tenez-vous bien. Andouille, tu m'écorches le cuir chevelu !

Ophélie s'accrocha des deux mains à la rambarde. Cette ascension dans les ténèbres lui parut interminable quand, enfin, la voie ferrée retrouva son horizontalité et le tunnel s'ouvrit sur un torrent de lumière.

— Mazette, souffla Renard.

Ophélie, elle, avait perdu ses mots. Il n'y avait plus de remparts autour d'eux. C'était leur train qui, à présent, roulait au sommet d'une immense fortification. Abolis, les murs ! Le monde n'était plus que mer et montagne à l'ouest, forêt et ciel à l'est : le rendez-vous de toutes les immensités. Ophélie repoussa le tourbillon de boucles brunes qui se prenait dans ses lunettes. Les yeux écarquillés, elle aurait voulu capter chaque détail de ce paysage surprise : les glaciers qui réfléchissaient leur blancheur éblouissante dans le miroir des eaux, le vol d'un harfang des neiges sous la déferlante des nuages, le carillon d'un clocher au milieu de petites maisons multicolores, l'odeur puissamment résineuse des sapins et délicieusement salée de la mer. Ophélie aperçut même au pied de la muraille, ses immenses pattes plongées dans une tourbière, un élan géant qui ébrouait ses bois et qui faisait à lui seul la taille du fourgon à bagages.

— Je suis né sur la plus belle arche du monde, dit Renard avec un sourire de fierté, et je ne le savais même pas.

Ophélie garda les yeux ouverts en grand pour s'emplir du paysage. Savoir que ces espaces infinis étaient tous composés d'une mosaïque d'éléments minuscules, goutte, épine, sève, étincelle, brindille, lui donnait le tournis. C'était donc cela, le Pôle, vu au-delà des murs et des illusions ? La coexistence de l'infiniment petit et de l'infiniment grand ?

— Renold, j'ai encore besoin de votre avis sur une question.

— Oui, mademoiselle ?

— Est-ce que vous croyez en Dieu ?

Renard haussa ses touffes de sourcils.

— Houlà, fit-il en pinçant sa visière pour éviter que le vent n'emportât sa casquette et son chat. Dieu, comme vous dites, ça fait un peu vieux folklore. Je suis comme la plupart des gens, moi, je crois surtout aux esprits de famille.

C'était évident. Quand on avait un immortel à

la tête d'une arche, il faisait figure de divinité. Les mythologies de l'ancien monde étaient tombées en désuétude. Qui donc était ce « DIEU » cité dans les lettres anonymes, si ce n'était Farouk ? Un autre esprit de famille ?

Ophélie était si absorbée par ses pensées qu'elle ne se rendit pas compte que le train ralentissait pour entrer en gare. Aussi resta-t-elle bête quand sa mère lui apparut sur le quai au milieu d'un nuage de vapeur, mains sur les hanches, pareille à une bonbonnière dans sa belle robe du dimanche.

— J'en étais sûre ! Tu ne portes même pas le manteau que je t'ai offert !

La famille

La mère d'Ophélie était une femme naturellement enrobée avec ses joues pleines, sa gorge de grenouille et son énorme chignon blond-roux qui lui poussait sur la tête comme un champignon. Elle portait toujours des chapeaux invraisemblables et des robes rouges aussi amples que des parasols, à croire qu'elle cherchait à occuper le plus de place possible. Ophélie eut l'impression d'être avalée tout entière dans un mélange de chair et de tissu quand sa mère la serra contre elle.

— Quelle mine épouvantable ! C'est quoi, cette cicatrice sur ta joue ? Tu as maigri, on ne te nourrit donc pas ? Et quelle ingrate tu fais ! Je viens de l'autre bout du monde pour toi et tu ne m'accueilles même pas à l'aérogare ? Deux heures que j'attends encore sur ce quai glacial que ma fille veuille enfin montrer le bout de son nez ! Comment veux-tu que je te gronde convenablement, si je suis épuisée ?

— Bonjour, maman, expira Ophélie avec le souffle qui lui restait.

À peine Ophélie eut-elle quitté son étreinte

qu'elle passa de bras en bras. Son père lui murmura timidement que oui, c'était vrai, elle avait un peu maigri. Son frère Hector, pragmatique, lui demanda pourquoi il n'y avait pas de neige au Pôle et pourquoi le soleil ne s'était pas encore couché depuis leur arrivée. Sa grand-mère Antoinette examina ses gants sales avec un sourcillement désapprobateur, tandis que sa grand-mère Sidonie, tout sourire, lui en offrait une paire neuve. Ses petites sœurs s'accrochèrent à son écharpe en parlant les unes par-dessus les autres. Ses oncles et ses tantes lui répétèrent chacun à tour de rôle que la cour ne l'avait absolument pas changée, un peu déçus au fond de ne pas trouver leur nièce métamorphosée en princesse de conte. Quant à ses cousins, emmitouflés dans leurs manteaux, ils la saluèrent à distance d'une petite grimace gênée ; ils auraient probablement préféré passer leurs vacances sur une arche tropicale.

— Bonjour, ma fille ! s'exclama jovialement une dame entre deux âges. Je suis ravie de faire ta connaissance et impatiente d'entendre le récit de tes aventures ! Nos chères mères à tous, les Doyennes, n'ont malheureusement pas pu effectuer elles-mêmes ce long voyage, mais je suis ici en leur nom. Je suis la Rapporteuse du Familistère, as-tu déjà entendu parler de moi ?

Oh, oui, Ophélie la connaissait. La Rapporteuse était une personnalité plutôt impopulaire sur Anima. Elle laissait traîner ses yeux et ses oreilles dans chaque rue, chaque commerce, chaque interstice de porte, puis elle répétait aux Doyennes tout ce dont elle avait été témoin.

De son côté, Ophélie rendit chaque bonjour de travers, serrant la main des femmes, embrassant les hommes, répondant aux uns à des questions posées par d'autres et mélangeant les noms de tout le monde. Retrouver sa famille après tout ce qu'elle venait de vivre lui donnait une curieuse impression de décalage.

— Ma sœur chérie, tu m'as tellement manqué ! s'écria Agathe en se blottissant si fort contre Ophélie que ses cheveux lui chatouillèrent le nez. Il ne se passe pas un jour où je ne regrette de ne pas être au Pôle avec toi !

— Ah bon ?

— Des robes somptueuses, des bals incessants, une vie de salon, je suis née pour cette existence ! S'il ne faisait pas si froid...

Ophélie se demanda ce qu'Agathe aurait dit si elle était venue au Pôle en plein hiver.

— Allons, allons, ma douce, protesta gentiment Charles tout en essayant de calmer le bébé qui gigotait dans ses bras. Tu n'es pas malheureuse avec p'tit Tom et moi, non ?

— Tu ne peux pas comprendre, tu te satisfais d'un rien. Employé d'une fabrique de dentelles, quel bel ambitieux tu fais !

— Directeur adjoint, ma douce. Tu ne veux pas porter p'tit Tom ? Il te réclame.

— Je porte *déjà* un enfant, gronda Agathe en désignant son ventre.

— Où est mon parrain ? s'inquiéta Ophélie. Il n'est pas venu avec vous ?

— Oh, la, la, j'ai tellement de questions à te poser ! s'exclama Agathe sans l'écouter. Penses-tu que cette robe fera l'affaire pour danser ? J'en ai apporté d'autres, évidemment, mais j'ai fort grossi ces dernières semaines. Pourra-t-on bientôt voir des nobles ? Sommes-nous ici à la cour ?

— Non, ma chère enfant. Vous êtes ici dans une station balnéaire.

C'était Berenilde qui s'était exprimée ainsi, faisant rouler superbement ses « r », alors qu'elle descendait le marchepied du train. Tout enceinte fût-elle, elle semblait aussi légère que son chariot à bagages était lourd.

— Je suis honorée de faire votre connaissance, ronronna-t-elle en adressant aux parents d'Ophélie son sourire le plus lumineux. Je suis la tante de Thorn.

— Je n'ai encore vu ni votre neveu ni vos propriétés, dit la mère d'Ophélie du bout des lèvres.

Face à la blancheur évanescente de Berenilde, elle semblait mettre un point d'honneur à être encore plus rouge et encore plus matérialiste que d'habitude.

— Notre esprit de famille requiert les services de Thorn à la capitale, madame Sophie. Votre gendre viendra bientôt vous présenter ses hommages comme il se doit. En attendant, si vous le voulez bien, permettez-moi d'être sa représentante auprès de vous.

— Ce que vous êtes belle et élégante ! s'exclama Agathe.

Elle avait oublié l'existence de sa sœur dès l'instant où ses yeux s'étaient posés sur Berenilde.

— Et je vous trouve moi-même charmante, mon enfant, répondit cette dernière en passant un doigt sur sa joue. Votre peau est fraîche, avez-vous donc froid ?

— Comme dans une sorbetière, madame.

— Il est déjà tard, dit Berenilde en consultant l'horloge de la gare. Avez-vous tous vos bagages ? Parfait, je veillerai à ce qu'ils soient transportés avec les miens. Venez, chers amis, allons à notre hôtel ! Nous y serons mieux pour discuter.

— Notre petite Ophélie ne pouvait espérer trouver au Pôle une meilleure parente que vous, complimenta la Rapporteuse d'une voix mielleuse. Fait-elle honneur elle-même à nos deux familles ?

— Bien sûr, répondit la tante Roseline à la place de Berenilde.

Ophélie, pour sa part, ne l'aurait pas crié sur les toits. Elle avait commis de nombreux impairs depuis son introduction à la cour. Cette mystérieuse mélancolie, toujours tapie au fond des yeux de Berenilde, n'en était-elle pas un peu responsable ?

Tandis que les membres de sa famille se pressaient de quitter le quai dans un joyeux brouhaha général, Ophélie les regarda s'éloigner avec cette impression persistante de décalage. Où était sa place à elle ?

— Ils ont beau babeler, tous, moi je te trouve changée.

Le cœur battant, Ophélie chercha des yeux celui qui avait prononcé ces mots. Elle le trouva derrière elle, un peu en retrait sur le quai, sa casquette vissée autour de son crâne, ses moustaches flottant au vent comme des drapeaux blancs. Sans réfléchir, Ophélie fonça tête baissée dans le gros ventre de son grand-oncle.

— Bardaf ! Tu as failli me renverser par terre, m'fille.

— J'ai cru un moment que vous n'étiez pas venu. Je suis contente de vous voir.

C'était peu de le dire. Rien que de respirer l'odeur de papier ancien imprégné dans ce tricot d'archiviste, rien que d'entendre cette voix qui vibrait d'affection bourrue et de vieux patois, Ophélie sentit que ses yeux la piquaient ; elle dut inspirer plusieurs fois contre le gros ventre pour ne pas se mettre à pleurer comme une petite fille. Il avait raison : elle était toute changée. Elle sentit l'épaisse main gantée caresser ses cheveux en broussaille.

— Alors, le Pôle, murmura le grand-oncle. C'est aussi épouvantable que je crois ?

Ophélie eut une hésitation, puis elle se rappela le conseil de Renard.

— Oui, gargouilla-t-elle avec un sourire piteux. Épouvantable.

Elle se dégagea à regret, remit en place ses lunettes qu'elle avait tordues et sourcilla quand elle s'aperçut que les yeux de son grand-oncle exprimaient un certain embarras.

— Qu'avez-vous ?

— J'ai moi-même une mauvaise nouvelle à t'annoncer, m'fille.

La gare des Sables-d'Opale se situant au sommet de la muraille ferroviaire, il fallait prendre le téléphérique pour descendre vers la ville. Il y avait plusieurs nacelles par convoi, mais elles ne pouvaient pas transporter beaucoup de passagers chacune et ce n'était pas une si mauvaise chose : Ophélie et son grand-oncle s'étaient ainsi débrouillés pour être tous les deux en tête à tête, dans ce petit espace en suspension au-dessus du monde.

C'était au moment où la nacelle prenait son envol depuis la terrasse que la vue était le plus spectaculaire. À cette altitude, le voyageur pouvait se rendre compte que la gare des Sables-d'Opale se trouvait à la jonction de deux murailles : l'une protégeait la ville de la forêt, l'autre protégeait la ville de l'abîme. Il était impossible de se rendre plus au sud de l'arche sans basculer dans le vide. La station balnéaire était à la fois un bord de mer et un bord de ciel.

Accoudée à la fenêtre de la nacelle, ses cheveux lui fouettant les joues, Ophélie aurait voulu s'emplir de toutes ces sensations bien réelles dont elle avait été longtemps privée. Le vertige des grands espaces. Le hululement du vent dans les câbles du téléphérique. L'air sucré-salé des sapins, des embruns et de la montagne. Les couleurs tourmentées de la mer vue du ciel. Et rien dans tout cela qui fût artificiel. Aucune illusion. Aucun trompe-l'œil.

Oui, Ophélie aurait essayé de mieux les savourer, ces vérités-là, si elle n'avait pas été assaillie par de tout autres préoccupations.

— Je n'arrive pas à croire que mon musée ait été fermé.

Elle se détourna de la mer pour revenir au grand-oncle qui la considérait gravement depuis la banquette d'en face.

253

— Mais enfin, pourquoi ? protesta Ophélie.

— Pour cause d'inventaire, j'te dis. C'est ce qu'il y a écrit sur la pancarte de la porte depuis que tu as quitté Anima.

— Non, je voudrais connaître la *vraie* raison. Les collections du musée n'ont pas changé depuis des décennies. Il est devenu tellement difficile de trouver des artefacts de l'ancien monde... Et qui se charge de cet inventaire, d'ailleurs ? ajouta Ophélie avec un froncement de sourcils. Je n'ai même pas de remplaçant.

Le grand-oncle se contenta de croiser les bras sur son gros ventre, ses yeux dorés scrutant Ophélie d'un air entendu.

— Oh, dit-elle. Les Doyennes, évidemment. (Rien que d'imaginer les aéroplanes de son musée en train de rouiller, faute d'entretien, Ophélie sentit son estomac se tordre.) Ça ne leur suffisait donc pas de m'envoyer vivre aux antipodes ? murmura-t-elle en prenant son front dans ses mains. Ce musée appartient à toute la famille, les Doyennes n'ont pas le droit de se l'accaparer. Pourquoi s'acharnent-elles ainsi sur moi ?

— Parce que tu es une sympathisante.

Ophélie dévisagea son grand-oncle sans comprendre mais, cette fois, ce fut lui qui plongea son regard par la fenêtre. Le vent prenait un malin plaisir à hérisser ses cheveux, ses sourcils et ses moustaches.

— Ce que je vais te dire, m'fille, n'est qu'une intuition personnelle. J'aimerais que tu m'écoutes, mais après ça, fais-toi ta propre opinion. En fait, ça me rassurerait presque que tu ne sois pas d'accord.

— D'accord avec quoi ?

Jamais Ophélie n'avait entendu le grand-oncle s'exprimer avec une telle gravité, et pourtant il n'était pas le genre d'homme à rire en se tapant les cuisses.

— Nous vivons dans une *drôle* d'affaire, t'sais. Un jour, le monde tourne rond et le lendemain, patatras, il se casse comme une assiette ! Alors oui, nous autres, on a eu le temps de s'habituer à l'idée. Des arches pendues au vide, des esprits de famille increvables, des pouvoirs en veux-tu en voilà, ça nous paraît normal aujourd'hui. Mais au fond, nous vivons tous dans une *drôle* d'affaire.

Le soleil de minuit traversa la nacelle par toutes les ouvertures. Sa lumière crépusculaire obligea le grand-oncle à plisser les paupières, ébloui, mais il ne détourna pas la tête de la fenêtre pour autant. Ophélie s'aperçut que ce n'était pas le paysage qu'il contemplait ainsi, mais l'intérieur de lui-même.

— J'étais un tout jeune archiviste quand ça m'est arrivé. T'étais ni encore née, m'fille, et ta mère pas davantage. Je venais juste de finir mon apprentissage, mais je connaissais d'jà les fonds d'archives comme ma poche. En ce temps-là, c'était pas agencé comme aujourd'hui : les dossiers familiaux étaient rangés au rez-de-chaussée et la collection privée d'Artémis au premier sous-sol.

— Le deuxième sous-sol n'existait pas encore ?

Une étincelle s'alluma dans l'œil du grand-oncle.

— Si. C'était même mon coin préféré. Toutes les archives de l'ancien monde étaient entreposées là. Oh, c'était essentiellement de l'administration de guerre, hein ! ajouta-t-il avec un sourire triste, sans remarquer l'expression stupéfaite d'Ophélie. Correspondance des états-majors, journaux .de campagne militaire, registres de matricules et dossiers personnels d'officiers. Comme c'était écrit dans l'ancienne langue et qu'on l'enseigne de moins en moins, c'te langue-là, personne ne venait jamais consulter ces fonds d'archives. Je trouvais ça tellement dommage…

— Vous ne m'avez jamais parlé de ces archives, murmura Ophélie. Que sont-elles devenues ?

— Moi, j'étais jeune et bête, poursuivit le grand-oncle dont le regard était toujours plongé au-dedans. Ça me faisait rêver, tout ça ! Je ne voyais pas la guerre, je voyais l'aventure humaine. J'ai entrepris de traduire chaque document, moitié avec mes notions de langue ancienne, moitié en *lisant* avec les mains. Des années, que j'ai passées là-dessus ! J'étais si fier de mes traductions et si impatient d'avoir un peu de reconnaissance, faut dire ce qui est, que j'ai soumis mon travail au Conseil des Doyennes. Je me demande encore ce que j'espérais. Une médaille, peut-être ?

Ophélie sentit, à la façon dont sa voix s'enrouait, qu'il était en train de toucher à une plaie qui n'avait jamais vraiment cicatrisé.

— Sympathisant, articula-t-il en foudroyant le ciel des yeux. C'est ainsi que les Doyennes m'ont qualifié et, crois-moi, ça n'avait rien d'aimable. « Obsession morbide pour la guerre », « commémoration critiquable du passé », « exemple déplorable pour la jeunesse », « démarche au caractère antifamilial » et j'en passe ! On m'a conseillé de me consacrer aux petits papiers de la famille. Je n'ai jamais revu aucune de mes traductions.

— Je suis désolée, chuchota Ophélie.

Le grand-oncle tourna vers elle un regard étonné, battant des paupières, comme s'il reprenait conscience de sa présence.

— Oh, ça, ce n'est rien. Le plus rageant, c'est ce qui est arrivé ensuite. Quelques mois après l'incident, voilà-t-y pas qu'un nouveau décret familial a été promulgué. À cette époque, je ne sais pas quelle épingle avait piqué les Doyennes, mais elles n'arrêtaient pas de réformer ci, de réformer ça. Oh, elles avaient souvent de bonnes idées, hein, j'dis pas, mais me concernant, je l'ai senti passer de travers. « Tout document sans rapport direct avec la descendance d'Artémis ne ressortira plus de la compétence des Archives familiales et devra être entreposé dans un service spécial prévu à cet effet », récita le grand-oncle d'un seul souffle. Tout ce qui datait d'avant la Déchirure, ouste !

— Les archives du deuxième sous-sol ont donc été transférées ailleurs, dit Ophélie. Où ?

— Dans une ville des Grands Lacs. Sauf qu'elles ne sont jamais arrivées à bon port. Le bateau qui les transportait par fleuve a souffert d'une défaillance technique. Aucun noyé, mais tous les papiers ont pris la flotte. Irrémédiablement perdus pour la postérité. J'ai appris plus tard que mes travaux de traduction se trouvaient dans les caisses, eux aussi.

Ophélie ferma les yeux. Si les collections de son musée avaient été détruites dans un incendie, alors seulement elle aurait pu toucher du doigt ce que le grand-oncle avait dû ressentir à cette époque. Elle en vint à se demander si ce n'était pas à cause de cette histoire qu'il était devenu si grincheux.

— Une défaillance technique, répéta-t-elle pensivement. Vous n'y avez pas cru.

— Eh bien si, figure-toi, marmonna le grand-oncle en s'inclinant en avant, coudes sur les genoux et doigts croisés. Les Doyennes, ça a beau être collet monté, ça reste du sacré. Pour moi, c'était la faute à pas de chance. Les années ont filé, j'ai essayé d'oublier ce beau gâchis. Jusqu'à ce que je louche sur la pancarte de ton musée : « Fermé pour cause d'inventaire ». Quand j'ai lu ça, c'est comme s'il y avait eu écrit : « Fermé pour cause de *sympathisance* ». Les Doyennes se sont débarrassées de toi à cause de ton goût prononcé pour l'ancien monde, fille. Tu *lisais* un peu trop bien ce passé qu'elles n'approuvent pas. Enfin, c'est mon intuition personnelle, s'empressa-t-il de préciser. Je n'ai évidemment rien dit de tout ça à ta mère, qui s'inquiète d'jà pour des clous, mais j'en mettrais mes mains de *liseur* au feu. T'en penses quoi, toi ?

— Je ne sais pas... Je ne sais plus.

Ophélie promena son regard sur les Sables-d'Opale. La côte était un imbroglio de rochers et d'herbe rase, un sol sauvage où il ne fallait pas se promener sans de bons souliers aux pieds. Tout au long de cette rugosité, les petites maisons se pressaient les unes contre les autres pour faire front uni face aux assauts du vent, du froid et de l'humidité. Elles étaient à l'image des passagers du train, ces maisons-là : robustes, soudées et hautes en couleur. Et puis il y avait la mer, dont la cabine de téléphérique était maintenant toute proche. Une mer véritable, odorante et grondeuse comme un être vivant.

— Tu n'as pas perdu tes mauvaises habitudes, soupira le grand-oncle en voyant Ophélie ronger les coutures de ses gants. Ne les abîme pas, ce sont des instruments de travail.

Ophélie se sentait déboussolée. Elle éprouvait tant de rancœur contre les Doyennes depuis qu'elles avaient arrangé ces fiançailles forcées avec Thorn que son jugement était altéré. Alors qu'elle réfléchissait furieusement, ses lunettes passèrent par toutes les couleurs de ses états d'âme.

— Bien sûr, tout cela est troublant, finit-elle par admettre, mais… ça n'a pas de sens. On ne punit pas quelqu'un sous prétexte qu'il a des « sympathies » pour l'ancien monde. La Déchirure s'est produite il y a des siècles, qu'est-ce que des vieilles dames auraient à redouter d'un passé aussi lointain ?

— Tu es déjà allée à la bibliothèque, fille ?

— Euh… une ou deux fois.

Ophélie n'en était pas très fière. Ses parents, ses oncles et ses tantes travaillaient tous à la grande Bibliothèque familiale d'Anima, au service de restauration et de catalographie, mais pour sa part, elle avait toujours été plus attirée par les histoires contenues dans les objets. Elle faisait une piètre lectrice pour une *liseuse*…

— Eh bien moi, grommela le grand-oncle, j'y ai beaucoup fureté ces derniers temps. Collections éducatives, romans moraux, que de la littérature bien-pensante ! Jamais une scène de crime, jamais un gros mot, jamais une illustration polissonne. Et je ne te parle pas seulement des éditions du Père Albert qui publient les scribouilleurs les plus rasoir d'Anima. Non, moi, je te cause aussi des traductions du vieux monde : des poèmes, des essais, des mémoires, des pièces de théâtre. À les lire, ces bouquins-là, on croirait que nos ancêtres d'avant la Déchirure ne se souciaient que de lyrisme pastoral et d'affaires de cœur.

L'écharpe donna une bourrade impatiente à la main d'Ophélie, qui avait cessé de la caresser depuis un moment.

— Vous pensez que mes parents... que les bibliothécaires...

Ophélie n'arrivait pas à le dire. Ces derniers mois, elle s'était raccrochée de toutes ses forces aux valeurs transmises par son éducation : la sincérité, l'honnêteté et l'amour du travail bien fait. S'il y avait des censeurs dans la famille, elle le vivrait comme une trahison.

— Oh, tu sais, tes petits parents, ils sont comme les autres, soupira le grand-oncle. Ils se contentent de rafistoler ce qu'on leur demande de rafistoler, de classifier ce qu'on leur demande de classifier, point final. Non, fille, cherche plus haut. Tous les livres qui sont déposés à la bibliothèque, ils passent d'abord par un comité d'approbation. Et qui dirige le comité ? Les Doyennes. Tu commences à comprendre pourquoi je gamberge autant ?

— Tous les livres, répéta lentement Ophélie.

Par hasard, les Doyennes vous ont-elles déjà fait des mises en garde ou des recommandations à propos du Livre ? Celui avec la majuscule.

— Le Livre de la collection privée d'Artémis ? s'étonna le grand-oncle. Rien de particulier, non. De toute façon, il est indéchiffrable et *illisible*, celui-là.

— Et Artémis ? insista-t-elle. Vous a-t-elle jamais demandé, à vous ou à un autre, de mener une enquête sur ce Livre ?

— Jamais, pour c'que j'en sais. Elle a toujours accordé plus d'importance au vaste univers des étoiles qu'à mon petit monde de papier.

Ophélie ouvrit, puis referma la bouche. Elle n'aurait su expliquer pourquoi, tant c'était échevelé, mais, pendant une fraction de seconde, elle avait eu l'intuition qu'entre la fermeture de son musée, le Livre de Farouk, l'accident des archives, les manigances de bibliothèque et les récentes disparitions de nobles, il existait un seul et même dénominateur commun.

« C'est complètement absurde, se reprit-elle aussitôt en frottant ses yeux sous ses lunettes. Les Doyennes ne sont pas responsables des meurtres de couloir du Pôle et Farouk se soucie de mon musée sur Anima comme de sa première fourrure. »

— Parce qu'au Pôle aussi, il se trame de drôles de choses, finit-elle par répondre à son grand-oncle, et que ça m'emmêle toutes mes pensées.

Ophélie regarda leur hôtel grandir à mesure que le téléphérique approchait de sa destination. Dressé sur une avancée de rochers, il était relié par un long promenoir à un établissement thermal. L'ensemble tenait davantage de l'usine que du domaine de plaisance avec ses grands murs de brique et ses hautes cheminées qui crachaient des flots de fumée. Ophélie avait redouté que la station balnéaire des Sables-d'Opale fût une pâle imitation du cinquième étage de la cour. Elle savait à présent qu'il n'y avait aucune comparaison possible. Ici, parmi ces gens, il ne lui faudrait pas sans cesse faire « attention à » ou « semblant de », et c'était un véritable soulagement.

— Je crois que je vais mettre à profit ces vacances au bord de la mer pour me clarifier la tête, conclut-elle tout haut.

La *liseuse*

La date

— Thorn en maillot de bain ! crièrent trois voix à l'unisson.

Ophélie avala de l'eau brûlante, la recracha par le nez, puis contempla, au travers des gouttes qui déformaient sa vision, la vapeur suspendue dans l'atmosphère et les mosaïques des thermes.

Évidemment, il n'y avait pas ici de Thorn en maillot de bain, ni de Thorn tout court d'ailleurs.

Ophélie essuya ses lunettes et se tourna vers ses trois petites sœurs, coiffées de charlottes, qui éclatèrent aussitôt de rire en se tortillant dans l'eau.

— Vous m'avez bien eue, admit Ophélie de bon gré. La vapeur était en train de m'endormir, j'y ai presque cru.

Léonore pataugea vers elle et la serra par la taille.

— Mais pour de vrai, quand est-ce qu'on le verra, notre nouveau beau-frère ? Il ne nous a pas encore rendu visite une seule fois !

Attendrie, un peu gênée aussi, Ophélie glissa derrière l'oreille de sa sœur la frisette rousse qui s'était échappée de sa charlotte. Il lui semblait que c'était hier qu'elle lui apprenait – très mal – à animer ses jouets. Elles avaient plusieurs années d'écart, l'une et l'autre, et pourtant Léonore la dépasserait bientôt en taille, comme l'avaient déjà fait ses autres sœurs. Parfois, Ophélie se demandait pourquoi elle était la seule enfant de la famille à avoir été affublée d'une si petite poussée de croissance, d'une vue de taupe et de cheveux impossibles, à croire vraiment que dame Nature l'avait prise en grippe.

— Ah, ça, dit-elle. Thorn est un homme terriblement occupé.

— Et terriblement impoli, intervint Domitille d'un ton sévère. Maman est de plus en plus déchaînée par sa faute. C'est vrai qu'il ne veut pas nous voir ?

Béatrice souffla furieusement des bulles sous l'eau pour souligner cette déclaration.

Les petites sœurs d'Ophélie se ressemblaient comme des triplettes, mais chacune possédait une personnalité bien définie. Léonore, la plus jeune, était une sensuelle qui aimait toucher les matières et coller son oreille contre la mécanique des objets. Béatrice exprimait toutes ses émotions à l'état brut : elle riait, elle pleurait, elle hurlait, elle jurait, mais on ne pouvait pas lui arracher une phrase complète. Quant à Domitille, l'aînée des trois, elle était dotée d'un puissant instinct protecteur.

— Ce n'est pas vraiment la question, dit Ophélie. Il a juste... euh... énormément de travail.

Thorn ne répondait plus aux télégrammes de Berenilde depuis deux semaines et les Animistes commençaient à vivre ce silence comme un profond manque de respect. Avait-il seulement écouté Ophélie quand elle lui avait demandé de faire meilleure impression à sa famille ? Le mariage n'était que dans cinq jours…

— Tu n'as pas l'air de te rendre compte, dit Domitille en fronçant les sourcils. Ça va bientôt faire un mois que nous sommes là. C'est très chouette de se baigner ensemble, de se promener sur les rochers ensemble, de cueillir des baies ensemble et tout et tout, mais tu ne nous racontes jamais rien !

— Il n'y a pas grand-chose à raconter, bredouilla Ophélie.

Elle s'en voulait déjà d'avoir parlé à son grand-oncle des chantages, des menaces, des griffes, des mensonges, des intrigues, des illusions, des disparitions et des assassinats qui avaient rythmé sa vie à la Citacielle. Elle avait dû lui faire promettre de tenir sa langue devant la famille. Il fulminait en silence, pour le moment, mais il contaminait de sa colère tous les objets qu'il côtoyait. À l'hôtel, un cousin était tombé à cause d'une rampe d'escalier qui lui avait fait un croc-en-jambe.

— Est-ce que Thorn te traite galamment, au moins ? insista Domitille. Est-ce qu'il prend bien soin de toi ?

— Est-ce que vous vous faites déjà des cajoleries ? s'empressa de demander Léonore à son tour. Est-ce que vous allez nous donner plein, plein de neveux ?

Béatrice, quant à elle, se racla bruyamment la gorge d'un air professoral, attendant des réponses à la hauteur des questions. Ophélie chercha du renfort du côté de la tante Roseline, qui faisait des brasses dans le bassin, mais celle-ci opina de la tête.

— Tes sœurs n'ont pas complètement tort. À vouloir être un trop bon chaperon, j'ai fait une mauvaise marraine. M. Thorn est l'opposé même du mari d'Agathe. Je pense... eh bien... qu'il va falloir te préparer à la suite des événements.

Ophélie aurait voulu disparaître dans les eaux thermales. Plus la date du mariage approchait, plus elle était assaillie de recommandations conjugales. Et elle n'avait pas pu avouer à sa famille, par peur de déclencher un scandale, que Thorn et elle ne seraient jamais l'un pour l'autre que des conjoints de façade.

Par chance, elle fut cette fois tirée d'affaire par la préposée aux bains qui se pencha sur le bassin.

— Un message est arrivé à l'accueil pour vous, mademoiselle.

C'était Thorn qui se manifestait enfin.

Ophélie dérapa sur les marches, retira sa charlotte de bain, enfila ses gants de *liseuse*, puis traversa la longue galerie carrelée, se brûlant les orteils dans les fuites de canalisation qui répandaient des flaques sur le sol. Cette eau de source dégageait une odeur puissante, mais elle était souveraine pour la santé et si chaude qu'elle ne gelait jamais, même au plus dur de l'hiver.

— Merci, dit Ophélie à la responsable de l'accueil qui lui remit son message.

Elle était en train de décacheter l'enveloppe quand elle sentit une présence dans son dos.

Une cliente de l'établissement l'observait avec une insistance et une proximité parfaitement gênantes. Enveloppée d'un manteau rouge, coiffée d'une chapka de fourrure et chaussée de longues bottes noires, elle n'était même pas apprêtée pour les bains. Ses yeux, durs comme des diamants à l'état brut, se posèrent sur le courrier d'Ophélie comme s'ils avaient un droit de regard sur lui. Peut-être se faisait-elle des idées, mais il lui semblait que cette curieuse ne cessait d'apparaître et de disparaître dans son dos depuis qu'elle était arrivée aux Sables-d'Opale.

Ophélie sortit des thermes pour avoir un peu d'intimité et s'assit sur une marche de l'escalier extérieur, ressortit sa lettre de l'enveloppe et l'y remit avant même d'avoir posé les yeux dessus. Elle venait de remarquer les sept sœurs d'Archibald, alignées sur un banc du promenoir comme une collection de poupées sur une étagère. De la benjamine à l'aînée, elles se ressemblaient toutes tellement qu'elles semblaient décliner une seule et même demoiselle à différentes époques de sa vie. Douce, Clairemonde, Mélodie, Gaîté, Friande, Grâce et Patience avaient les yeux ouverts en grand sur Ophélie. Si les prunelles d'Archibald évoquaient un radieux ciel d'été, les leurs tenaient du plus glacial des hivers.

— Bonjour, leur dit Ophélie d'un ton prudent.

Les sœurs ne répondirent pas ; elles ne répondaient jamais. Il était rare de les voir dehors. Elles passaient généralement la journée enfermées dans leur chambre d'hôtel. Habituées aux velours du Clairdelune, elles détestaient cette côte battue par le vent où leur frère les avait expédiées pour les éloigner du danger. Si elles recherchaient volontiers la compagnie de Berenilde qui était pour elles l'unique représentante de la civilisation ici, elles n'avaient pas adressé la parole une seule fois à Ophélie, à croire qu'elle était personnellement responsable des malheurs qui avaient frappé leur demeure. Parfois, au détour d'un couloir, elles se retournaient toutes vers elle en éclatant de rire, comme si elles avaient pensé au même moment à une chose hilarante à son sujet.

Elle n'avait aucune envie de lire une lettre, une lettre de Thorn en particulier, devant un tel public.

Ophélie s'éloigna de l'escalier et longea le promenoir à arcades qui reliait les thermes à l'hôtel, à la recherche d'un coin à l'abri des regards. À sa gauche, la mer rugissait contre les plages rocheuses de la ville ; à sa droite, à l'orée des conifères, l'eau des marais salants reflétait les nuages sans faire un pli. Les dunes de sel gemme étincelaient devant une raffinerie : la ville devait son nom à ces formations qui ressemblaient à des bancs de sable irisé. Et au-dessus de ce monde d'eau, de sel, de végétation et de brique, le ciel fébrile passait sans cesse du soleil à la pluie. Ophélie inspira profondément ; il ne faisait pas plus de quinze degrés et sa peau humide rougissait déjà, mais ce mélange de sucré-salé, moitié sapin, moitié marin, la faisait délicieusement frissonner… Après toutes les illusions de la Citacielle, Ophélie se sentait ici bien réelle.

Son regard s'attarda un instant sur les hommes de sa famille qui jouaient aux boules à côté du promenoir. En dignes Animistes, ils riaient à gorge déployée, gesticulaient beaucoup et juraient fort, en particulier quand le cochonnet changeait tout seul de position. Mains au fond des poches, ne restaient spectateurs que le père et le grand-oncle d'Ophélie, le premier par timidité, le second par maussaderie.

— Hé, Ophélie ! Reste pas seule ! Viens avec !

Ses oncles et ses cousins venaient de la remarquer, figée au milieu de son promenoir. Elle déclina d'un geste poli, son enveloppe dissimulée dans le dos, puis elle répondit au sourcillement inquiet de son père par un sourire.

En un sens, Ophélie était soulagée de voir qu'elle était restée un membre de la famille à part entière malgré son éloignement. Elle avait pourtant l'impression de ne pas parvenir à rattraper ce léger décalage qui s'était installé entre eux. Personne ne semblait se rendre compte qu'elle n'était plus tout à fait elle-même. Ou que peut-être, au fond, elle ne l'avait jamais autant été.

Ophélie s'assit sur la balustrade du promenoir, dos contre une colonne, et sortit pour la troisième fois la lettre. À présent qu'elle était enfin à l'aise pour la lire, elle n'osait plus la déplier. Elle se sentait épouvantablement nerveuse. Thorn allait-il lui annoncer sa venue imminente ? Il était bien capable d'attendre le matin des noces pour surgir devant l'autel, une pile de dossiers sous chaque bras.

Le 3 août, dans cinq jours, cinq jours à peine, ils seraient mariés.

Ophélie ne pensait plus qu'à cette date fatidique. À quoi ressemblerait une vie commune avec quelqu'un comme Thorn ? Ophélie était incapable de l'imaginer, pas plus qu'elle n'était capable de s'imaginer, elle, avec des griffes de chasseur au bout des nerfs et peut-être aussi un supplément de mémoire.

Elle eut un regard un peu embarrassé pour les vitres de l'hôtel où les silhouettes de ses tantes et de ses grand-mères se consacraient aux préparatifs avec de grandes gesticulations. Leur animisme était si surexcité qu'Ophélie voyait d'ici les rubans s'agiter au plafond et les nappes blanches frémir comme des fantômes. Des ouvriers accrochaient des lustres de cristal, transportaient des instruments de musique, alignaient des centaines de chandeliers en or. Berenilde avait dépensé sans compter, désireuse d'offrir à son neveu un mariage digne de ceux qui se donnaient à la cour.

Avec une inspiration, Ophélie se décida enfin à déplier son message. Il ne lui fallut pas longtemps pour comprendre que, contrairement à ce qu'elle avait cru, il ne lui venait pas de Thorn.

Mademoiselle l'ex-vice-conteuse,
Force m'est de constater que vous n'avez pas pris assez au sérieux mon premier avertissement. Vous m'obligez à vous adresser cet ultimatum. Rompez vos fiançailles et ne remettez plus jamais les pieds à la cour. Je vous accorde jusqu'au 1ᵉʳ août pour prendre vos dispositions, faute de quoi M. l'intendant se verra veuf avant même d'avoir été marié.
DIEU DÉSAPPROUVE CETTE UNION.

Ophélie expira pour calmer les battements de sa poitrine. Cette fois, elle commençait vraiment à avoir peur.

La girouette

Ophélie gravit en toute hâte l'escalier des thermes. Qui avait déposé ce message pour elle ? Un simple coursier, lui assura la responsable de l'accueil. Et il n'avait donné aucune indication sur sa provenance ? Aucune, mademoiselle. Sans prendre le temps de repasser par le vestiaire, Ophélie glissa la lettre sous son gant et courut à l'hôtel. Elle devait parler à Berenilde, à Berenilde uniquement. Elle seule comprendrait la situation.

Dans sa précipitation, Ophélie se cogna le nez, les genoux et le dos à l'intérieur de la porte à tambour de l'hôtel. Elle passa devant les présentoirs et les guichets du grand hall. En plus de faire office de réception pour les curistes, le rez-de-chaussée servait aussi d'administration municipale, de centrale électrique, de bureau postal, de relais téléphonique, de dépôt de gazettes et même, à l'occasion, de quincaillerie. Il y avait toujours du monde et plusieurs ouvriers haussèrent les sourcils au passage d'Ophélie. Elle était si perturbée par ce courrier qu'elle avait oublié qu'elle déambulait encore en costume de bain.

— Eh bien, eh bien, eh bien ! roucoula une voix rauque. Vous n'êtes pas aussi prude que vous en avez l'air, ma colombe.

Avec un coup au cœur, Ophélie respira le puissant parfum de Cunégonde avant même de la voir. La Mirage se tenait au comptoir de la réception, occupée à remplir le registre de l'hôtel. Sous son habituel voile à pendeloques dorées, elle n'avait pas très bonne mine malgré le maquillage.

— Que faites-vous aux Sables-d'Opale ? demanda Ophélie, sur la défensive.

Elle se sentait incapable de politesse.

— Maladie professionnelle, soupira Cunégonde. Je manipule des illusions à longueur de temps et leurs effets ne sont pas très heureux sur les nerfs. J'en connais qui prétendent venir ici pour leurs rhumatismes. La vérité, dit-elle en rendant son registre au réceptionniste, c'est qu'ils sont là pour se désintoxiquer l'esprit, bien à l'abri des regards.

Ophélie devait admettre qu'en dehors de Berenilde et des sœurs d'Archibald, les rares nobles qu'elle croisait ici avaient des figures moites d'opiomanes.

— On ne parle plus que de vous à la cour depuis la scène mémorable que vous a faite notre seigneur, poursuivit Cunégonde sur le ton de la confidence. Il s'est amouraché de vous, ma colombe. Quand vous retournerez là-bas, soyez prête à affronter l'enfer.

En entendant ces mots, Ophélie put presque sentir la lettre lui brûler la main. Elle était sur le point de demander à Cunégonde si elle n'en était pas l'auteur lorsqu'un vacarme la coupa en plein élan. Le bagagiste, trop zélé, avait empoigné son grand sac en tapisserie sans remarquer qu'elle ne l'avait pas fermé. Il déversa sur le tapis une quantité impressionnante de sabliers bleus.

— Maladroit ! siffla Cunégonde entre ses dents en jetant des coups d'œil furtifs autour d'elle, ses pendeloques s'entrechoquant comme des carillons. Rangez-moi ça immédiatement ! Et faites attention à ne pas en dégoupiller un seul, surtout.

Le bagagiste s'empressait de remettre tous les sabliers dans le sac, se répandant encore et encore en excuses. Ophélie ne savait pas ce qui la surprenait le plus : que Cunégonde perdît son calme ou qu'elle fût en possession de tous ces sabliers. Pour quelqu'un qui était censé se désintoxiquer des illusions, c'était inattendu.

— Je sais, ma colombe, cette collection peut vous paraître quelque peu incongrue, mais elle est à usage strictement professionnel. Les sabliers bleus de cette chère Hildegarde font une telle concurrence à mes délices érotiques ! Je serais malavisée de ne pas me... eh bien... me « documenter », pour le dire ainsi. Avez-vous bientôt fini de ranger ces sabliers ? s'impatienta Cunégonde en s'adressant au bagagiste. Ah, mes Imaginoirs se portent bien mal, ma colombe, ronronna Cunégonde en revenant à Ophélie. Un critique d'art m'a accusée de faire des illusions bas de gamme, rendez-vous compte ! Avez-vous déjà entendu parler des Bulles de Confusion ?

— Euh... non.

Ophélie ne comprenait pas pourquoi Cunégonde

se confiait ainsi à elle. Depuis qu'elle avait refusé son offre, au jardin de l'Oie, elle l'avait toujours traitée comme une ennemie.

— Ce sont des illusions qui produisent exactement le même effet qu'une ivresse alcoolique. Voilà à quoi ce détestable critique a comparé ma toute dernière création : mon paradis des sens, mon palais des plaisirs classé dans la même catégorie qu'un mauvais vin de table !

— J'ai terminé, madame, dit le bagagiste en fermant bien le sac, cette fois. Que madame veuille bien me suivre, je vais la conduire jusqu'à sa chambre.

— Je vous le demande comme une faveur, gardez tout cela pour vous, chuchota Cunégonde à Ophélie avec de grands battements de cils. Je ne voudrais pas que les gens s'imaginent que je suis désespérée au point de me réfugier dans les illusions de ma plus grande concurrente.

Ophélie opina de la tête. En vérité, elle était trop préoccupée par sa lettre pour s'intéresser à ces histoires. Elle ne put pourtant s'empêcher de ressentir une certaine pitié, tandis qu'elle observait Cunégonde se diriger pesamment vers l'escalier de l'hôtel en faisant tintinnabuler les pendeloques dorées de son voile.

— Excusez-moi, dit Ophélie en se hissant sur la pointe des pieds vers le comptoir de la réception. Je cherche Mme Berenilde.

— Voilà qui tombe bien, répondit le réceptionniste. Mme Berenilde vous cherche également.

— Ah bon ? Et vous savez où je peux la trouver ?

— Elle est en promenade avec votre sœur, mais

elle sera bientôt rentrée. Elle m'a chargé de vous demander de l'attendre ici.

Ophélie s'assit sur l'une des banquettes inconfortables du hall de l'hôtel, curieuse de découvrir ce que Berenilde avait elle-même soudain à lui dire. Elle feuilleta le journal que quelqu'un avait oublié là. Ce n'était qu'une gazette locale qui n'avait pas le prestige du *Nibelungen*, mais elle permettrait à Ophélie de tromper son impatience.

Elle écarquilla les yeux en tombant, entre deux potins de cour, sur une photographie de Thorn.

LE LIVRE DU SEIGNEUR FAROUK N'AURA BIENTÔT PLUS AUCUN SECRET POUR CET HOMME, annonçait l'article en gros caractères. *M. notre intendant, actuellement en tournée d'inspections dans nos provinces, a toujours été avare en confidences. Il s'est pourtant montré exceptionnellement loquace quand nous l'avons interrogé hier sur les actualités de la cour. Si M. l'intendant a éludé certains sujets épineux, tels que les enjeux des états familiaux qui se tiendront ce 1er août ou encore ces enlèvements préoccupants qui semblent affecter le clan des Mirages, il n'a pas fait mystère du rôle capital qu'il jouerait bientôt auprès du seigneur Farouk. Il est de notoriété publique que notre seigneur accorde une importance fondamentale à son Livre, une pièce de collection unique indéchiffrée à ce jour. Nos plus anciens lecteurs se souviendront peut-être des précédentes tentatives pour décrypter ce document énigmatique, tentatives qui se sont toujours soldées par des échecs. « Je réussirai là où tous les autres ont échoué », nous a pourtant déclaré*

M. Thorn, très sûr de lui. Son mariage avec une Animiste, ce 3 août, serait la clef de voûte de cette ambitieuse entreprise, mais M. l'intendant n'a pas tenu à s'étendre sur ce « point de détail », comme il l'appelle lui-même. Affaire à suivre, donc !

Ophélie n'en croyait pas ses lunettes. Pourquoi Thorn lui avait-il ordonné de ne pas parler du Livre autour d'elle s'il s'en vantait lui-même devant la presse ? Heureusement qu'aucun membre de sa famille n'avait lu cet article : cela lui aurait valu tout un tas de questions embarrassantes...

Elle était en train de se faire cette réflexion quand elle aperçut l'énorme robe pourpre de sa mère, en pleine discussion avec la Rapporteuse d'Anima. Ophélie se réfugia aussitôt derrière sa gazette, en veillant à bien cacher la photographie de Thorn.

— Vous pourriez au moins souligner l'absence de cet homme qui a la prétention de devenir mon gendre ! s'écriait sa mère. Il est censé épouser ma fille dans cinq jours et il nous laisse sur les bras tous les préparatifs du mariage ! Si ça, ce n'est pas un monde !

— Voyons, ma petite Sophie, Mme Berenilde nous a expliqué que c'était indépendant de sa volonté. Ce garçon a un travail important, je n'ai aucune raison d'émettre des réserves à son sujet.

La Rapporteuse n'était pas ce qu'on pouvait appeler une vieille dame, mais elle s'adressait à chacun et chacune comme si elle était entourée d'enfants inexpérimentés. Elle mettait un point d'honneur à endosser les mêmes toilettes noires et les mêmes bésicles dorées que les Doyennes d'Anima, bien qu'elle n'en eût pas le titre. En revanche, le chapeau qu'elle portait était unique en son genre. Posé sur ses cheveux frisés comme un abat-jour, il était surmonté d'une girouette en forme de cigogne qui tournoyait en permanence. Cette girouette-là ne répondait pas au sens du vent, mais à l'animisme de sa maîtresse : elle était aussi curieuse qu'elle et n'hésitait pas à pointer de son bec d'oiseau tout ce qui lui paraissait digne d'intérêt.

— Parlons-en de cette Berenilde ! s'exclama la mère d'Ophélie. Elle nous jette de la poudre aux yeux depuis notre arrivée, mais je ne lui fais aucune confiance.

— Nous sommes tous parfaitement bien traités, répondit la Rapporteuse en brandissant un petit papier. Et c'est la seule chose que j'ai l'intention de dire au Familistère.

— Il n'y a donc que moi pour voir que quelque chose cloche ici ? s'emporta la mère d'Ophélie, dont le teint devenait plus rouge que son énorme robe. Je suis certaine que ma fille subit de mauvais traitements. Elle est si fragile et si secrète !

Dissimulée derrière son journal, Ophélie se sentit soudain honteuse. Depuis leurs retrouvailles sur le quai de la gare, elle endurait la possessivité de sa mère comme un calvaire. Quelques mois hors du domicile parental l'avaient déshabituée de cette autorité qui lui coupait sans cesse la parole, choisissait ses robes à sa place et voulait toujours savoir où elle était et en quelle compagnie. À plusieurs reprises, Ophélie s'était surprise à lui tenir

tête quand, naguère encore, elle se serait conten-
tée de hausser les épaules.

Au fond, elles n'avaient jamais cessé de vouloir
se protéger, l'une et l'autre, sans être capables de
se parler.

— Ce mariage ne me dit rien qui vaille ! insista sa
mère, pendant que la Rapporteuse s'approchait du
télégraphiste. Depuis que j'ai rencontré ce malap-
pris de M. Thorn, je prends sur moi pour ne pas
m'y opposer. Peut-être les Doyennes pourraient-
elles réétudier la question, mener une enquête ou…

— Ma petite Sophie, l'interrompit la Rapporteuse d'une voix doucereuse, serais-tu en train de
dicter leur conduite à nos très chères mères ?

Par-dessus son journal, Ophélie vit le gros profil
de sa mère pâlir aussi vite qu'il s'était empourpré.
La cigogne du chapeau de la Rapporteuse avait
soudain figé son bec métallique vers elle à la façon
d'un doigt accusateur.

— Évidemment non, balbutia-t-elle comme une
fillette prise en faute. Je ne voulais pas paraître
insolente. C'est juste que…

— Personne, pas même nos vénérables mères,
ne peut remettre en cause ce mariage. Dois-je te
rappeler, ma chère petite, que le contrat conjugal a été ratifié par Mme Artémis et M. Farouk
en personne ? Eux seuls ont autorité à empêcher
cette alliance, et les conséquences diplomatiques
seraient très fâcheuses si nos tourtereaux devaient
leur fournir une seule raison d'annuler ce contrat.
Bonjour, monsieur le télégraphiste ! claironna la
Rapporteuse en remettant son papier au guichet.
Pourriez-vous transmettre le message suivant,

je vous prie ? Le destinataire est le Familistère d'Anima, articula-t-elle très fort pour se faire comprendre du télégraphiste qui saisissait mal son accent. Fa-mi-li-stè-re d'A-ni-ma.

La mère d'Ophélie quitta le hall de l'hôtel, horriblement vexée. Si Ophélie était parvenue à se soustraire à sa vigilance, elle n'échappa plus à celle de la girouette : cette dernière s'était brusquement tournée vers son journal et la cigogne, répondant à un mécanisme diaboliquement intelligent, se mit à becqueter le chapeau de la Rapporteuse pour attirer son attention.

— Tiens, tiens, tu étais là, chère petite ? Peux-tu mettre cette lecture de côté un instant ? J'aimerais m'entretenir avec toi.

Comprenant qu'elle n'avait pas d'autre choix, Ophélie reposa son journal et s'approcha du guichet du télégraphiste.

— En voilà une tenue inconvenante à ton âge, soupira la Rapporteuse avec un regard réprobateur pour son costume de bain. Tu nous as écoutées, avec ta mère ?

— Malgré moi.

Derrière le guichet, le télégraphiste tapotait sur le levier de son appareil avec une impassibilité toute professionnelle.

— Oh oui, moi aussi je vois et j'entends beaucoup de choses malgré moi, ricana la Rapporteuse d'un air de connivence. Sache que je n'ai pas voulu jeter d'huile sur le feu avec ta maman, mais le fait est que je me préoccupe moi-même un peu de l'absence de ton fiancé. Sais-tu pourquoi il tarde tant à se montrer ?

Sous sa masse de cheveux frisés, taillés comme une haie, le visage de la Rapporteuse avait pris une expression concernée. Ses gros yeux globuleux brillaient d'une étrange avidité, comme s'ils voulaient absorber les secrets les plus intimes de son interlocutrice. Et s'il y avait bien quelqu'un à qui Ophélie ne voulait rien confier, c'était cette commère.

— Non, madame la Rapporteuse. Je ne le sais pas.

Ophélie se sentait mal à l'aise. La cigogne métallique, nichée sur le chapeau ridicule de la Rapporteuse, n'avait pas repris son tournoiement habituel, continuant de la désigner de son bec.

— Ma chère, chère petite, soupira la Rapporteuse d'une voix compatissante. Comment puis-je faire des rapports détaillés aux Doyennes si tu n'y mets pas du tien ? Tu as bénéficié d'une période probatoire pour faire la connaissance de ton fiancé en douceur, parce que *nous*, au Familistère d'Anima, nous n'avons pas voulu te brusquer. Et pourtant, nous aurions pu le faire.

Frictionnant ses bras nus, Ophélie consulta l'horloge du guichet. Il lui tardait que Berenilde revînt de sa promenade. Elle commençait sérieusement à envisager de sortir la lettre anonyme de sous son gant et de la brandir contre le bec de la cigogne. Les Doyennes ne voulaient pas la brusquer ? D'autres s'en chargeraient à leur place !

— J'ai bien étudié ton dossier, tu sais, avant de m'embarquer pour ce grand voyage, enchaîna la Rapporteuse avec un sourire en coin. J'ai appris que tu avais déjà rejeté deux demandes, des cousins avec qui tu aurais pu mener une vie bien rangée si tu avais fait preuve de bonne volonté.

— Le passé, c'est le passé, dit Ophélie.

Le sourire de la Rapporteuse s'accentua.

— L'est-il vraiment ? Peut-être que si M. Thorn ne se trouve pas parmi nous aujourd'hui, ce n'est pas sa faute à lui. Es-tu bien certaine de faire tout le nécessaire pour lui plaire ? demanda-t-elle en scrutant Ophélie par-dessus le cerclage de ses lunettes. Parce que je vais te dire quelque chose, ma chère petite, et c'est là un avertissement que les Doyennes t'adressent à travers ma bouche : si tu fais échouer ce mariage comme tu as fait échouer les précédents, quel qu'en soit le prétexte, tu régleras seule tes comptes avec M. Farouk. Ne t'attends à aucune aide de notre part et ne t'avise même pas de rentrer sur Anima après nous avoir toutes déshonorées. Tu comprends ?

La Rapporteuse avait déclaré cela d'une voix infiniment douce, presque peinée, comme si elle jugeait vraiment regrettable de devoir en arriver à dire des choses pareilles.

De la révolte ou de la détresse, Ophélie ne sut pas quelle émotion lui tordait le plus le ventre. *Je vous accorde jusqu'au 1er août pour prendre vos dispositions*, avait écrit l'auteur de la lettre. Cela lui laissait à peine trois jours pour trouver une réponse à l'ultimatum et elle ne savait pas vers qui se tourner.

— Votre télégramme a été envoyé, madame, annonça le guichetier. Ça vous fera cinq couronnes.

— Que me veut ce monsieur ? demanda la Rapporteuse à Ophélie en fronçant les sourcils. Ces étrangers ont tous un accent épouvantable, on ne comprend pas un mot de ce qu'ils disent !

— Vous lui devez des couronnes pour le télégramme, répéta Ophélie.

— Cinq, insista le télégraphiste en montrant tous les doigts de sa main. D'habitude, c'est quatre, mais il y a eu un écho. Ça coûte du papier, les échos. (Le guichetier montra le ruban de papier perforé que son télégraphe avait dégorgé tout seul.) Il y en a tout le temps, en ce moment, grommela-t-il. Ça parasite les instruments.

Les échos étaient des phénomènes qui provoquaient des images dédoublées sur les photographies ou des retours intempestifs d'ondes radioélectriques : personne ne comprenait vraiment leur fonctionnement, mais tout le monde s'accordait à dire qu'ils étaient très agaçants.

— Mettez ça sur la note de l'intendance, proposa Ophélie au guichetier, en espérant que ces cinq couronnes ne ruineraient pas Thorn.

Elle allait peut-être épouser le plus grand comptable du Pôle, les pièces et les billets constituaient à ses yeux un mystère ésotérique.

Ophélie se rassit sur sa banquette. Alors qu'elle croyait en avoir fini avec la Rapporteuse, elle fut exaspérée de la voir prendre place à côté d'elle. Une fois que cette donneuse de leçons avait braqué sa girouette sur quelqu'un, elle ne lâchait plus prise.

— Ma chère petite, je sais que les gens d'ici sont très déconcertants, dit-elle avec un regard significatif pour le télégraphiste, mais tu ne dois pas repousser ton fiancé sous prétexte qu'il n'est pas de notre famille. Les Doyennes elles-mêmes, dans leur infinie sagesse, n'hésitent pas à ouvrir leur porte aux influences étrangères et c'est Anima tout entière qui en bénéficie !

— Quelles influences étrangères ? demanda Ophélie.

— Je ne peux évidemment pas entrer dans les détails, murmura la Rapporteuse avec l'expression énigmatique d'une grande initiée. Ce qui se passe au Conseil des Doyennes est strictement confidentiel et même moi, toute Rapporteuse que je sois, je n'y ai pas mes entrées. Pas encore, du moins, se hâta-t-elle de nuancer. Je repasse le concours de fonction familiale dans quatre ans, je sens que cette fois sera la bonne ! Ce que je peux te dire, pour revenir au sujet qui nous occupe, c'est que nos très chères mères reçoivent occasionnellement la visite d'un étranger vraiment... (la Rapporteuse parut chercher le qualificatif le plus adéquat, tandis que sa girouette pivotait de façon hésitante sur son chapeau) d'un étranger vraiment étrange, en fait. Je n'ai jamais vu un pouvoir familial tel que le sien... Je ne saurais même pas te dire son âge. Oh, je ne me suis pas permis d'écouter aux portes, assura-t-elle si vivement qu'Ophélie en douta fort, je leur ai juste servi le thé. Mais je sais que nos chères mères accordent aux conseils de cet étranger la plus grande considération. Il ne leur rend pas visite souvent mais, chaque fois qu'il le fait, elles votent une nouvelle loi familiale ou elles en abrogent une autre. Prends donc exemple sur cette belle ouverture d'esprit !

Ophélie fronça les sourcils. Promulguer des lois parce qu'un visiteur vous le conseille, entre deux tasses de thé ? C'était quand même un peu plus que de l'ouverture d'esprit. Ophélie avait suffisamment à penser entre ses menaces de mort et son futur mariage, mais elle ne put retenir plus longtemps le sarcasme qui lui montait à la bouche :

— Je vois. Et c'est peut-être aussi sur le conseil d'un étranger que les Doyennes ont décidé de déménager les archives, de censurer la bibliothèque et de fermer mon musée ?

Les yeux globuleux de la Rapporteuse s'ouvrirent si grands qu'elle ressembla l'espace d'un instant à une grenouille affublée d'une perruque frisée.

— Je te trouve bien insolente et bien ingrate, ma petite. Ce musée profite, comme les archives et la bibliothèque avant lui, d'un rafraîchissement bien mérité.

— Quel rafraîchissement ? s'inquiéta Ophélie. J'ai toujours traité les collections avec le plus grand soin.

— Mais sans aucun discernement ! soupira la Rapporteuse en tapotant ses bésicles d'un air professoral. Cela aussi je l'ai lu dans ton dossier. Les hommes d'avant la Déchirure ont créé de véritables chefs-d'œuvre, mais ils ont également commis des atrocités. Des atrocités qu'ils ont perpétuées sous forme d'armes et de livres. Mettre ces choses sous le nez de la jeunesse, fussent-elles vieilles de plusieurs siècles, pourrait semer le germe de la guerre dans les esprits influençables. Nos très chères mères prennent la bonne décision en ne valorisant que le patrimoine sur lequel chacun doit prendre exemple ! De toute façon, cela ne te concerne plus, conclut la Rapporteuse tandis que sa girouette se détournait résolument d'Ophélie.

Ophélie serra les mains à en faire grincer ses gants. Si elle s'était perfectionnée dans l'art de la *lecture*, c'était parce qu'elle ne s'était jamais sentie aussi proche de sa propre vérité qu'en explorant celle des objets. Le passé n'était pas toujours beau à regarder, mais les erreurs des personnes qui l'avaient précédée sur Terre étaient aussi devenues les siennes. Si Ophélie avait retenu une chose dans la vie, c'était que les erreurs étaient indispensables pour se construire.

Elle se rappela soudain l'intuition qui l'avait saisie dans le téléphérique, ce dénominateur commun qu'elle avait pressenti entre les agissements des Doyennes sur Anima et les menaces qui flottaient ici, au Pôle, autour du Livre de Farouk. Cette impression lui collait à la peau comme de la poix, sans qu'elle parvînt à formuler aucun lien de causalité entre les deux.

Ophélie n'eut pas l'occasion d'approfondir la question. Une voix aiguë traversa le hall de l'hôtel comme une sirène d'alarme :

— En-fin, te voilà ! Nous t'avons cherchée partout !

Agathe trottinait entre les chariots à bagages dans un impressionnant vacarme de perles. Elle portait les mêmes colliers, la même robe aérienne, le même chapeau cloche et le même foulard de gaze que Berenilde, qui franchissait à son tour la porte à tambour.

— Petite sœur, nous nous lan-gui-ssions de toi ! Bonjour, madame la Rapporteuse, permettez-vous qu'on vous emprunte Ophélie ?

La Rapporteuse ne demandait visiblement pas mieux. Elle profita de la diversion pour filer à l'arcadienne, sa girouette lui cherchant une nouvelle destination.

— Ma puce, que fais-tu donc en costume de bain, ici, devant tout le monde ? s'exclama Agathe, poings sur les hanches. C'est in-dé-cent.

Au grand dam de son mari, qui la suivait partout d'un air las en portant p'tit Tom dans les bras, Agathe avait contracté d'étranges manières. Du jour au lendemain, elle s'était mise à détacher ses syllabes comme une actrice de théâtre et à porter de nouvelles robes. Éperdue d'admiration pour Berenilde, Agathe essayait de se fondre dans son modèle, de s'apprêter comme elle, de s'exprimer comme elle et de se mouvoir comme elle.

— À présent que nous l'avons en-fin trouvée, reprit Agathe d'une voix tout excitée, où vouliez-vous nous emmener, madame ? Allons-nous enfin à la cour ? Je suis si im-pa-tien-te de voir autre chose que ces rochers !

Cambrée par le poids de son ventre, Berenilde lui adressa un sourire plein d'indulgence.

— Pardonnez-moi, ma chère enfant, ce ne sera pas encore aujourd'hui. En fait, j'aimerais avoir un tête-à-tête avec votre sœur.

— Comment donc, dit Agathe dépitée, je ne viens pas avec vous ?

— Pas cette fois. Profitez donc de votre mari et de votre petit Tom, suggéra Berenilde avec douceur. (Son regard se dépouilla de toute son onctuosité, tandis qu'elle le tournait vers Ophélie.) Enfilez un manteau.

Les mères

Berenilde invita Ophélie à monter à bord d'une troïka aux chevaux blancs comme la neige. La Valkyrie s'y tenait déjà assise, à peu près aussi radieuse que si elle s'apprêtait à suivre un cortège funéraire. Ophélie marqua une légère hésitation en avisant une grande malle à l'arrière de la voiture. Elles ne partaient tout de même pas en voyage ?

Alors que la troïka quittait l'hôtel et traversait les avenues industrieuses de la ville, les hommes ôtèrent leurs chapkas de fourrure et les femmes soulevèrent en révérence leurs cascades de robes au passage de la voiture. En vraie sainte patronne, Berenilde eut un sourire bienveillant pour chacun d'entre eux. À force d'arpenter les ruelles des Sables-d'Opale, Ophélie s'était aperçue qu'il y avait un pan entier de Berenilde dont elle ignorait l'existence. Il n'était pas un mur, pas une vitrine où ne figurassent de vieilles affiches avec son nom : « la soupe populaire de Berenilde », « l'hospice de Berenilde », « la maison d'éducation de Berenilde ». Cette aristocrate qu'Ophélie avait toujours vue dormir dans la soie et ne rien faire de ses dix doigts se métamorphosait ici en une bienfaitrice qui déployait toute son énergie pour faire battre le cœur de la station.

Pourtant, la mystérieuse mélancolie était toujours là, dans l'ombre de son regard.

— Nous devons parler, lui dit Ophélie. J'ai reçu une...

— Pas ici, la coupa Berenilde. Attendons d'être arrivées.

Ophélie dut prendre son mal en patience. La troïka était conduite à toute petite allure, par égard pour la grossesse de Berenilde. Elle emprunta une route qui s'éloignait de la ville, longeait les marais salants et remontait la crête d'un fjord. La neige ne fondait jamais sur les hauteurs et, bientôt, les sapins prirent une coloration mi-émeraude, mi-argent. Ophélie pelotonna ses pieds l'un contre l'autre ; si elle avait pensé à prendre son écharpe, elle avait oublié ses souliers.

D'un côté de la route, la muraille ferroviaire prolongeait la roche naturelle du rivage ; de l'autre, le ruban de la mer reflétait les falaises d'en face comme un miroir. C'était une mer tellement salée qu'à part du plancton et des algues on n'y trouvait rien de vivant ; et pourtant, elle était la souveraine des lieux. Lorsque le soleil fit une percée dans les nuages et qu'il déposa ses lames d'or sur l'eau, les couleurs du paysage passèrent en un instant du pastel à la gouache. Ophélie avait beau assister à ce spectacle jour après jour, il produisait toujours sur elle le même effet.

Le charme fut rompu dès que la troïka traversa

une allée de sapins et qu'elle s'arrêta devant le porche d'une demeure aux vitres rondes.

Ces quatre mots gravés sur le fronton de la façade donnèrent à Ophélie l'envie de prendre ses jambes à son cou.

— Nous... rendons visite à votre mère ?

Ophélie avait fini par complètement oublier son existence. S'il y avait bien une personne à qui elle n'avait pas du tout envie de parler, c'était cette vieille comédienne. Elle n'avait jamais été capable d'avouer à Berenilde que sa propre mère les détestait, Thorn et elle, au point d'avoir mis leurs vies en danger. Et une seule menace de mort lui suffisait pour le moment.

Escortée par sa Valkyrie, Berenilde pénétra dans le sanatorium avec une majesté de reine. Ophélie ne comprenait pas comment une femme dotée d'un ventre à ce point considérable pouvait se mouvoir de façon aussi gracieuse ; elle-même se sentait terriblement gauche avec ses petites jambes nues qui dépassaient sous son manteau de fortune. Une fois à l'intérieur, elle plissa les yeux, aveuglée par la blancheur immaculée des lieux. Le sanatorium, tout en baies vitrées et en carrelages propres, laissait couler à flots la lumière du jour. Il planait dans l'atmosphère une odeur de désinfectant qui fit regretter à Ophélie le parfum résineux du dehors.

Elle suivit Berenilde et la Valkyrie le long d'un

293

interminable défilé de chaises longues, où des personnes âgées prenaient le soleil avec une fixité de gisants. Que serait-elle censée dire à la grand-mère de Thorn quand elle la reverrait ? « Comment vous portez-vous, chère madame ? Avez-vous l'intention de me tuer, aujourd'hui ? »

Berenilde s'introduisit dans une autre aile de l'établissement, parfaitement déserte. Ou presque : une infirmière coiffée d'une grande cornette blanche se dirigea vers elles en faisant résonner ses sabots sur le carrelage.

— Bonjour, madame Berenilde. Votre mère va être heureuse de vous voir.

— J'ai apporté quelques effets personnels. Vous êtes certaine qu'il n'y a aucun risque pour le bébé ?

— Non, madame, nous traitons des pathologies respiratoires, mais aucune qui soit contagieuse. Vous serez parfaitement bien installée ici, soyez tranquille.

— Nous ne retournons pas à l'hôtel ? s'étonna Ophélie, tandis que l'infirmière les conduisait le long d'un couloir.

— Vous si, répondit Berenilde. Je vous expliquerai cela bientôt, mais j'aimerais d'abord m'entretenir avec ma mère.

L'infirmière donna deux petits coups discrets à une porte, puis l'ouvrit sans attendre de réponse. Berenilde pénétra dans la chambre en tenant son ventre à deux mains et, avant qu'Ophélie et la Valkyrie pussent la suivre, elle repoussa doucement la porte derrière elle.

— Attendez-moi, murmura-t-elle dans l'entrebâillement. Je ne serai pas longue.

Ophélie acquiesça en silence. Elle avait eu le temps d'apercevoir, derrière Berenilde, un spectacle qu'elle n'oublierait pas de sitôt : le corps flétri d'une vieille dame, plus blanche que les draps de son lit, fixant le plafond de ses yeux exorbités, la respiration réduite à l'état d'un sifflement. Si Ophélie n'avait pas su que cette femme était la grand-mère de Thorn, elle ne l'aurait pas reconnue.

Ébranlée, elle fit quelques pas le long du couloir et s'assit sur le rebord d'une immense fenêtre ronde. Dire qu'elle se sentait menacée par cette femme quelques minutes plus tôt...

— J'ignorais que sa santé était si mauvaise, avoua-t-elle à la Valkyrie qui l'avait suivie dans un froissement de robe. Je savais qu'elle souffrait des poumons, mais... mais ça...

Elle fut secouée par une série d'éternuements avant d'avoir pu achever sa phrase.

— Tenez.

Ophélie considéra avec des yeux ronds le mouchoir que venait de lui offrir la Valkyrie. Elles vivaient ensemble depuis des mois et c'était la première fois qu'elle entendait le son de sa voix. Elle se moucha du bout du nez, un peu gênée de salir un si bel ouvrage ; on aurait dit que le mouchoir avait été confectionné dans la même matière noire et finement brodée que son vertugadin.

— Merci, madame.

Sa surprise redoubla quand la Valkyrie lui adressa un sourire plein de malice qui propagea des rides sur chaque joue.

— Allons, allons, pas de « madame » entre nous. C'est moi. Archibald.

— Quoi ?

Ophélie s'était entendu dire et répéter qu'une jeune fille bien éduquée ne disait jamais « quoi ? », mais elle estimait qu'il y avait certaines circonstances qui excusaient toutes les impolitesses. La Valkyrie prit place à côté d'elle. Ce fut un spectacle surréaliste de voir cette vieille dame, si digne et si guindée en temps normal, se débattre dans sa robe bouffante avec des gestes disgracieux.

— J'emprunte ce corps un instant. Il n'est pas très confortable, mais je voulais vous parler en privé.

Quand elle vit le regard de la Valkyrie examiner ses mollets nus d'un air polisson, Ophélie n'eut plus le moindre doute. C'était bien Archibald.

— Vous pouvez faire une chose pareille ? balbutia-t-elle en tirant sur son manteau autant que possible. Posséder un autre corps que le vôtre ?

— Oui, répondit Archibald à travers la voix éraillée de la Valkyrie. Quand son propriétaire est un membre de la Toile et que j'ai son consentement. Je ne peux pas le faire longtemps, aussi écoutez-moi bien. Je suis en train de mener ma petite enquête au sujet des disparitions au Clairdelune. Ce que je subodore ne sent pas bon du tout.

— Que se passe-t-il là-bas ? s'inquiéta Ophélie. Qui soupçonnez-vous ?

— Disons que j'ai une piste de réflexion, mais je préfère l'explorer seul pour le moment. Je n'en parlerai à personne, pas même à ma famille, tant que je n'aurai aucune certitude.

Ophélie songea qu'il ne devait pas être commode de faire des cachotteries à des gens qui peuvent surveiller vos faits et gestes en permanence. Le vieux visage de la Valkyrie fut soudain parcouru de spasmes, sans cesser de sourire pour autant ; c'était l'expression la plus bizarre qu'Ophélie avait jamais surprise sur un être humain.

— Je vous invite à être extrêmement prudente. Restez loin de la cour aussi longtemps que possible.

Ophélie se crispa. Après la lettre qu'elle avait reçue, elle ne demandait pas mieux. Pour le moment, Farouk ne lui avait encore fait parvenir aucun message à propos de cette nouvelle charge qu'il lui avait promise, mais ça ne résolvait en rien son problème. Ophélie pouvait-elle faire confiance à Archibald ? Devait-elle lui parler du chantage auquel elle était soumise ?

— Que Berenilde prenne bien soin du bébé à naître, ajouta-t-il avant qu'elle eût décidé. Je tiens à être le parrain d'un enfant en bonne santé ! Quant à mes sœurs, faites en sorte qu'elles ne s'éloignent pas de vous.

— Elles ne sont ici que parce que vous les y avez envoyées de force. Je n'ai aucune autorité sur elles, c'est à peine si on se parle.

— Elles sont jalouses, s'esclaffa Archibald.

Si c'était surprenant de voir une Valkyrie parler, c'était encore plus perturbant de la voir rire.

— Jalouses ?

— Mes sœurs ne comprennent pas pourquoi je suis aussi curieux de vous. Elles vous jugent inintéressante et inesthétique.

— Ah, répondit simplement Ophélie. Et avez-vous des nouvelles de Thorn de votre côté ?

La Valkyrie se fendit d'un sourire grimaçant, ses paupières agitées de soubresauts nerveux. La possession d'Archibald mettait son corps à rude épreuve.

— Ce n'est pas à moi qu'il est fiancé, ce me semble. M. l'intendant est en train de faire je ne sais trop quoi, je ne sais trop où. Je ne veux pas paraître offensant, mais il n'a pas plus l'air de se soucier de mes disparus que de son mariage avec vous.

Ophélie plongea la main dans sa poche de manteau, où pulsait discrètement la montre de Thorn. Elle avait failli la briser, la dérégler ou l'enrayer un nombre incalculable de fois, mais, pour le moment, la délicate mécanique avait survécu à sa maladresse. Ophélie avait mis le silence de Thorn sur le compte de son enquête au Clairdelune, mais si Archibald lui-même ignorait où il était... Un peu malgré elle, elle se remémora les papiers volant dans tous les sens et Thorn, barbouillé de sang, en train de pointer son pistolet sur elle. Et s'il avait reçu des lettres, lui aussi ?

— Nous ne sommes pas reliés à la Citacielle par téléphone ici. Pourriez-vous contacter l'intendance, monsieur l'ambassadeur ? Juste vous assurer... comment dire... qu'il n'y a rien de grave.

La Valkyrie haussa tellement les sourcils que son front se plissa comme un accordéon.

— Non, sérieusement ? Vous vous inquiétez pour Thorn ?

— Et pour vous aussi, soupira Ophélie à contre-cœur. Je ne suis pas certaine que vous le méritez, l'un et l'autre, mais faites attention où vous mettez vos nez.

Elle sursauta quand la Valkyrie se pencha sur elle, déposa un baiser sur son front et lui fit un clin d'œil.

— Évitez de montrer le vôtre à la cour, petite Ophélie. Et surtout, tenez-le loin des illusions.

— Des illusions ? Pourquoi les illusions ?

Le visage de la Valkyrie se referma comme une fenêtre, ses yeux cessèrent de pétiller et ses mains ridées remirent son vertugadin correctement en place.

— Votre correspondant n'est plus là.

— Mais je ne comprends pas, insista Ophélie. Que voulait dire Archibald ?

— Je ne partage pas ses pensées, fort heureusement, déclara la Valkyrie en reprenant son mouchoir. J'ai été engagée pour tenir Mme Berenilde à l'œil, pas pour vous faire la conversation.

Sur ces mots, la vieille dame quitta la fenêtre et se replongea dans un silence digne. Ophélie tortilla ses gants. Elle aurait peut-être dû parler de sa lettre à Archibald. Allait-il joindre l'intendance comme elle le lui avait demandé ? La Citacielle flottait trop loin des Sables-d'Opale pour qu'Ophélie pût s'y rendre par voie de miroir. Elle se retourna et contempla la forêt de conifères à travers la fenêtre. Chaque fois que le soleil quittait un nuage, il éclaboussait Ophélie de lumière et réverbérait son reflet sur la vitre : un petit bout de femme avec des cheveux en désordre, une expression angoissée et, autour du cou, une écharpe qui commençait à se trémousser d'impatience.

Ophélie se leva comme un ressort en entendant une porte s'ouvrir et se refermer dans le couloir. C'était Berenilde, les mains cramponnées à son ventre comme à une bouée, tellement pâle qu'elle en paraissait exsangue.

— Madame ? s'inquiéta Ophélie.

— J'aimerais... prendre l'air un moment, dit Berenilde d'une voix lasse en s'appuyant au bras qu'elle lui tendit. Venez avec moi, je vous prie. Quant à vous, madame, ajouta-t-elle en s'adressant à la Valkyrie, pourriez-vous nous suivre à distance respectable, s'il vous plaît ? Nous avons besoin d'un peu d'intimité.

Soucieuse, Ophélie l'accompagna hors du sanatorium. Elles marchèrent en silence dans les jardins. L'herbe humide se collait à ses pieds, mais Berenilde pesait si lourd à son bras qu'il ne lui vint pas à l'esprit de s'en plaindre.

— Vous ne voulez pas vous asseoir, madame ?

— Faisons encore quelques pas, si vous le voulez bien.

Berenilde promenait son regard autour d'elle ; ses yeux étaient moins grands et moins bleus qu'à leur habitude. Elle passa en revue les silhouettes étendues sur les chaises longues, qui prenaient un bain de soleil le long des terrasses du sanatorium. Selon toute apparence, elle cherchait quelqu'un.

Ophélie la sentit se raidir dès qu'un rire jaillit près de l'endroit où elles se tenaient. Agenouillée dans l'herbe, sa robe blanche trempée par l'humidité, une femme cueillait des mûres arctiques sous l'attention vigilante d'une infirmière. La femme examinait chaque baie à la lumière du soleil avec l'expression émerveillée d'une enfant, puis elle croquait dedans et éclatait d'un rire ravi, comme si elle n'avait jamais rien goûté de plus extraordinaire. Ses longs cheveux blonds étaient parsemés d'argent, elle ne devait pas avoir loin d'une cinquantaine d'années. Elle portait le tatouage le plus troublant qu'Ophélie avait jamais vu : une grande croix noire qui lui barrait le visage du front jusqu'au menton.

Il était évident que c'était cette femme-enfant que Berenilde cherchait dans ces jardins ; pourtant, elle se contenta de la regarder de loin, sans vouloir s'en approcher davantage.

— Je n'ai jamais été une bonne mère.

Ophélie s'était attendue à toutes sortes de déclarations sauf à celle-là. Elle leva les yeux vers Berenilde dans l'espoir de croiser enfin les siens, mais elle continuait de lui imposer son profil, pur et altier. Ophélie avait l'impression de tenir le bras d'une statue.

— J'ai observé la vôtre avec beaucoup d'intérêt, poursuivit posément Berenilde. Je gage que, quand vous étiez petite, elle voulait déjà vous avoir toujours sous les yeux. Les mœurs sont quelque peu différentes à la cour du Pôle. Nous envoyons nos enfants en province, nous les confions à des nourrices et à des instructeurs, puis nous attendons qu'ils soient assez grands pour les rappeler auprès de nous et les montrer en société. C'est de cette façon que ma mère m'a élevée et c'est de cette façon que j'ai moi-même élevé mes enfants. (Son sourire s'accentua, sans parvenir à allumer la moindre étincelle de joie dans ce regard qu'elle continuait de poser sur la femme aux baies.) Thomas m'a été ravi en premier. Je n'étais pas là quand c'est arrivé, il est mort empoisonné dans les bras de sa nourrice. Croyez-vous que j'aie changé quoi que ce soit à mes habitudes ? demanda-t-elle avec un calme olympien. Bien sûr que non. Je me suis repliée sur mon chagrin et j'ai laissé mon petit Pierre et ma petite Marion loin de moi. Je me répétais qu'ils seraient plus à l'abri en province qu'à la cour. Je leur avais promis de les retrouver bientôt, le temps de me ressaisir.

Ophélie connaissait déjà le dénouement de cette histoire, mais elle ne l'aurait interrompue pour rien au monde. Après des semaines de non-dits, Berenilde s'ouvrait enfin à elle.

— Je ne me réveille pas un seul matin sans me poser la même question. Seraient-ils encore vivants aujourd'hui si je n'avais pas tant tardé à tenir ma promesse ?

Le soleil s'éclipsa derrière les nuages. Un vent au ras du sol balaya la pelouse et glaça les mollets d'Ophélie. Le chapeau cloche de Berenilde s'envola comme une grande fleur de muguet ; la femme-enfant le suivit des yeux, subjuguée, et elle abandonna sa cueillette pour s'élancer à sa poursuite malgré les protestations de l'infirmière. Berenilde, elle, n'avait pas bougé d'un cil, ses beaux cheveux dorés ondoyant librement autour de ses épaules.

— Je me suis vengée. Dès que j'ai découvert l'identité des coupables, je me suis fait un plaisir de les provoquer en duel et de les mettre en pièces. Tous les deux, l'un après l'autre.

Tous les deux ? Les paroles du baron Melchior revinrent à Ophélie comme une gifle. « Stanislav a perdu ses parents dans des circonstances quelque peu… particulières. »

— Le père et la mère du chevalier, murmura Ophélie. Ce sont donc eux qui se sont attaqués à vos enfants ? C'est pour cette raison que vous avez hérité de leur domaine ?

— Je suis responsable de ce que ce petit Mirage est devenu, affirma Berenilde sans se départir de sa douceur. Il a toujours attendu de moi que je comble le vide que j'ai creusé dans sa vie. J'ai appris par télégramme que la sentence de sa Mutilation aurait bientôt lieu, il sera alors probablement envoyé loin de la cour. C'est une page de ma vie qui se tourne avec lui. (Elle respira le parfum végétal du vent et, d'un geste plein de grâce, calma ses cheveux agités.) Les plus beaux souvenirs que j'ai de mes enfants se trouvent ici, dans cette ville, au fond de ces bois, sur ces plages. C'est la seule chose que je souhaite préserver aujourd'hui.

Il n'en fallut pas davantage à Ophélie pour comprendre d'où venait cette mélancolie qui enveloppait Berenilde depuis qu'elles étaient descendues dans le sud de l'arche et pourquoi elle s'offrait corps et âme à cet endroit. C'était un pèlerinage.

Ophélie tressaillit en la voyant contracter sa main sur son ventre.

— Vous avez mal ?

— Rien qui ne soit dans l'ordre naturel des choses. La naissance est imminente. Regardez-moi donc, murmura Berenilde avec une fossette en coin. Je vais enfin être mère à nouveau et je ne tire aucune leçon de mes erreurs passées. Je mène une vie d'excès et de débauche, je ne change rien à mes habitudes. Si votre tante ne me surveillait pas d'aussi près… (Elle soupira, sans se défaire de son sourire paisible.) Ma mère va mourir. Ses poumons sont en très mauvais état. Ce n'est plus qu'une question de jours, d'heures peut-être. Je dois rester près d'elle.

— Je suis désolée.

Ophélie avait dit cela avec une spontanéité irrépressible, même si elle ne savait pas ce qui la navrait réellement. Ce drame tombait on ne peut plus mal. Berenilde avait trop à penser et elle n'osait plus partager ses inquiétudes avec elle.

— Vous n'avez pas à l'être, déclara-t-elle d'une voix sensiblement moins douce. Maman vient de se confier à moi. Vous vous rappelez ces oranges qui ont failli empoisonner Mme Hildegarde et vous condamner, vous, à mort ? C'est elle qui en est responsable. Elle ne vous présente pas ses excuses, crut bon de préciser Berenilde. Elle regrette même d'avoir échoué à vous discréditer, mais elle a tenu à me le dire tant qu'elle le pouvait.

— Ah ? balbutia Ophélie, prise de court. Euh… je…

Berenilde, qui avait d'habitude une parfaite maîtrise de ses griffes, était en train de lui souffler une migraine dans la tête. Rien en façade ne laissait deviner qu'elle était contrariée : elle observait toujours, avec une curiosité distante, la femme-enfant qui avait fini par attraper son chapeau et qui semblait se demander à présent ce qu'elle était censée en faire.

— Du temps de sa jeunesse, ma mère était une

femme très redoutée, reprit Berenilde. À ses yeux, seuls comptaient le clan des Dragons, l'avenir des Dragons, l'honneur des Dragons. Je pensais qu'elle s'était assagie avec l'âge, mais je suis atterrée par son hypocrisie. Jamais je ne lui pardonnerai de vous avoir causé du tort… J'ai déjà du mal à me le pardonner à moi-même.

Les yeux de Berenilde se baissèrent enfin vers Ophélie et celle-ci comprit aussitôt, le cœur battant comme un tambour, que cette ombre qui altérait leur éclat ne lui avait jamais été destinée.

— Je vous demande pardon, Ophélie. Pour toutes les fois où je vous ai contrainte, malmenée et réprimandée. Ce soir-là, sur cette scène de théâtre, quand vous avez tenu tête à Farouk, j'ai réalisé que vous n'avez jamais cessé d'être la plus forte de nous deux. Ce fut une leçon d'humilité un peu pénible que vous m'avez donnée là, mais je l'ai finalement digérée. J'avais la prétention de vous protéger et c'est moi qui vais avoir besoin de votre aide.

— Que je vous aide ?

Berenilde lui était supérieure en charme, en puissance et en influence ; il était difficile pour Ophélie d'imaginer en quoi elle pourrait être utile. Elle se laissa faire quand Berenilde lui prit tendrement la main et la posa sur son ventre.

— Trouvez-moi un prénom.

— Moi ? Mais n'est-ce pas au parrain…

— Non. Je ne veux pas que ce soit le choix d'Archibald, mais le vôtre, Ophélie. Je vous demande d'être la marraine de mon enfant.

Les lunettes d'Ophélie s'empourprèrent sous le coup de l'émotion. Elle fit de son mieux pour ne

pas montrer à quel point cette requête la pani-
quait. C'était la première fois que quelqu'un envi-
sageait de lui confier une telle responsabilité.
Agathe elle-même avait préféré se tourner vers
une tante, jugeant sa sœur beaucoup trop maladroite pour tenir un bébé dans ses bras.

— Un prénom de fille, précisa Berenilde en
caressant son ventre. J'ai toujours été capable de
sentir ces choses-là avant la naissance. Est-ce que
vous savez ce que cela signifie ?

Ophélie ne répondit pas. Elle avait tant de pensées en tête qu'elle ne parvenait plus à se concentrer sur une seule d'entre elles.

— Au Pôle, ce sont les enfants mâles qui
héritent de la totalité des successions, expliqua
Berenilde. Puisque je vais donner naissance à une
fille, cela fait d'ores et déjà de Thorn le propriétaire officieux de tout le patrimoine des Dragons.
Il le deviendra officiellement avec l'annulation de
sa condition de bâtard, quand il aura rempli sa
part du contrat envers notre seigneur Farouk.

— Et vous, madame ? Et votre fille ?

— Oh, je ne m'inquiète pas pour cela. Thorn
pourvoira à nos besoins. Et puis, je reste la propriétaire de mon manoir à la Citacielle. Alors,
Ophélie, acceptez-vous d'être la marraine de mon
enfant ?

— C'est-à-dire, madame… C'est une lourde responsabilité.

— Vous êtes la personne la plus responsable
que je connaisse. S'il vous plaît, ma petite Ophélie,
aidez-moi à être une meilleure mère et aidez notre
seigneur Farouk à être un meilleur père. Mais

plus que tout, aidez Thorn, l'implora Berenilde avec une soudaine fêlure dans la voix. Ce garçon me donne bien du souci, j'ai parfois l'impression que je ne le connais pas tout à fait. J'ignore ce qu'il a dans la tête, mais pour le reste, faites-moi confiance, je le devine mieux que lui-même. C'est de votre cœur qu'il a réellement besoin, pas de vos mains.

Ophélie bégaya une réponse sans queue ni tête. Elle qui craignait de ne pas avoir l'estime de Berenilde, elle se sentait à présent écrasée sous le poids de ses attentes.

— Pour le moment, je ne vous serai malheureusement d'aucun secours, soupira Berenilde en glissant un doigt sur la joue d'Ophélie. J'ai une mère à mettre en terre et un enfant à mettre au monde. Restez bien sagement à l'hôtel en m'attendant. J'aurais aimé que la Valkyrie vous raccompagne pour veiller sur votre sécurité en mon absence, mais c'est à mon bébé que la Toile a offert sa protection. Je vous promets toutefois d'être à vos côtés le jour de vos noces. Vous bénéficierez bientôt, en plus de votre animisme, des griffes de Thorn. Nous vous apprendrons à vous en servir afin que vous puissiez vous protéger de vos ennemis.

Ophélie se força à sourire, mais elle ne dut pas être assez convaincante : Berenilde posa ses deux mains sur ses épaules, pareille à une adulte qui essaierait de réconforter une petite fille.

— Si la loi l'autorisait, je vous ferais don de mon propre pouvoir familial. Vous me voyez peut-être comme une force de la nature, mais mes griffes de jeune fille ne valaient pas grand-chose avant d'être accouplées à celles de mon mari. La cérémonie du Don a toujours présenté cet avantage de rendre un même pouvoir deux fois plus puissant. Ne sous-estimez pas, toutefois, les avantages que pourra représenter le mélange de votre animisme avec les facultés de Thorn, vous serez peut-être étonnée du résultat.

Ophélie sursauta quand un visage barré d'une croix se colla brusquement au sien. C'était la femme-enfant qui, sur les directives patientes de son infirmière, lui tendait le chapeau de Berenilde.

— Merci, madame, dit-elle en s'en emparant timidement.

Le tatouage de cette femme était encore plus impressionnant de près. Il lui peignait une ligne verticale si épaisse qu'elle lui recouvrait entièrement le nez et une autre horizontale qui lui posait comme un loup en travers des yeux. Ce visage aurait été encore magnifique s'il n'avait pas été barré de cette façon. Peinte sur fond de cheveux blond-argent, de peau pâle et de robe blanche, on ne voyait que cette croix noire. La femme-enfant n'en faisait aucun complexe. À peine son regard se détourna-t-il d'Ophélie qu'elle parut oublier instantanément son existence et, saisie d'une nouvelle lubie, s'en fut en courant sur la pelouse.

— Ah oui, au fait, dit Berenilde d'une voix plus fraîche. Ophélie, je vous présente votre future belle-mère.

La Caravane

Il n'est pas facile de trouver le sommeil sur une arche où les nuits sont claires comme des matins pendant la moitié de l'année. À cet instant, Ophélie avait toutefois d'autres raisons de rester en éveil dans son petit lit d'hôtel. Elle entendait la mer, elle entendait le vent, elle entendait même parfois la respiration d'un harfang ou des couinements de lemmings, quelque part à l'intérieur des murs, comme si la nature entière s'était donné rendez-vous dans sa chambre. Pour ne rien arranger, Ophélie ne respirait pas à son aise à cause de son nez bouché. À force de se promener nu-pieds dehors, elle était tombée malade pour de bon.

Elle revoyait, dans l'obscurité de ses paupières, le visage barré d'une croix. « Ni vous ni moi ne la connaîtrons jamais », lui avait dit une fois Thorn, quand elle l'avait interrogé au sujet de sa mère. Elle comprenait à présent la signification de ces paroles. La mère de Thorn avait subi la Mutilation et son tatouage était une marque d'infamie impossible à dissimuler sous aucun maquillage, sous aucune illusion.

« Comme tous les Chroniqueurs, le pouvoir de son clan est lié à la mémoire, avait expliqué Berenilde dans les jardins du sanatorium. En perdant le premier, elle a perdu la seconde. N'ayez pas trop pitié d'elle, chère petite, elle a plus d'une mort sur la conscience. »

Il était difficile d'imaginer que cette créature inoffensive, coincée dans un éternel instant présent, sans passé ni avenir, avait pu être à ce point redoutée. Berenilde avait raconté à Ophélie la façon dont la mère de Thorn avait entraîné l'ensemble des Chroniqueurs dans sa chute, une quinzaine d'années plus tôt. Ce clan avait pour vocation première de préserver et transmettre la mémoire collective, comme le faisait la branche familiale d'Ophélie. À la suite d'un long procès, il avait été démontré que les Chroniqueurs s'étaient servis de leur fonction pour déformer le passé et s'attribuer de hauts faits accomplis par d'autres.

Ils en auraient été quittes pour un avertissement du tribunal si la mère de Thorn n'avait pas commis la faute suprême. Elle avait mis à profit sa position de favorite pour falsifier le pense-bête de leur esprit de famille. À cause d'elle, les disgrâces s'étaient mises à pleuvoir sur tous les courtisans, Farouk ne faisait plus confiance à sa propre descendance. Les choses auraient pu aller très loin si la mère de Thorn n'avait pas fini par être confondue, jugée, puis déchue.

« Ce que moi, je ne lui pardonnerai jamais, avait conclu Berenilde avec une haine mal dissimulée, c'est ce que cette femme a fait à Thorn. En séduisant mon frère et en ayant un enfant de lui, elle voulait renforcer son propre lignage, doter les Chroniqueurs de la puissance de nos chasseurs. Quand elle s'est aperçue que son enfant était un malingre, elle l'a traité comme une chose bonne à jeter aux ordures. »

Ophélie se demandait s'il y avait un seul membre de sa future famille qu'elle pourrait un jour présenter à ses parents sans craindre de les affoler complètement. Après réflexion, elle se demanda aussi dans quelle mesure les agissements des Doyennes sur Anima ne se rapprochaient pas du trafic de souvenirs des Chroniqueurs.

Le tic-tac de la montre à gousset résonna dans le silence et bientôt, à la place du visage barré d'une croix, Ophélie fut assaillie par l'image d'un sablier qui s'écoulait grain après grain, heure après heure.

Le sablier de sa vie. Avec le 1er août comme échéance.

Elle s'était résolue à jeter sa lettre de menace dans le poêle à charbon, après avoir échoué à lui soutirer ses secrets : son auteur connaissait décidément bien ses limites de *liseuse*, il n'avait laissé aucune empreinte de son passage sur le papier. Ophélie ne voyait pas de solution à l'ultimatum. Si elle rompait les fiançailles, elle devrait en assumer seule les conséquences et, cette fois, elle ne pourrait pas compter sur la clémence de Farouk. Si elle ne les rompait pas, elle connaîtrait probablement le même sort que le prévôt des maréchaux et le directeur du *Nibelungen*. Ce n'était pas ce qu'elle appelait avoir le choix. Il ne lui restait plus que quarante-huit heures pour prendre sa décision. Quarante-huit grains de son sablier de vie.

Ophélie frotta ses paupières, résolue à chasser cette image, mais elle fut aussitôt remplacée par la vision de la femme au manteau rouge et à la chapka noire. Ophélie l'avait encore surprise en train de se promener juste sous la fenêtre de sa chambre au moment de fermer les volets, mais quand elle s'était penchée pour la suivre du regard, la femme s'était volatilisée. On l'avait placée sous surveillance, elle en était certaine à présent.

DIEU DÉSAPPROUVE CETTE UNION.

Ophélie fixa la montre à gousset dont le couvercle étincelait sur la table de chevet. Thorn lui avait assuré qu'elle n'était pas pour lui qu'une paire de mains, mais où était-il en ce moment, tandis qu'elle se débattait seule dans ses angoisses ? Ophélie ne se défaisait pas de l'impression vertigineuse qu'elle épouserait bientôt – à condition de ne pas disparaître avant – un parfait inconnu.

« Si vous doutez encore de moi à l'avenir, lisez-la. »

Avec des gestes hésitants, Ophélie retira son gant de nuit et tendit le bras vers la montre. Puisqu'elle avait la permission de son propriétaire, la toucher n'aurait rien eu de malhonnête, n'est-ce pas ? Elle ne la lirait pas plus de quelques secondes, juste le temps de s'assurer que Thorn ne lui avait pas menti cette fois encore.

Ophélie referma sa main sur le vide. Non. Pas

comme ça. C'était la pire façon de réapprendre à faire confiance.

Elle tourna le dos à la montre pour ne plus être tentée et enfouit son visage dans son oreiller. Pourquoi Thorn ne donnait-il plus signe de vie ? Pourquoi redoutait-on à ce point leur mariage ? Pourquoi des nobles disparaissaient-ils sans laisser de trace ? Pourquoi Archibald se méfiait-il soudain des illusions ?

— Pourquoi tu ne fais jamais rien avec moi ?

Ophélie se redressa sur son lit, enfila ses lunettes et dévisagea Hector qui la considérait avec attention, dans le demi-jour de la chambre. Il portait son pyjama fétiche, une combinaison bleue à col blanc qui avait grandi en même temps que lui. Contrairement à Ophélie, Hector ne paraissait jamais négligé : ses chaussures se relaçaient toutes seules, les accrocs à ses habits se réparaient d'eux-mêmes et ses poches, qui avaient pourtant beaucoup de bêtises à cacher, ne laissaient strictement rien dépasser. Il savait se faire obéir de n'importe quel élément de garde-robe… et de n'importe quelle porte d'hôtel fermée à clef.

— Tu as accompagné les filles aux bains et tu t'es promenée avec Mme Berenilde. Pourquoi ce ne serait pas mon tour ?

— Je t'écoute, dit Ophélie en consultant la montre de Thorn. Quelle proposition M. Dis-Pourquoi a-t-il à me faire à cinq heures douze du matin ?

— J'ai trouvé ça hier soir, sur le panneau d'annonces de l'hôtel.

313

Hector lui tendit une grande affiche froissée et déchirée.

ELLE EST ENFIN DE RETOUR AU PÔLE :
LA CARAVANE DU CARNAVAL !
VENEZ VOIR LES PLUS BEAUX
SPECTACLES INTERFAMILIAUX

Ophélie se sentit soudain envahie de nostalgie. La Caravane du carnaval était un cirque ambulant composé d'hommes et de femmes des quatre coins du monde et qui allait d'arche en arche. Lors de son dernier passage sur Anima, Ophélie n'était qu'une petite écolière, mais elle en avait conservé un souvenir ébloui.

— J'étais pas né quand vous les avez vus, rappela Hector, comme s'il avait été longtemps victime d'une regrettable injustice. Pourquoi est-ce que tu ne m'y accompagnerais pas ?

Ophélie hésita, puis elle réalisa qu'elle n'avait pas seulement envie d'aller au cirque avec son frère : elle en avait besoin.

— Nous irons, promit-elle. Juste toi et moi.

La Caravane du carnaval s'était installée près de la ville d'Asgard, à l'embouchure du fjord voisin, ce qui ne représentait qu'une demi-heure de bateau depuis les Sables-d'Opale. Sur le moment, Ophélie avait trouvé l'idée de cette escapade avec son petit frère plutôt séduisante. À présent qu'elle courait de stand en stand, à la recherche d'Hector, elle regrettait de ne pas s'être fait escorter par une armée d'adultes. Ce garçon était pire

314

qu'une savonnette ! Il se faufilait dans la gondole d'une Devineresse de la Sérénissime, disparaissait devant l'atelier photographique des Alchimistes de Plombor, se cachait sous le piano du duo de Pharaons jazzistes et s'élevait dans les airs sur le fauteuil d'un psychokinésiste de Cyclope. La Caravane offrait une palette très variée de pouvoirs familiaux et Hector était d'une curiosité insatiable, à poser ses « pourquoi » à qui voulait l'entendre.

— Alors ? s'exclama Renard en voyant Ophélie passer devant le stand de nécromancie. Vous profitez bien des festivités ?

Il était lui-même en train de discuter avec une dresseuse, devant les cages des chimères.

— Pas tellement, répondit Ophélie. Je cherche mon frère.

— Encore ? Dites, il faudrait le tenir en laisse, j'aimerais autant pas me faire remonter les bretelles par votre tante et votre maman. C'est que moi, aujourd'hui, je suis responsable de vous deux ! Trois en comptant ce nigaud-là, grommela Renard en secouant Andouille par la peau du cou. Je l'ai récupéré de justesse avant qu'il n'entre dans la cage aux chimères. Si Mme la Totémiste n'avait pas été là...

La dresseuse sourit jusqu'aux oreilles. C'était une femme magnifique qui possédait une peau noire comme la nuit et des cheveux dorés comme le soleil.

— Je ne parviens pas à veiller sur mon propre frère, soupira Ophélie. Ferai-je vraiment une aussi bonne marraine que le croit Berenilde ?

— Allez, ne vous inquiétez pas, dit aussitôt Renard avec un grand sourire. Je le vois là-bas, votre frangin. Chez le Colosse de Titan.

Il désigna une estrade où un petit homme chétif était en train de soulever d'une seule main, comme si elle ne pesait rien, une énorme armoire à glace. Hector était là, en effet, qui se joignait aux applaudissements polis des spectateurs.

Hormis eux et quelques curieux, il n'y avait pas grand monde qui circulait entre les stands et les roulottes. Le plus gros de la foule était composé des forains eux-mêmes, vêtus de costumes flamboyants et de masques à paillettes.

Ophélie reporta son regard sur l'immense muraille ferroviaire, plus haute que les grands sapins, qui longeait les contours du fjord dans le lointain. Heureusement, la Caravane était protégée des Bêtes de ce côté-ci.

— Vous avez du succès, dit-elle à Renard.

Elle venait de surprendre le clin d'œil éloquent que la belle dresseuse lui avait adressé.

— Bien sûr, gamin, qu'est-ce que tu crois ? ricana Renard en reposant Andouille sur sa tête. Il n'y a qu'une seule fichue bonne femme pour ne pas s'en être encore rendu compte. Des années que je la convoite, celle-là ! Elle finira bien par céder.

Ophélie observa pensivement le disque pâle du soleil qui apparaissait en filigrane derrière les nuages. Depuis qu'il avait quitté le Clairdelune, Renard envoyait une déferlante de lettres à Gaëlle sans jamais recevoir de réponse.

— À moi aussi, elle me manque, lui dit-elle.

Ophélie s'abstint d'ajouter qu'elle était même très inquiète à son sujet depuis qu'elle savait qu'Archibald menait sa propre enquête. Les disparitions au Clairdelune allaient probablement le conduire à passer son personnel à la loupe. Qu'adviendrait-il s'il découvrait que la mécanicienne de la Mère Hildegarde possédait à la fois d'excellentes raisons de détester les nobles et un pouvoir capable d'annuler le leur ? Elle ferait une coupable toute désignée. Ophélie aurait vraiment aimé en parler librement à Renard, mais elle avait promis à Gaëlle de ne révéler son secret à personne.

— Vous êtes filée par une déchue.

Renard avait déclaré cela sans se départir de son sourire, son chaton dans les cheveux, tandis qu'il faisait mine de chasser du sable de sa chaussure. Ophélie dut se faire violence pour ne pas trahir sa surprise et se prit d'un intérêt subit pour les aquariums de poissons phosphorescents qu'ils étaient en train de longer.

— Une femme au manteau rouge, poursuivit-il d'un ton faussement dégagé. Près des paravents des Zéphyrs. Je n'arrête pas de la voir collée à vos miches. Sauf votre respect.

— Alors je ne me faisais pas des idées, dit Ophélie sans oser se détourner des aquariums. Pourquoi pensez-vous que c'est une déchue ?

— Elle ne fait rien pour être discrète, mais elle disparaît dès qu'on la lorgne d'un peu trop près. Si ça c'est pas une Invisible, gamin, je te demande un peu.

— Un pouvoir qui rend invisible ?

Renard ramena sur ses cheveux roux Andouille qui était en train d'escalader hardiment sa manche de redingote, intrigué par les poissons phosphorescents.

— Qui donne l'illusion de l'invisibilité. Ça se passe toujours dans la tête, ces choses-là.

Ophélie acquiesça. Elle avait compris depuis longtemps que le pouvoir familial de Farouk n'agissait que d'esprit à esprit, comme l'aurait fait une onde radioélectrique entre un poste émetteur et un poste récepteur. Contrairement à l'animisme, il n'avait aucun effet tangible sur la matière.

— J'espère que cette Invisible continuera de garder ses distances.

— Qu'elle s'approche, grogna Renard. J'suis peut-être un sans-pouvoirs, j'suis pas un sans-muscles.

Le nez d'Ophélie se remit à couler abondamment. Elle profita d'un coup de mouchoir pour risquer un regard rapide du côté des paravents. Elle ne vit personne d'autre qu'une fillette en costume pailleté qui lançait un sucre à un petit tourbillon. Si l'Invisible se trouvait bel et bien là, son pouvoir était diablement efficace.

— Les déchus n'ont normalement pas droit de cité, reprit Ophélie. J'ai pourtant rencontré la mère de Thorn dans un sanatorium et notre femme au manteau rouge se faufile partout où elle veut.

D'un geste habitué, Renard pinça la peau du cou d'Andouille qui descendait méthodiquement le long de son pantalon, puis le ramena dans le nid douillet de sa chevelure.

— Je ne suis pas un spécialiste de la question, mais j'ai remarqué quelques bizarreries depuis notre arrivée en province. Prenez le cordonnier des Sables-d'Opale, par exemple. J'étais juste passé faire rafistoler une semelle, et, avant même de comprendre ce que je faisais, je lui ai acheté deux paires de souliers neufs. Ensuite, il y a eu... eh bien... une femme facile, voyez ? Elle m'a accosté dans la rue, belle à se damner ! Moi, j'ai refusé poliment, parce que voilà, hein, je me réserve pour une autre. Croyez-le, croyez-le pas, dès qu'elle s'est désintéressée de moi, elle a perdu d'un coup tous ses attraits. Et puis, il y a eu ce gars qui m'a endormi net pendant qu'on jouait aux cartes, juste quand je gagnais et que je lui réclamais mon dû. Il m'a louché dessus, le gars, hein, avec un grand sourire navré, et hop ! j'ai piqué du nez. Bref, je pourrais vous en raconter encore une tripotée, des petites étrangetés comme ça.

— Ce seraient tous des déchus ? s'étonna Ophélie.

— Pas forcément de la noblesse pure souche, mais il y a comme des relents de pouvoirs ici et là. Les Persuasifs et les Narcotiques, pour ne citer qu'eux, étaient des clans très redoutés du temps où ils jouaient les courtisans, mais voilà, quoi, ça remonte à loin. Les Invisibles aussi, ça remonte à loin. Il n'y a même plus personne pour se rappeler pourquoi ils ont été déchus, au juste.

Ophélie aurait aimé poursuivre cette conversation, mais elle venait de se rendre compte que son petit frère s'était une nouvelle fois volatilisé.

— Vous m'aidez à chercher Hector ? demanda-t-elle.

Tandis que Renard interrogeait les pyrokiné-
sistes qui jonglaient avec des boules de foudre,
Ophélie fouilla la serre des plantes-fumigènes. Ce
n'était pas une tâche aisée de chercher un petit
garçon au milieu d'une foule de fleurs géantes qui
répandaient partout un épais brouillard d'encens.
Ophélie sortit de la serre en larmes et des pétales
plein les cheveux.

Quand elle jeta un coup d'œil dans la tente suivante, elle ne trouva pas un mais deux Hector. Ils
étaient en train de s'observer mutuellement avec
une curiosité amusée.

Ils se tournèrent vers Ophélie dans un mouvement symétrique en la voyant : l'Hector de droite
eut aussitôt une poussée de cheveux spectaculaire,
grandit de quelques centimètres et ressembla vite
à Ophélie comme une jumelle. Elle sut aussitôt
qu'elle avait affaire au Mille-faces, un Métamor-
phoseur prodigieux.

— C'est de loin le numéro le plus épatant, dit
Hector avec sa placidité habituelle. Le Mille-faces
peut imiter n'importe qui. Pourquoi tu fais cette
tête ?

— Parce que je n'arrête pas de te courir après,
lui reprocha Ophélie. Nous allons bientôt prendre
le bateau du retour, alors ne t'éloigne plus.

Ce n'était pas la première fois qu'elle assistait
au numéro du Mille-faces, elle n'en trouvait pas
moins très perturbant d'être dévisagée par son
propre double.

— Tu es ma filière, déclara soudain le Mille-
faces.

— Je vous demande pardon ? s'étonna Ophélie.

Non seulement il lui ressemblait trait pour trait, mais en plus il s'exprimait avec la même voix en sourdine que la sienne. En revanche, sa phrase n'avait aucun sens.

— Familière, rectifia le Mille-faces. Tu es familière. Nous nous sommes déjà rencontrés quelque part.

C'était le ton du constat plutôt que de la question.

— Quand vous étiez en tournée sur Anima, répondit-elle avec une franche admiration. J'étais une toute petite fille à l'époque et je trouvais déjà votre numéro très impressionnant, madame... euh... monsieur.

Un flash de lumière l'éblouit. Il avait été projeté par un gros appareil photographique qu'Hector portait autour du cou.

— Où tu as trouvé ça, toi ? demanda Ophélie en entraînant son frère hors de la tente du Mille-faces, à moitié aveuglée par le flash.

— C'est un Alchimiste de Plombor qui me l'a échangé contre l'une de mes toupies à mouvement perpétuel. C'est un appareil à développement instantané, regarde. (Son frère agita le papier que son boîtier venait de recracher bruyamment, puis il grimaça.) Flûte, pourquoi mes photographies sont toujours ratées ?

De fait, au lieu des deux Ophélie prévues, il y en avait quatre sur la pellicule, moitié à l'endroit, moitié à l'envers.

— Ce doit être un écho, expliqua-t-elle. Le télégraphiste de notre hôtel m'a dit qu'il y en avait tout le temps en ce moment et qu'ils parasitaient les appareils. Probablement un orage magnétique ou quelque chose comme ça.

Ophélie leva le nez en l'air pour voir si le ciel était à ce point menaçant. Elle crut avoir la berlue quand, à la place des nuages, elle vit la sinistre figure de Thorn.

Les déchus

— Qu'est-ce que vous fichez là ?

Thorn avait assené sa question sans préambule. Son uniforme austère, sa silhouette osseuse, ses cernes noirs et son expression renfrognée lui conféraient une aura plus lugubre que celle des Nécromanciens du stand voisin. Il contenait de son mieux une impressionnante quantité de papiers que le vent agitait entre ses doigts.

Ophélie fut tellement prise au dépourvu de le voir ici, au milieu des attractions et des enfants, qu'elle lui répondit mécaniquement :

— J'amène mon frère au cirque.

— Ma tante est avec vous ?

— Non, elle est restée aux Sables-d'Opale, bredouilla Ophélie. Enfin, au sanatorium. Votre grand-mère ne va pas bien du tout.

Elle hésita un instant à mentionner la mère de Thorn, mais il ne lui en laissa pas le temps.

— Retournez à l'hôtel, ordonna-t-il sans un regard pour Hector. Ces gens du voyage ne sont pas en règle. Il me manque encore quatre-vingt-huit pièces d'identité et un permis de séjour professionnel en triple exemplaire. Et je ne compte même pas les animaux.

Ce disant, il essaya de ranger la paperasse dans une serviette de cuir, ce qui n'était pas une manœuvre facile avec le vent qui faisait batifoler ses feuilles dans tous les sens.

Ophélie finit par comprendre que cette rencontre n'était pas le fruit d'une miraculeuse coïncidence : Thorn venait lui-même de la roulotte d'en face où un étendard, luisant sous la bruine, indiquait « BUREAU DU DIRECTEUR ». Dans un mélange tumultueux de soulagement, de déconvenue et d'indignation, elle prit alors pleinement conscience que non seulement Thorn se tenait bel et bien là, devant elle, en parfaite santé, mais qu'en plus il y était pour jouer les trouble-fête.

— Avez-vous besoin d'ennuyer ces gens avec votre administration ? reprocha-t-elle.

Thorn eut un froncement de sourcils à l'intention des dirigeables colorés qui flottaient au-dessus de la plage.

— Les contrôles d'identité sont incontournables, aujourd'hui plus que jam…

Un éclair aveuglant coupa Thorn avant qu'il pût achever sa phrase. Alors qu'il battait furieusement des paupières, à la recherche de la source lumineuse qui l'avait agressé, il laissa tomber son regard sur Hector.

— Pourquoi vous avez ces cicatrices ?

— Voyons, chuchota Ophélie en posant une main sur l'épaule de son petit frère. Pas de « pourquoi » sur l'apparence physique, tu te rappelles ?

Hector rangea la photographie ratée dans sa

poche, puis hissa ses yeux placides jusqu'à Thorn, nullement impressionné par sa taille.

— D'accord. Pourquoi vous êtes détestable ?

Ophélie était troublée. C'était la première fois qu'elle entendait de telles paroles dans la bouche de son frère. Thorn, pour sa part, ne semblait pas ému le moins du monde ; son porte-documents à la main, il regardait ailleurs d'un air ennuyé.

— Pouvez-vous demander à votre frère s'il a fini ?

— Demandez-le-lui vous-même, dit Ophélie. Il vous comprend très bien.

Elle avait de plus en plus de mal à se rappeler pourquoi, décidément, elle s'était préoccupée du silence de Thorn.

— Je ne parle pas aux enfants, rétorqua-t-il en évitant de croiser les yeux implacables d'Hector. En revanche, je souhaiterais vous parler à vous, un petit instant. Demandez à votre frère d'aller jouer dans un coin. Vous, approchez ! ordonna soudain Thorn d'une voix forte.

Il venait d'aviser Renard qui sortait du palais du rire avec une expression béate. Il devait être sous l'effet d'un charme euphorisant, car il adressa un sourire radieux à Thorn, pas plus étonné que cela de le trouver ici.

— Prenez cet enfant et emmenez-le faire un tour.

— Nous restons à quelques pas de vous, dit Renard avec un clin d'œil éloquent pour Thorn. Que monsieur ne s'inquiète pas, je ne serai pas trop regardant. Après tout, l'amour est une douce folie et il n'est pas facile de réprimer les élans du cœur ! déclama-t-il en embrassant passionnément le bout de ses doigts.

Ophélie dissimula sa gêne derrière un coup de mouchoir. Thorn attendit qu'ils soient enfin seuls pour baisser sur elle un regard hivernal. Ses cheveux ébouriffés par le vent et luisants d'humidité lui donnaient l'air plus hérissé que jamais.

— Je me donne du mal pour vous garder à l'abri, je vous saurais gré de me faciliter la tâche et de ne plus bouger de l'hôtel.

— Vous faciliter la tâche ? répéta Ophélie, incrédule. C'est vous qui étiez censé faciliter la mienne en faisant bonne impression à mes parents. Vous n'êtes même pas encore venu les voir. Nous nous marions dans quatre jours, je vous rappelle.

— Je ne peux pas être partout à la fois, dit Thorn en désignant son porte-documents. Je procède à mes inspections provinciales annuelles. Ne restons pas ici, ajouta-t-il dans un murmure.

Ophélie eut du mal à se maintenir à la hauteur de Thorn dont les longues enjambées faisaient le double des siennes. Il attendit le moment précis où ils passaient devant un gigantesque piano pneumatique pour demander :

— Que disait le message ?

— Quel message ?

— La lettre que vous avez reçue hier.

— Comment êtes-vous au courant ?

— J'ai mes sources. Alors, ce message ?

— Je ne dois ni vous épouser ni retourner à la cour.

— Qui vous a envoyé ce courrier ? insista Thorn.

Ophélie devait fournir des efforts considérables

pour l'entendre et se faire entendre de lui par-dessus la musique endiablée et le cliquetis des rouages du piano.

— Je ne sais pas. La lettre a été entièrement tapée à la machine et manipulée avec une pince. Elle est *illisible* pour mes mains. C'est la deuxième de cette sorte que je reçois. Il y avait écrit « DIEU DÉSAPPROUVE CETTE UNION » en lettres majuscules, précisa-t-elle avec une contraction de gorge.

Après un bref silence, Thorn se remit en marche.

— Vous n'avez rien vu d'autre de suspect ?

C'était typiquement Thorn de mener l'interrogatoire à la façon d'un officier de police. Il avançait droit devant lui, son porte-documents à la main, à croire qu'il traversait un bâtiment administratif au lieu d'un cirque.

— Une femme... en manteau rouge, haleta Ophélie, à bout de souffle. Renold pense... à une déchue. Il l'a vue ici. Je ne veux pas m'éloigner... de mon frère. Vous marchez trop vite.

Thorn daigna ralentir l'allure, non sans décocher des coups d'œil tout autour de lui. Il paraissait particulièrement tendu, comme s'il se sentait épié.

— Je lis les journaux, vous savez ? ajouta-t-elle. Pourquoi êtes-vous allé vous vanter au sujet du Livre de M. Farouk ? Vous me demandez d'être discrète et vous, vous...

— Je vous épargne des menaces de mort supplémentaires, acheva Thorn à sa place. Toute l'attention que je concentre sur moi ne se retourne pas contre vous.

Ophélie ne sut que répondre à cela. De toute façon, Thorn ne lui en laissa pas l'occasion.

— Le comte Harold a disparu, annonça-t-il abruptement.

— Le tuteur du chevalier ? s'étonna Ophélie. L'homme qui vous avait fait un scandale à propos de ses chiens ?

— Il s'est volatilisé hier soir dans sa baignoire. Les domestiques ont cru qu'il avait fait un malaise, ils ont dû enfoncer la porte.

— Il aurait été enlevé dans une pièce fermée de l'intérieur ?

— Et ce n'est pas l'élément le plus troublant. L'eau du bain a vraisemblablement servi, mais le carrelage était sec. En d'autres termes, le comte est entré dans sa baignoire et rien ne semble indiquer qu'il en est ressorti. Même ses habits sont restés sur place. L'enquête a dû être rouverte au Clairdelune, comme si je n'avais pas assez à faire.

Ophélie sursauta à ces mots.

— Au Clairdelune ?

— Le comte Harold y avait demandé asile, expliqua Thorn. Il se sentait en danger et vulnérable sans ses chiens. Il doit être le seul noble de toute la Citacielle à ne pas avoir encore compris que l'ambassade n'est plus un endroit sûr.

Ophélie se troubla. La veille encore, Archibald la mettait en garde ! Se doutait-il alors qu'un nouveau méfait serait perpétré chez lui ?

— Il en a reçu aussi, n'est-ce pas ? demanda-t-elle. Le comte Harold a aussi reçu des lettres de menace.

— On en a effectivement trouvé dans ses affaires. Thorn avait répondu à contrecœur. Il exami-

328

nait d'un air circonspect les lunettes d'Ophélie qui avaient bleui sous le coup de l'émotion.

— Des lettres comme les miennes ? insista-t-elle. Des lettres avec « DIEU » dedans ?

— Il ne vous arrivera pas la même chose.

Le ton de Thorn était absolument catégorique. Ophélie aurait voulu partager sa conviction ; elle avait l'impression d'avoir soudain des nœuds à l'intérieur de tout le corps.

— Et vous ? demanda-t-elle. Vous avez reçu des lettres ?

— Pas de cette sorte, non.

— Pourquoi ? Si c'est vraiment notre mariage qui pose un problème, pourquoi suis-je soumise à un chantage, moi, et pas vous ?

— Je l'ignore.

Ophélie leva soudain vers Thorn un regard très attentif.

— Vous allez représenter les déchus aux états familiaux.

— Demain soir, répondit-il avec un sourcillement.

— Le prévôt des maréchaux, le directeur du *Nibelungen* et M. le comte, ils se sont tous opposés à ce projet, chacun à sa façon. Je veux dire, bredouilla Ophélie sous le regard perçant de Thorn, le prévôt a assassiné des déchus, M. Tchekhov a multiplié les articles contre eux et le comte Harold... eh bien... il a quand même envoyé deux mercenaires à vos trousses.

Thorn acquiesça mais n'émit aucun commentaire.

— Vous n'avez pas peur... (Ophélie éternua en plein milieu de sa phrase, puis se moucha dans un bruit humide qui lui fit honte.) Vous n'avez pas peur que ça ne fasse de vous le principal suspect ?

Une brève convulsion agita les lèvres fines, presque invisibles, de Thorn. Ophélie était incapable de déterminer si c'était un sourire raté ou une grimace réussie.

— Vous pensez que j'ai organisé ces enlèvements pour me débarrasser des gêneurs ? Vous pensez que je suis l'auteur des lettres et que je veux saboter mon propre mariage ?

— Bien sûr que non, s'agaça-t-elle, mais d'autres pourraient le penser à ma place.

— Non. Concernant les déchus, je les représente en toute neutralité.

Fatiguée de lever la tête vers Thorn, Ophélie laissa tomber son regard sur la ligne argentée de la mer qu'on pouvait entrapercevoir entre les stands du cirque, au-delà de l'immense plage marécageuse. Elle se remémora la marque d'infamie sur le visage de la mère de Thorn et une bouffée de colère monta en elle. Elle ne comprenait pas comment un seul homme parvenait à lui souffler dans le corps autant d'émotions contradictoires en même temps.

— Vous recommencez.

— Je recommence quoi ? maugréa Thorn.

— À être de mauvaise foi. Vous êtes à moitié Chroniqueur, non ? En essayant de réhabiliter les déchus, ce sont aussi les intérêts de votre famille que vous défendez. Ayez au moins le courage de l'assumer.

Thorn fronça tellement les sourcils qu'une crevasse se creusa au milieu de son front.

330

— Vous vous faites décidément une piètre opinion de moi. Les Chroniqueurs ne figurent pas dans mon dossier.

— Ce qui est fort regrettable, cher cousin !

Ophélie se retourna en sursaut. Cette voix mielleuse appartenait à une femme longue et mince, dont les yeux étincelaient de malice sous une épaisse frange de cheveux blonds. Elle portait une robe rose à fanfreluches, ainsi qu'une ombrelle assortie à sa toilette qui la protégeait davantage de la bruine que du soleil.

Elle était escortée par quatre hommes qui lui ressemblaient trop pour ne pas être de sa famille. Ils possédaient tous la même silhouette filiforme, les mêmes habits excentriques et la même frange blonde.

— Me reconnais-tu, cousin adoré ? chantonna la femme.

Thorn ne répondit pas.

— Moi, je te reconnais, gloussa-t-elle, même si je dois admettre que tu as considérablement grandi. La dernière fois que je t'ai vu, tu n'étais qu'un gringalet de quatre ans. Tu ne nous présentes pas cette petite demoiselle ? demanda la femme avec un clin d'œil charmeur pour Ophélie. C'est elle, ta malchanceuse fiancée ?

— Vous n'avez rien à faire ici.

Thorn avait déclaré cela d'un ton mesuré, mais ses doigts s'étaient contractés autour de la poignée de son porte-documents. Ophélie, quant à elle, haussa les sourcils. Ces gens étaient des Chroniqueurs ?

— Et pourquoi, cousin ? minauda la femme en

désignant de son ombrelle les remparts d'Asgard, à l'autre bout de la grève. Nous nous tenons à plus d'un kilomètre de la ville, comme le stipule l'article 11 de la loi relative aux conditions de vie des déchus. Nous sommes sages comme des images depuis quatorze ans, cinq mois et seize jours !

— Que me voulez-vous ? demanda Thorn, impassible.

La Chroniqueuse eut une moue peinée qui fit ressortir ses lèvres, aussi roses que sa robe et son ombrelle. Elle devait avoir quelques années de plus que Thorn, mais ses manières étaient celles d'une jeune adolescente.

— Comment donc ? Tu ne lis jamais nos lettres ?

— Celles que vous vous êtes tous mis à m'envoyer depuis que je suis devenu intendant ? Jamais.

— Nous nous en doutions un peu, à vrai dire, soupira la Chroniqueuse en échangeant une œillade attristée avec les quatre hommes qui l'accompagnaient. Nous avons pensé, en voyant tous ces dirigeables atterrir sur la plage, que tu ne tarderais pas à venir inspecter. Tu es tellement prévisible, cher cousin ! Nous devons parler, toi et moi.

Ophélie commençait à se sentir franchement mal à l'aise, ne sachant pas s'il était préférable de prendre la parole ou de se taire. La Chroniqueuse s'approcha lentement de Thorn, sa robe à fanfreluches laissant une traînée dans le sable humide. Une bourrasque de vent souleva sa frange blonde et révéla, le temps d'une apparition fugace, un tatouage en forme de spirale au milieu du front.

— Pourquoi refuses-tu de représenter ta propre famille aux états familiaux ?

— Parce que c'est la loi, rétorqua Thorn en endossant son impassibilité de parfait fonctionnaire. Ne peuvent être représentés que les clans dont la date de déchéance excède soixante ans : article 24, alinéa 3. Réintroduisez une demande de réhabilitation dans quarante-six ans, six mois et treize jours.

— Tu es fidèle à ta réputation ! ricana la Chroniqueuse. Prompt à te réfugier derrière les chiffres pour éviter l'affrontement. Tu es un lâche, cousin adoré, un lâche et un menteur. Tu nous tiens délibérément éloignés de la cour, tout comme ta mère nous a toujours tenus éloignés de ses petits secrets. Ne t'en aurait-elle pas confié un ou deux ? susurra la femme en battant des cils. Peut-être même davantage ? À qui d'autre qu'à son fils unique une Chroniqueuse transmettrait-elle sa mémoire – et quelle mémoire ! – avant de la perdre à jamais ? Je suis curieuse, tellement curieuse de savoir ce que cache un si grand front...

Ophélie retint son souffle. La femme s'était hissée sur la pointe de ses souliers roses et avait délicatement enfoncé son ongle, rose lui aussi, dans la cicatrice faciale de Thorn pour en retracer le dessin jusqu'au sourcil. Les hommes de son escorte s'étaient approchés subrepticement de façon à empêcher toute tentative de fuite. Il flotta alors un très long silence durant lequel Ophélie eut tout le temps de se sentir minuscule : devait-elle appeler à l'aide ? Thorn et la Chroniqueuse se défiaient du regard, comme si une bataille était en train de se jouer à l'intérieur même de leurs iris. Personne ne semblait remarquer cette scène décalée sur fond de fête foraine ; la grande parade costumée, qui passait à côté d'eux, attirait toute l'attention.

— Ce n'est pas du jeu, cousin ! finit par soupirer la Chroniqueuse avec une lippe boudeuse. Tu es une vraie porte blindée ! Mais toutes les portes, si solides soient-elles, ont une faille, chantonna-t-elle avec un sourire espiègle. Et je crois connaître la tienne.

Ophélie n'eut pas le temps de réagir que la Chroniqueuse s'était tournée vers elle dans un tourbillon de robe rose.

— Regardez-moi cette innocente petite bouille, gazouilla-t-elle en lui pinçant affectueusement la joue. Révèle-moi tout, ma mignonne... Quels sombres et quels terrifiants secrets cet homme partage-t-il avec toi ?

Ophélie aurait été bien en peine de répondre ; elle ne parvenait plus à remuer ni les lèvres, ni les doigts, ni les cils. Même son écharpe, qui battait nerveusement l'air depuis un moment, s'était soudain immobilisée comme le pendule d'une horloge à l'arrêt. Ophélie ne voyait que les grands yeux, maquillés en rose, que la Chroniqueuse collait contre ses lunettes. Au bord de l'endormissement, elle entendait sa voix aiguë de loin, tandis que des souvenirs remontaient à la surface comme des bulles. Thorn lui arrachait le combiné téléphonique des mains. Thorn pointait son pistolet sur elle au milieu d'une tempête de papiers. Thorn lui remettait sa montre en gage de confiance. Thorn empoignait le bras de la Chroniqueuse.

Ophélie battit des paupières. Non, cela, ce n'était pas un souvenir. Thorn venait bel et bien de saisir sa cousine par le bras. Il l'avait fait sans brusquerie, très calmement, l'obligeant à s'écarter d'Ophélie centimètre par centimètre.

— Les fouilles mémorielles, dit-il d'une voix posée, sont expressément interdites par la loi relative aux restrictions d'usage des pouvoirs familiaux, article 53 bis. N'aggravez pas votre situation, madame.

La Chroniqueuse récupéra son bras d'un geste si rageur qu'elle en fit tomber son ombrelle.

— Ne me parle pas sur ce ton condescendant, bâtard ! J'avais treize ans quand on m'a jetée dehors comme une malpropre. J'étais jeune, jolie et fortunée... J'ai tout perdu à cause de ta mère ! Est-ce que tu sais combien d'entre nous sont morts dès le premier hiver ? Est-ce que tu as idée de ce par quoi nous avons dû passer, mes petits frères et moi, pour vivre décemment ? demanda-t-elle en agitant toutes les fanfreluches de sa robe. Nos parents étaient l'élite de la cour, ils ont crevé comme des rats sans même avoir le temps de nous transmettre leur mémoire. Et toi, persifla la Chroniqueuse avec mépris, toi tu te pavanes devant Farouk, pendant que ta mère séjourne dans un établissement de luxe... Que t'a-t-elle révélé ? supplia-t-elle soudain en s'agrippant au grand manteau noir de Thorn. Tu nous la dois, cette mémoire ! C'est notre seul héritage !

Encore engourdie par la fouille mémorielle qu'elle venait de subir, Ophélie avait assisté à cette tirade avec un sentiment d'irréalité.

— Je ne vous dois rien du tout, répondit Thorn d'un ton égal.

La Chroniqueuse lâcha son manteau, comme s'il était devenu d'une saleté répugnante.

— Tant pis pour toi. Je t'arracherai tes souvenirs par la force, s'il le faut. (Elle remit de l'ordre dans sa belle robe rose, récupéra son ombrelle sur le sable, lissa sa frange d'un geste coquet, puis adressa une œillade complice aux autres Chroniqueurs.) Allez-y, mes frères, donnez-vous-en à cœur joie avec notre cher cousin. Et surtout, n'épargnez pas la petite bouille de sa fiancée.

Les quatre hommes firent grincer leurs gantelets cloutés quand ils s'avancèrent.

Le cœur d'Ophélie s'était mis à battre si fort qu'elle put sentir le sang tournoyer en elle. *Fuir.* La pensée jaillit dans son esprit comme une étincelle.

Thorn fut plus rapide encore. D'un revers de bras, il avait poussé Ophélie à la renverse et annoncé, d'une voix singulièrement pragmatique :

— Ils sont à vous.

L'invitation

Ophélie sentit le choc mou du sable dans son dos et contempla bêtement, le souffle coupé par sa chute, la ligne floue de deux guirlandes de fanions en travers des nuages. Quand la bruine lui picota les yeux, elle comprit qu'elle avait perdu ses lunettes. Elle reprit ses esprits en entendant des cris de douleur par-dessus la fanfare de la parade costumée.

Elle roula sur le côté, mais ne vit rien d'autre autour d'elle que des silhouettes inidentifiables. Il lui semblait que l'une d'elles apparaissait et disparaissait à volonté, dans un flamboiement rouge, distribuant des coups redoutables.

Ophélie chercha ses lunettes à tâtons dans le sable ; ce fut l'écharpe, contaminée par son affolement, qui les trouva pour elle et les lui remit sur le nez. Dès qu'elle recouvra la vue, son premier regard fut pour Thorn. Il se dressait de toute sa hauteur, impavide comme une statue de bronze, son porte-documents encore à la main. Ce n'était vraisemblablement pas lui qui avait crié. Il ne paraissait ni blessé ni même essoufflé.

— Restez couchée, lui recommanda-t-il d'une voix ferme.

Ophélie se rendit alors compte que trois des frères gisaient aussi sur le sable en gémissant, tandis que le quatrième, genou à terre, appuyait sa manche sous son nez pour endiguer une coulée de sang. Leur belle frange blonde était complètement échevelée.

La Chroniqueuse avait l'air aussi choquée qu'Ophélie. Et pour cause : elle était tenue en respect par une femme qui appliquait une dague sur sa gorge. Ophélie ne comprit plus rien quand elle reconnut la déchue au manteau rouge, dont les yeux étincelaient d'une froideur toute minérale sous sa chapka de fourrure noire. C'était donc cette Invisible qui avait mis les frères dans un état pareil ? De quel côté se trouvait-elle, en fin de compte ?

Thorn avait l'air de le savoir.

— Je suggère que nous nous en tenions là, dit-il sobrement, à croire qu'il clôturait une réunion administrative.

La Chroniqueuse pinça les lèvres, blême de fureur, mais elle se raidit en sentant la dague de l'Invisible caresser la peau palpitante de son cou. Le spectacle de ces deux femmes entrelacées, l'une rose et féminine, l'autre rouge et guerrière, aurait pu passer pour un numéro de cirque soigneusement mis au point.

— T-très bien, finit par murmurer la Chroniqueuse en tordant un sourire déconfit. Tenons-nous-en là, cousin.

Le quatrième frère, qui épongeait son nez en

silence, se déplia aussitôt comme un ressort et propulsa son poing clouté vers Thorn. Empêtrée dans le sable, Ophélie ouvrit la bouche, mais aucun son n'eut le temps d'en sortir : la tête du Chroniqueur fut violemment projetée en arrière, et tout son corps bascula avec elle, comme s'il venait de recevoir un coup brutal en pleine figure. Thorn n'avait pourtant ni levé le doigt, ni lâché son porte-documents. Il s'était contenté de poser sur son agresseur un regard incisif. C'était la première fois qu'Ophélie le voyait utiliser ses griffes ; elle fut frappée par la répugnance évidente qu'il avait éprouvée à y recourir.

— Prêt à sacrifier votre sœur pour vous approprier ma mémoire, dit Thorn en contemplant dédaigneusement le corps tordu de douleur à ses pieds. Et vous vous demandez pourquoi votre clan est voué à disparaître ? C'est pathétique.

Sur un signe de lui, la femme au manteau rouge relâcha la Chroniqueuse et obligea un par un les frères à se relever. Sa façon d'agir était à l'image de ses yeux : aussi dure et aussi froide que du diamant brut.

Après un dernier regard venimeux pour Thorn, la Chroniqueuse s'en fut dans un froufrou de robe précipité, son ombrelle sur l'épaule et ses frères claudiquant piteusement à sa suite. Ils furent bientôt tous avalés corps et biens par le flot multicolore de la parade costumée.

— Retournez à votre poste, ordonna Thorn. Nous ne devrions pas les revoir de sitôt.

— Oui, monsieur.

La femme au manteau rouge avait répondu

en claquant ses bottes l'une contre l'autre, puis elle se recula discrètement. Au premier pas, elle était là ; au second, elle avait disparu. Tout s'était déroulé à une telle rapidité qu'Ophélie, hébétée, n'avait même pas eu le temps de se remettre debout.

— Vous auriez dû me dire qu'elle travaillait à votre service. Je la prenais pour une ennemie. Je suppose que c'était elle, votre « source » ?

— J'ai engagé cette Invisible pour garder un œil sur vous. Son clan fait partie de ceux dont je plaiderai bientôt la cause. Je lui ai obtenu une dérogation exceptionnelle afin qu'elle puisse aller et venir en ville en toute légalité.

Ophélie songea que, si ces déchus-là retrouvaient leurs lettres de noblesse, ça promettrait bien des joyeusetés à la cour. En attendant, ils feraient d'excellents chasseurs.

— Elle me protège depuis des semaines, dit Ophélie en cherchant vainement l'Invisible des yeux, et nous n'avons même pas été présentées. Quel est son nom ?

— Vladislava, répondit Thorn qui semblait trouver la question parfaitement incongrue.

— Elle est efficace, mais elle ne passe pas inaperçue. Pour une Invisible, je veux dire.

— Elle n'a pas à le faire. Sa présence à vos côtés se veut dissuasive.

— Je n'ai pas bien compris ce qui vient de se passer, murmura Ophélie d'une voix tendue. Vos cousins... ils en avaient après votre mémoire ?

Thorn eut un plissement de bouche contrarié.

— Les Chroniqueurs peuvent inoculer et absorber les souvenirs. Certains d'entre eux sont même capables de les falsifier.

— Vous aussi ?

— Je ne suis pas pratiquant, mais je sais me protéger contre les intrusions. Jouer avec la mémoire des autres n'est pas seulement répréhensible, c'est dangereux pour l'équilibre mental.

Ophélie nota que Thorn s'était accordé un instant de réflexion pour choisir ses mots. Il mettait beaucoup d'application à observer la parade costumée, dont la musique de fanfare emplissait l'atmosphère, comme si ce spectacle populaire était un concentré de problèmes à lui seul.

— Bon, reformulons les choses, dit Ophélie en manipulant ses lunettes. Ma vraie question était : avez-vous effectivement hérité les souvenirs de votre mère et ces souvenirs valent-ils la peine qu'on s'entre-tue pour eux ?

Thorn écrasa un moustique sur sa nuque d'une claque impatiente.

— Je vous ai promis toute la vérité, rien que la vérité, maugréa-t-il, à la seule condition que ça vous concerne directement. Vous en savez déjà beaucoup plus que vous ne le devriez.

Ophélie s'était accommodée de voir en Thorn un ambitieux et un calculateur, mais il lui fallait se rendre à l'évidence : il était sans doute le fonctionnaire le moins corrompu de toute la magistrature. Peut-être avait-il ses raisons – des raisons souterraines et tortueuses – pour défendre la cause des déchus mais, d'après ce qu'Ophélie avait pu en juger, leur dossier tenait du cadeau empoisonné. Thorn mettait sa vie en balance pour représenter des gens qui ne faisaient pas partie de sa famille, qui ne possédaient aucune influence en haut lieu et qui augmentaient le nombre, déjà considérable, de ses ennemis. Pensait-il qu'en cas de réussite et une fois leur position assise à la cour, les déchus réhabilités se souviendraient de son aide et lui rendraient la pareille ? Si Ophélie n'était plus assez naïve pour le croire, il l'était certainement moins encore.

Non, décidément, elle avait beau considérer la question sous tous les angles, cette force qui électrifiait en permanence le grand corps de Thorn, ça ressemblait à s'y méprendre au sens du devoir.

Ophélie frictionna ses bras l'un contre l'autre, rafraîchie par le vent, par la bruine et par une sensation froide qui lui venait de l'intérieur. En désertant son corps, la colère avait cédé la place à une étrange mélancolie.

— Cette cousine doit mal vous connaître pour voir en moi votre faille. La vérité, c'est que vous ne vous reposez jamais sur personne.

Thorn cessa aussitôt de s'intéresser à la parade costumée et abaissa vers Ophélie son regard d'oiseau de proie.

— Vous voulez régler tous les problèmes par vous-même, poursuivit-elle d'une voix épaisse, quitte à utiliser les gens comme des pièces d'échiquier, quitte à vous faire détester du monde entier.

— Et vous, vous me détestez encore ?

— Je crois que non. Plus maintenant.

— Tant mieux, grommela Thorn entre ses dents. Parce que je ne me suis jamais donné autant de mal pour ne pas être détesté de quelqu'un.

Ophélie l'avait à peine écouté, mais ce n'était pas par mauvaise volonté. De l'autre côté de la parade costumée, par-delà les jets de confettis et de serpentins, Hector avait entrepris d'escalader une grande construction métallique. Renard lui adressait force gesticulations désapprobatrices.

— Il est temps que nous rentrions, s'inquiéta Ophélie. Nous avons déjà manqué le bateau de midi, ma mère va nous réserver un accueil épouvantable.

Elle poussa un soupir de soulagement quand Hector atterrit sur le sable après une dernière galipette. Elle s'aperçut alors que Thorn l'observait également avec une concentration extrême, comme s'il voyait enfin ce jeune beau-frère en chair et en os, et non plus comme une notion abstraite de généalogie. Ses yeux gris étincelaient étrangement sous la lumière fluctuante du ciel, dans un curieux mélange d'aigreur et de curiosité.

— Ces petits tracas de famille, dit-il d'une voix lointaine, je n'y connais vraiment rien.

À cette seconde, Ophélie sut pourquoi il avait tant retardé sa venue aux Sables-d'Opale. Le quotidien de Thorn était tissé d'hypocrisies, de fraudes, de chantages et de traîtrises : dans une famille comme celle d'Ophélie, il était sans repères.

Mue par une impulsion irrésistible, Ophélie tira sur la grande manche noire de Thorn.

— Rentrez avec nous.

Si elle fut la première étonnée par sa propre familiarité, ce fut sans commune mesure avec la réaction de Thorn qui perdit toute sa contenance. Il eut l'air soudain très gauche avec son porte-documents pendu à son bras, tandis que son autre main, poussée par un réflexe trop solidement ancré, s'enfonçait dans la doublure de son manteau et cherchait la montre à gousset qui ne s'y trouvait pas – et pour cause, elle était dans la poche d'Ophélie.

— Maintenant ? Mais j'ai... Je dois aller... Mes rendez-vous.

Ophélie se mordit la chair des joues. Il n'y avait vraiment qu'à la Caravane du carnaval qu'elle aurait pu voir Thorn bégayer ainsi avec, dans ses cheveux dépeignés, des confettis soufflés par le vent.

— Restez au moins pour le déjeuner, proposa-t-elle. Voyez ça comme une exigence diplomatique, si vraiment il faut soulager votre conscience professionnelle.

Thorn eut à nouveau cette convulsion des lèvres qu'Ophélie ne savait pas bien interpréter. Quand il sortit enfin sa main de son manteau, ce ne fut évidemment pas sa montre qu'il tenait, mais un trousseau de clefs.

— Puisqu'il s'agit d'une exigence diplomatique, dit-il avec raideur, je présume que je peux me servir du passe-partout de l'intendance. Il y a une Rose des Vents au poste de douane, à l'entrée d'Asgard. Allez chercher votre frère.

Ophélie acquiesça, satisfaite.

— Je vous promets que ce ne sera pas aussi terrible que vous le pensez.

Le vertige

Pendant qu'elle trempait prudemment sa bouche dans l'eau de son verre, Ophélie songea qu'elle devrait éviter de faire des promesses à la légère.

Les repas de famille étaient normalement très animés. Au sens propre : les salières sautillaient d'une assiette à l'autre, les bouchons de carafes trépidaient d'impatience et il y avait presque toujours un duel de cuillères avant la fin du dessert. Si le personnel avait d'abord été assez choqué par la façon dont les Animistes insufflaient leurs facéties aux objets de l'hôtel, il ne s'en étonnait plus à présent. Il s'était même pris de sympathie pour ces clients capables de réparer instantanément les serrures bloquées et les horloges détraquées de l'établissement.

Aujourd'hui, toutefois, convives et ustensiles se tenaient si calmes qu'Ophélie avait l'impression de n'entendre, par-dessus le lointain grondement de la mer, que les moustiques qui rebondissaient sur les fenêtres de la salle à manger avec un bruit de grésillement électrique.

Ophélie considéra prudemment la silhouette

rouge de sa mère, de l'autre côté de la carafe en cristal ; son silence n'était pas de bon augure… pas davantage, en tout cas, que ne l'aurait été une casserole oubliée sur le feu. Ses petites sœurs se donnaient des coups de coude dès que l'une d'elles dévisageait trop longuement Thorn avec de grands yeux écarquillés. Le grand-oncle, au contraire, ne se gênait pas pour le fixer sans relâche, tout en émiettant sa galette de pain morceau après morceau, comme si c'était un corps qu'il démembrait métaphoriquement. Les cousins, les oncles et les tantes échangeaient entre eux des regards lourds de sous-entendus, tandis qu'ils déglutissaient leur ragoût de lemming le plus discrètement possible. Même la Rapporteuse se tenait coite sous son chapeau en abat-jour, mais sa girouette ne cessait de pointer son bec de cigogne en direction de l'intendant.

Ophélie fit également rouler ses yeux vers Thorn, assis en bout de table. Assis ? *Tordu* aurait été le terme approprié. Cette chaise était beaucoup trop petite pour sa taille et il peinait à manipuler ses couverts sans éborgner du coude ses plus proches voisins. Il mâchait chaque morceau avec une répulsion mal dissimulée, comme si l'acte même de manger était un calvaire. À intervalles réguliers, il sortait un mouchoir de son uniforme, tamponnait le coin de sa bouche, nettoyait le manche de sa fourchette et de son couteau, reposait ses couverts dans un souci de symétrie millimétrique, repliait son mouchoir de façon impeccable, puis le rangeait à sa place. À aucun moment il ne lui vint à l'esprit d'utiliser une serviette de l'hôtel.

Ophélie étouffa un soupir. Thorn avait une conception toute personnelle de ce qu'était produire une bonne impression. Après s'être tant fait désirer, il aurait été bien inspiré de présenter ses excuses à sa future belle-famille, de leur adresser au moins quelques mots aimables. Il fallait le connaître pour savoir que le simple fait de siéger ici, à cette table, était la plus belle démonstration de respect dont il était capable.

— Le cirque était divertissant, bredouilla Ophélie en se tournant vers Hector. Tu as montré tes photographies ?

Son petit frère haussa les sourcils sous sa coupe au bol, la bouche pleine.

— Pourquoi che les montrerais ? Elles chont toutes ratées à cauche des échos.

La conversation retomba comme un soufflé. Ophélie posa un regard de regret sur les deux chaises vides à côté d'elle. Berenilde se tenait toujours au chevet de sa mère et la tante Roseline s'était rendue au sanatorium pour lui apporter du linge propre. Elles seules auraient pu aider Thorn à se présenter sous son jour le moins défavorable ou, du moins, rendre l'atmosphère respirable.

— Neuf et quatre.

Des deux côtés de la table, toutes les têtes se tournèrent lentement, dans un même mouvement symétrique, fourchettes en suspens. La voix sépulcrale de Thorn s'était élevée au milieu du silence, à la stupeur générale.

— Pouvez-vous répéter, monsieur Thorn ?

— Neuf, dit-il sans lever le nez de son assiette. C'est le nombre de nos propriétés familiales. Il s'agit de châteaux pour la plupart, presque tous d'excellente facture. Trois d'entre eux sont établis à la Citacielle et j'en destine un à votre fille, comme cadeau de mariage. (Thorn releva enfin ses yeux mi-clos, pareils à deux fentes d'argent, mais il ne les tourna que vers la mère d'Ophélie.) Je vous suggère de visiter nos propriétés. Et si vous y trouvez des souvenirs que vous voudriez rapporter sur Anima, ajouta-t-il d'une voix dénuée de chaleur, servez-vous à votre guise.

Ophélie écarquilla tellement les paupières que ses lunettes faillirent se décrocher de son nez. Pourquoi, de tous les sujets de conversation possibles et imaginables, était-ce celui-là que Thorn avait choisi ?

L'effet produit sur la famille d'Ophélie ne se fit pas attendre. Écœurés, les uns repoussèrent leurs assiettes, d'autres détachèrent leurs serviettes, le grand-oncle broya ce qu'il restait de sa galette de pain et les plus jeunes, comprenant que les hostilités étaient déclarées, adressèrent à Thorn d'horribles mimiques. Seule Agathe, son bébé dans les bras, s'était mise à frémir d'excitation dès l'instant où le mot « château » avait été prononcé. Personne n'osa prendre la parole, néanmoins. Tous les visages étaient maintenant tournés vers les parents d'Ophélie, à qui seuls revenait ce droit. Le père avait pâli et rétréci sur sa chaise, tandis que la mère, dans un mouvement inverse, avait enflé et rougi à vue d'œil.

— Monsieur Thorn, dit-elle en prononçant ce nom comme s'il lui faisait mal aux dents, êtes-vous en train d'essayer d'*acheter* notre indulgence comme je le crois ?

— Oui.

Thorn fit circuler son regard métallique sur chaque convive, arrachant des grimaces crispées aux uns et des froncements de sourcils aux autres. L'unique personne qu'il évita avec soin fut Ophélie, et pourtant elle ne ménageait pas sa peine pour attirer son attention et le supplier muettement de s'en tenir là.

— Je ne serai jamais le gendre idéal, poursuivit-il sur le ton neutre du constat, et je ne compte pas sur mon charme pour vous convaincre du contraire. Ces propriétés sont les seules qualités dont je peux me vanter devant vous.

— Et c'est tout ? gronda le grand-oncle, congestionné de colère sous ses moustaches. C'est vraiment tout ce que tu as à nous dire ? Tu chercherais pas la bisbrouille, des fois ?

— Écoutez-moi, intervint Ophélie. Je voudrais…

— Non, l'interrompit Thorn en soutenant sans ciller le regard du grand-oncle, par-dessus la longueur de table qui les séparait. Ce n'est pas tout ce que j'ai à dire. Neuf était mon premier argument pour me faire bien voir de vous. Quatre est le second.

— Quatre quoi, monsieur Thorn ?

Ophélie dévisagea son père comme s'il venait enfin de prendre du relief. Il s'était exprimé d'une voix mal assurée, comme chaque fois qu'il parlait, mais il l'avait fait en se levant de sa chaise, en appuyant ses deux mains sur la table et en enfonçant son regard dans celui de Thorn. La gravité extrême qu'il manifestait à cet instant fit presque oublier son crâne dégarni et ses traits effacés.

— Quatre jours, répondit Thorn en s'attaquant à un nouveau morceau de tarte avec son couteau. C'est le délai qui nous sépare du mariage. Durant ce laps de temps, peu importe combien mon attitude envers votre fille vous choque ou vous déplaît, je vous demande de ne pas vous en mêler.

— Thorn, vous ne devriez peut-être pas...

Cette fois encore, Ophélie n'eut pas le temps d'achever sa phrase. Pareille à une casserole parvenue à ébullition, sa mère explosa dans un spectaculaire remous de robe et de bijoux.

— Je me mêle de la vie de mes enfants comme je l'entends ! Je ne peux pas m'opposer à ce mariage, admit-elle avec un regard pour la Rapporteuse dont la girouette s'était remise à tournoyer. Mais vous êtes plus caillant qu'un pain de glace, et ça, je n'ai pas peur de vous le dire en face.

— Quatre jours, insista Thorn sans hausser le ton. Après le mariage, vous pourrez demander à votre fille de vous rendre visite sur Anima aussi fréquemment et aussi longuement que vous l'entendez.

À ces mots, la mère retrouva une coloration normale, le père se rassit sur sa chaise, les oncles et les tantes se consultèrent du regard. Ophélie, quant à elle, n'en croyait pas ses oreilles.

— Il me semble, dit-elle en s'armant de patience, que je pourrais au moins...

— J'ai votre parole ? la coupa sa mère. Je pourrai rappeler ma fille à la maison autant de fois que je le décide ?

C'en était trop pour Ophélie. Elle commençait

à trouver insupportable cette façon qu'ils avaient tous de parler d'elle comme si elle n'était pas présente. Elle avait affronté le public du théâtre optique des dizaines de fois et elle était incapable de se faire entendre de sa propre famille ! Elle inspira aussi fort que le permettait son nez enrhumé, bien décidée à s'imposer, mais la réponse irrévocable de Thorn lui vida les poumons :

— Je vous le promets.

— Vous ne vous opposerez jamais à ma volonté ?

La mère d'Ophélie avait souligné chaque syllabe en martelant la nappe de son index ; le poivrier, un peu affolé, s'éloigna prudemment en quelques bonds.

— Non, dit Thorn. Je ne m'y opposerai pas.

Son regard traversa alors l'atmosphère comme une lame pour se planter en plein dans les lunettes d'Ophélie. Parents, grand-mères, frère, sœurs, oncles, tantes et cousins firent grincer leurs chaises en pivotant vers elle à leur tour.

— Si mon avis vous intéresse encore, s'agaça Ophélie, je pense que...

— Vous êtes trop arrangeant, monsieur Thorn.

Cette fois, c'était la Rapporteuse qui lui avait coupé la parole. Elle s'était exprimée avec un sourire indulgent, une tasse de thé à la main, sa cigogne métallique acquiesçant du bec au sommet de son chapeau.

— C'est tout à votre honneur de vouloir nous mettre à l'aise, reprit-elle. Mais vous n'avez pas à nous faire de telles promesses. La place de notre petite Ophélie est ici, à vos côtés. Si vous lui laissez trop de libertés, elle n'honorera jamais ses devoirs envers vous et tournera en dérision cette alliance diplomatique.

Thorn émit un reniflement dédaigneux. Son regard passa lentement d'Ophélie à sa mère, sans s'arrêter sur la girouette de la Rapporteuse qui pointait son bec sur lui.

— Pour résumer la situation, articula-t-il en appuyant ses longs doigts les uns contre les autres, je vous offre ce que je possède de plus profitable, mes biens, et je vous épargne ce que j'ai de moins avantageux, ma compagnie. En contrepartie, je réclame ces quatre jours pendant lesquels vous ne vous immiscerez pas dans mes affaires.

La Rapporteuse ne souriait plus du tout, terriblement froissée d'avoir été ignorée. La mère d'Ophélie, quant à elle, contracta tous les traits de son visage. Elle plissa les paupières, tordit les sourcils, serra les lèvres dans un tel effort de concentration, cherchant encore et encore l'entourloupe, que les épingles de son énorme chignon s'agitèrent au même rythme que ses pensées.

Ses muscles finirent par se relâcher sous la poussée d'un sourire triomphal.

— Je reprendrai volontiers un peu de dessert. Je vous ressers une part de tarte, monsieur Thorn ?

À bord de la cabine du téléphérique, Ophélie fixait Thorn en silence par-dessus ses lunettes assombries. Plié tant bien que mal sur la banquette d'en face, son porte-documents à même les genoux, il ne disait rien non plus. Agathe se chargea de faire la conversation pour eux pendant toute la durée de l'ascension :

— Neuf châteaux, c'est ex-tra-or-di-nai-re ! Il n'y a aucun château sur Anima, n'est-ce pas, sœurette ? Juste des bicoques caractérielles et, dans le meilleur des cas, par-fai-te-ment ennuyeuses. Houlà, notre nacelle grince beaucoup, vous ne trouvez pas ? Je suis si im-pa-tien-te de voir enfin quelque chose de grandiose, monsieur Thorn ! J'ai visité les Sables-d'Opale de long en large : cette mer grise, ces sinistres rochers, toutes ces usines, c'est d'un lu-gu-bre... Nom d'une balançoire, on ne remue pas un peu trop ? Le fait est que je ne comprends pas pourquoi votre tante nous impose de rester si longtemps ici, monsieur Thorn. J'aimerais tellement rencontrer de vraies dames du monde comme les sœurs de l'ambassadeur. Elles sont si belles, si gracieuses, si dé-li-ca-tes ! Un peu étranges, il est vrai. Je les ai croisées ce matin sur le promenoir et je me suis demandé si elles n'avaient pas abusé des vapeurs : elles avaient l'air com-plè-te-ment perdu. Ah, ouf, nous sommes arrivés !

Le caquetage d'Agathe accompagna Thorn et Ophélie jusqu'au débarcadère du téléphérique et résonna à travers toutes les galeries en brique de la gare des Sables-d'Opale. Il mourut sur ses lèvres quand, au lieu de descendre vers les quais, Thorn s'enfonça dans un tunnel traversé par un puissant appel d'air.

— Où allons-nous ? bredouilla Agathe en retenant son chapeau à plumes. M. Thorn ne repart pas en train ? Il ne rentre tout de même pas à pied, non ?

— Il a un local réservé à l'extérieur de la gare, sur la muraille, répondit Ophélie. C'est par là que nous sommes revenus du cirque, tout à l'heure.

— Un local ? Sur la muraille ? Je... je ne comprends pas.

— En tant qu'intendant, Thorn possède des clefs spéciales. Enfin, les clefs ne sont pas spéciales en elles-mêmes, mais elles donnent accès à des Roses des Vents et les Roses des Vents, tu vois, ce sont des sortes de raccourcis. Quoique, des raccourcis... Il ne faut évidemment pas se tromper dans le dédale des portes.

À la façon dont sa sœur écarquillait les yeux, Ophélie sut qu'elle l'avait complètement embrouillée avec ses explications.

— Le local n'est pas loin, conclut-elle simplement.

Agathe poussa un petit cri terrifié en se cramponnant des deux mains à son chapeau. Le tunnel venait de déboucher sur une courtine, gardée par une double rangée de créneaux et décorée de statues trop érodées pour ressembler encore à des êtres humains. Si la largeur du chemin était tout à fait confortable pour marcher, la vue l'était certainement beaucoup moins.

À droite, la muraille surplombait le rivage des Sables-d'Opale de tellement haut qu'il était possible d'admirer chaque traînée d'écume sur le dos argenté de la mer. La station thermale ressemblait à une petite maquette d'urbanisme et l'hôtel des thermes, dressé au loin sur son promontoire rocheux, tenait de l'usine miniature. Cette vision à elle seule aurait eu de quoi donner le vertige, mais ce qui se déployait de l'autre côté de la muraille était plus spectaculaire encore. À gauche, le monde n'existait plus qu'à l'état gazeux. Les nuages se faisaient et se défaisaient dans un mouvement perpétuel. Ils laissaient parfois entrevoir, à travers leurs dentelles fluctuantes, des éclats de ciel, une étincelle de soleil, mais jamais, absolument jamais le sol. Ici s'arrêtait l'arche, ici commençait le vide. Le plus désespéré des suicidaires ne se serait pas jeté de ce côté-là de la muraille.

Thorn s'avançait entre ces deux infinis aussi impassiblement qu'il l'aurait fait sur le trottoir d'une avenue. Il n'avait pas perdu de temps, on ne voyait déjà plus de lui qu'un lointain manteau noir qui battait l'air comme un étendard. Il finit par se retourner à demi, cependant, quand il s'aperçut que plus personne ne le suivait.

— Je ne peux pas, décréta Agathe d'une voix blanche. Impossible. Disons au revoir à M. Thorn d'ici.

— Il vient juste de signer un traité de paix avec maman, rétorqua Ophélie, ce ne serait pas très diplomatique.

Elle désigna la saillie en pierre d'une guérite, plus loin sur la muraille, pour montrer à sa sœur l'endroit où il leur fallait se rendre.

— Je ne peux pas, répéta Agathe en s'appuyant sur le mur du tunnel, comme si le monde entier était devenu instable. Le téléphérique, passe encore. Ça, c'est au-dessus de mes forces.

— Reste ici, je n'en ai pas pour longtemps. Je raccompagne Thorn et je reviens, tu m'auras sous les yeux tout du long.

355

— Je... D'accord. Tu ne répéteras pas à maman que je vous ai laissés seuls, hein ? Tu sais combien elle est à cheval sur les principes.

— Promis.

Déséquilibrée par le vent qui envahissait sa robe, Ophélie rejoignit Thorn avec l'impression de marcher sur un raz de marée en pierre qui fendrait l'univers en deux. Même pour elle qui n'était pas sujette au vertige, l'expérience restait impressionnante.

Thorn se remit en marche dès qu'Ophélie fut à son côté, d'un pas cette fois moins pressé.

— Je comprends mieux pourquoi, de tous les chaperons potentiels, vous avez désigné cette pipelette.

Il y avait une note presque appréciative dans sa voix, mais Ophélie, pour sa part, ne se sentait pas fière d'elle-même. Elle avait compté sur la peur du vide de sa sœur ; c'était une manipulation un peu mesquine.

— J'avais quelque chose à vous demander, dit-elle, et je tenais à le faire en privé.

— Quoi donc ?

— Des excuses.

Gênée par les rafales de vent, Ophélie coinça tout ce qu'elle put de cheveux dans son écharpe, puis elle ignora de son mieux le regard oblique que Thorn abaissa dans sa direction. Elle avait essayé d'insuffler de la dureté à ses mots, de réveiller en elle les braises d'une colère juste et méritée, mais elle n'y était pas arrivée. L'étrange mélancolie qui s'était emparée d'elle sur la plage d'Asgard ne la quittait plus.

— Pourquoi m'excuserais-je ? Vous m'aviez demandé un domicile, je vous offre un château. J'ai tenu envers vous toutes mes promesses.

— Je parle de mes parents. Vous deviez les rassurer. Il vous suffisait de faire bonne impression pendant une heure, Thorn. Une petite heure. À la place, vous concluez un marché avec ma mère.

— Et elle est rassurée.

— Rassurée ? Elle exulte, oui. Vous lui avez donné les pleins pouvoirs sur ma vie.

— Je lui ai promis de ne pas m'opposer à sa volonté. Cette promesse n'engage que moi.

Ophélie s'accorda un instant de réflexion, le temps de faire quelques pas sur le chemin de la muraille, puis elle dut admettre que Thorn avait en effet choisi ses termes avec soin durant le repas. Curieusement, cela ne lui fit aucun bien. Ainsi, le choix de rester ou de partir revenait à elle et à elle seule ? Cela ne pouvait quand même pas être aussi simple.

— Mettons que je vous prenne au mot, murmura-t-elle. Mettons que je quitte le Pôle sitôt après la cérémonie du Don et que je ne revienne jamais. Cela ferait de vous le plus ridicule des maris.

— Je vais déjà m'employer à ce que vous surviviez jusqu'à notre mariage, maugréa Thorn d'un ton maussade. Vous me communiquerez votre animisme, je vous libérerai de vos obligations conjugales, nous serons quittes. Ce que vous déciderez de faire ensuite ne regardera que vous.

Ophélie sentit qu'il allait ajouter autre chose, mais il fut interrompu par deux détonations successives, qui trouèrent la plainte du vent. Au loin,

par-delà le bord de mer et les quartiers industriels, là où l'enceinte longeait la forêt boréale,
deux panaches de fumée s'élevaient des créneaux.
Il n'était jamais rassurant d'entendre les canons
de la muraille. Cela signifiait généralement qu'une
Bête s'approchait trop près de la ville. Quelques
jours auparavant, un glouton géant avait pris le
rempart d'assaut ; il avait fallu beaucoup de canon-
nades pour le mettre en déroute. Ses grognements
avaient été d'une telle puissance qu'on les avait
entendus jusque dans les thermes. Si le personnel et les curistes ne s'en étaient pas inquiétés,
habitués aux éclats de la nature, cela avait été une
expérience assez frappante pour la famille d'Ophélie. La vie au Pôle était ainsi : où qu'on allât, quoi
qu'on fît, le danger faisait partie du quotidien.

Et pourtant, songea Ophélie, elle ne la détestait
pas tant que ça, cette vie-là.

— Que faites-vous de l'alliance diplomatique ?
Vous n'avez cessé, Berenilde et vous, de m'agiter
cet argument sous le nez pour que je me tienne
tranquille. Pensez-vous que M. Farouk sera d'accord si je passe mon temps à l'autre bout du
monde ?

— Il vous oubliera, pour peu qu'il ne vous ait
pas continuellement sous le nez, affirma Thorn.
Seul compte son Livre, et le Livre, c'est…

— Votre affaire, je sais. (Son rhume refaisant
des siennes, Ophélie se moucha bruyamment
avant de se composer une voix sévère.) Vous ne
vous êtes accordé que trois mois pour affronter
cette *lecture*, rappela-t-elle. Prétendez-vous y arriver sans personne pour vous apprendre à maî-

triser votre nouveau pouvoir ? Arrêtez de vouloir porter le monde entier sur vos épaules.

Ophélie se prit d'un intérêt intense pour les gigantesques remous de nuages, mais elle devinait dans l'angle de son regard la profonde perplexité de Thorn.

— Qu'est-il arrivé au mur d'enceinte, là-bas ? ajouta-t-elle.

Appuyée sur le parapet, Ophélie désigna un point éloigné de la muraille, à peine visible à l'œil nu dans les brumes argentées. Les fortifications épousaient le relief du bord de l'arche, à califourchon entre mer d'eau et mer de nuages, mais leur cheminement semblait s'interrompre brutalement au bord du vide pour reprendre un peu plus loin. Cela donnait l'impression qu'il y avait un gros trou plein de nuages au milieu du décor.

— Il s'est effondré, dit Thorn qui la regardait bien plus attentivement que le mur en question. Un bloc de terre s'est détaché à cet endroit, il y a quatre ans.

Ophélie s'éloigna aussitôt du parapet, à croire qu'il menaçait soudain de s'effriter sous son poids.

— Un effondrement ? répéta-t-elle, incrédule. De cette taille ?

— Celui-là n'était pas si grand, fit observer Thorn. Un bloc de plusieurs kilomètres s'est décroché d'une arche mineure d'Héliopolis il y a deux ans. Vous ne lisez jamais les gazettes interfamiliales ?

Ophélie secoua la tête. Elle avait toujours considéré les arches comme de petites planètes solides et immuables. Cela lui faisait un choc d'apprendre que des fragments entiers pouvaient sombrer ainsi dans le vide du jour au lendemain.

« Nous vivons dans une *drolle* d'affaire, t'sais », avait dit le grand-oncle.

Alors que leur conversation lui revenait soudain en mémoire, Ophélie se sentit emportée dans un tourbillon de questions. La Déchirure du monde était-elle réellement finie ? Qu'est-ce qui l'avait seulement provoquée ? L'une de ces guerres dont les Doyennes ne voulaient surtout plus entendre parler ? Les esprits de famille savaient-ils quelque chose d'important à ce sujet avant de l'avoir oublié ? Leurs Livres détenaient-ils une information sur ce qui s'était passé ? Et si c'était cette vérité-là qui dérangeait certaines personnes ?

Ophélie fut arrachée à son questionnement par la pluie. Une goutte tomba sur son front, une autre sur son nez et en quelques instants une averse froide s'abattit sur toute la muraille.

— Nous vivons dans un monde vraiment énigmatique, dit-elle en protégeant ses lunettes de la main. Je *lis* toutes sortes d'objets depuis des années et j'ai l'impression de ne rien connaître. Une Terre éclatée en morceaux. Des esprits de famille oublieux. Des Livres indéchiffrables. Vous.

Une lueur traversa les yeux de Thorn, un muscle joua le long de sa mâchoire et, l'espace d'un instant, Ophélie eut la certitude qu'il allait enfin se confier à elle.

Alors qu'il desserrait les dents, une nouvelle détonation s'éleva dans le lointain – les canonniers devaient avoir affaire à une Bête particulièrement obstinée – et cette interruption parut ramener

Thorn à la réalité. Il abrita son porte-documents sous son grand manteau noir.

— Dépêchons-nous, dit-il d'un ton bourru. Je ne peux pas m'attarder plus longtemps et vous allez encore attraper froid.

Tandis que Thorn se dirigeait vers la guérite, dont les vieilles pierres et le toit bulbeux se découpaient sur le fond nuageux du ciel, Ophélie fut plus que jamais troublée par l'aura de solitude qui l'enveloppait de la tête aux pieds. « Aidez Thorn », l'avait suppliée Berenilde. Comment était-elle supposée accomplir cette prouesse avec un pareil entêté ?

Ophélie fit signe de patienter à Agathe, qui lui adressait de grandes gesticulations agacées depuis le tunnel de la gare ; vue d'ici, à travers la pluie, sa sœur ne se résumait plus qu'à des ondulations de robe blanche et de cheveux roux. Ophélie courut ensuite pour rejoindre Thorn sous l'auvent de la guérite. C'était un abri tout relatif : les interstices entre les ardoises laissaient filtrer des fuites et la proximité du vide créait un appel d'air plus puissant ici qu'ailleurs.

— Quand reviendrez-vous ? demanda-t-elle.

— J'ai encore beaucoup d'inspections à effectuer en province.

Ses lunettes éclaboussées de tous les côtés, Ophélie ne distinguait plus de Thorn qu'une grande ombre floue. Il lui semblait que sa voix avait résonné de façon plus caverneuse que d'habitude, et ce n'était pas seulement dû à l'acoustique réverbérante de la guérite.

— Quand voulez-vous que je revienne ?

— Moi ? s'étonna Ophélie qui ne s'était pas attendue à ce qu'il lui demandât son avis. Je suppose que ça dépend surtout de vos obligations. Essayez simplement de ne pas oublier le mariage.

C'était une boutade, évidemment, mais Thorn lui répondit avec son indéfectible gravité :

— Je n'oublie jamais rien.

— Vous me faites justement penser, s'exclama Ophélie après avoir essuyé ses lunettes, que j'ai oublié de vous informer de la nouvelle lubie de votre tante : Berenilde m'a demandé d'être la marraine de son enfant !

Thorn arqua les sourcils et sa cicatrice disgracieuse suivit le mouvement.

— Cela n'a rien d'une lubie. Vous faites maintenant partie de la famille.

L'estomac d'Ophélie se tortilla sur lui-même. Avait-on idée de faire des déclarations pareilles sur un ton aussi solennel ?

— Cette proposition ne me surprend pas, poursuivit Thorn. Ma tante va mettre au monde le descendant direct de Farouk. Les proches de cet enfant se verront assurer une place de choix à la cour. C'est aussi ma position qu'elle renforce par la même occasion.

Ophélie réalisa soudain que, si Archibald ne s'était pas imposé de force en tant que parrain, ce rôle serait probablement revenu à Thorn.

— Cela étant, mon avis est que vous devriez décliner cette offre, ajouta-t-il après réflexion. Votre place à vous n'est pas et n'a jamais été à la cour.

« Ma place est là où j'aurai choisi d'être », faillit

362

rétorquer Ophélie, passablement agacée, mais elle s'entendit répondre :

— J'ai rencontré votre mère hier.

Ophélie se demanda aussitôt ce qu'il lui avait pris. Ce n'était ni l'endroit ni le moment d'aborder le sujet, mais elle pressentait que ce tabou-là était le rouage central de toute la mécanique de Thorn. Si Ophélie parvenait à saisir la nature profonde du lien qui le rattachait à sa mère, elle pourrait enfin le comprendre. Et peut-être même l'aider.

— Berenilde m'a raconté ce qui lui est arrivé, enchaîna-t-elle d'un ton moins assuré en voyant Thorn se rembrunir tout à fait. Je me demandais... Si vraiment vous avez hérité de sa mémoire avant sa Mutilation, vous serait-il possible de... enfin... de la lui rendre ? Je ne veux pas insinuer qu'elle mérite un geste affectueux de votre part, s'empressa-t-elle de préciser, alors que le visage de Thorn durcissait à vue d'œil. Je sais que votre mère n'en a pas eu un seul pour vous. J'avais surtout le sentiment que sa mémoire était un fardeau supplémentaire.

— Vous ne savez rien.

Thorn avait prononcé ces quatre mots avec un calme glacial. Une électricité perceptible frémissait tout autour de lui ; ses griffes se tenaient là, à fleur de nerfs, aussi acérées que ses yeux en lames de rasoir. Cette réaction hostile produisit sur Ophélie le même effet que la pluie qui continuait de lui ruisseler sur la tête à travers les interstices de l'auvent.

— En effet, admit-elle entre ses dents. Je ne sais rien.

Il y avait pourtant une chose qu'elle commençait à comprendre. La mère de Thorn avait été proche de Farouk et elle détenait un secret : n'était-ce pas à cause de cela, et de cela uniquement, que Thorn voulait déchiffrer le Livre ? Le lien entre ces deux affaires semblait évident.

Thorn sortit le trousseau de l'intendance et, après avoir passé en revue ses clefs, il en introduisit une dans la serrure de la guérite. L'intérieur du local était à l'image de toutes les Roses des Vents qu'Ophélie connaissait : une pièce circulaire presque entièrement composée de portes, chacune ouvrant sur une destination lointaine. Les Roses des Vents desservaient souvent d'autres Roses des Vents, ce qui offrait un très large éventail de possibilités pour se déplacer.

— Ne quittez plus l'hôtel, ordonna Thorn. Faites attention aux personnes que vous fréquentez, à la nourriture que vous ingurgitez et à l'air que vous respirez jusqu'à mon retour. L'Invisible veille à votre sécurité, évitez de lui compliquer la tâche. Si vous suivez mes recommandations à la lettre, il ne vous arrivera rien.

Ophélie jeta un coup d'œil derrière elle, se demandant si Vladislava se trouvait en ce moment même sur la muraille, avec eux, mais elle ne vit rien d'autre que l'épais rideau de la pluie. Elle frissonna de toute sa peau en sentant le vent se plaquer sur ses vêtements trempés. À présent qu'elle ne distinguait plus ni sa sœur ni les abîmes, elle avait presque le vertige.

— Attendez, murmura Ophélie en sortant la montre à gousset de la poche de son manteau.

Avant que vous ne partiez, je voudrais vous rendre ceci. Vous en avez plus besoin que moi et, de toute façon, je ne la *lirai* pas. J'ai choisi de vous faire confiance, à vous et pas à votre montre.

Assurément, ces paroles auraient été du plus bel effet si la voix d'Ophélie ne s'était pas évanouie sur les derniers mots. Elle venait de remarquer que l'aiguille des secondes ne pulsait plus.

— Je... je ne comprends pas, bégaya-t-elle, tandis que Thorn refermait son poing autour de la montre avec une expression crispée. Je l'ai remontée encore ce matin... Un grain de sable a dû gripper le mécanisme.

Ophélie se sentit parfaitement idiote. Son intention avait été de l'amadouer, pas de le fâcher pour de bon.

— Mon grand-oncle peut guérir n'importe quel objet, dit-elle gauchement. Tout bien considéré, vous devriez me la laisser encore un peu.

Thorn se pencha dans un interminable mouvement vertébral, mais il ne lui rendit pas la montre. À la place, il posa sa bouche sur la sienne.

Ophélie écarquilla les yeux, le souffle coupé. C'était un baiser absolument inattendu qui la plongea dans un état de stupeur. Incapable de réfléchir, elle perçut en revanche toutes les sensations environnantes avec une acuité nouvelle : le clapotis de la pluie sur les pierres, le vent empêtré dans sa robe, ses lunettes qui s'enfonçaient dans sa peau, les cheveux mouillés de Thorn contre son front, la pression maladroite de ses lèvres. Et soudain, alors qu'elle prenait enfin conscience de ce qui était en train de se passer, Ophélie fut saisie d'un violent vertige.

Une bouffée de panique monta en elle et sa main s'envola toute seule.

C'était la première fois qu'Ophélie giflait un homme et, si son geste avait été plus instinctif que brutal, elle fut choquée par sa propre réaction. Thorn parut l'être beaucoup moins, en revanche. Il se redressa avec raideur tout en massant sa joue d'un air pensif, le regard de côté, comme s'il s'était préparé dès le début à cette éventualité.

— Écoutez, bredouilla-t-elle après un silence embarrassé. Je ne voulais pas... Vous n'auriez pas dû...

— J'avais un doute, l'interrompit Thorn, les yeux toujours détournés. Vous l'avez dissipé.

Ophélie réprima de son mieux les soubresauts affolés de son écharpe. S'était-elle vraiment comportée d'une façon qui prêtait à confusion ? Horriblement gênée, elle vit le grand corps de Thorn se ployer pour passer la porte de la guérite, sans un regard en arrière.

— Je m'emploierai à ce que vous surviviez jusqu'au mariage, lui promit-il pour la seconde fois. Quand tout sera fini, rentrez chez vous avec votre famille. Le ridicule ne m'a jamais tué.

Sur ces mots, il referma la porte derrière lui, et le cliquetis sonore de la serrure indiqua qu'il l'avait verrouillée à double tour. Les oreilles en feu et les lunettes empourprées, Ophélie contempla fixement les lettres délavées du vieux panneau de bois « PERSONNEL UNIQUEMENT », comme si Thorn pouvait à tout moment revenir sur ses pas, reprendre son baiser et lui laisser sa montre à gousset comme elle l'avait proposé en premier lieu. Les grands cris hystériques d'Agathe interrompirent sa réflexion :

— Hou ! Hou ! Sœurette ! Reviens im-mé-dia-te-ment !

Ophélie crut d'abord qu'Agathe avait accompli l'improbable exploit d'assister à toute la scène en dépit de la distance et de la pluie. Elle finit cependant par comprendre qu'il se passait autre chose, à mesure qu'elle traversait la courtine en sens inverse. Sa sœur lui désignait le paysage avec des gestes surexcités, ce qui était surprenant quand on connaissait sa peur du vide, et les canons de la muraille retentirent pour la troisième fois. Ophélie se pencha par-dessus le parapet. L'averse avait cessé aussi brutalement qu'elle avait commencé et le soleil déchirait déjà les nuages pour déverser sa lumière sur les salines des Sables-d'Opale. Il y avait une animation inhabituelle dans les rues et, pendant un instant, Ophélie craignit qu'un animal sauvage ne se fût introduit en ville.

Elle blêmit quand elle releva les yeux vers l'horizon et aperçut au-dessus de la mer, entre deux mouvements de nuages, un entrelacs gigantesque et chaotique de tourelles, d'arcs-boutants et de cheminées. Ce n'était pas la venue d'une Bête que les canonniers annonçaient : c'était celle de la Citacielle.

— Madame Vladislava, êtes-vous ici avec moi ? appela Ophélie.

— Oui, mademoiselle, finit par répondre une voix un peu éloignée, au timbre militaire caractéristique.

À présent, Ophélie percevait presque la présence

d'une ombre rouge dans l'angle de son regard, mais elle ne voyait personne dès qu'elle tournait la tête. Peut-être serait-elle embarrassée plus tard à l'idée que cette Invisible eût été témoin de ce qui s'était passé entre Thorn et elle, mais, pour l'heure, il y avait plus urgent.

— Pouvez-vous faire prévenir Thorn qu'il y a un imprévu ?

— À vos ordres, mademoiselle.

Bribe : troisième reprise

Dieu pouvait être si cruel dans son indifférence qu'il m'épouvantait. Dieu savait se montrer doux, aussi, et je l'ai aimé comme je n'ai jamais aimé personne.

— Pourquoi ?

Ce souvenir-ci commence avec cette question. Alors qu'il se concentre dessus, que sa mémoire habille le « pourquoi » d'une modulation de voix et d'une silhouette qui se découpe de plus en plus précisément sur fond de lumière, il comprend qu'elle émane d'Artémis. Elle a beaucoup changé depuis le souvenir précédent, plusieurs années doivent s'être écoulées. Elle ne porte plus de lunettes, sa voix a gagné en profondeur et son corps, malgré les incongrus habits masculins qu'elle revêt, est résolument celui d'une adolescente en pleine puberté. Une très grande adolescente ; sa taille et son envergure sont bien supérieures à la normale. Artémis est assise sur la bordure d'une fenêtre, un peu étroite pour elle : son animisme fait tourner un globe terrestre posé en équilibre sur ses genoux. Le soleil illumine son profil sérieux et sa longue tresse rousse.

— Pourquoi me demandes-tu pourquoi ?

Sa voix à lui aussi a mué. Elle possède un timbre plus grave encore que celui d'Artémis, comme si sa cage thoracique avait pris des proportions formidables.

— Pourquoi est-ce que toutes les cassettes que tu m'offres sont vides ? précise Artémis. Chaque fois que je te rends un service, tu m'en donnes une et elle est vide. Quitte à faire un cadeau, fais-le bien.

Elle lui explique cela d'un ton dépourvu de reproche. Ça ressemble plutôt à une recommandation de grande sœur à petit frère. Elle continue de faire tournoyer le globe sur son axe sans avoir à le toucher. Un monde rond, encore intact. Le monde de cette époque ?

— Je pense que les boîtes font un cadeau idéal, s'entend-il répondre après un silence. S'il y avait quelque chose à l'intérieur, quelles seraient les chances pour que ça corresponde à ce que tu espérais y trouver ? Tu serais forcément déçue. Je t'offre le contenant, tu y mets toi-même le contenu que tu veux.

Au fur et à mesure qu'il prononce ces mots, il sait que ce n'est pas la seule raison. La vérité, c'est qu'il est totalement dépourvu d'imagination. Il se sent parfois aussi vide que les cassettes qu'il offre à sa sœur.

— Je me demande où j'irai vivre quand je serai arrivée à l'âge adulte, dit Artémis en examinant

370

son globe sans enthousiasme. Si c'était possible, je choisirais les étoiles. C'est ironique, non ? Mon pouvoir n'a d'affinités qu'avec la matière artificielle et je ne suis intéressée que par le monde céleste. Va savoir, les étoiles seraient peut-être plus décevantes que tes cassettes vides ? La seule façon d'en être certaine, ajoute-t-elle d'un ton pensif, ce serait d'apprendre à mieux les connaître. Quand je serai adulte, je commencerai par me choisir une montagne où je ferai construire le meilleur observatoire du monde. Et toi ?

Lui ? Il se contente de fixer le globe d'Artémis sans répondre. Il ne sait pas. Il n'aime pas du tout la perspective de devoir quitter un jour la maison, comme au temps de son apprentissage forcé parmi les humains.

— Tu devrais t'entraîner comme les autres au lieu de paresser, déclare soudain Artémis en cessant de faire tourner son globe. Tu es encore loin de maîtriser ton pouvoir, Odin.

Les autres ? Son angle de vision dévie pour revenir à sa position initiale, celle qu'il avait avant qu'Artémis ne lui demande « pourquoi ? », et il s'aperçoit qu'il a le visage à demi enfoncé dans ses manches. Il se tient avachi sur une table, les bras croisés devant lui. Dans l'entrebâillement de ses rideaux de cheveux blancs, il n'y a que le brouillard, un flou induit par la défaillance de sa mémoire. L'observateur tapi tout au fond de lui, cette conscience qui aujourd'hui s'efforce de reconstituer le puzzle du passé, repasse en boucle ce mouvement oculaire, d'Artémis vers « les autres », de la fenêtre vers le reste de la salle, dans l'espoir d'accrocher un détail, de déclencher un déclic qui lui permettra de recomposer la scène.

Des soldats de plomb.

Oui, il les voit alignés sur la table voisine. Les soldats de plomb ne sont pas à lui, ils appartiennent à son frère Midas. Midas est en pleine tentative de transmutation, louchant de toutes ses forces sur son colonel pour le changer en or. Pour le moment, ça ressemble plutôt à du cuivre.

D'accord : à sa gauche, il y a Artémis et son globe ; à sa droite, il y a Midas et ses soldats de plomb. Ensuite ?

Des pastels. Ils flottent dans les airs, mais pas d'une façon anarchique... Tels des satellites miniatures, ces bâtonnets colorés tournent en orbite autour de son autre frère, Ouranos, l'artiste de la famille, attablé un peu plus loin.

D'accord : à sa gauche, il y a Artémis et son globe ; à sa droite, il y a Midas et ses soldats de plomb ; devant lui, il y a Ouranos et ses pastels. Ensuite ?

Le périmètre de sa vision s'élargit à mesure qu'il se réapproprie la scène. Il entrevoit les silhouettes des jumeaux Hélène et Pollux qui procèdent à des expérimentations acoustiques à partir d'un diapason, ou encore celle de Vénus qui essaie de charmer un scarabée qui brille comme un bijou dans la lumière du soleil. Dans quel endroit se trouvent-ils, tous ? En dehors des tables et des fenêtres ensoleillées, il ne se le rappelle pas.

Tous ces grands adolescents maladroits, occupés à faire leurs travaux pratiques comme des écoliers exemplaires, sont-ils conscients qu'ils seront un jour les rois et les reines du monde, un monde qui n'aura plus rien à voir avec le globe posé sur les genoux d'Artémis ?

Il s'interroge, tandis que son regard essaie d'atteindre l'ombre dressée tout au fond de la salle, là où le brouillard de sa mémoire ne s'est toujours pas dissipé.

Qui est Dieu ? Que veut Dieu ? À quoi ressemble Dieu ?

Tous ses souvenirs gravitent autour de ce personnage central, et pourtant ils ne parviennent pas à lui conférer un visage. L'émotion qui le saisit à la gorge quand, comme en cet instant, il observe Dieu depuis sa table, depuis ses bras croisés, depuis l'entrebâillement de ses cheveux, est au contraire d'une évidente limpidité.

De la crainte.

Il ne comprend pas, il n'a jamais compris ce que Dieu attendait de lui. Pour ses frères et ses sœurs, tout a l'air si simple ! Ils acceptent leurs pouvoirs, ils respectent chaque instruction, ils font ce qui est écrit dans leurs Livres sans se poser de questions. Lui, Odin, ne comprend rien à rien. Il a peur de devenir ce que Dieu attend de lui et il a peur aussi de ne jamais le devenir. Ce sont des émotions beaucoup trop complexes pour lui.

Une turbulence traverse soudain le souvenir. Elle provient d'un frisson qui lui parcourt le corps entier. Dieu vient de se mettre en mouvement et il se dirige vers lui. Il en a plus peur que jamais, alors pourquoi Dieu reste-t-il à l'état d'ombre informe ? Il doit absolument se souvenir de lui, c'est essentiel.

Dieu s'avance très lentement entre les tables, à moins que ce ralenti ne soit une déformation du souvenir. Dieu passe à côté des expériences acoustiques d'Hélène et Pollux, du scarabée de Vénus, des pastels d'Ouranos, des soldats de plomb de Midas. Dieu vient pour lui et pour lui seul. Dieu a vu qu'il ne travaillait pas son pouvoir comme les autres. Dieu est déçu. Dieu va lui reprendre son Livre. Dieu va le renier et le chasser de la maison.

Dieu lève la main.

La main de Dieu : c'est la première manifestation physique de lui qu'il parvient à se rappeler. Ce personnage, pour lequel il nourrit des émotions aussi exacerbées, est-il réellement doté d'une main à ce point petite et ordinaire ?

Il croit que la main de Dieu s'abat sur lui pour le frapper, mais elle lui ébouriffe les cheveux d'un geste taquin.

Et tandis que Dieu s'éloigne sans un mot, toujours dépourvu de forme propre, il se sent, lui, empli d'une chaleur brûlante. La peur a cédé la place à un amour éperdu. Une vérité s'impose à son esprit, la seule qui compte au monde : aujourd'hui encore, il pourra rester à la maison avec Dieu et les autres.

Le souvenir s'achève ici.

Nota bene : « Scelle tes charmes. » Qui a prononcé ces paroles et que signifient-elles ?

Les absents

Si la Citacielle donnait l'illusion de l'immobilité, telle une ruche architecturale suspendue au milieu des nuages, elle était en réalité en mouvement continuel. Moitié poussée par les vents, moitié propulsée par des milliers d'hélices, elle se déplaçait de façon le plus souvent aléatoire. À cet instant, la grande ville orbitale plongeait déjà dans l'ombre les quartiers industriels des Sables-d'Opale. Le nez collé à la vitre du téléphérique qui redescendait lentement vers l'hôtel, Ophélie ne la quittait pas des yeux, nourrissant le petit espoir que la présence de la capitale ici fût le fruit du hasard et que des vents contraires la repousseraient vite vers le nord.

— Pitié, gémit Agathe, ne me dis pas que la cour se trouve là-haut !

— Tu aperçois la tour la plus élevée ? lui dit Ophélie. C'est là.

— C'est pas possible ! D'abord cet in-ter-mi-na-ble voyage en dirigeable, ensuite le train sur la muraille, les promenades au bord des falaises, les allées et venues en téléphérique, et mainte-

nant ça ? J'en arrive à regretter notre petite val-
lée... Saperlipopette ! s'écria soudain Agathe en
plaquant son gant de dentelle contre la vitre de la
nacelle. Des gens tombent de la ville !

Elle montra un grand traîneau étincelant qui
glissait dans les airs, tracté par des rennes.

— Ils ne tombent pas, la rassura Ophélie. La
Citacielle est desservie par des couloirs aériens
très efficaces.

— Oh, le traîneau a atterri juste devant notre
hôtel ! s'exclama Agathe. Des hommes en des-
cendent. Leurs uniformes sont ma-gni-fi-ques ! Si
seulement Charles pouvait s'habiller ainsi, tout
de blanc et d'or ! Est-ce que ce sont des princes ?

— Non, marmonna Ophélie, beaucoup moins
enthousiaste. Ce sont des gendarmes.

— Ils ne viennent pas pour nous, n'est-ce pas ?

À peine furent-elles descendues du téléphérique qu'Agathe eut sa réponse. Les gendarmes
qui étaient occupés à interroger leur famille invi-
tèrent Ophélie à s'installer dans le grand traîneau
de police, tout en dorures et en fourrures, sta-
tionné devant l'hôtel.

— Le seigneur Farouk demande à vous voir,
mademoiselle.

— Moi ? Pourquoi ?

— Parce qu'il demande à vous voir, lui
répondit-on avec une courtoisie impassible.
Mme Berenilde n'est pas avec vous ?

— Non, vous ne la trouverez pas ici, dit Ophélie
en restant évasive.

— C'est regrettable. Montez, mademoiselle.

Ophélie s'efforça de ne pas montrer son inquiétude à sa famille. Farouk avait-il finalement perdu patience ? Allait-il lui demander de *lire* son Livre, pour de vrai cette fois ? Thorn se trouvait sans doute déjà à l'autre bout de l'arche et Berenilde n'était pas encore revenue du sanatorium ; la seule pensée d'affronter Farouk seule donnait à Ophélie des crampes d'estomac.

Elle se sentit à la fois surprise et rassurée en voyant que les sœurs d'Archibald se tenaient elles aussi sur les banquettes fourrées du traîneau. Elles n'étaient ni coiffées ni maquillées et leurs robes avaient été lacées avec une négligence inhabituelle.

— Que se passe-t-il, mademoiselle Patience ? murmura Ophélie en s'asseyant en face de l'aînée. Que nous veut-on ?

Pour toute réponse, et de façon parfaitement inattendue chez une jeune fille aussi distinguée, Patience lui bâilla au nez.

Ophélie remarqua, en levant les yeux vers l'hôtel, la silhouette volumineuse de Cunégonde qui les observait depuis la fenêtre de sa chambre. Elle tira aussitôt les rideaux, comme si elle ne voulait pas être vue. Maladie nerveuse ou non, cette Mirage se comportait de façon vraiment suspecte.

— Une seule personne pour accompagner mademoiselle, annonça un gendarme d'un ton formel quand tous les Animistes se ruèrent sur le traîneau.

— Moi, décida la mère. Esprit de famille ou non, M. Farouk reste un homme. S'il veut fréquenter ma fille, il devra me demander d'abord la permission.

Quitte à choisir, Ophélie aurait préféré être accompagnée par Renard. Il s'était penché sur la rampe du traîneau pour l'assaillir de documents et de recommandations :

— Ça, ce sont vos papiers d'identité. Vous les aviez oubliés dans la poche de votre autre manteau, vous en aurez besoin. Ça, c'est le fac-similé du contrat de monsieur votre fiancé avec le seigneur Farouk et ça, c'est votre licence professionnelle pour votre cabinet de *lecture*, mais surtout, vous ne la sortez que si le seigneur Farouk aborde la question. Je me charge d'avertir Mme Berenilde et votre tante. D'ici là, pas d'imprudence, gamin.

Une main retenant son chapeau à plumes, la mère d'Ophélie prit place sur la banquette avec une dignité de duchesse. Quelques instants plus tard, alors que le traîneau de police remontait un couloir aérien à la vitesse du vent, son chapeau fut emporté au loin.

Après l'atterrissage sur la Grand-Place de la Citacielle s'ensuivit une interminable montée à travers les étages, sous l'escorte des gendarmes. À chaque correspondance d'ascenseur, et il y en eut un nombre considérable, un officier en uniforme blanc et or vérifiait leurs papiers d'identité, puis leur faisait signe de prendre place dans la cabine suivante. Jamais Ophélie n'avait vu un tel déploiement de sécurité et personne ne se donnait la peine de leur fournir la moindre explication.

Sa mère devenait un peu plus rouge d'étage en étage et reposait sans cesse la même question outrée :

— Que voulez-vous à ma fille ?

À quoi un gendarme lui servait imperturbablement la même réponse :

— Le seigneur Farouk demande à la voir,
madame. Elle et les demoiselles de l'ambassade. Il
a aussi demandé Mme Berenilde, mais puisqu'elle
n'est pas là…

— Ce n'est pas une manière de se comporter
envers des jeunes dames, tout de même ! s'indigna
la mère d'Ophélie. Tu me l'aurais dit si tu avais
fait une bêtise, n'est-ce pas, ma fille ? Ah, la, la, si
j'avais su, je serais allée à la toilette d'abord. Combien d'ascenseurs encore nous faudra-t-il prendre
ainsi ?

Ophélie ne lui répondit pas, car elle était elle-
même un peu perdue. Elle se rendait compte qu'on
leur faisait emprunter un itinéraire détourné de
façon à monter vers la tour de Farouk sans passer
par le Clairdelune, ce qu'elle ne croyait même pas
possible. L'ambassade était officiellement l'antichambre de la cour ; cela aurait dû en faire un
passage obligé.

— Nom d'un cornet à pistons ! s'écria soudain
la mère d'Ophélie en plaquant ses doigts vernis
contre sa bouche.

La grille dorée de l'ascenseur venait enfin de
s'ouvrir sur le cinquième étage. Ophélie, elle-
même habituée à la lumière éblouissante et aux
couleurs flamboyantes de la cour, fut prise au
dépourvu par le changement d'atmosphère. Le
soleil, qu'elle avait toujours vu ici à son zénith,
telle une aiguille d'or figée sur midi, s'abîmait à
présent dans la mer, déposant une longue traîne
de feu sur l'eau. Le ciel était une déclinaison sym-

phonique de roses, de bleus, de violets et d'oran-
gés. Même la texture de l'air avait changé, à la
fois douce, tiède et sucrée comme le plus réussi
des soirs d'été.

— C'est donc ici que tu passes tes journées,
ma fille ? demanda la mère d'Ophélie d'une voix
métamorphosée, tandis qu'elles suivaient les gendarmes le long du bord de mer.

— En grande partie, oui.

Ophélie avait répondu d'un ton distrait, entièrement concentrée sur le palais flottant de la
Jetée-Promenade dont toutes les vitres reflétaient
le coucher de soleil à l'autre bout du bord de
mer. Qu'était-il donc en train de se tramer ici ?
Et pourquoi, se demanda-t-elle en regardant les
sœurs d'Archibald, pourquoi les avait-on convoquées toutes ensemble ? Les sept jeunes filles
marchaient comme des somnambules, les yeux
mi-clos, sans un seul regard pour cette extravagante salle de cour dont leur frère les avait toujours tenues à l'écart.

— Tu aurais dû me le dire ! s'exclama la mère
d'Ophélie. Si j'avais su que tu avais tes entrées
dans un endroit aussi épastrouillant, je n'aurais
pas tant fait ma difficile avec M. Thorn ! Allez, on
croirait un décor de carte postale ! Que fabriquent
donc ces personnes là-haut ?

Elle venait de remarquer les hommes en queue-
de-pie qui se tenaient debout sur des échafau-
dages, le long de la promenade, juste face à la mer.
Ils faisaient tous des gesticulations théâtrales de
chef d'orchestre, sauf qu'ils ne dirigeaient aucun
musicien : ils donnaient une touche finale au cou-

cher du soleil, étirant ici une traînée de nuages, ajoutant là un halo de lumière, nuançant encore et encore les couleurs. On aurait dit des peintres impressionnistes dont les doigts auraient joué le rôle des pinceaux.

— Ce sont des artistes Mirages, maman. Ils peaufinent le décor.

Ophélie voyait bien, dans l'œil émerveillé de sa mère, qu'elle était en train de considérer son mariage sous un éclairage différent. En ce qui la concernait, elle regrettait déjà le ciel authentiquement gris du vrai dehors.

Les rares promeneurs qui se retournaient sur leur passage étaient des courtisans de petite influence, ce qui n'était pas bon signe : tous les puissants s'étaient réunis là où elles se rendaient. *Ne remettez plus jamais les pieds à la cour,* lui avait ordonné l'auteur de la lettre. S'il faisait partie des gens qu'Ophélie s'apprêtait à affronter, il saurait bien assez vite qu'elle lui avait désobéi. Elle jeta un coup d'œil autour d'elle, se demandant si Vladislava l'escortait encore en ce moment ou si elle s'était personnellement chargée d'avertir Thorn. C'était un peu l'inconvénient avec un garde du corps invisible : on ne pouvait jamais être sûr qu'il fût là ou non.

Les gendarmes leur firent traverser le grand pont sur pilotis qui menait à la Jetée-Promenade. La rotonde principale du palais était emplie de femmes et de murmures. La mère d'Ophélie, qui ne s'était pas préparée à côtoyer les toilettes sophistiquées des dames de la cour, refit son énorme chignon avec des gestes nerveux, comme si elle se sentait nue sans son chapeau.

— Bonsoir, madame, bonsoir, mademoiselle, salua-t-elle chaque personne qu'elle croisait, soucieuse de faire bonne impression. L'usage est-il de dire bonjour ou bonsoir ? chuchota-t-elle en se rapprochant d'Ophélie. Nous sommes en plein milieu de la journée, mais avec ce coucher de soleil, je me mélange les aiguilles et j'ai l'impression de froisser toutes ces snobinettes.

Ophélie nota l'éclat dangereux dans les regards qu'on leur destinait. « Quand vous retournerez là-bas, soyez prête à affronter l'enfer », avait prédit Cunégonde.

— Elles ne disent jamais ni bonjour ni bonsoir, dit Ophélie en passant son bras sous celui de sa mère, bien décidée à ne pas la perdre de vue. Les domestiques sont les seules personnes polies que vous rencontrerez ici.

Les gendarmes les aidèrent à se frayer un passage au milieu des crinolines, à travers l'une des cinq galeries principales qui partaient en étoile de la rotonde. Depuis qu'Ophélie fréquentait la Jetée-Promenade, elle avait souvent eu l'occasion de visiter ses nombreuses salles de jeu. Aucune d'elles ne la mettait plus mal à l'aise que celle où on venait de les introduire.

La chambre de la Roulette.

C'était une salle aux proportions gigantesques qui dégageait une ambiance de vente aux enchères avec ses innombrables chaises tournées vers la tribune où siégeait Farouk. Où *croulait* Farouk, plutôt. À la vue de cette grande silhouette avachie, dont les longs cheveux blancs ruisselaient jusque sur le sol, Ophélie sentit ses jambes vaciller ; elle avait gardé de leur dernière confrontation une irrépressible envie de le fuir.

— C'est donc lui, le fameux M. Farouk ? fit sa mère, un peu perplexe. C'est un beau morceau, mais il ne se tient pas très bien.

La chambre de la Roulette devait son nom à une illusion décorative qui avait doté le plafond d'un immense plateau tournant découpé en cases numérotées et où roulait sans cesse une bille blanche. Il suffisait de lever les yeux vers cette grande roulette pour avoir l'impression de remettre sa vie au hasard. Cela n'avait rien d'infondé, puisque c'était ici que Farouk tranchait les litiges, rendait son verdict et exécutait les sentences une fois par mois. Ses décisions étaient si contradictoires et si aléatoires qu'elles faisaient l'objet de paris continuels, à croire que la justice était un jeu comme un autre.

L'affaire en cours concernait le ministre du Chauffage centralisé, qui gérait tous les calorifères de la Citacielle. Installé à la tribune de l'orateur, face au grand trône de Farouk, il était en train de se plaindre d'un document émis par Thorn.

— Oui, il se trouve que je suis l'heureux propriétaire d'une mine de charbon ! plaidait-il d'une voix vibrante de dignité offensée. Oui, je me suis humblement proposé pour être le fournisseur officiel de la cour en combustibles ! Mais où sont donc ces conflits d'intérêt que l'intendance me reproche ? Si mon entreprise peut servir mon ministère, je manquerais à mon devoir en m'en abstenant !

Prostré sur son trône d'or et de velours, pareil à

un enfant qu'on aurait assis là contre sa volonté, Farouk lisait le papier qui posait problème d'un air accablé d'ennui. Ses favorites se tenaient derrière son trône, immobiles et silencieuses comme des statues de diamants. Le greffier consignait à la machine à écrire tout ce qui se disait.

Coincée entre sa mère et les sœurs d'Archibald, Ophélie se tordit sur la banquette pour promener un regard attentif sur la salle. Elle connaissait la plupart des membres de l'assemblée : c'étaient presque tous des magistrats, des ministres et de hauts fonctionnaires. Le baron Melchior, qui portait aujourd'hui un simple complet blanc, tapotait de ses gros doigts bagués le pommeau de sa canne, plantée entre ses deux jambes. Aucun sourire ne venait soulever ses moustaches en baguettes et ses cheveux blonds n'étaient pas gominés, ce qui était à peu près aussi inhabituel que la sobriété de sa mise.

Ophélie soupira, déçue de ne pas apercevoir Thorn. Elle eut cependant la surprise de constater que toutes les premières rangées étaient occupées par des membres de la Toile. Les bras croisés, ils écoutaient péniblement la plaidoirie du ministre du Chauffage centralisé. Ophélie fronça les sourcils en les observant mieux : ils étouffaient des bâillements, se frottaient sans cesse les paupières ou sursautaient quand ils se surprenaient à dormir. Quelle était donc cette étrange somnolence qui semblait s'être emparée de toute la famille ? Et pourquoi Archibald n'avait-il pas été convoqué en même temps que ses sœurs ? Savait-il seulement qu'elles étaient là ?

— Je peux vous résumer l'alternative en quelques mots, mon seigneur, dit le ministre d'une voix doucereuse en voyant que Farouk ne parvenait pas à trancher. Si vous validez, attendez-vous à avoir très froid l'hiver prochain.

Farouk déchira le papier de l'intendance d'un geste nonchalant. Dans la chambre de la Roulette, il y eut alors des échanges de sabliers bleus, selon qui avait gagné son pari et qui l'avait perdu. Ophélie espérait pour Thorn que les états familiaux ne se dérouleraient pas ainsi.

— Affaire suivante ! s'exclama le commissaire de la cour en donnant un coup de maillet.

Ophélie se leva, puis se rassit aussitôt. Son tour n'était pas encore venu : à sa grande surprise, ce fut le chevalier que deux gendarmes conduisirent jusqu'à la tribune. Étant donné qu'il était trop petit pour s'y tenir, on le fit monter sur une chaise. Une fois installé, il contempla ses souliers vernis, tout en se rongeant les ongles. Sans ses chiens, il ressemblait à un enfant aussi vulnérable que les autres.

— Que fait un garçon si jeune ici ? demanda la mère d'Ophélie sous le regard désapprobateur des nobles les plus proches. Il a l'âge d'Hector ! Pauvre petit, ce doit être terriblement impressionnant !

Ophélie aurait été bien embarrassée de lui répondre, mais elle en fut dispensée par le baron Melchior. Dès l'instant où il les avait aperçues, dans l'ombre de leur alcôve, il avait quitté sa chaise sur la pointe des pieds et s'était dirigé vers elles aussi discrètement que le permettait son embonpoint.

— Comment vont-elles ? s'inquiéta-t-il en posant un regard attentif sur les sœurs d'Archibald.

— Je ne sais pas, chuchota Ophélie. Elles ne répondent à personne et ne réagissent à rien. Monsieur le baron, que se passe-t-il ? Pourquoi avons-nous été convoquées ? Où est Archibald ?

— Comment ? s'étonna Melchior. On ne vous a pas dit ?

Il n'eut pas le temps de poursuivre : le commissaire s'était lancé dans la lecture du procès-verbal.

— Est reproché à M. Stanislav, ici présent, d'avoir fait un usage immodéré de son pouvoir, ledit usage ayant impliqué des Bêtes et compromis la sécurité de vos sujets. Une demande de Mutilation a été introduite par l'intendance à la suite d'un incident ayant occasionné des blessures pouvant entraîner la mort...

Plusieurs Mirages tournèrent un regard furibond en direction de l'alcôve d'Ophélie : sa mère venait d'émettre un hoquet incrédule en entendant parler de Mutilation.

— Veuillez noter, poursuivit le commissaire avec un regard prudent pour Farouk, que les faits semblent engager la responsabilité de Mme Berenilde.

— C'est faux ! protesta le chevalier qui s'exprimait pour la première fois.

— Comment ? grommela le commissaire. Vous niez les faits ?

— Je ne les nie pas, balbutia le chevalier en manipulant ses grosses lunettes avec des gestes gauches. Je tenais juste à dire que Mme Berenilde

386

ne m'a jamais rien demandé. Tout ce que j'ai fait, je l'ai fait pour elle, mais sans sa permission.

Il se retourna en se penchant dangereusement sur sa chaise, fouilla les alcôves du regard et s'arrêta sur Ophélie quand il la trouva. Elle ne distinguait pas bien les yeux du chevalier à cette distance, sous l'épaisseur des lunettes, mais elle le vit mordre ses lèvres d'un air désemparé. « Il aurait voulu voir Berenilde avec moi », comprit Ophélie en serrant son écharpe entre ses doigts. Il avait peur et cette peur-là était sincère.

— Il se trouve que Mme Berenilde a aussi été blessée par mon comportement, finit par balbutier le chevalier d'une voix mal assurée, mais assez forte pour être entendue de tous.

Ophélie eut un mouvement de surprise. La conversation qu'elle avait eue avec lui l'avait-il plus ébranlé qu'elle ne l'avait pensé ?

— Est-ce que... ce sera douloureux ? ajouta le chevalier d'une petite voix en descendant de sa chaise.

— Retirez vos lunettes, dit simplement Farouk en se levant de son trône avec une lenteur prédatrice.

À peine le chevalier les eut-il ôtées en clignant ses petits yeux myopes qu'il poussa un cri aigu ; Farouk avait penché son immense corps en avant et avalé entièrement le visage de l'enfant sous la paume de sa main, les doigts plongés dans les boucles blondes. Le chevalier se convulsa et s'agrippa à la manche de l'esprit de famille, comme s'il ne pouvait plus respirer. Son corps, réduit à sa plus minuscule expression face au gigantisme de

Farouk, n'en finissait plus de se tortiller. Il était impossible de déterminer si c'était de souffrance, d'asphyxie ou de panique.

Ophélie ne portait pas le chevalier dans son cœur, mais elle se mit à avoir vraiment peur pour lui. Et il n'y avait personne parmi les Mirages, parmi les membres de sa propre famille, pour s'émouvoir. Elle se leva instinctivement, donnant au passage un coup de coude dans l'estomac du baron Melchior.

— N'intervenez pas, lui murmura-t-il. Tout ira bien, je vous en donne ma parole.

Et en effet, il se produisit alors un phénomène auquel Ophélie n'avait jamais assisté : une vapeur argentée s'éleva du corps du chevalier, comme si une substance s'en échappait. Son pouvoir familial venait de le quitter, telle une âme qui abandonnerait le corps d'un mort. Farouk le relâcha enfin d'un geste négligent et le chevalier s'écroula, pantelant, sur le parquet de la tribune. Une grande croix noire lui barrait le visage, comme si la main de Farouk l'avait imprimée sur sa peau.

— À compter de maintenant, dit lentement Farouk de sa voix d'orage en reprenant place dans son fauteuil, jamais plus vous ne blesserez Berenilde.

Dans les yeux de la mère d'Ophélie, toute trace d'émerveillement avait disparu. Son émotion avait déteint jusque sur ses bijoux : le profil d'Artémis, qui se découpait sur le fond rouge de son camée favori, ouvrait une grande bouche horrifiée.

— Monsieur Stanislav, reprit le commissaire

d'un ton monocorde sans même laisser au chevalier le temps de se remettre debout, vous avez été reconnu coupable de trahison envers votre propre famille. Votre pouvoir vous a été repris. Où se trouve votre tuteur légal ? demanda-t-il avec un regard morne sur l'assemblée.

— Il a disparu dans sa baignoire.

Le chevalier avait répondu lui-même d'une voix faible, cherchant à la surface du parquet les lunettes qu'il avait fait tomber. Le peu qu'on devinait de son teint, à travers la marque d'infamie, était si verdâtre qu'on aurait dit qu'il allait vomir. Ophélie fut consternée de voir des sabliers bleus s'échanger de main en main dans la salle. À présent que le chevalier avait été dépossédé de ce pouvoir dont il avait fait si mauvais usage, le soulagement général était perceptible.

Quant à la mystérieuse disparition du comte Harold, elle parut davantage contrarier le commissaire que lui causer de l'inquiétude.

— En effet, en effet, j'ai ici un dossier qui mentionne cet état de fait, bougonna-t-il en examinant des documents sur son pupitre. Eh bien, monsieur Stanislav, votre tuteur ayant choisi de disparaître inopinément, vous serez envoyé à Helheim dès aujourd'hui.

— Non ! supplia le chevalier qui n'avait jamais paru aussi pathétique, ses mains balayant le sol de la tribune pour retrouver ses lunettes. Je veux rester auprès de Mme Berenilde, je serai sage, je vous en prie !

— Helheim ? murmura Ophélie au baron Melchior, alors que l'auditoire applaudissait déjà.

— Il s'agit d'un établissement très spécialisé, lui expliqua-t-il. Helheim se trouve sur une arche mineure du Pôle. On y envoie les enfants perturbateurs qu'on ne souhaite pas voir réapparaître de sitôt.

Les gendarmes emmenèrent le chevalier qui continua d'appeler Berenilde à grands cris jusqu'à ce que sa voix se fût perdue dans le lointain. Ophélie aurait dû éprouver du soulagement à l'idée de ne plus jamais avoir affaire à lui. Pourtant, sa seule satisfaction fut que Berenilde n'eût pas assisté à la scène ; ça lui aurait chaviré le cœur.

— Affaire suivante ! annonça le commissaire en fouillant la salle du regard. Oh, vous êtes là ? ajouta-t-il d'un ton radouci quand il reconnut Ophélie. Approchez, chère mademoiselle, c'est votre tour. Faites venir également les sœurs de M. l'ambassadeur, ordonna-t-il à l'adresse des gendarmes.

Alors qu'elles montaient ensemble les marches de la tribune, Ophélie se sentit plus mal à l'aise qu'elle ne l'avait jamais été sur la scène du théâtre optique. Cunégonde n'avait pas exagéré : cette lueur qui brillait dans les regards des Mirages, c'était de la détestation pure.

Farouk, pour sa part, examina intensément Ophélie depuis son grand fauteuil, un poing sous le menton. Ses émanations mentales lui mettaient déjà les nerfs à vif. Le jeune aide-mémoire se hissait sur la pointe des pieds pour lui murmurer dans le creux de l'oreille et lui faire relire certains passages de son pense-bête. Ophélie eut un petit choc en s'apercevant que ce n'était pas le même adolescent que d'habitude : celui-là ne portait pas le tatouage de la Toile entre les sourcils.

— Pourquoi avons-nous été convoquées ? demanda-t-elle, de plus en plus inquiète.

Le commissaire lui adressa un sourire contrit. Ophélie était surprise que cet homme emperruqué lui fît tant de délicatesses ; ça ne lui inspirait rien de bon.

— Une affaire bien singulière, chère mademoiselle ! Nous vous savons gré d'être venue si vite…

— Où est Berenilde ?

Farouk avait interrompu le commissaire d'une voix extrêmement lente et extrêmement lourde, sa grande main repoussant l'aide-mémoire comme elle se serait débarrassée d'une mouche importune. Il ne paraissait pas content du tout mais, heureusement pour Ophélie, il n'avait pas quitté son fauteuil. Même à distance, son regard lui donnait si mal au crâne qu'elle avait l'impression que ses lunettes allaient se fissurer.

— Elle est prise par diverses obligations, monsieur, répondit-elle en choisissant ses mots avec soin.

— Et vous ? Quelles obligations vous ont à ce point accaparée pour que je n'aie plus aucune nouvelle de votre part ?

Ophélie s'abstint de faire remarquer que c'était plutôt elle qui était restée sans nouvelles de lui et qu'elle ne s'en était pas portée plus mal.

— Je reçois ma famille. Nous prenons les eaux ensemble.

— J'aurais mis mes bains à votre disposition si vous me l'aviez demandé, dit Farouk d'une voix traînante. Au lieu de cela, vous m'imposez de me déplacer moi-même jusqu'à vous.

C'était donc pour les retrouver, Berenilde et elle, que Farouk avait fait migrer la capitale entière vers le sud ? Ophélie commençait à comprendre pourquoi l'air ambiant était aussi empoisonné.

Elle voulut retenir sa mère, qui s'avança soudain vers Farouk dans un imposant mouvement de robe, mais celle-ci ignora son geste d'une claque sur les doigts.

— Nous n'avons pas été présentés, cher monsieur, dit-elle solennellement. Je suis la maman d'Ophélie. J'admets être sensible à l'intérêt évident que vous portez à ma fille, mais j'aurais quelques observations à vous faire. Pour commencer, je ne suis pas certaine d'apprécier la façon dont les femmes sont considérées dans votre petite réunion, dit-elle avec un geste significatif pour l'assemblée exclusivement masculine qui la jaugeait du regard. Ensuite, je vous trouve excessivement sévère avec vos plus jeunes descendants. Et enfin, conclut-elle, à l'intention cette fois des favorites, vous devriez apprendre à vous habiller convenablement, mesdames. À votre âge, on ne cache pas ses parties intimes derrière des diamants. Quel exemple déplorable vous donnez à ma fille ! Voilà pour mes observations, dit-elle en revenant à Farouk d'un ton plus mesuré. Ayez à présent l'amabilité de nous dire pourquoi vos gendarmes sont venus arracher ces demoiselles à leurs occupations. Ah, et est-ce que quelqu'un peut me servir une aspirine ? demanda-t-elle en se frottant le front. Je ne sais pas si on vous l'a déjà dit, cher monsieur, mais votre regard donne un peu mal à la tête.

Sur les rangées de chaises, les monocles s'étaient décrochés des visages tellement les nobles écarquillaient les yeux. Le commissaire fit tomber son maillet, les favorites pincèrent les lèvres, et Douce, la plus jeune des sœurs d'Archibald, émit un long bâillement à travers le silence inconfortable qui s'était installé.

Ophélie contempla la silhouette en bonbonnière de sa mère, forcée d'admettre qu'elle ne s'était jamais sentie aussi fière d'être sa fille. Il ne restait plus qu'à espérer maintenant qu'elles survivraient à cette séance de tribunal.

Ses doigts pianotant sur les accoudoirs de son fauteuil, Farouk ne fit l'honneur ni d'une réponse ni d'un regard à la mère d'Ophélie.

— Petite d'Artémis, j'ai une nouvelle occupation pour vous. Je... (Il s'interrompit, fronça les sourcils dans un mouvement sans fin, puis relut la dernière page de son pense-bête, comme s'il s'agissait du plus ennuyeux des romans.) Ah, oui. Je voudrais que vous retrouviez mon ambassadeur. Il a disparu, ajouta-t-il après coup, réalisant qu'il avait oublié de le préciser.

Le cœur d'Ophélie manqua un battement. Archibald avait disparu ? Non, Archibald ne *pouvait* pas disparaître. Il appartenait à cette catégorie d'hommes envahissants dont on ne se débarrasse tout simplement pas.

Ce fut avec une incrédulité croissante qu'Ophélie écouta le commissaire exposer les faits, le nez dans ses documents :

— Il est inutile d'en faire mystère, nous savons tous que des enlèvements inexpliqués et préoccupants se sont produits ces dernières semaines. Le prévôt des maréchaux a disparu le 20 avril, dans une salle de billard. Le directeur éditorial du *Nibelungen* a disparu au beau milieu d'un bal travesti, le 25 juin. Le comte Harold, dont nous avons parlé un peu plus tôt, a disparu à l'intérieur même d'une salle de bains, le 29 juillet. Et voilà que M. l'ambassadeur vient de disparaître à son tour, dans sa propre chambre. Quatre disparitions, résuma le commissaire en refermant un dossier, mais aucune demande de rançon, aucun signe de lutte ni aucune trace d'effraction. Les victimes ont toutes disparu dans l'enceinte du Clairdelune, une place pourtant réputée pour son haut niveau de sécurité, et, exception faite de M. l'ambassadeur, ce sont toutes des Mirages. Un peu de calme, messieurs ! soupira le commissaire en donnant des coups de maillet fatigués.

Au fur et à mesure qu'il s'était exprimé, des Mirages s'étaient levés de leurs sièges pour réclamer justice, mais un seul regard de Farouk les ramena au silence. De plus en plus avachi dans son fauteuil, ses doigts pianotant encore et encore sur les accoudoirs de son fauteuil, il commençait manifestement à trouver le temps long.

— Voilà, dit-il sans laisser transparaître la moindre émotion. Petite d'Artémis, je vous demande de retrouver toutes ces personnes dans les plus brefs délais.

— Moi ? s'étrangla Ophélie.

— Elle ? renchérit sa mère.

Farouk tourna au ralenti les pages de son pense-bête.

— J'ai écrit que vous vouliez tenir votre propre cabinet de *lecture*.

— Ça n'a rien à voir, s'affola Ophélie. Je peux expertiser des objets, pas élucider des affaires criminelles. Et puis, réalisa-t-elle soudain en se tournant vers les sœurs d'Archibald, ne serait-ce pas plutôt à ces demoiselles qu'il faudrait le demander ? Elles sont les mieux placées pour savoir où se trouve leur frère en ce moment.

Ophélie commençait à se douter que la disparition d'Archibald et la somnolence de sa famille étaient liées, mais elle en prit la pleine mesure quand le commissaire pencha par-dessus son pupitre sa grosse tête emperruquée pour s'adresser directement aux sœurs d'Archibald.

— Mesdemoiselles ! dit-il d'une voix forte, comme s'il avait affaire à des malentendantes. Avez-vous écouté ce qui vient de se dire ? L'une d'entre vous se sent-elle capable de prendre la parole ici et maintenant ?

Ni Grâce ni Friande ni Gaîté ni Mélodie ni Clairemonde ni Douce ne réagit. Seule Patience battit des paupières un instant, comme si son instinct d'aînée lui dictait de se reprendre, mais elle replongea aussitôt dans sa torpeur. Le regard vitreux, les bras le long du corps, plus pâles que des bougies, les sept sœurs semblaient ne se tenir debout sur la tribune que parce que leurs jambes le voulaient bien. À cet instant plus que jamais, elles évoquaient une collection de fragiles poupées en porcelaine.

— Ne les brusquez pas.

Au premier rang, un diplomate de la Toile était intervenu avec des mouvements si chancelants qu'il en avait renversé sa chaise. Ophélie l'avait croisé deux ou trois fois dans les salles de jeu de la Jetée-Promenade. En temps ordinaire, c'était un homme à l'intelligence vive et aux manières guindées, mais il donnait aujourd'hui l'impression d'avoir abusé de narcotiques. Pendant un instant, il ne parut pas se rappeler pourquoi il s'était manifesté, haussant les sourcils d'un air ahuri, puis son regard recouvra un peu de lucidité derrière son pince-nez.

— Ne les brusquez pas, répéta-t-il. Leur empathie avec M. l'ambassadeur est supérieure à la nôtre, elles sont encore plus affectées que nous.

— Affectées par quoi ? s'impatienta Ophélie.

Sa mère la regarda avec étonnement, mais Ophélie se sentait dans un tel état d'ébullition qu'elle ne se souciait plus des bonnes manières. Dans ce magma d'émotions, la colère commençait à l'emporter sur tout le reste. La veille encore, elle avait recommandé à Archibald d'être prudent. Pourquoi cet imbécile ne l'avait-il pas écoutée ? Dans quelle soupière était-il allé se mettre ?

— La seule chose que nous *sentons*, c'est que M. l'ambassadeur est plongé dans un sommeil proche de l'inconscience, répondit le diplomate, tandis que ses voisins de rangée opinaient mollement du menton. C'est au moins la preuve qu'il est encore en vie, et donc peut-être les autres disparus le sont-ils aussi. Mais voilà, la nature de son sommeil est anormale et elle ne nous fournit aucune indication sur l'endroit où il se trouve, comment il y est arrivé ou encore à cause de qui.

— Il est surtout en train de tous nous contaminer ! ronchonna son voisin de chaise entre deux bâillements. Ses coucheries, ses débauches, ses ennuis : ce coquin ne nous aura rien épargné !

— L'aide-mémoire de notre seigneur est lui-même hors service, souligna le commissaire en signalant, comme s'il s'agissait d'un piètre matériel de remplacement, l'adolescent qui se tenait actuellement près de Farouk. Seul un membre de la Toile est normalement autorisé à assurer cette fonction. Vous commencez à mesurer la gravité de la situation, mademoiselle ?

Oui, Ophélie saisissait peu à peu les implications de ce qu'on lui disait. Ce n'était pas seulement la vie d'Archibald qui était en danger, c'était l'équilibre entier de son clan, et, par voie de conséquence, de toute la cour.

— Je vous aiderai si c'est en mon pouvoir, promit-elle en tortillant ses mains, mais je ne suis pas la personne la plus habilitée...

— Vous l'êtes.

Farouk avait affirmé cela de sa voix d'orage, répandant un nouveau silence respectueux sur toute la chambre de la Roulette.

— Je vous nomme grande *liseuse* familiale, déclara-t-il en faisant crisser sa plume sur une page de son pense-bête. Votre unique priorité sera de retrouver mes disparus. Je vous donne jusqu'à... (Farouk marqua une interminable hésitation, le temps de relire ses dernières notes)... jusqu'à demain minuit, dit-il avec de laborieux crissements de plume. Après minuit, ce seront les états familiaux et je ne peux pas m'occuper de tout à la fois.

Il y eut des applaudissements crispés à travers la salle et un degré de détestation supplémentaire dans les regards de l'assistance. Les Mirages, en particulier, appréciaient modérément de voir le sort de leur famille confié aux mains d'une étrangère.

Ophélie sentit ses genoux s'entrechoquer. Cette séance de tribunal ressemblait à un cauchemar. Il lui paraissait inconcevable de penser que, ce matin encore, elle emmenait son petit frère au cirque.

— Voyons, vous ne pouvez pas demander une chose pareille à ma fille ! protesta la mère d'Ophélie. Ce n'est encore qu'une gamine, et empotée avec ça ! Elle ne sait déjà pas retrouver une paire de bas dans un tiroir, alors vos pauvres messieurs…

— Ma mère a raison sur un point, l'interrompit Ophélie. C'est une trop lourde responsabilité pour moi.

— Vous êtes grande *liseuse* familiale, dit Farouk en reposant sa plume sur le chapeau de l'aide-mémoire. Aucune responsabilité n'est trop lourde pour vous. S'il n'y a que cela pour vous tranquilliser, je vous désigne d'office un adjoint.

Ses yeux mi-clos parcoururent les rangées de nobles qui, chacun à leur tour, se prirent soudain d'intérêt pour leurs souliers, leurs montres, leurs perruques ou leurs tabatières. Être l'adjoint d'Ophélie semblait aussi dégradant pour eux qu'une Mutilation publique. Le regard de Farouk s'immobilisa sur le baron Melchior, probablement parce qu'il était le plus visible d'entre tous avec ses habits au blanc éclatant et sa silhouette de montgolfière.

— Vous êtes ?

— Votre ministre des Élégances, mon seigneur.

Le baron Melchior s'était incliné en avant avec une grâce infinie en dépit de sa corpulence.

— Je vous charge d'assister la petite d'Artémis dans sa tâche.

— Je m'y emploierai de mon mieux, mon seigneur.

Le baron n'était probablement pas enchanté par cette perspective mais, en ministre exemplaire, il eut la délicatesse de n'en rien laisser paraître. Ophélie n'avait elle-même rien contre lui, mais elle ne voyait pas très bien en quoi il pourrait lui être utile.

— Et si j'échoue malgré tout ? demanda-t-elle. Si demain à minuit, je n'ai retrouvé aucun des disparus ?

— Alors nous ne les chercherons plus.

Farouk n'avait brandi ni menace ni chantage, et pourtant Ophélie trouva sa réponse pire que toutes celles qu'il aurait pu fournir.

— Je demande plus de temps.

— Nous ne pouvons hélas pas nous le permettre, mademoiselle.

Ce fut le diplomate du premier rang qui avait repris la parole. Il tenait son pince-nez d'une main et, de l'autre, frottait vigoureusement ses paupières pour se réveiller.

— Nous ne tiendrons pas longtemps dans cet

état. Ce qui arrive à Archibald affecte l'intégrité de toute la Toile et nous devons être en pleine possession de nos moyens pour assister aux états familiaux. Si, d'ici là, vous ne l'avez pas retrouvé, nous romprons le lien empathique qui nous unit à lui. C'est une procédure irréversible qui lui sera probablement fatale.

Ophélie sentit son cœur s'accélérer davantage. Avec une lenteur inversement proportionnelle, Farouk se mit debout, puis leva ses yeux pâles vers l'immense roulette qui tournoyait au plafond.

— Si j'étais vous, mademoiselle la grande *liseuse* familiale, je ne perdrais pas une minute.

Le scellé

Le parquet était aussi brillant que du bois de violon. Il résonna musicalement sous les pas d'Ophélie et du garde des Sceaux, tandis qu'ils s'avançaient ensemble dans l'antichambre. Les lustres de cristal faisaient scintiller chaque dorure des bibliothèques, des tableaux, des horloges, des fauteuils et des fenêtres ; c'était comme traverser un monde en or massif. Pourtant, aucune surface n'était plus étincelante que la porte vers laquelle le garde des Sceaux était en train de conduire Ophélie.

— Nous y sommes, mademoiselle la grande *liseuse* familiale, déclara-t-il d'une voix contrite et solennelle, comme s'ils se recueillaient devant un cercueil. La chambre de notre infortuné ambassadeur.

Ophélie acquiesça sans parvenir à articuler un mot. Elle était passée des centaines de fois devant cette porte, du temps où Berenilde avait été installée ici, au deuxième étage du Clairdelune, mais jamais elle n'en avait franchi le seuil.

— Il va vous falloir patienter encore un peu,

mademoiselle la grande *liseuse* familiale, roucoula le garde des Sceaux. Je dois obtenir la permission de la famille pour lever le scellé.

Il avait désigné le sceau de cire rouge, aussi grand qu'une assiette, qui avait été apposé au beau milieu du panneau de la porte. Il était censé dissuader quiconque d'entrer dans la chambre, mais il n'était relié par aucun ruban, aucune ficelle au mécanisme de la poignée.

— Ne touchez pas à cette porte tant que je n'aurai pas désamorcé le scellé, insista néanmoins le garde des Sceaux. L'illusion qui se déclencherait, le cas échéant, serait des plus déplaisantes. Puis-je vous inviter à prendre connaissance des éléments de l'enquête ? suggéra-t-il en remettant un épais dossier à Ophélie. Voilà qui devrait vous occuper le temps que je me charge des dernières formalités, mademoiselle la grande *liseuse* familiale.

Dans sa bouche, le titre d'Ophélie ressemblait à une plaisanterie de mauvais goût. Ce Mirage compensait sa petite taille par une imposante perruque à rubans et des intonations grandiloquentes. Il quitta l'antichambre en martelant le parquet avec ses hauts talons d'argent.

Ophélie s'assit à une petite table aussi dorée que le reste du mobilier et ouvrit le dossier. Elle délaissa rapidement l'interminable procès-verbal : ce texte était tellement truffé de jargon juridique qu'elle n'en comprenait même pas la première ligne. En revanche, elle s'intéressa de très près aux lettres glissées dans des pochettes de protection. C'étaient des messages dactylographiés, certains adressés au directeur du *Nibelungen*, d'autres au comte Harold et Ophélie en trouva même un destiné au prévôt des maréchaux, probablement mis au jour à la suite d'une fouille approfondie de ses affaires. Les messages se terminaient chaque fois sur une injonction : *DIEU EXIGE VOTRE SILENCE ; DIEU CONDAMNE VOTRE ATTITUDE ; DIEU RÉCLAME VOTRE PÉNITENCE.*

Aucun doute n'était plus permis. C'était bel et bien la même personne qui faisait du chantage à Ophélie. Son trouble fut plus grand encore lorsqu'elle aperçut, sur chaque lettre, les mêmes marques de pince. Le maître chanteur n'avait absolument rien laissé au hasard, pas même la possibilité qu'Ophélie fût amenée à expertiser ces lettres.

— Voici le registre, mademoiselle la grande *liseuse* familiale.

En voyant Philibert juste devant elle, Ophélie se demanda depuis combien de temps il se tenait ainsi, son carnet de cuir à la main. Ce régisseur terne et effacé avait toujours le don de la prendre par surprise.

— Merci, dit Ophélie en feuilletant le registre.

— Comme Mlle la grande *liseuse* familiale peut le constater, commenta Philibert, le Clairdelune n'a pas accueilli d'invités réguliers depuis un moment, hormis l'infortuné comte Harold. Ces messieurs dames de la cour ne font plus qu'un bref passage entre deux correspondances d'ascenseur.

— Je suppose qu'ils ont peur de disparaître à leur tour, dit Ophélie en rendant son registre à Philibert. Archibald... je veux dire M. l'ambassadeur est donc entré par cette porte et n'en est pas ressorti ?

— Oui, mademoiselle la grande *liseuse* familiale. Monsieur a annoncé qu'il souhaitait se reposer et il a demandé à être réveillé pour le souper. Quand les domestiques sont entrés, son lit était vide.

— Et... euh... il se reposait seul ?

— Oui, mademoiselle la grande *liseuse* familiale.

— Et... euh... il n'aurait pas pu sortir sans être vu ?

Ophélie se trouvait un peu navrante d'être si à l'aise pour *lire* les objets et si peu pour interroger des personnes.

— Non, mademoiselle la grande *liseuse* familiale. La sentinelle du Clairdelune monte continuellement la garde dans les couloirs.

Ophélie sursauta. À ces mots, les gendarmes présents dans l'antichambre avaient claqué des talons comme un seul homme.

— Et... euh... il n'aurait pas pu ressortir par une autre porte ?

— Non, mademoiselle la grande *liseuse* familiale. Il n'y a pas d'autres portes que celle-ci pour accéder à la chambre de monsieur.

Ophélie se demanda un instant si Philibert ne se moquait pas un peu d'elle, lui aussi, mais il semblait bien plus bouleversé par la disparition d'Archibald qu'elle ne l'en aurait cru capable.

— Savez-vous si M. l'ambassadeur a reçu des lettres pareilles à celles-ci ? demanda-t-elle en montrant le dossier étalé sur la table.

— Pas à ma connaissance, mademoiselle la grande *liseuse* familiale.

Le léger tremblement dans la voix de Philibert amena Ophélie à se demander s'il lui disait l'entière vérité.

— Oublions ces formalités, proposa-t-elle. Avez-vous votre propre idée sur ce qui a pu se passer ?

Philibert la dévisagea avec une expression choquée.

— Mademoiselle insinue-t-elle que j'ai enlevé mon propre maître ?

— Non, bien sûr que non, bredouilla Ophélie, déconcertée.

— Tant mieux, dit Philibert en s'inclinant. Avec la permission de Mlle la grande *liseuse* familiale, je vais voir si on n'a pas besoin de mes services ailleurs.

D'un pas exagérément pressé, il quitta l'antichambre et frappa à la porte qui lui faisait face dans le couloir. Il ne dut pas bien la refermer derrière lui, car Ophélie entendit soudain ce qui se disait de l'autre côté :

— De grâce, Philibert, ne nous imposez pas cette tête d'enterrement ! Que je sache, mon frère n'est pas encore mort.

Ophélie haussa les sourcils en reconnaissant la voix implacable de Patience. Des sept sœurs d'Archibald, elle était la première à avoir refait surface grâce au « café miracle », une innovation mise au point par le ministère de la Gastronomie. Ce n'était jamais que de l'eau chaude, mais elle était imprégnée d'une illusion gustative excitante qui était plus efficace que le café naturel.

— Comment mademoiselle se sent-elle ? s'enquit la voix de Philibert, à peine audible de là où se tenait Ophélie.

— Plus sérieuse que mes sœurs. Tout le monde se laisse aller dans cette maison, il faut bien que quelqu'un montre l'exemple.

— Mademoiselle a-t-elle des nouvelles de monsieur ?

— Philibert, vous n'allez pas me le demander sans cesse. Je vous dis et je vous répète qu'Archi est hors de ma portée pour le moment. J'ai déjà suffisamment de mal à me maintenir éveillée, me concentrer sur lui me donne insupportablement sommeil.

— Mais peut-être un souvenir... un détail seraient-ils revenus à mademoiselle ?

— Tout cela s'est produit si vite que je n'ai pas eu le temps de comprendre ce qui nous arrivait. Allez, rendez-vous utile et reservez-moi un peu de café miracle.

Des cliquetis de porcelaine se répercutèrent à travers le silence. L'acoustique des lieux, tout en bois ciré et plaqué or, amplifiait chaque son. Même si Ophélie n'avait pas voulu les écouter, elle n'aurait pas pu s'en empêcher.

— Que fait notre grande *liseuse* familiale ?

— Elle attend, mademoiselle Patience.

— Elle attendra encore. Je ne prendrai aucune décision dans la précipitation, d'autant que c'est la première fois que je dois le faire. D'habitude, c'est Archi qui s'occupe de toutes ces choses-là... Vous me recommandiez donc, monsieur le garde des Sceaux, de ne pas donner mon accord pour cette *lecture* ?

Le dossier qu'Ophélie était en train d'éplucher faillit lui tomber des mains. Cet homme n'était-il pas supposé lui obtenir la permission, au contraire ?

— Préservez-vous-en bien, chère mademoiselle, dit la voix sirupeuse du Mirage. Nous avons de toute évidence affaire à une parfaite amatrice. Attendons plutôt le retour de M. l'intendant. C'est aussi un incompétent, mais à un degré moindre.

— Je ne permettrai à personne, pas même à vous, cher cousin, de traiter M. Thorn d'incompétent. Il manque de bonnes manières, je vous l'accorde, mais c'est l'homme le plus capable que je connaisse.

C'était cette fois la voix du baron Melchior, reconnaissable à son timbre délicat, qui était intervenue. Ophélie se sentait si écrasée par le poids de ses nouvelles responsabilités qu'elle aurait aimé entendre son adjoint prendre sa défense avec la même ferveur.

— Je serais moi-même plus tranquille si M. l'intendant était ici avec nous, ajouta le baron d'un ton soucieux, mais, pour le moment, personne ne sait ni où il est, ni quand il reviendra. Par ailleurs, notre seigneur Farouk serait fâché d'apprendre que nous autres, Mirages, faisons obstacle à la bonne marche de cette enquête. N'oubliez pas que je suis personnellement concerné désormais. Et vous aussi, cher cousin.

— Une enquête ? Quelle enquête, monsieur le ministre des Élégances ? Cette petite étrangère n'a pas la moindre idée de ce qu'elle est supposée faire.

— Peut-être, monsieur le garde des Sceaux, admit le baron Melchior, mais c'est pour retrouver cette petite étrangère que notre seigneur Farouk a fait déplacer la Citacielle tout entière. En parlant d'étrangère, sait-on où est Mme l'architecte ? Elle a toujours été assez proche de M. l'ambassadeur et elle connaît le Clairdelune mieux que personne : son aide pourrait nous être précieuse.

— La Mère Hildegarde est une dame très indépendante, monsieur. Voilà des semaines qu'elle néglige tous ses chantiers dans la Citacielle… et je ne parle pas des aménagements qu'elle est censée faire au Clairdelune depuis des mois ! À peine la croisons-nous au détour d'un corridor qu'elle disparaît par la première Rose des Vents venue.

Ophélie haussa les sourcils. Même de loin, elle pouvait percevoir une certaine hostilité dans la voix de Philibert.

— C'est un comportement étrange, fit observer le baron Melchior. Est-elle seulement au courant pour M. notre ambassadeur ?

— Je l'ignore, monsieur, comme j'ignore où elle se trouve en ce moment même. M. mon maître déplorait de ne plus pouvoir avoir un simple entretien avec sa propre architecte.

— Il n'y a pas plus insaisissable qu'un Arcadien qui ne veut pas être trouvé, ironisa le garde des Sceaux. De vous à moi, je trouve tout cela plutôt suspect.

— Et puis il y a autre chose, messieurs. C'est au sujet de la Rose des Vents interfamiliale, celle qui relie le Pôle à Arc-en-Terre. Je suis personnellement en charge de la clef qui ouvre ce passage, un passage dont l'accès est rigoureusement contrôlé au Clairdelune.

— Eh bien, Philibert ?

— Pour une raison ou pour une autre, messieurs, le passage a été condamné. Je l'ai constaté seulement tout à l'heure. La porte donne à présent sur un simple cagibi.

— Voilà qui est très fâcheux, dit le baron Melchior après un silence. Espérons que Mme Hildegarde ne soit pas retournée sur son arche natale. Sans ce passage, nous ne la reverrions pas de sitôt.

— Je n'ai jamais compris pourquoi mon frère s'est entiché de cette vieille femme, déclara soudain la voix posée de Patience. C'est une ambitieuse et une intrigante. Et je pense que notre grande *liseuse* familiale l'est tout autant, ajouta-t-elle à la surprise d'Ophélie. Sous ses airs de ne pas y toucher, cette étrangère s'infiltre dans nos existences de la même façon que Mme Hildegarde s'est infiltrée dans nos demeures. Elle… (Un bâillement interrompit Patience au milieu de sa phrase.) Encore un peu de café miracle, je vous prie. Elle occupe aujourd'hui une place de choix à la cour, comme elle s'en était taillé une dans la confiance de mon frère. Est-ce une bonne chose de laisser ces mains-là fouiner dans notre ambassade ?

Ophélie était consternée. Ambitieuse ? Elle n'avait pas demandé que le sort de quatre hommes dépendît d'elle ! La cour entière la détestait d'avoir été désignée pour les retrouver, elle la détesterait davantage si elle ne les retrouvait pas et Farouk ne leur accordait sa protection, à elle et à sa famille, que si elle remplissait sa part du contrat. Pour ne rien arranger, elle avait reçu les mêmes menaces que ceux qu'elle était censée sauver. En vérité, sa principale ambition était de rester en vie le plus longtemps possible.

— Même vous, monsieur le ministre, poursuivit Patience avec une certaine perplexité dans la voix. Je vous soupçonne de vous être laissé « infiltrer » par cette *liseuse*. Et je ne fais pas allusion à votre fonction d'adjoint.

— Moi ? protesta le baron Melchior. Allons donc...

— Mlle Patience n'a pas tort, cher cousin. Vous avez été surpris plusieurs fois en train de pactiser avec ce bâtard d'intendant et sa petite étrangère. Vous devriez surveiller vos fréquentations. Vous négligez les intérêts de votre propre clan.

Ophélie sursauta en entendant la voix du baron Melchior, si raffinée en temps normal, éclater comme un coup de tonnerre :

— Le clan, le clan, le clan ! Je suis le ministre d'un gouvernement, pas d'un clan ! Je ne dédie ma vie qu'à une seule cause, monsieur le garde des Sceaux : faire de nous tous une société civilisée et vous ne me facilitez pas la tâche ! Fermez cette porte, Philibert, ajouta-t-il d'un ton plus modéré. Il ne manquerait plus que Mlle la grande *liseuse* familiale nous entende.

Les voix s'étouffèrent et Ophélie fut replongée dans le silence de l'antichambre. Faute de mieux, elle grignota les coutures de son gant en réfléchissant furieusement. Pendant que ces gens essayaient de déterminer si elle était incompétente ou ambitieuse, Archibald agonisait quelque part.

« Tenez-vous loin des illusions. »

C'étaient les dernières paroles qu'il lui avait adressées, mais qu'avait-il voulu lui dire exactement ? Pourquoi Archibald ne lui avait-il pas appris ce qu'il avait découvert au lieu de finasser ?

Ophélie mordilla de plus belle le pouce de son gant. Elle avait vingt-quatre heures. Vingt-quatre heures avant l'ouverture des états familiaux. Vingt-quatre heures avant la rupture du lien d'Archibald. Vingt-quatre heures avant la mise en exécution de son propre ultimatum. Elle contempla les éléments du dossier étalés sur la table. Était-ce son nom à elle qui y figurerait bientôt ?

Ophélie redressa ses lunettes sur son nez. En voulant tenir son propre cabinet de *lecture*, n'avait-elle pas voulu mettre ses mains au service de la vérité ? Eh bien, c'était maintenant ou jamais. Si elle avait la moindre chance de découvrir l'identité de ce maître chanteur qui se servait du nom de Dieu pour terroriser les gens, elle devait la saisir.

— Trois fois !

Ophélie se retourna. Sa mère venait de débouler dans l'antichambre en martelant le parquet à grands coups de talons.

— Trois fois que j'ai failli être arrêtée par les gendarmes entre la toilette et ici ! Et bien sûr, toi, tu ne t'inquiétais de rien ! Il se fait vraiment tard, ajouta-t-elle en consultant une horloge à balancier. *Lis* vite ce que tu as à *lire*, ma fille, et rentrons à l'hôtel.

— Maman, vous devriez rentrer en premier, lui conseilla Ophélie. Je risque d'en avoir pour un moment.

411

Sa mère s'approcha d'elle dans un gros tourbillon de robe et ne s'arrêta pas avant d'avoir collé son nez contre le sien.

— Nous savons pertinemment toutes les deux que tu n'as pas l'étoffe pour faire ce que cet étrange M. Farouk attend de toi. Ne prends pas cette comédie trop à cœur. Joue le jeu jusqu'à ton mariage, une *lecture* ou deux, un peu de poudre aux yeux, et ensuite je te ramène à la maison.

Jouer le jeu ? C'était bien le dernier conseil qu'Ophélie avait envie de recevoir, en particulier d'une femme qui lui avait toujours enseigné l'importance du travail bien fait.

— Maman, s'il vous plaît, c'est la première fois que je vous le demande : donnez-moi un peu de votre confiance. J'en ai vraiment besoin ce soir.

— Qu'est-ce que c'est que ce brol ?

Ophélie rangea précipitamment le dossier sur lequel sa mère se penchait déjà. Elle ne voulait pas la voir tomber sur les lettres de menace.

— C'est confidentiel, maman.

Incapable de tenir en place, la mère d'Ophélie s'élança vers la porte d'Archibald.

— C'est ici que tu dois faire ta *lecture* ?

— Non, maman, ne touchez pas à cette...

Ophélie n'entendit pas la fin de sa propre phrase. À peine sa mère eut-elle posé les doigts sur la poignée qu'un concert de carillons retentit dans toute l'antichambre et que le sceau se mit à rougeoyer comme du métal en fusion. C'était l'illusion auditive la plus étourdissante qu'Ophélie avait jamais entendue. Elle vit sa mère se boucher les oreilles et lui adresser de grandes articulations de lèvres, mais aucun mot ne lui parvint. Sa boîte crânienne s'était transformée en clocher.

Accoururent aussitôt de la pièce voisine le baron Melchior, le régisseur Philibert et le garde des Sceaux. Ce dernier traversa l'antichambre d'un petit pas maniéré, ramena le sceau au silence d'une simple chiquenaude, puis vérifia que son immense perruque n'avait pas été déséquilibrée.

— Vous ne devez pas ouvrir cette porte, mademoiselle la grande *liseuse* familiale, roucoula-t-il d'une voix mielleuse. Nous n'avons pas encore fini de délibérer. Pourquoi ne lisez-vous pas le dossier comme je vous ai suggéré de le faire, hum ?

— Peut-être Mlle la grande *liseuse* familiale voudrait-elle que je me hâte de prendre une décision ?

Sa soucoupe de porcelaine dans une main, sa jolie tasse dans l'autre, Patience s'avança à son tour dans l'antichambre. La jeune femme ressemblait à un grand cygne avec son long cou délicat, sa robe blanche et sa blondeur argentée aussi soyeuse qu'un plumage. Patience était, comme son surnom l'indiquait, la personnalité la plus modérée et la plus réfléchie de toute sa fratrie. La larme noire entre ses sourcils contribuait à rendre son visage plus grave qu'il ne l'était déjà au naturel. Même si elle s'efforçait de ne rien en montrer, elle semblait épuisée.

— Ou alors, reprit-elle après une gorgée de café miracle, peut-être Mlle l'ex-vice-conteuse voudrait-elle prendre cette décision à ma place ?

Ophélie se tendit à ces mots. Mlle l'ex-vice-conteuse ? Bien sûr, ça pouvait être une coïncidence, mais c'était exactement la formule que l'auteur anonyme avait utilisée dans sa dernière lettre.

— C'est moi qui décide pour elle, intervint la mère d'Ophélie en gonflant son énorme poitrine. Je comprends que vous soyez secouée par le malheur qui vous frappe, mais nous laisser lanterner ainsi, ce n'est pas correct. Allez viens, ma fille, laissons ces gens-là faire à leur mode.

— Non.

Ophélie sortit son mouchoir à pois d'une poche de robe, souffla dedans plusieurs fois, décidée à ne pas laisser son rhume s'interposer entre elle et ses interlocuteurs, puis elle leva le menton avec détermination. Si une fois dans sa vie son expérience au théâtre optique devait lui servir à se faire entendre, c'était maintenant.

— J'ai entendu ce que vous disiez de moi tout à l'heure.

Il y eut un échange de regards embarrassés entre le garde des Sceaux et le baron Melchior, mais Patience, elle, se contenta de boire placidement une autre gorgée de café miracle. Ophélie concentra toute son attention sur elle en pointant du doigt la porte scellée.

— Vous me croyez incompétente ? S'il y a dans cette chambre un seul objet témoin de ce qui est arrivé à votre frère, je le ferai parler. Vous me croyez ambitieuse ? Je suis une *liseuse* professionnelle et, en tant que telle, j'ai une déontologie. Les affaires privées de l'ambassade resteront privées. Je ne partirai pas avant d'avoir fait ce pour quoi je suis venue, mais je ne le ferai pas non plus sans votre accord. Demandez la levée du scellé, mademoiselle Patience, et demandez-la maintenant. Je n'ai plus que vingt-quatre heures pour retrouver votre frère. Ne le faites pas pour moi, faites-le pour lui.

La mère d'Ophélie dévisagea sa fille d'un air choqué, une main sur le cœur, comme si elle ne la reconnaissait pas. Personne n'eut toutefois le temps de réagir : un grincement de parquet fit dévier tous les regards vers l'entrée de l'antichambre. Une ombre immense s'appuyait contre le chambranle doré de la porte.

Son manteau dégoulinant d'eau de pluie, Thorn reprenait son souffle.

La goupille

Ophélie sentit son sang battre contre ses tympans, mais elle n'aurait su dire si c'était le fait d'un soulagement brutal ou au contraire d'une tension accrue. Malgré les circonstances, elle ne parvenait pas à faire abstraction de ce qui s'était passé sur le chemin de la muraille. Elle dut inspirer plusieurs fois pour s'adresser à Thorn d'une voix qui ne lui fît pas trop honte :

— Vous tombez à point nommé. Nous vous attendions tous.

Le sourire d'Ophélie mourut sur ses lèvres. Quand Thorn s'avança dans l'antichambre, répandant des flaques qu'un valet du Clairdelune épongeait discrètement derrière lui, ses yeux étincelèrent comme deux ciels d'orage.

— N'autorisez pas cette *lecture*, ordonna-t-il à Patience. Je reprends l'enquête à mon compte. Quant à vous, dit-il en se tournant vers Ophélie, je vous relève de vos fonctions. Rentrez à l'hôtel immédiatement.

Les lunettes d'Ophélie pâlirent sur son nez. Ce

n'étaient pas exactement les renforts qu'elle avait espérés.

— Vous ne pouvez pas me demander une telle chose.

Thorn se dressa de toute sa hauteur devant Ophélie, et ce n'était pas peu dire : elle fut littéralement engloutie dans son ombre. Elle se hissa instinctivement sur la pointe des pieds pour continuer de soutenir le regard incandescent qu'il abaissait vers elle.

— Je suis l'intendant et votre futur mari. Bien sûr que je le peux.

— Je dois faire cette *lecture*, que ça vous plaise ou non.

Sous le manteau trempé de pluie, la poitrine de Thorn se soulevait à un rythme irrégulier, mais il était difficile de savoir s'il était suffoqué par sa course effrénée à travers la Citacielle ou par la fureur qui électrifiait son corps entier. Quelle épingle le piquait ? Ophélie pouvait concevoir qu'il fût contrarié, mais pourquoi semblait-il à ce point fâché contre elle ?

— Je vous interdis de *lire* quoi que ce soit en rapport avec les disparitions, articula Thorn entre ses dents. Toutes ces affaires ne vous concernent en aucune façon, vous entendez ? Et vous, taisez-vous, ajouta-t-il hargneusement en coupant d'un geste la mère d'Ophélie, alors qu'elle ouvrait déjà la bouche pour donner son avis. Rappelez-vous notre accord : vous ne vous mêlez plus de rien jusqu'au mariage. De *rien*.

Ophélie avait déjà vu sa mère se coincer les

doigts dans une portière de fiacre : elle avait fait exactement la même tête qu'à cet instant.

Le baron Melchior intervint d'une petite toux embarrassée.

— Eh bien... techniquement, monsieur l'intendant, vous ne pouvez pas interdire à votre fiancée de mener à bien la mission qui lui a été confiée. C'est le seigneur Farouk en personne qui l'a nommée grande *liseuse* familiale, et j'ai été désigné pour être son adjoint. Comme cette charge n'a jamais été portée avant elle, personne encore n'en connaît les prérogatives. Notre ministre du Protocole étudie la question en ce moment même.

Thorn foudroya des yeux le baron Melchior, mais celui-ci lui répondit par un sourire qui souleva ses moustaches avant de pivoter vers Patience dans un mouvement placide de montgolfière.

— C'est à vous que revient la décision. Mlle la grande *liseuse* familiale a-t-elle votre autorisation ou non ?

Tout le monde était à présent suspendu aux lèvres de Patience. La jeune femme contempla longuement le fond vide de sa tasse, puis elle releva les yeux vers Thorn.

— Vous avez été incapable de retrouver qui que ce soit jusqu'à présent et c'est de mon frère qu'il s'agit aujourd'hui. Ça me fait mal de l'admettre, mais s'il avait été là, il vous aurait confié cette *lecture*, dit-elle en s'adressant cette fois à Ophélie. Je vous donne donc ma permission. Qu'on lève le scellé.

Thorn considéra Patience comme s'il luttait contre l'envie de lui enfoncer sa tasse en porcelaine à l'intérieur du gosier.

Le garde des Sceaux balaya l'air d'un bref mouvement de main ; le scellé, qui avait pourtant toutes les apparences d'un épais morceau de cire, s'effaça de la porte comme de la craie sur un tableau.

— Merci de m'accorder votre confiance, murmura Ophélie.

Patience ouvrit elle-même la porte et la lumière de l'antichambre fendit les ténèbres comme une lame d'or.

— Je ne vous l'accorde pas. Échouez à retrouver mon frère et je ferai de votre vie un enfer.

Sur ces mots étonnamment flegmatiques, Patience tourna le bouton du commutateur électrique. Ophélie demeura sans voix en découvrant pour la première fois la chambre d'Archibald. Si on lui avait demandé d'imaginer l'intimité d'un homme tel que lui, elle se serait volontiers représenté une jungle de coussins, des instruments de plaisir, des œuvres libertines, bref un désordre inavouable où flotterait en permanence le parfum de tous les interdits.

Elle ne s'était certainement pas préparée à pénétrer dans une pièce vide.

Il n'y avait en tout et pour tout qu'un vieux lit en fer forgé qui trônait au beau milieu du plancher. Des fissures lézardaient les murs et le plafond ; la chambre d'Archibald exhibait une apparence négligée fidèle à son style vestimentaire. Même la température ambiante était glaciale par rapport

419

à l'antichambre, comme si l'illusion thermique n'opérait pas ici.

— Je ne comprends pas, dit Ophélie en tournant sur elle-même. Où sont rangés les effets personnels d'Archibald ?

— Nulle part, mademoiselle la grande *liseuse* familiale, déclara Philibert depuis le seuil de la porte. Monsieur a toujours maintenu cet endroit en l'état.

— Tout de même, soupira le baron Melchior en posant sur les lieux son regard critique de grand couturier. C'est un peu trop conceptuel à mon goût. M. l'ambassadeur n'aurait-il pas pu passer commande d'une illusion ou deux ? Une petite touche de rococo, ça vous métamorphose un intérieur.

Tout le monde s'était à présent regroupé sur le seuil de la pièce, afin de ne pas interférer avec la perquisition. Ophélie avait l'impression de devoir faire ses preuves devant des jurés. La belle assurance qu'elle avait manifestée plus tôt lui fila entre les doigts. Une pièce sans objets ? Ils n'auraient pas pu lui lancer un défi plus épineux ! Elle enleva l'un de ses gants, bien déterminée à ne pas se décourager avant même d'avoir commencé.

— Êtes-vous obligée de *lire* le lit ? demanda Patience. Ce serait indécent pour une fille de votre âge.

Son expression sévère était sans commune mesure avec celle qu'affichait Thorn : il ne quittait plus Ophélie des yeux, comme si elle pouvait à tout instant commettre une bêtise irréparable. Sa mère, quant à elle, faisait glisser son regard plissé de l'un à l'autre, comme si elle ne parvenait pas encore à décider lequel des deux l'avait le plus offensée. Curieusement, celui qui semblait espérer le plus de cette *lecture* était Philibert.

— Je n'ai pas tellement le choix, répondit enfin Ophélie.

— Et le sol ? demanda Patience. Et les murs ? Ce ne doit pas être si différent de vos lectures *habituelles*, non ?

— Ça l'est. Ce sont des surfaces beaucoup trop vastes et beaucoup trop floues. Nous déteignons sur les objets en entrant en contact direct avec eux. On touche rarement les murs d'une pièce et, quand on marche sur le sol, on porte des souliers. Les semelles font de redoutables isolants.

Ophélie s'approcha du lit en fer forgé sans trop savoir par quel bout l'attaquer. Il ne semblait pas avoir été défait. Seul le couvre-lit mité était légèrement affaissé en son centre, laissant suggérer qu'un corps s'était allongé dessus assez longtemps pour y imprimer sa forme. Il ne fallait pas être détective pour deviner qu'Archibald s'était simplement étendu là, sans même se glisser dans les draps.

Ce qui intéressait Ophélie, c'étaient les derniers instants d'Archibald avant son enlèvement, pas les milliers de nuits qu'il avait passées sous les couvertures, seul ou accompagné. Voilà qui réduisait donc davantage le champ d'investigation.

Ophélie posa sa main à plat sur le couvre-lit et perçut un infime fourmillement du bout des doigts. Ce sentiment-là était encore trop lointain pour être définissable. Elle fit glisser lentement sa paume sur le tissu, telle une baguette de sourcier, à la recherche des zones les plus marquées par l'empreinte émotionnelle d'Archibald. Ophélie se sentit soudain envahie par l'ennui, un ennui si profond qu'elle avait l'impression de s'enfoncer dans l'essence même de la mélancolie. Et plus Ophélie s'étourdissait de fêtes, plus elle s'enivrait de plaisirs, plus elle défiait les convenances, plus fort était l'ennui.

Ces pensées n'étaient pas les siennes ; c'étaient celles d'Archibald. Elle aurait trouvé moins indécent d'assister à ses ébats amoureux. Découvrir ce qui se cachait derrière ses sourires insouciants lui donnait le sentiment d'être passée à côté de lui sans jamais se donner la peine de le connaître vraiment. Ophélie insista pourtant, encore et encore, parcourant des doigts chaque centimètre du couvre-lit en espérant trouver une anomalie, un choc, une surprise, n'importe quoi qui aurait pu indiquer une perturbation dans l'ennui sans fond qui imprégnait chaque maille du tissu.

Quand un frisson d'affolement lui remonta la colonne vertébrale et fit jaunir ses lunettes, Ophélie sut que, cette fois, l'émotion venait bien d'elle. Ce lit ne lui apprenait rien, strictement rien sur la disparition d'Archibald !

— Je sais que vous ne pouvez plus entrer en communication avec votre frère, dit Ophélie en se tournant à demi vers Patience. Mais vous serait-il possible de le posséder ? J'ai vu une fois Archibald… euh… *emprunter* le corps d'une Valkyrie. Peut-être que vous pourriez…

— Non, la coupa Patience d'un ton catégorique. Un membre de la Toile ne peut en posséder un autre qu'avec son consentement éclairé. N'y voyez pas une question de principe : si mon frère ne me livre pas le passage, il m'est physiquement impossible de prendre sa place.

— Doit-on en conclure que votre *lecture* est un échec ?

Ophélie regarda durement Thorn. Avec ses yeux de rapace, son manteau noir dégoulinant de pluie et son grand nez, dont l'ombre triangulaire lui avalait la moitié du visage, il évoquait un oiseau de mauvais augure. Elle n'attendait pas de lui des encouragements, mais il aurait au moins pu lui épargner ce genre de réflexion.

— Non. Je n'ai pas terminé.

Ophélie se demanda si elle n'allait finalement pas étendre sa *lecture* aux draps, aux oreillers et au matelas, lorsque le baron Melchior s'approcha d'elle.

— Ah, ce n'est pas un effet de mon imagination ! Il y a bien quelque chose ici qui accroche la lumière.

De l'embout doré de sa canne, il désigna sur le couvre-lit un anneau métallique qu'Ophélie fut mortifiée de ne pas avoir remarqué avant. Elle le saisit précautionneusement du bout des doigts, dans sa main encore gantée, afin de l'examiner de près. Qu'est-ce que c'était ? Une bague ? Un porte-clefs ? Une boucle d'oreille ?

Ophélie respira profondément pour faire taire l'ébullition de ses émotions. Cette *lecture* était probablement sa dernière chance de comprendre ce qui était arrivé à Archibald, elle ne devait pas la laisser passer. Quand elle se sentit suffisamment concentrée, elle effleura l'anneau du doigt.

Une image éclata dans sa tête comme une bulle

de savon. L'espace d'un seul battement de cœur, Ophélie fut Archibald. Elle vit, ressentit et pensa ce qu'il avait vu, ressenti et pensé.

Sablier. Jubilation. Danger.

— Ce n'est pas un anneau, murmura-t-elle pour elle-même plus que pour les autres.

C'était une goupille de sablier. Ophélie *voyait* très clairement la lumière de la lampe de plafond se dédoubler à travers le verre de la fiole, comme si c'était elle qui se tenait là, allongée sur le lit. Le sablier bleu portait la plaque caractéristique : « Manufacture familiale Hildegarde & Cie ». Ophélie caressait pensivement sa goupille du pouce. Elle en avait enfin trouvé un. Ce sablier ressemblait en apparence à n'importe quel autre, à un détail près, une infime différence effroyablement vicieuse : une mécanique complexe et minuscule, au niveau de la bascule, qui se remarquait à peine à l'œil nu. Ophélie la voyait, elle, parce qu'elle l'avait cherchée sur chaque sablier des semaines durant. Et à présent qu'elle avait trouvé le piège, qu'était-elle censée en faire ?

Quand elle releva les yeux, Ophélie s'aperçut que tout le monde s'était rassemblé autour d'elle dans une crispation générale.

— Alors ? demanda Patience qui, pour la première fois, commençait à perdre son sang-froid. Qu'est-ce que c'est ? Qu'avez-vous vu ?

« Tenez-vous loin des illusions. »

— Les sabliers bleus, souffla Ophélie. Ce sont eux qui ont emporté les disparus. Et Archibald le savait.

La manufacture

Ophélie éternua dans son écharpe. Des flaques malodorantes suintaient à travers les pavés et plus elle cherchait à les éviter, plus elle mettait les souliers dedans. Ses bas commençaient à prendre l'humidité – elle n'était même pas certaine que ce fût de l'eau –, mais elle continuait de marcher aussi vite que le permettaient ses petites jambes. Il lui fallait au moins ça pour soutenir la cadence de la patrouille de gendarmes, dont les chaussures cloutées résonnaient en rythme à travers toute la rue.

— La manufacture de sabliers est encore loin ? demanda Ophélie.

— Encore deux ascenseurs, mademoiselle, répondit l'un des gendarmes sans la regarder ni ralentir.

Elle chercha des yeux, tout au fond de la rue, la grille de leur prochaine correspondance. Jamais Ophélie ne s'était enfoncée aussi profondément dans les sous-sols de la Citacielle. Plus ils descendaient les étages, plus elle avait l'impression de se plonger dans les égouts de la ville. L'atmosphère était ici tellement épaisse, saturée de vapeurs refroidies et d'odeurs nauséabondes, qu'elle absorbait la lumière des rares lampadaires. Parfois, Ophélie apercevait des visages collés aux vitres embuées des salles des machines et des ateliers industriels. Dans les sous-sols de la capitale, des centaines d'ouvriers, de mécaniciens et d'artisans entretenaient les calorifères, réparaient les tuyauteries, évacuaient les eaux usées, en plus de produire l'argenterie, la porcelaine et la passementerie propres au train de vie des hauts quartiers.

Ophélie leva les lunettes vers Thorn qui marchait à sa droite sans un mot.

— Plus j'y réfléchis, moins je comprends, lui murmura-t-elle. Quel intérêt aurait la Mère Hildegarde à se servir de ses propres sabliers pour enlever des courtisans ? Tout le monde ne l'apprécie pas, concéda-t-elle (elle venait de se rappeler que le prévôt des maréchaux, le directeur éditorial du *Nibelungen* et le comte Harold détestaient cordialement les étrangers comme elle), mais je ne l'imagine pas en arriver à de telles extrémités. Il y a forcément autre chose.

Le regard de Thorn resta hors de portée. L'écoutait-il seulement ?

— D'un autre côté, dit Ophélie en élevant la voix, Archibald avait flairé un piège. Ça, je l'ai clairement senti. Mais s'il avait raison, pourquoi s'est-il laissé prendre malgré tout ?

— Comment voulez-vous que je le sache ? grommela Thorn.

Ophélie n'insista pas. Elle avait atrocement mal au crâne et elle ignorait si c'était à cause de son rhume, du manque de sommeil ou des griffes de Thorn. Il n'en avait peut-être pas conscience, mais sa colère irradiait hors de lui et remontait par la moelle épinière d'Ophélie sous forme de pulsations douloureuses.

Depuis qu'ils avaient quitté le Clairdelune, elle ne pouvait plus esquisser un pas de côté, s'engager dans un ascenseur ou refaire ses lacets sans se cogner à un angle de Thorn. Il la suivait partout comme une deuxième ombre, à croire que la patrouille de gendarmes n'était pas suffisante. C'était une proximité inconfortable, tout en grincements de dents et en froncements de sourcils. Il semblait réellement furieux contre elle, et peut-être davantage encore depuis qu'elle avait *lu* la goupille.

Qu'est-ce que Thorn s'imaginait à la fin ? Qu'elle avait attendu qu'il eût le dos tourné pour se précipiter au-devant de Farouk, le supplier de faire d'elle sa *liseuse* attitrée et se vanter de pouvoir secourir à elle seule les disparus ? Elle était morte de peur à l'idée de ne trouver que des cadavres ou, pis encore, de ne rien trouver du tout. Et le comble, c'était qu'au lieu d'en vouloir à Thorn pour son manque de compréhension elle se sentait réellement en faute comme si, quelque part, elle méritait sa colère.

Ophélie savait que c'était à cause de ce qui s'était passé sur la muraille, mais elle ne pouvait y repenser sans avoir les oreilles en feu.

— Voudriez-vous… m'accorder… un instant… je vous prie ?

Ophélie, Thorn et la patrouille de gendarmes

se retournèrent tous dans un même mouvement, s'entrechoquant les uns contre les autres. Derrière eux, sous la lumière fluctuante d'un réverbère, le baron Melchior tamponnait son triple menton d'un mouchoir de dentelle. Il transpirait tellement que ses joues luisaient.

Il s'était arrêté juste devant l'entrée d'un Imaginoir. Ce qui avait dû être un Imaginoir, du moins. Les guirlandes de lanternes rouges qui encadraient l'enseigne, *Délices érotiques*, étaient toutes éteintes depuis longtemps. Quant aux vitrines, elles étaient recouvertes de poussière et de publicités démodées.

— Vous ne seriez pas en train… d'essayer de semer… votre gardien des bonnes mœurs… par hasard ? haleta le baron Melchior en s'éventant de son haut-de-forme, non sans une certaine malice.

Ça, c'était la dernière lubie de la mère d'Ophélie. Elle n'avait accepté de retourner à l'hôtel qu'à la condition formelle que le ministre des Élégances en personne servît de chaperon à sa fille. Ophélie trouvait déjà assez gênant qu'il fût son adjoint.

— Nous devons rejoindre la manufacture le plus rapidement possible, maugréa Thorn. S'ils apprennent que nous sommes en route, cette inspection surprise n'en sera plus une.

— Il n'est pas dans mes habitudes de marcher autant, s'excusa le baron. Je vais finir par salir mes souliers neufs.

Tout ce temps perdu mettait Ophélie au supplice. À chaque étage, chaque correspondance, chaque trottoir, de nouveaux gendarmes leur réclamaient leurs papiers, ainsi qu'un justificatif

de leur présence en dehors des zones de circulation autorisées – laissez-passer que seule leur
escorte personnelle de gendarmes était à même
de fournir. Les mesures de sécurité étaient telles
qu'il aurait été impossible à un lemming arctique
de traverser la rue sans se faire arrêter.

— Tout ceci est délicat, déclara le baron Melchior. Vous en êtes conscient, monsieur l'intendant ?

Il jeta plusieurs coups d'œil autour de lui, à
travers les vapeurs de la rue, comme Ophélie
l'avait déjà vu souvent faire. Sous sa placidité
apparente et malgré la haute protection dont ils
bénéficiaient, il semblait incessamment craindre
de recevoir un coup en traître.

— Bien sûr, en tant que Mirage, je me sens
concerné par la disparition de mes cousins et
je veux que justice soit faite, poursuivit-il à voix
basse. Mais en tant que ministre, je tiens à rappeler que c'est à Mme Hildegarde que nous devions
d'avoir une Rose des Vents interfamiliale et que
ce passage est actuellement condamné. Si nous
maltraitons l'un des leurs, les Arcadiens ne rouvri-
ront jamais le passage et nous devrons dire adieu
à leurs épices ainsi qu'à leurs délicieux agrumes.
La piste des sabliers bleus nous mène pour l'instant jusqu'à Mme Hildegarde, mais tant que sa
culpabilité n'a pas été avérée, il nous faudra veiller
à ce qu'elle soit traitée avec élégance, chantonna
le baron Melchior en articulant mélodieusement
ce dernier mot à l'adresse des gendarmes. Si nous
avons la chance de la trouver à sa manufacture,
je suggère que nous la placions en état d'arresta-

tion, dans une cellule dont même son pouvoir ne pourra pas la sortir, mais uniquement le temps de débrouiller cette affaire et sans brutalité aucune. Nous nous comprenons bien, messieurs ?

Les gendarmes se tinrent au garde-à-vous, le menton haut, sans échanger ni un mot ni un regard ; c'était probablement leur façon de dire « oui ».

— Si Mme Hildegarde est d'une façon ou d'une autre impliquée dans la disparition d'Archibald, dit Thorn, je lui ferai personnellement livrer des fleurs en prison.

— Je n'ai rien entendu, philosopha le baron Melchior. Nous pouvons y aller, j'ai repris mon souffle. Vous venez, mademoiselle la grande *liseuse* familiale ?

Avant de se replonger dans les vapeurs de la rue, Ophélie eut un dernier regard pour l'Imaginoir, ses vitrines poussiéreuses, ses lanternes rouges éteintes. Elle venait soudain de se rappeler un détail important. Elle attendit qu'ils fussent tous dans l'ascenseur, après un énième contrôle d'identité, pour poser au baron Melchior la question qui lui démangeait les lèvres :

— Cet Imaginoir était à votre sœur ?

Le baron Melchior, qui repeignait ses cheveux en se mirant dans la glace de la cabine, eut une grimace embarrassée.

— À ma grande honte, oui. Fort heureusement, il a été fermé. Cunégonde est une artiste remarquable, mais elle devrait mettre son art au service de l'esthétisme, pas de la vulgarité.

Ophélie secoua la tête. Ce n'était pas là qu'elle voulait en venir.

— Votre sœur prétend que ses Imaginoirs font faillite à cause de la concurrence. La concurrence des sabliers de la Mère Hildegarde, précisa-t-elle.

Le baron Melchior sortit d'une poche un joli petit pot en métal, y puisa une noisette de cire parfumée et redressa ses longues moustaches d'un gracieux glissement de doigts.

— C'est la dure loi du marché, soupira-t-il. Oserais-je vous avouer que j'ai moi-même placé quelques actions dans la manufacture de Mme Hildegarde ? Je commence d'ailleurs à me demander si j'ai fait une si bonne affaire que ça, ajouta-t-il après une seconde de réflexion. Si nous avons tout à l'heure la preuve que les sabliers bleus sont dangereux, je vous laisse un peu imaginer le scand...

— La dernière fois que je l'ai croisée, Mme Cunégonde était en possession de sabliers bleus, le coupa Ophélie. Beaucoup trop pour une consommation personnelle. Elle m'a demandé de rester discrète mais, étant donné ce qui se passe, je ne peux plus le garder pour moi.

Les moustaches du baron Melchior s'effondrèrent sous le coup de la stupéfaction. Si la situation n'avait pas été si dramatique, il aurait été presque comique.

— Vous êtes certaine de cela ? Voilà qui est très embarrassant ! Je vous concède que ma sœur n'est pas irréprochable mais, je le jure sur mes souliers neufs, elle n'est ni une trafiquante, ni une criminelle.

Ophélie interrogea Thorn des yeux pour avoir son sentiment, mais il détourna le visage et fronça ses sourcils d'un cran supplémentaire, comme si elle n'en finissait plus de le mécontenter. Avait-elle donc commis un nouvel impair ?

Un dernier ascenseur et trois contrôles d'identité plus tard, ils passèrent sous un porche où était écrit, en grandes lettres délavées :

MANUFACTURE FAMILIALE HILDEGARDE & CIE

La fabrique était un bâtiment tellement vaste qu'il réquisitionnait un sous-sol entier à lui seul. Sa dimension était la seule chose qu'il possédait de remarquable : ses façades se résumaient à des murs sinistres, gris et sans fenêtres, et de vieux matelas avaient été entreposés sur les dalles humides de la cour.

Thorn dut actionner plusieurs fois le heurtoir de l'entrée principale avant qu'une portière vînt leur ouvrir.

— Oui ? C'est pour quoi ?

— Je suis l'intendant, déclara Thorn. Je dois voir Mme Hildegarde de toute urgence.

— La Mère n'est pas à son atelier, dit la portière.

— Depuis quand est-elle partie ? À quel moment reviendra-t-elle ?

La portière se contenta de hausser mollement les épaules.

— Qui est responsable de la manufacture en l'absence de Mme Hildegarde ? insista Thorn.

La portière s'en fut sans un mot. Quelques instants plus tard, un vieux monsieur se présenta à la place et siffla d'admiration en levant le nez

432

vers Thorn. Il redressa du pouce sa casquette de fonction.

— Monsieur l'intendant en personne ! s'exclama-t-il avec un sourire en coin. Je suis le chef d'atelier. Que puis-je pour votre service ?

— Me laisser inspecter le bâtiment, dit Thorn en lui remettant son mandat de perquisition.

S'il s'étonna ou s'il s'inquiéta de la requête, le chef d'atelier n'en montra rien. Ophélie ne le trouva pas particulièrement nerveux pour quelqu'un qui découvrait une brigade entière à sa porte. Elle remarqua sur sa casquette un insigne en forme d'orange. L'orange était le fruit fétiche de la Mère Hildegarde et servait de signe de ralliement à tous ceux qui formaient une alliance avec elle. Ophélie n'était pas près de l'oublier ; c'était après en avoir livré un panier qu'elle avait elle-même fini sous les matraques des gendarmes.

Quand il eut pris connaissance du mandat de perquisition, le chef d'atelier considéra tour à tour Thorn, le baron Melchior et Ophélie avec une curiosité amusée.

— Tiens, tiens, mais je reconnais la petite demoiselle. Je ne suis jamais monté dans les hauts étages, mais je lis les gazettes. Vous êtes la petite conteuse, là, celle qui vient d'Anima. Et vous, enchaîna le chef d'atelier en se tournant vers le baron, vous êtes un ministre. Le ministre de la Haute Couture ou quelque chose comme ça. Eh bien dites, ça en fait du beau monde ! Entrez, entrez ! Quand mes collègues verront un peu ce que je leur amène…

Thorn fit signe à Ophélie de passer en premier.

— Vous restez dans mon champ de vision, siffla-t-il entre ses dents. Pas d'échappée, pas d'initiative, pas de catastrophe. Est-ce clair ?

— Je ferai tout ce que je juge nécessaire pour l'enquête, s'agaça Ophélie.

Elle commençait vraiment à voir rouge. Littéralement parlant : ses lunettes s'étaient empourprées sur son nez.

Le baron Melchior, quant à lui, s'essuya méticuleusement les pieds sur le paillasson en marmonnant : « Ministre de la Haute Couture... non, mais tout de même... on aura tout entendu. »

— Puis-je au moins demander le motif de cette perquisition ? s'enquit aimablement le chef d'atelier.

— L'ambassadeur a disparu après avoir dégoupillé l'un de vos sabliers.

— C'est le principe même des sabliers, monsieur l'intendant.

— L'ambassadeur n'a jamais réapparu, maugréa Thorn.

— Voilà qui est fâcheux, commenta le chef d'atelier sans se départir de son sourire en coin. C'est probablement un terrible malentendu. Je suppose que vous voulez inspecter les sablières ? Nous ne laissons généralement personne y accéder, mais puisque vous avez un mandat...

Ophélie eut l'impression déplaisante que cet homme récitait – très mal d'ailleurs – un texte préparé à l'avance. Elle se demanda au passage ce que pouvait bien être une sablière.

— Je veux tout inspecter, rectifia Thorn.

L'intérieur de la manufacture n'avait rien en

commun avec la façade lugubre qu'elle arborait à l'extérieur. Le vestibule débouchait sur un couloir à la propreté irréprochable. Ses murs étaient composés d'innombrables compartiments en bois. Chaque casier portait une jolie étiquette : « au p'tit bonheur la chance », « bouffée d'air pur », « chez les dames », « le boudoir rouge », « faites vos jeux », « exotisme d'un soir », et ainsi de suite. C'étaient toutes des destinations de sabliers.

— C'est ici que sont confectionnés nos sabliers, annonça le chef d'atelier en pénétrant dans une salle qu'éclairaient de belles lampes pendues au plafond. À ce stade de la production, ce ne sont que des sabliers ordinaires qui ne vous intéresseront pas. C'est la Mère Hildegarde qui leur confère, à l'étape suivante uniquement, des propriétés de locomotion.

La première chose qui frappa Ophélie, ce furent les étagères sous verre. Des dizaines, des centaines, des milliers de petits sabliers s'alignaient à perte de vue, et chacun d'entre eux était un vrai travail d'orfèvre.

La deuxième chose qui frappa Ophélie, ce furent les ouvriers installés à leur pupitre, malgré l'heure avancée de la nuit. Aucun ne leva le nez de sa loupe articulée, de son coup de tournevis ou de sa meuleuse de verre quand les gendarmes circulèrent parmi eux. Il n'y avait ici que des vieillards et des vieillardes, et leurs tabliers portaient tous l'emblème d'une orange. Que l'ambassadeur eût disparu, que leurs sabliers fussent en cause et qu'une armée de gendarmes eût investi les lieux, tout cela ne paraissait leur faire ni chaud ni froid.

La troisième chose qui frappa Ophélie, droit au cœur cette fois, ce fut un œil qui étincelait dans un coin d'ombre, en fond d'atelier, à travers un désordre de boucles noires. Gaëlle était juchée sur un tabouret. Une cigarette coincée entre les dents, les bretelles de sa combinaison rabattues sur sa ceinture à outils, elle faisait mine de réparer ce qui ressemblait à un poste radio émetteur-récepteur. Son monocle renvoyait la lumière des lampes comme un phare et cet éclat-là était sans commune mesure avec celui, flamboyant, de son œil bleu électrique.

Ophélie dut faire appel à toute sa présence d'esprit pour ne pas se ruer sur Gaëlle et la secouer par les épaules. Que faisait-elle ici précisément maintenant ? Où était la Mère Hildegarde à la fin ? Et pourquoi, nom de nom, personne dans cet atelier ne semblait s'étonner de rien ? Ophélie ravala avec peine toutes les questions qui lui brûlaient la gorge : elle aurait précipité Gaëlle dans les ennuis en attirant l'attention des gendarmes sur elle. Une fausse identité, par les temps qui couraient, ça pouvait lui coûter très cher.

— Les sablières sont par ici, dit le chef d'atelier en ouvrant une porte tout au fond de la salle. Si vous voulez bien vous donner la peine de me suivre.

Gaëlle jeta un bref regard par-dessus son poste de radio et, l'espace d'un instant, elle parut surprise. Son étonnement ne concerna toutefois ni Ophélie, ni Thorn, ni le baron Melchior, ni les gendarmes : il avait pour seul objet un point suspendu dans le vide, quelque part derrière eux.

Ophélie se crispa sous son écharpe. Elle avait complètement oublié Vladislava ! L'Invisible avait-elle finalement réussi à les suivre jusqu'ici ? Gaëlle était une Nihiliste, ce qui signifiait que les pouvoirs familiaux des autres descendants de Farouk n'avaient aucune prise sur elle. Venait-elle bel et bien de surprendre la garde du corps sous son voile de transparence ? Comprenait-elle qu'elle n'était pas censée la voir ? Était-elle seulement capable de faire la différence entre la réalité et l'illusion ? Il lui suffisait d'un seul mot pour se trahir, aussi Ophélie souffla-t-elle de soulagement quand Gaëlle replongea le nez dans son poste de radio et que les gendarmes quittèrent l'atelier sans s'être aperçus de rien.

La fabrique débouchait sur un bureau administratif où Thorn promenait son regard inquisiteur. Ophélie chercha elle-même des yeux ce qui pouvait bien ressembler à des sablières – des réserves de sable ? des sabliers sans sable ? – mais il n'y avait ici que des documents comptables.

— Je confisque ceci, déclara Thorn en s'emparant d'un ensemble de registres.

— Je doute que vous y trouviez quelque chose d'intéressant, mais faites à votre guise, assura le chef d'atelier avec son indécrochable sourire. Les sablières sont par là, ajouta-t-il en ouvrant une nouvelle porte en verre brouillé.

Ophélie frissonna dès qu'elle sortit du bureau. Son éternuement résonna comme un coup de tonnerre dans le silence et se répercuta en échos interminables. Ils venaient de déboucher sur une passerelle de métal qui surplombait, et d'assez haut, un gigantesque hangar, où la température avait chuté brusquement. Le lieu était éclairé par des lampadaires aux vitres bleues qui permettaient à peine de distinguer, dans un éclairage aquatique, une quantité impressionnante de très grandes boîtes. Elles étaient vraiment étranges, ces boîtes, avec leur élégant toit de bois sculpté et leurs rideaux de mousseline blanche. Il fallut quelques secondes à Ophélie pour comprendre que ces boîtes étaient en réalité des lits à baldaquin et quelques autres encore pour réaliser que, derrière la mousseline des rideaux, il y avait des silhouettes allongées. Ce n'était pas possible : des gens *dormaient* ici ?

— Les sablières, commenta le chef d'atelier, plutôt amusé par l'expression éberluée d'Ophélie.

Les sablières

— Nom d'un trompe-l'œil ! s'exclama le baron Melchior. C'est donc ici qu'ils mènent, vos fameux sabliers bleus ? Ces conditions d'hygiène sont épouvantables ! s'indigna-t-il.

Thorn, pour sa part, ne sourcilla même pas : il avait déjà plongé son grand nez dans les registres comptables de la manufacture.

— Oh, ça, c'est parce que vous voyez les sablières de l'extérieur, dit tranquillement le chef d'atelier. Je puis vous assurer que chacune d'elles est absolument conforme aux normes de salubrité publique. Et nous passons le balai tous les jours, souligna-t-il avec une pointe de malice dans la voix. (Il se dirigea vers l'escalier métallique qui jouxtait la passerelle.) Pour accéder au hangar c'est par ici, messieurs dame. Nous avons un monte-charge, mais il a besoin d'une petite révision mécanique.

— Faites attention où vous posez les pieds, ordonna Thorn à l'adresse d'Ophélie.

Elle ne souffrait pas du vertige, mais elle prit l'avertissement au sérieux. Les marches étaient nombreuses, étroites et mal éclairées et il y avait beaucoup de niveaux à franchir avant d'atteindre le sol du hangar.

À chaque palier, elle se penchait pour mieux observer les lits du hangar, des silhouettes surgissant et se volatilisant derrière les rideaux de mousseline, le temps d'un tour de sablier. Ophélie était encore trop haut et trop loin pour bien les distinguer dans la lumière bleutée des lampadaires, mais elle se demanda comment ces gens faisaient pour ne pas avoir conscience de leur environnement. Aucun d'eux n'avait jamais eu la curiosité d'ouvrir les rideaux de son lit à baldaquin ?

Alors qu'elle continuait sa descente, Ophélie sentit une haleine chaude contre son oreille. Elle se retourna et aperçut Thorn qui franchissait le palier du dessus. Ce n'était pas son souffle à lui qu'Ophélie avait senti, il se tenait trop loin. Était-ce Vladislava qui la collait d'aussi près ? À peine eut-elle formulé cette pensée qu'un violent choc dans la poitrine lui coupa la respiration. Sa surprise fut telle qu'elle ne comprit pas tout de suite pourquoi la rampe lui glissait entre les doigts, pourquoi ses pieds décollaient du sol et pourquoi ses cheveux s'éparpillaient devant ses lunettes.

Elle tombait. Elle allait se briser les os sur une interminable succession de marches.

Avec un sentiment d'irréalité absolue, Ophélie bascula en arrière sans pouvoir se raccrocher à rien d'autre qu'à la vision de Thorn en train de tourner une nouvelle page de registre. Quand elle s'écrasa de tout son poids, ses poumons se vidèrent de leur air et un choc lui traversa le coude comme un courant électrique. Elle fixa bêtement, à travers ses lunettes à moitié décrochées, le visage moustachu qui était penché sur elle.

Un gendarme s'était précipité pour la réceptionner dans ses bras.

— Ça va, masemoidelle… mademoiselle ? Pas de casse ?

Le gendarme s'exprimait d'une voix confuse sous ses moustaches en guidon et souffrait d'un léger strabisme qui le faisait loucher. Ophélie n'était pas près d'oublier ce visage-là ; elle lui devait peut-être la vie.

— O-oui, bégaya-t-elle dans un filet de voix, le souffle encore coupé par le choc. Merci. Vraiment.

Levant enfin le nez, Thorn fronça les sourcils en voyant le gendarme aider Ophélie à se remettre sur ses jambes.

— Je vous avais dit de faire attention.

— J'ai fait attention, se défendit Ophélie. Ce n'était pas ma…

Elle se tut avant d'achever sa phrase et contempla les marches qu'elle avait bien failli dégringoler sur le dos. Elle avait la certitude d'avoir été bousculée par une présence invisible, mais elle refusait de croire que c'était là un acte délibéré de Vladislava. La déchue les avait protégés des Chroniqueurs et Thorn s'apprêtait à défendre la cause de son clan. S'en prendre maintenant à Ophélie n'avait aucun sens. *Ne remettez plus jamais les pieds à la cour.* Et si ce n'était pas Vladislava qui se tenait en ce moment parmi eux ?

Ophélie se tint prudemment à proximité des gendarmes, en particulier de celui qui l'avait rattrapée au vol, tandis que le chef d'atelier leur faisait visiter les lieux.

— C'est le principe du dégoupillez-profitez ! commenta-t-il d'une voix joyeuse qui se répercuta à travers tout le hangar. Pendant longtemps, nous n'avons produit que des sabliers classiques, de type collection verte ou collection rouge. Des allers-retours vers des destinations standard, quoi. Un jour, la Mère Hildegarde nous a dit, comme ça : « Hé, *viejecitos*, si on inventait un sablier qui transporte les gens tout droit dans un rêve ? » Elle est ainsi, la Mère. Elle a toujours des idées complètement folles et elle trouve toujours le moyen de les réaliser.

Frigorifiés par l'air glacial du hangar, ils s'avancèrent tous ensemble entre les rangées de lits. Ophélie les trouva impressionnants vus de près : ils ressemblaient à de véritables bateaux avec leur cadre sculpté comme une proue et leurs immenses rideaux blancs pareils à des voiles. La seule façon de se repérer au milieu de cette flotte navale immobile consistait à suivre les panneaux directionnels : « ILLUSIONS STANDARD POUR DAMES », « ILLUSIONS STANDARD POUR HOMMES », « ILLUSIONS DE JOUVENCE », « ILLUSIONS SPÉCIALES ENFANTS », « ILLUSIONS RÉSERVÉES AUX DOMESTIQUES », « ILLUSIONS BONUS FIDÉLITÉ », etc.

— Pour créer une sablière, poursuivit le chef d'atelier, la Mère Hildegarde se contente de prélever un échantillon d'espace sur un matelas et de le glisser dans une fiole de sablier.

— Un échantillon d'espace ? l'interrompit Ophélie.

— Oui, mademoiselle. Je serais bien embarrassé de vous expliquer à quoi ça ressemble mais la Mère Hildegarde n'a jamais raté son coup. L'atelier confectionne les sabliers, de façon qu'elle n'ait plus qu'à verrouiller le couvercle et enclencher la goupille une fois qu'elle a fini son travail. Nous installons ensuite le matelas ici, dans son joli cadre de bois, avec des draps bien propres comme il faut, souligna le chef d'atelier en tournant son sourire vers le baron Melchior. Et quand c'est fait, un illusionniste professionnel se rend là-bas, au dépôt, ajouta-t-il en désignant une grande porte industrielle à double battant, au fond du hangar. Il transforme ces lits ordinaires en pays des merveilles. Je vous laisse juge du résultat.

Ophélie regarda attentivement les sablières autour d'elle. C'était la fantasmagorie la plus grotesque à laquelle elle avait jamais assisté. Des ombres ne cessaient d'apparaître et de disparaître derrière la mousseline des rideaux : une robe à crinoline renversée d'où émergeaient deux jambes secouées de rire ; un vieux barbon en train de bondir sur son matelas comme un écolier ; une silhouette emperruquée sanglotant de joie dans son oreiller. Certains laissaient échapper des gémissements lascifs dans des postures plus qu'équivoques. Ophélie se sentit gênée pour tous ces gens, tandis que les gendarmes entrouvraient les baldaquins des lits, le temps d'une inspection rapide, mais rien ne semblait pouvoir les sortir de leur envoûtement.

— Quand je pense qu'hier encore j'étais ici, parmi eux ! soupira le baron Melchior d'une voix consternée.

— Vous êtes pourtant vous-même un Mirage, s'étonna Ophélie. Il ne vous est pas possible de déjouer ce genre de charme ?

— Un Mirage n'est immunisé que contre ses propres illusions, mademoiselle la grande *liseuse* familiale. Il est aussi le seul à disposer du pouvoir de les annuler. De ce fait, toutes les créations d'un Mirage disparaissent à sa mort. Nous pratiquons un art éphémère, dit-il avec un sourire mélancolique sous ses moustaches. Ça me navre chaque fois de penser que ni mes cravates musicales, ni mes bijoux parfumés, ni mes robes kaléidoscopiques ne me survivront !

— Les illusions ont toutes besoin d'un coup de pouce pour opérer, voyez ? continua le chef d'atelier. Un signal si vous voulez. Il entre d'abord par les yeux avant d'atteindre la cervelle. Tant que vous ne regardez pas notre « coup de pouce », vous ne voyez pas l'illusion et vous ne ressentez pas ses effets.

— Vous simplifiez exagérément, protesta le baron d'un ton professoral. Nos illusions agissent *préférentiellement* par la vue, mais il existe aussi des stimuli auditifs, tactiles ou olfactifs. Nous pouvons réaliser des œuvres d'art très complexes, même si nous n'avons pas tous les mêmes spécialisations. Selon qu'on est paysagiste, décorateur, couturier, on privilégiera certaines sensations plutôt que d'autres. Je vous accorde toutefois que les yeux restent notre amplificateur de prédilection.

Ophélie eut une pensée pour le monocle noir de Gaëlle qui avait la propriété de filtrer toutes les illusions.

— Puis-je connaître le nom de l'illusionniste professionnel qui travaille chez vous ? demanda le baron Melchior en désignant de sa canne le lit le plus proche. Pour avoir dégusté ces illusions-là de l'intérieur, je peux affirmer qu'elles sont diablement efficaces. J'en suis toujours ressorti bouleversé et je n'ai jamais pu me rappeler exactement pourquoi. C'est comme sortir d'un rêve merveilleux qui ne vous laisse qu'une très forte impression.

Le chef d'atelier gloussa en soulevant sa casquette du pouce.

— Je n'en ai pas la moindre idée. Nous ne l'avons jamais croisé à l'atelier, il ne se rend qu'au dépôt. Seule la Mère Hildegarde pourrait vous donner son identité.

Ophélie sursauta. Un gendarme fut soudain secoué par un fou rire incontrôlable, alors qu'il procédait à l'inspection d'une sablière. Il lança son bicorne dans les airs, exécuta de petits pas de danse et envoya des baisers à un public imaginaire en s'exclamant à tue-tête : « La vie est belle, mesdames et messieurs ! »

— Ah, celui-là a trouvé notre coup de pouce, commenta le chef d'atelier. Il a dû regarder le plafond de lit.

Thorn était si enfoncé dans ses registres qu'il ne prêta aucune attention au gendarme qui essayait à présent d'entraîner l'un de ses confrères dans une valse passionnée.

— Avec tout ça, nous n'avons encore retrouvé personne, lui murmura-t-elle. Vous cherchez quoi exactement dans ces comptes ?

Thorn émit un grommellement grincheux et Ophélie songea qu'elle aurait elle-même voulu avoir quelque chose à *lire*, n'importe quoi qui lui permettrait d'accélérer l'enquête et de se sentir moins impuissante.

— Et les sabliers jaunes ? demanda-t-elle en se tournant vers le chef d'atelier. Renold... Un ami m'en a parlé une fois. Il m'a dit que c'étaient exactement comme des sabliers bleus, mais en aller simple, sans aucune limitation de temps. Vous en produisez ici ?

— Certainement pas, affirma le chef d'atelier d'un ton catégorique. Ce serait beaucoup trop dangereux. Les sabliers jaunes sont un mythe destiné à faire rêver la valetaille, rien de plus. Imaginez un peu que vous restiez coincée à l'intérieur d'une de ces illusions, dit-il en montrant le gendarme qui souriait encore avec une expression béate. Vous mourriez de plaisir avant même de mourir de déshydratation ! Cela dit, quelqu'un d'un tant soit peu habile pourrait modifier n'importe quel sablier, admit-il avec une étincelle malicieuse dans les yeux. Installer un dispositif de retournement automatique, ce n'est pas simple, mais ce n'est pas impossible non plus.

Ophélie acquiesça songeusement. Un dispositif de retournement automatique ? C'était probablement cela, le piège qu'Archibald avait détecté sur le sablier dont elle avait *lu* la goupille.

— Nous avons inspecté toutes les sablières,

monsieur, annonça un gendarme en claquant des talons devant Thorn. Les portés disparus ne se trouvent pas ici.

— Rien à signaler non plus au dépôt, dit un deuxième gendarme qui revenait de l'autre côté du bâtiment.

Ophélie sentit les muscles de sa gorge se contracter. Bien sûr, elle s'y attendait, mais elle avait vraiment espéré voir Archibald surgir du baldaquin d'un lit en bâillant.

Le chef d'atelier, lui, ne parut pas déçu du tout. Il se fendit d'un sourire qui dévoila une denture en piteux état.

— À la bonne heure ! Comme vous voyez, notre fabrique n'est pas impliquée dans votre affaire.

— C'est faux.

Thorn avait déclaré cela sur le simple ton du constat.

L'impasse

Thorn s'avança en longues enjambées vers le chef d'atelier, l'obligeant à lever la tête jusqu'à lui, puis il lui présenta trois des registres qu'il venait de feuilleter.

— Ce document-ci, maugréa-t-il en agitant le premier registre, reprend le nombre de sabliers fabriqués dans votre atelier pour chaque jour de cette année.

— En effet, dit le chef d'atelier. Je ne vois pourtant pas…

— Ce document-là, le coupa Thorn en agitant cette fois le deuxième registre, reprend le nombre de liaisons sabliers-lits effectuées par Mme Hildegarde cette année également.

— C'est exact, mais je…

— Et ce document, enchaîna Thorn en agitant le troisième registre, reprend le nombre de lits illusionnés après avoir été reliés à leur sablier.

— Eh bien ?

— Eh bien, les chiffres ne concordent pas. Quatre sabliers bleus et quatre lits se sont perdus en route, quelque part entre la sortie d'atelier et leur mise en service.

— Oh, ça s'explique très simplement, dit le chef d'atelier qui ne se départit pas de son sourire en coin. Ce matériel-là doit encore traîner au dépôt. Notre illusionniste envoûte les lits quand il en a le temps et nous ne vendons pas les sabliers dont les lits n'ont pas encore été traités.

— Vous tenez un registre des lits en attente de traitement, dit Thorn d'un ton implacable. J'en ai évidemment tenu compte dans mes additions et le total ne correspond toujours pas. Quatre sabliers et quatre lits ont disparu de vos stocks.

Pour la première fois, le chef d'atelier parut prendre Thorn au sérieux. Il sortit des lunettes aussi vieilles que lui d'une poche de son tablier et passa en revue les colonnes de chiffres.

— Êtes-vous bien sûr de vous ? demanda-t-il en tournant les pages. Peut-être que des sabliers se sont cassés et ont été jugés inutilisables. Nous tenons un registre du matériel endommagé.

— J'en suis extrêmement sûr. J'ai cherché où s'était exactement produit le décalage dans votre comptabilité et je l'ai localisé à la date de 23 mai. Regardez par vous-même, ordonna Thorn en remettant l'un des registres au chef d'atelier. Dans le nombre de liaisons des sabliers-lits effectuées par Mme Hildegarde à cette date, le chiffre « 9 » a été rectifié en « 5 ». L'encre est différente, cette correction a donc été apportée après coup.

— Quelqu'un aurait falsifié nos comptes ? murmura le chef d'atelier qui ne semblait pas considérer cela possible. Enfin, voyons, qui ferait une chose pareille ?

— Un collègue, un intrus, vous-même ou Mme Hildegarde en personne, énuméra Thorn sans états d'âme. Cette manufacture est un vrai moulin, il est à la portée de n'importe qui d'y faire des allées et venues à l'insu des autres.

— Tout de même... chaparder des lits à notre nez et à notre barbe.

Thorn eut un reniflement agacé.

— Si vous teniez vos registres correctement, avec des numéros de matricule unique pour chaque sablier et chaque lit, cette erreur ne vous aurait pas échappé.

Ophélie dévisagea Thorn avec incrédulité. Comment avait-il réussi à déceler une si petite anomalie en si peu de temps ?

— Le fait est que ces sabliers et ces lits ont quitté votre manufacture après avoir été reliés et avant d'avoir été illusionnés, récapitula Thorn. Notre ravisseur prévoyait de s'en servir uniquement pour expédier des personnes précises vers une destination de son choix. Il aura modifié lui-même le mécanisme des sabliers pour rendre tout retour impossible.

— Quatre sabliers, quatre lits, quatre disparus, résuma le baron Melchior. Cela ne dit pas où ils sont, mais nous ne devrions pas avoir d'autre enlèvement à déplorer.

Il lissa ses moustaches d'un geste soulagé, comme si Thorn venait de lui annoncer qu'il n'avait plus à craindre pour sa propre vie.

— Mais comment le ravisseur pouvait-il être

sûr que ses sabliers seraient bien dégoupillés ? demanda Ophélie. En offrir un en cadeau, c'est une chose. Être certain qu'il sera utilisé, c'en est une autre.

— Ce pari-là n'était pas difficile à remporter, affirma le baron Melchior en tapotant sa poche de redingote, distendue par son propre sablier. Quand un article devient à la mode ici-haut, vous pouvez compter sur les courtisans pour en faire un usage immodéré. Moi, le premier.

Le chef d'atelier n'en finissait plus de feuilleter le registre falsifié et de le comparer aux autres. Il ne souriait plus tellement.

Gelée jusqu'aux os, Ophélie releva son écharpe sur son nez et fit elle-même l'addition de ce qu'ils avaient découvert jusqu'à présent. Si elle ne tenait pas compte du cas particulier d'Archibald, les disparus étaient sous l'emprise d'une forte anxiété et par conséquent susceptibles de prendre des euphorisants. Chacun d'eux n'avait-il pas demandé asile au Clairdelune précisément parce qu'il craignait pour sa vie ? Ils avaient tous reçu des lettres de menace. Leur auteur avait très bien pu s'en servir pour oppresser ses victimes : plus elles étaient inquiètes, plus forte était leur envie de dégoupiller des sabliers bleus. C'était vraiment une manipulation vicieuse.

— Pourtant, pensa tout haut Ophélie, j'imagine mal le directeur du *Nibelungen* utiliser des sabliers. Il leur a fait une horrible publicité et incitait ses lecteurs à ne pas en consommer.

— Ce contradictoire cousin Tchekhov ! soupira le baron Melchior avec un sourire doux-amer. Vous le connaîtriez dans l'intimité, vous sauriez que c'est un acharné de la goupille. Les opposants les plus virulents d'une tentation en sont parfois les plus grands adeptes.

— Mais Archibald n'était pas censé être la quatrième cible, rappela Ophélie. Quand j'ai *lu* la goupille, j'ai vu qu'il s'était approprié le sablier de quelqu'un d'autre.

« M'était-il destiné à moi ? » se demanda-t-elle soudain, frappée par cette pensée.

Le baron Melchior observa un silence hésitant, puis il poussa un soupir si long qu'on aurait dit que son corps se dégonflait comme un ballon de baudruche.

— C'était le mien.

— Le vôtre ? s'étonna Ophélie.

Pour la peine, Thorn s'accorda un haussement de sourcils qui, l'espace d'un bref instant, relâcha ses traits.

— Le mien, confirma le baron. J'avais inexplicablement perdu un sablier bleu à la suite de mon dernier passage au Clairdelune. M. l'ambassadeur a dû profiter d'un instant de distraction pour me faire les poches.

— Il vous a peut-être sauvé la vie, dit Ophélie. Mais pourquoi vous enlèverait-on, vous ? Le prévôt des maréchaux, le directeur du *Nibelungen* et le comte Harold avaient tous des positions politiques... eh bien... assez extrêmes.

Le baron Melchior eut un sourire sans joie qui ne parvint pas à soulever ses moustaches.

— Vous me flattez, mais je ne suis pas le saint homme que vous croyez, mademoiselle la grande *liseuse* familiale.

Ophélie se remémora le nombre de fois où elle l'avait vu jeter des coups d'œil inquiets derrière lui, comme s'il redoutait d'être attaqué par son ombre. Encore maintenant, il ne semblait pas tout à fait tranquille.

— Avez-vous reçu des lettres de menace ?

Le baron Melchior détourna soudain les yeux et Ophélie fut saisie par la solitude qu'elle y surprit à cet instant. C'était exactement la même solitude qu'elle percevait chez Thorn.

— Pardonnez-moi, mademoiselle la grande *liseuse* familiale. Malgré tout le respect que je vous dois, je ne peux pas répondre à cette question.

Pour Ophélie, c'était comme s'il lui avait répondu « oui ». Elle voulut insister, mais Thorn l'en dissuada d'un coup d'œil, l'invitant claire-ment à se mêler de ses propres affaires. L'écharpe d'Ophélie battit l'air comme la queue d'un chat énervé. Pourquoi tout le monde s'enfermait-il à double tour dans ses secrets ? N'aurait-il pas été tellement plus simple de se faire enfin confiance les uns envers les autres ?

— Faites bien attention à vous, s'il vous plaît, murmura-t-elle en ignorant la grimace mécon-tente de Thorn. Je pense que vous êtes en danger.

Le baron Melchior ramena son regard sur Ophélie, ses moustaches figées par la perplexité. Avec cette distinction extrême qui le caractérisait, il s'appuya de ses deux mains baguées sur le pom-meau de sa canne et pencha vers Ophélie un corps rond comme la pleine lune.

— Le danger fait partie de notre vie, lui dit-il solennellement. Je me bats pour un avenir différent et je crois que vous aussi, à votre mesure et à votre manière. Je ne déserterai pas mon poste, de même que vous n'avez pas déserté le vôtre. À nous d'assumer nos choix jusqu'au bout, n'ai-je pas raison ?

Ophélie le considéra en silence dans cette lumière aquatique et elle ne put s'empêcher de le trouver superbe à sa façon.

— Pardonnez-moi d'insister, lui dit-elle douce-ment, mais si vous êtes victime de chantage, vous devriez vraiment nous en parler. J'ai moi aussi reçu…

— Cela suffit, la coupa Thorn d'une voix féroce. Si M. le ministre a une déposition à faire, c'est à l'intendance qu'il l'adressera.

Ophélie se tut, un peu choquée, et le baron Mel-chior lui-même parut mal à l'aise.

— Pouvons-nous considérer ma sœur hors de cause ? s'enquit-il doucement. Au fond, la quantité de sabliers bleus avec laquelle vous l'avez surprise ne regarde qu'elle, n'est-ce pas ? Cunégonde a vrai-semblablement passé une commande en bonne et due forme, comme n'importe quel client de Mme Hildegarde. Bien sûr, s'empressa-t-il d'ajou-ter en faisant pivoter son corps de toupie vers Thorn, M. l'intendant pourra les vérifier un par un s'il le juge nécessaire.

Thorn sortit un carnet de procès-verbal d'une poche intérieure de son manteau.

— Nous verrons cela. La responsabilité de cette manufacture est officiellement engagée. Peu importe que Mme Hildegarde soit ou non l'insti-gatrice des enlèvements, elle devra se rendre à la justice dans les plus brefs délais. D'ici à ce que la lumière soit faite sur cette affaire, j'ordonne la mise à l'arrêt de la manufacture. Les sabliers, toutes couleurs confondues, seront interdits à la vente et à la consommation jusqu'à nouvel ordre.

— Cette mesure ne va pas vous rendre populaire, monsieur l'intendant, soupira le baron Melchior. Vous allez priver beaucoup de personnes de leur péché mignon.

Thorn signa, puis détacha le procès-verbal de son carnet avant de le remettre au chef d'atelier.

— Quant à vous, vous allez être placé en détention préventive.

— Moi ?

— Mme Hildegarde est absente et vous êtes son suppléant, dit Thorn comme si cela expliquait tout.

Le vieil homme semblait de plus en plus confus et Ophélie eut un élan de compassion pour lui. Impitoyable, Thorn lui reprit les registres des mains sans ménagement ; il les confia au gendarme strabique qui loucha dessus en se demandant visiblement ce qu'il était censé en faire.

— Ce sont désormais des pièces à conviction. Si Mme Hildegarde veut récupérer ses documents, elle devra introduire une demande officielle auprès de l'intendance.

— Thorn, s'il vous plaît.

N'y tenant plus, Ophélie l'avait tiré par la manche de son manteau pour lui montrer le chef d'atelier : ce dernier vacillait sur ses jambes, les yeux collés à son procès-verbal, comme si le sol se dérobait sous ses pieds.

— Ah, vous, inutile d'en faire une syncope ! s'agaça Thorn. Il s'agit d'une ordonnance de détention provisoire, pas d'une condamnation. Vous serez relâché dès que Mme Hildegarde aura été entendue et que l'enquête établira que vous ne compromettez pas la sécurité publique. Si Mme Hildegarde est l'employeur modèle que vous prétendez, elle se rendra d'elle-même à la justice pour prendre votre place.

— Alors ça, lâcha le chef d'atelier en grattant ses cheveux gris sous sa casquette. C'est ma femme qui va me tirer les oreilles, tiens. Et mes artisans, ils feront quoi en mon absence ?

Les yeux de Thorn fulgurèrent comme des éclairs.

— Qu'ils engagent un comptable digne de ce nom et mettent cet endroit en ordre. Pour votre gouverne, vous avez quatorze ampoules hors d'usage, vingt-trois lits qui ne sont pas parfaitement alignés dans l'axe de leur rangée et je trouve aberrant qu'il y ait un nombre de marches différent entre chaque palier de votre escalier.

Ophélie haussa les sourcils. Elle ne savait pas ce qui se passait derrière le vaste front de Thorn, mais il n'était décidément pas dans son état normal. En ce qui la concernait, elle n'eut pas du tout la tête à compter les marches de l'escalier, alors qu'ils remontaient tous ensemble vers l'atelier. Son bras blessé replié sur son ventre, elle voulait déjà être certaine de ne pas les dégringoler une seconde fois ; tant qu'elle n'aurait pas découvert qui l'avait bousculée tout à l'heure, elle ne se sentirait pas tranquille.

Si toutes les journées de Thorn ressemblaient à celle qu'elle venait de vivre, elle comprenait pourquoi il avait des yeux aussi cernés.

Ophélie se sentait toutefois trop anxieuse pour songer à se reposer et elle fut exaspérée quand, lorsqu'ils furent parvenus au bureau administratif de la Mère Hildegarde, Thorn lui désigna autoritairement une chaise du doigt comme à une enfant indocile.

— Je dois procéder à une inspection approfondie de la comptabilité. Vous ne bougez pas d'ici, vous ne touchez à rien jusqu'à ce que j'aie fini. Quant à vous, dit-il en s'adressant aux gendarmes, confisquez tous les sabliers de l'atelier, y compris ceux en cours de fabrication.

Les gendarmes firent claquer leurs talons ferrés en cadence, tandis qu'ils passaient dans l'atelier, tels des soldats se rendant sur le champ de bataille. Le baron Melchior les suivit en les priant, au nom du ministère des Élégances, de ne surtout brutaliser personne.

L'humeur de Thorn était si épouvantable qu'Ophélie ne voulut pas la dégrader davantage. Elle s'assit, frustrée et désœuvrée. Un coup d'œil à la pendule lui indiqua qu'il ne restait plus que dix-huit heures avant que la Toile rompît le lien avec Archibald. Ophélie ne savait toujours pas où il se trouvait et elle n'avait plus une seule piste, plus un seul indice.

C'était de nouveau l'impasse.

Tandis que Thorn épluchait la comptabilité, Ophélie examina la pièce. Elle aurait pu ressembler à n'importe quel service comptable avec ses casiers métalliques, sa caisse enregistreuse et ses trois téléphones, si elle n'avait pas appartenu à la Mère Hildegarde. Chaque espace de rangement s'avéra être beaucoup plus grand qu'il n'aurait dû logiquement l'être : Ophélie vit ainsi plusieurs fois le grand bras de Thorn s'enfoncer jusqu'au coude dans les minuscules tiroirs du secrétaire. Il y avait aussi des natures mortes sur chaque pan de mur et c'étaient toujours, invariablement, des paniers d'oranges. Ophélie n'avait vu chez personne d'autre une telle obsession pour un fruit.

— Et moi, sonmieux… meussion… monsieur ? bégaya le gendarme strabique au bout d'un moment.

Encombré des registres que Thorn lui avait confiés, il était resté dans le bureau et remuait ses moustaches en guidon comme s'il réprimait le besoin de se gratter le nez.

— Vous, ne me déconcentrez pas, grommela Thorn en déposant sur sa pile un tas de carnets supplémentaires.

Si Ophélie avait d'abord éprouvé de la gratitude pour ce gendarme qui lui avait tout de même sauvé la vie, il la mettait à présent mal à l'aise. Ce n'étaient pas ses yeux tordus qui la gênaient, mais la façon dont il la dévisageait fixement, sans bienveillance, comme il aurait observé une créature incongrue sur l'étagère d'un cabinet de curiosités.

Ophélie se leva de sa chaise et colla son nez contre la cloison vitrée qui permettait de voir l'atelier depuis le bureau. Conformément à ce que leur avait ordonné Thorn, les gendarmes étaient en train de jeter tous les sabliers de la fabrique dans de grands sacs de toile. Les vieux artisans les regardaient faire sans protester, avec peut-être juste une lueur hébétée dans le regard. Quant au chef d'atelier, il avait déjà des menottes aux poignets.

Seule Gaëlle s'agitait au milieu de cette immobilité, frappant sa paume sur une table. Ophélie put distinctement lire sur ses lèvres, tandis qu'elle apostrophait le baron Melchior, le mot « innocence ». Resteraient-elles amies après ça ? Ophélie avait le sentiment déplaisant de se trouver du mauvais côté de la barrière, comme si c'était la justice la véritable coupable. Les employés de la Mère Hildegarde n'étaient-ils finalement pas davantage des victimes que des complices dans l'histoire ?

Ophélie se tourna résolument vers Thorn, se cognant au passage le genou dans la chaise.

— L'intendance est l'actuelle propriétaire des registres, n'est-ce pas ?

— Je refuse.

— Pardon ?

La réponse foudroyante de Thorn avait déstabilisé Ophélie. Il faisait défiler à toute vitesse les pages d'un répertoire, mémorisant instantanément la liste de contacts de la Mère Hildegarde.

— Vous alliez me demander l'autorisation d'exécuter une *lecture*, dit-il sans la regarder. Je ne vous en donne pas l'autorisation. Fin de la discussion.

Ophélie n'en croyait pas ses oreilles.

— Pas même si cette *lecture* peut déterminer l'identité du ravisseur ? Pas même si elle peut sauver des vies et des emplois ?

Thorn ferma un tiroir d'un geste excédé.

— Si vous *lisiez* le registre falsifié, pourriez-vous identifier formellement l'auteur de ladite falsification à la date du 23 mai ?

— Non, dut admettre Ophélie. Quand je pénètre dans l'état d'esprit d'une personne, celle-ci me fait rarement l'amabilité de décliner son nom, son visage et la date à laquelle elle est entrée en contact avec l'objet. Mais je peux essayer de reconstituer une identité à partir d'un faisceau d'indices.

Thorn ouvrit un nouveau tiroir et dut pencher la lampe à piston du secrétaire pour pouvoir en voir le fond. Circonspect, il s'arma d'un mouchoir et sortit du tiroir plusieurs oranges moisies qui répandirent aussitôt une odeur abominable.

— Avez-vous la moindre idée du nombre de personnes qui ont pu circuler dans ce bureau et manipuler ce registre depuis le mois de mai ? Suis-je censé considérer comme coupables toutes celles dont Mlle la grande *liseuse* familiale pensera avoir « reconstitué l'identité » ? Vous êtes en train de me proposer un témoignage irrecevable sur le plan légal, répondit-il à la place d'Ophélie sans la moindre patience. C'est d'objectivité et de faits que nous avons besoin en ce moment, pas de suppositions qui nous feraient perdre un temps précieux.

Ophélie n'était pas spécialement orgueilleuse, mais elle s'était rarement sentie aussi humiliée. Elle l'était d'autant plus qu'elle savait, tout au fond d'elle, que Thorn avait raison. Plus un objet possédait des strates de vécu, moins l'expertise était précise. Une goupille de sablier et un registre de comptabilité, c'étaient deux *lectures* tout à fait différentes. Et présentement, des vies humaines étaient en jeu.

— Je voulais juste me rendre utile, dit-elle.

— Vous l'avez déjà trop été, si vous voulez mon avis. Il me tarde vraiment que le mariage soit passé et que vous quittiez le Pôle avec toute votre famille.

Dans l'atelier, quelqu'un avait dû actionner le poste radiophonique, car une voix crachotante se mit à chantonner : « Pourquoi dormir quand je peux danser au bal ? Pourquoi me coucher quand je peux jouer aux cartes ? Il est épatant, mon, mon, mon café miracle ! »

Ophélie sentit une puissante rumeur dont elle ne comprenait pas la nature lui remonter le long du corps. Son ventre se mit à vibrer, ses poumons à enfler, ses tempes à tambouriner, ses yeux à se brouiller. Malgré son nez bouché, elle s'obligea à inspirer profondément pour refouler cette marée montante, mais les digues finirent par céder et sa voix lui jaillit du corps en un flot incontrôlable :

— Il m'est arrivé un tas de choses depuis que vous avez fait de moi votre fiancée. J'ai reçu un nombre invraisemblable de menaces de mort et presque autant de propositions indécentes. J'ai été séquestrée, travestie, bernée, insultée, asservie, infantilisée, huée, soumise à des manipulations hypnotiques et j'ai vu ma tante perdre la tête juste sous mes yeux. Pourtant, je n'ai jamais eu aussi peur qu'en cet instant. J'ai peur pour ma famille, j'ai peur pour moi, j'ai peur pour Berenilde, j'ai peur pour Archibald aussi. Et tout cela, Thorn, c'est à vous que je le dois. Alors pourriez-vous, s'il vous plaît, cesser de vous adresser à moi comme si j'étais la cause de tous vos problèmes ?

La surprise avait déplié d'un coup les sourcils de Thorn, et sa cicatrice faciale, étirée par ce mouvement brutal, parut sur le point de se briser en morceaux.

Ophélie était aussi stupéfaite que lui. Sa voix, ses lèvres, ses mains, ses jambes continuaient de trembler et il lui semblait même qu'une larme était sur le point de lui échapper. Elle n'avait pas la plus petite idée de ce qui était en train de lui arriver, mais elle avait intérêt à se ressaisir sur-le-champ. Ce n'était pas le moment de faire une scène.

Thorn la regardait avec une telle fixité qu'on aurait pu croire que son grand corps s'était bloqué. Seules ses mâchoires s'entrouvraient et se refermaient sans un bruit, comme s'il voulait dire quelque chose sans savoir en quoi consistait ce quelque chose.

Le gendarme strabique était si fasciné par le spectacle qu'il ne s'aperçut pas que la pile de registres penchait de plus en plus entre ses bras, prête à s'écrouler à tout instant.

Ce fut au milieu de ce silence inconfortable que la voix du présentateur radiophonique résonna depuis la TSF de l'atelier :

— ... cette nuit, dans un sanatorium, près de la station balnéaire des Sables-d'Opale que la Citacielle survole actuellement. Les infirmières sont sourdes à nos questions, mais nous avons surpris entre elles des murmures inquiets. L'issue de cet accouchement s'annonce plus qu'incertaine. Soyons lucides, mesdames et messieurs les auditeurs, la première favorite du Pôle n'est pas aussi fraîche qu'elle a voulu le faire croire et la façon dont elle a fui la cour n'a trompé personne. Qu'à cela ne tienne, si vous ne venez pas à la cour, la cour viendra à vous ! C'est que l'événement est d'importance, mesdames et messieurs les auditeurs. Ce bébé (dans l'hypothèse où il viendrait au monde sain et sauf) est le premier descendant direct de notre seigneur Farouk depuis trois siècles. Sera-t-il promis pour autant à un bel avenir ? Rien n'est moins sûr quand on connaît l'aversion de notre seigneur pour les enfants. Gardez votre poste allumé, mesdames et messieurs les auditeurs ! Petit-Potin, votre émission favorite, vous tiendra informés dès que nous en saurons plus.

Ophélie s'était levée comme un ressort. Berenilde était en train d'accoucher ! Elle accouchait et les journalistes se tenaient déjà à l'affût derrière la porte de sa chambre.

Thorn retrouva instantanément la possession de ses mouvements et de ses mots. Il ouvrit la porte vitrée qui séparait le bureau de l'atelier, puis s'adressa à l'ensemble des gendarmes :

— Réquisitionnez tout ce qui est transportable et préparez un aérostat. Six volontaires resteront ici pour passer chaque centimètre de la manufacture à la loupe. Si vous trouvez quoi que ce soit de notable, un bouton de manchette, une empreinte de soulier, une plume d'oreiller, peu importe, vous télégraphiez au sanatorium des Sables-d'Opale. Je ne serai absent que le temps strictement nécessaire.

Thorn s'était exprimé d'une voix détachée, presque mécanique, mais Ophélie ne s'y trompa pas. Il avait compulsivement sorti sa montre à gousset de son manteau et parut se rappeler après coup qu'elle était arrêtée. Pour quelqu'un qui n'oubliait jamais rien, cette distraction à elle seule trahissait un grand désordre intérieur : Petit-Potin et son sens macabre de la dramaturgie avaient fait leur effet.

— Votre passe-partout ? demanda-t-elle en essayant de calmer les soubresauts de son écharpe.

— Aucune Rose des Vents ne dessert le sanatorium et passer par le local de la gare ferroviaire nous ferait perdre du temps, dit Thorn d'un ton catégorique. L'aérostat est ce que nous avons de plus rapide. Je m'occupe de nous obtenir un sauf-conduit.

Thorn décrocha le téléphone et s'adressa à la standardiste comme s'il s'agissait d'un gendarme sous ses ordres.

— Je pars devant, décida Ophélie. Contrôles de sécurité ou non, il n'existe aucune loi au Pôle qui interdise aux gens de traverser les miroirs.

Elle se dirigea vers la glace murale du bureau et s'appuya des deux mains contre son reflet. Sans trop y croire, elle se concentra sur un miroir de la salle d'attente du sanatorium où elle s'était déjà reflétée. Le miroir ne lui livra pas le passage, cette destination-là était trop éloignée. Ophélie fut plus déconcertée, toutefois, quand elle perçut la même résistance en cherchant à regagner sa chambre d'hôtel. La Citacielle était en train de survoler les Sables-d'Opale, la distance n'était pas grande à ce point, non ? L'inquiétude montait alors qu'elle s'essayait sur des destinations de plus en plus proches : la salle d'embarcadère des dirigeables, la galerie des glaces près de la Grand-Place, la cabine du dernier ascenseur qu'ils avaient emprunté. Elle ne parvint même pas à se rendre dans le miroir du vestibule de la manufacture, à seulement quelques mètres de là, alors qu'elle était certaine de s'y être reflétée en entrant.

— Eh bien ? grommela Thorn en raccrochant le téléphone. Vous êtes encore ici ?

— Je ne comprends pas, balbutia Ophélie en fixant le visage choqué de son propre reflet. Je n'arrive plus à passer les miroirs.

Bribe : quatrième reprise

Je crois que nous aurions tous pu vivre heureux en un sens, Dieu, moi et les autres, sans ce maudit bouquin. Il me répugnait. Je savais le lien qui me rattachait à lui de la plus écœurante des façons, mais cette horreur-là est venue plus tard, bien plus tard. Je n'ai pas compris tout de suite, j'étais trop ignorant. J'aimais Dieu, oui, mais je détestais ce bouquin qu'il ouvrait pour un oui ou pour un non. Dieu, lui, ça l'amusait énormément. Quand Dieu était content, il écrivait. Quand Dieu était en colère, il écrivait.

Le souvenir s'est lancé sur une nouvelle vision. Un livre pour enfants.

Autant le souvenir ne lui donne aucune indication sur l'endroit où il se trouve, autant il abonde en détails sur ce livre. C'est donc que c'est important.

Les grandes illustrations colorées représentent tour à tour un palais oriental au décor surchargé, une oasis perdue au milieu du sable, des femmes nues sous des voiles turquoise et, dans chaque scène, le même personnage : un cavalier à la peau enluminée d'or.

À première vue, aucun intérêt.

À travers l'épaisseur du souvenir, il parvient à décrypter les émotions que lui inspirent ces images. Fascination et jalousie. L'Odin d'autrefois aurait voulu ressembler au personnage du livre pour enfants. Il ne s'aime pas tel qu'il est.

Et c'est tout ?

Les images ne lui apprennent rien, il décide donc de concentrer son effort de mémoire sur le texte. C'est une langue ancienne, de celles qui se pratiquaient avant la Déchirure. Ce n'est pas la langue que parle Odin, celle que leur a enseignée Dieu à la maison, celle qu'emploieront un jour tous leurs descendants, à quelques variations près. Pourtant, d'une façon ou d'une autre, il a dû essayer d'assimiler la langue de ce livre pour enfants, car il se revoit en train de déchiffrer les caractères du titre sans difficulté de compréhension :

LES EXTRAORDINAIRES AVENTURES
DU PRINCE FAROUK

C'est donc cela. Il comprend à présent la motivation sous-jacente à ce souvenir. Une crise d'identité. Il voudrait que ce livre pour enfants soit son Livre à lui.

Pour la première fois depuis qu'il remonte les ramifications de sa mémoire, il le voit enfin. Son Livre. Pas celui d'Artémis, pas celui d'un autre ;

le sien. Avec des gestes méticuleux, il le sort et tourne ses épaisses pages faites en peau. Répulsion. Le Livre est rédigé dans un alphabet que Dieu ne lui a jamais appris. Cette langue-là, seul Dieu la comprend : elle ne se parle pas, elle s'écrit. Dieu s'en sert chaque fois qu'il est pris d'une nouvelle pulsion créatrice.

Il positionne côte à côte le beau livre du prince Farouk et son hideux Livre à lui. Ouvrage de papier et ouvrage de chair. Le premier lui parle de contrées chaudes, l'autre le destine à un monde de glace.

Il le ressent soudain dans tout son corps, cet appel qui le pousse vers le nord, vers un monde aussi blanc que lui, sans oasis et sans palais oriental. Le moment venu, il devra s'y rendre comme le ferait un oiseau migrateur. Parce que c'est écrit. Pourquoi ? Pourquoi devrait-il suivre les ordres d'une langue qu'il ne comprend même pas ? Il ne veut pas de ce destin dicté par Dieu, de cette histoire qui ne lui appartient pas, de ce pouvoir qu'il ne maîtrise pas. Il ne veut pas quitter la maison, quitter Dieu et les autres, il ne veut pas devenir ce qu'il est censé devenir, il ne veut pas être ce qu'il est censé être. Il ne veut même pas de son nom. Odin.

Le souvenir est en train de prendre une tournure intéressante. Il s'est passé quelque chose cette nuit-là, quelque chose d'essentiel. Qu'est-ce que c'était déjà ?

Ah, oui. Le couteau. Ça lui revient, à présent. Il brandit un couteau. Il regarde tour à tour *Les*

Extraordinaires Aventures du prince Farouk et son hideux Livre de chair.

— Je m'appellerai Farouk, s'entend-il murmurer.

Il poignarde son Livre et la douleur le submerge tout entier.

Le souvenir s'achève ici.

Nota bene : « Scelle tes charmes. » Qui a prononcé ces paroles et que signifient-elles ?

Le cri

Au-dehors, le soleil se métamorphosait à vue d'œil. Il avait passé la nuit à flotter au ras du paysage sans jamais basculer sous l'horizon, rétréci comme une flamme de bougie, répandant une couleur crépusculaire sur les rochers et les eaux des fjords. À présent, il s'élevait lentement au-dessus de la forêt boréale, plus éclatant qu'un flambeau olympique.

Ophélie n'eut pas un seul regard pour lui. Recroquevillée sur un strapontin, le nez collé au vitrage de la cabine de pilotage, elle cherchait désespérément des yeux le sanatorium, comme si cela pouvait aider le dirigeable à s'en approcher plus vite. Il était encore trop tôt pour l'apercevoir. Ils venaient à peine de décoller et, à cet instant, le pilote manœuvrait lentement au-dessus des Sables-d'Opale, de façon à contourner la Citacielle et à prendre la direction du nord.

Coincée entre Thorn et le baron Melchior, Ophélie avait des crampes dans tout le corps à force de se contracter. L'accouchement de Berenilde s'annonçait difficile, la vie d'Archibald ne tenait plus qu'à un fil et les miroirs s'étaient soudain refermés comme des portes. Elle avait l'impression que c'était toute la matière solide de son monde qui menaçait de voler en éclats d'une seconde à l'autre.

Quand le dirigeable fut déstabilisé par un puissant vent d'ouest, Ophélie se cogna tour à tour au baron Melchior et à Thorn. Sa douleur au coude fut telle que des étoiles clignotèrent devant ses yeux. Le petit aérostat n'était pas destiné à accueillir autant de voyageurs. En parfaits professionnels, les gendarmes s'activaient dans la cabine de pilotage comme s'ils se trouvaient à l'hôtel de police. La moitié d'entre eux passait en revue le matériel réquisitionné à la manufacture et l'autre moitié soumettait chaque artisan à un interrogatoire en règle. Pour une raison obscure, Thorn avait préféré emmener avec lui tout le personnel de la Mère Hildegarde plutôt que de le confier aux gendarmes restés à la Citacielle. Arrachés à l'univers familier de leur atelier, les vieux fabricants étaient déboussolés, mais ils firent preuve d'une remarquable cohérence dans leurs réponses : aucun d'eux n'avait jamais rien relevé de suspect ni chez la Mère Hildegarde, ni chez leurs collègues.

Embarquée avec les autres employés, Gaëlle se tenait accroupie dans un recoin de la cabine, les bras croisés autour des jambes, son œil bleu électrique lançant des éclairs furibonds sous la visière de sa casquette.

Le nez couvert par son mouchoir de dentelle, le baron Melchior regarda tour à tour sa montre de poche, Ophélie, puis Thorn.

— Loin de moi l'intention de remettre en cause vos méthodes, mais êtes-vous bien certains que ce contretemps ne portera pas préjudice à l'enquête ? Nous avons seulement jusqu'à minuit. Notre seule piste sérieuse est Mme Hildegarde et je doute fort que nous la trouvions dans la chambre d'une accouchée.

Ophélie ne sut pas trop quoi répondre ; il lui semblait qu'elle serait incapable de réfléchir convenablement avant d'avoir vu Berenilde et son bébé en bonne santé. Elle se tourna vers Thorn et comprit aussitôt qu'il ne répondrait pas non plus. Tordu comme un barbelé sur le strapontin voisin, son col de manteau relevé contre ses joues, il avait le regard enfoncé en lui-même. Un duvet de barbe commençait à lui ronger la figure. Il n'avait pas prononcé un mot depuis le décollage et son pouce n'en finissait plus d'ouvrir et de refermer son couvercle de montre dans un tac-tac obsédant. Sa colère était, semblait-il, complètement retombée. Et avec elle, toute son énergie vitale.

— Vous n'y arrivez toujours pas ? demanda poliment le baron Melchior.

Il venait de remarquer la façon dont Ophélie ne cessait de tapoter le petit miroir à deux faces qu'un artisan lui avait prêté.

— Non. Toujours pas.

— Mais sauf votre respect, mademoiselle la grande *liseuse* familiale, insista-t-il doucement, êtes-vous au moins toujours capable de… eh bien… de *lire* ?

— J'ai vérifié, marmonna Ophélie. Je peux toujours *lire*, je peux toujours animer, mais pour une raison que je ne m'explique pas, je ne peux plus passer les miroirs. Chaque branche de pouvoir réclame une disposition d'esprit spécifique. J'ai perdu celle-là.

Et c'était précisément ce qui la tourmentait. « Passer les miroirs, lui avait dit une fois le grand-oncle, ça demande de s'affronter soi-même. Ceux qui se voilent la face, ceux qui se mentent à eux-mêmes, ceux qui se voient mieux qu'ils sont, ils pourront jamais. »

Depuis quand Ophélie avait-elle cessé d'être honnête ?

Le dirigeable entama enfin une manœuvre de descente et tous les voyageurs se renversèrent comme des dominos. Il fallut beaucoup de pieds écrasés et beaucoup de coudes dans les côtes avant que tout le monde pût évacuer la nacelle par la passerelle arrière.

L'air frais du dehors, imprégné de sel et de résine, fit l'effet d'une claque bienfaisante à Ophélie. Cependant, quand elle posa les pieds sur la pelouse, sa robe ondulant sous le souffle des hélices, elle crut un instant que le pilote du dirigeable s'était trompé de destination.

À la place des curistes étendus sur leurs chaises longues qu'elle avait croisés lors de sa dernière promenade dans le parc du sanatorium, elle ne voyait aujourd'hui que des Mirages qui virevoltaient joyeusement entre les buffets de caviar et de vodka, portés par la musique entraînante d'un orchestre de bal. Averses de fleurs, ballet pyrotechnique, fontaines parfumées : une multitude d'illusions avaient été improvisées à travers tout le parc, à croire que c'était une véritable fête nuptiale qu'on célébrait.

Sur une estrade digne d'une scène de théâtre, un commentateur décrivait tout ce qui se passait derrière les vitres rondes du sanatorium :

— J'aperçois encore une infirmière, résonna sa voix suave dans le microphone à charbon. Elle s'approche d'une fenêtre au deuxième étage. Va-t-elle nous faire une annonce officielle ? Faux espoir, mesdames et messieurs les auditeurs, elle a rabattu les rideaux. Est-ce dans cette chambre que se trouve Mme Berenilde ? Prendrait-on autant de précautions si l'accouchement se déroulait normalement ? Quel suspense intenable, mais quel suspense ! Restez près de votre poste, mesdames et messieurs les auditeurs, Petit-Potin sera comme toujours vos yeux et vos oreilles !

— Que font tous ces courtisans ici ? s'étonna Ophélie. Les allées et venues hors de la Citacielle ne sont-elles pas rigoureusement contrôlées ? Ça nous a pris une heure pour obtenir un sauf-conduit.

Le baron Melchior lui signala, flottant dans le ciel, un aérostat à coque dorée qui avait été amarré au toit de l'horloge. D'abord aveuglée par la réverbération du soleil sur cette orfèvrerie volante, Ophélie finit par reconnaître les armoiries familiales. Farouk en personne était sur place !

— Et moi qui croyais qu'il ne se souciait pas de cet enfant…

— Un père reste un père, philosopha le baron. En particulier, un esprit de famille.

Thorn promena un regard morne sur la fête.

— Procédez à la confiscation immédiate de tous les sabliers en circulation ici, ordonna-t-il aux gendarmes. Ne fournissez aucune explication. Deux d'entre vous restent avec moi pour escorter les employés de Mme Hildegarde. Quoi qu'il arrive, vous êtes tous tenus au silence, l'enquête en cours doit rester confidentielle. Le premier qui contrevient à mes ordres partagera la cellule du chef d'atelier à l'hôtel de police.

Gaëlle plongea les mains dans les poches de sa combinaison.

— Bref, on ouvre et on ferme notre soupape selon votre bon plaisir.

Thorn ne releva pas. Il fendit les tourbillons de danseurs et les illusions de fête comme une ombre se frayerait un passage dans un monde de lumière. Son cortège de vieillards ne passa pas inaperçu : avec leur expression hébétée et leurs tabliers de travail, les artisans provoquèrent bien vite un mouvement d'hilarité à travers les jardins. Les rires se transformèrent toutefois en protestations quand les gendarmes circulèrent parmi les Mirages pour saisir leurs sabliers.

— Simple mesure de contrôle, mesdames et messieurs, répétaient-ils avec une courtoisie toute professionnelle.

Thorn ne fit l'honneur d'un regard à personne : ni aux ministres qui vinrent à sa rencontre d'un petit pas furieux, ni aux domestiques qui lui proposèrent des illusions gustatives, ni aux photographes qui se précipitèrent sur lui dans un crépitement de magnésium.

Essayant de se faire la plus petite possible sous

ses trois tours d'écharpe, Ophélie talonnait Thorn de près. Elle constata, non sans une certaine inquiétude, qu'il se voûtait à vue d'œil. Elle avait beau le trouver parfois imbuvable, elle regrettait un peu les paroles qu'elle lui avait jetées à la figure sous le coup de la colère. C'était tombé au mauvais moment.

Ophélie remarqua parmi les valseurs quelques diplomates de la Toile et leurs épouses. Ils titubaient plus qu'ils ne dansaient, mais leur somnolence était le signe qu'Archibald continuait de se raccrocher à la vie, quelque part, dans un mystérieux entre-deux.

Ophélie profita du climat de confusion qui régnait sur les pelouses du sanatorium pour se rapprocher de Gaëlle.

— N'avez-vous aucune idée de l'endroit où pourrait se trouver Mme Hildegarde ? Je ne l'accuse de rien, mais ce qu'elle sait pourrait vraiment nous aider.

La Nihiliste se moucha le nez dans sa manche. Avec sa dégaine d'ouvrier et son regard dédaigneux, il était difficile de la croire noble elle-même.

— Je te l'ai déjà dit une fois, chuchota-t-elle. Pourquoi appelle-t-on Hildegarde « la Mère » ? Parce qu'elle n'abandonne jamais ses enfants.

Ophélie ne comprit rien à cette réponse. Elle voulut insister, mais sa voix fut recouverte par celle de Petit-Potin :

— Les paris sont ouverts, mesdames et messieurs les auditeurs ! Quelles seront les facultés de l'enfant à naître ? Héritera-t-il exclusivement des griffes maternelles ? Développera-t-il une nouvelle variante de pouvoir familial ? Avec les descendances directes, tout est ab-so-lu-ment imaginable ! Oh, mais attendez ! s'exclama soudain le commentateur en faisant cracher son microphone. Qui vois-je, cachée dans l'ombre de M. notre intendant ? N'est-ce pas la grande *liseuse* familiale qui nous honore de sa présence ?

En un instant, les journalistes qui harcelaient Thorn se ruèrent sur Ophélie et l'encerclèrent en l'assaillant de questions sur l'affaire des disparus. Elle ne serait jamais parvenue à s'en dépêtrer si le baron Melchior n'avait détourné l'attention générale sur lui.

— En tant qu'adjoint de la grande *liseuse* familiale, je me ferai un plaisir de répondre à vos questions ! intervint-il d'une voix grandiloquente, tandis que sa canne poussait discrètement Ophélie en direction du sanatorium. Celles en tout cas qui ne compromettront pas l'enquête en cours. Je vous écoute, messieurs !

Ophélie se fondit parmi les employés de la Mère Hildegarde et franchit hâtivement le perron avec eux. Dès que Thorn referma les lourds battants de la porte, la musique de bal et les commérages de Petit-Potin se firent aussi lointains que le vent qui soufflait dans les conifères. Le sanatorium était peut-être un monde de carrelages, de vitrages et de colonnades, ses parois épaisses protégeaient les curistes de toutes les agressions extérieures.

La préposée à l'accueil, qui était occupée à télégraphier, retira ses écouteurs radiophoniques, enfila sa coiffe blanche et surgit de derrière son comptoir en faisant claquer sévèrement ses sabots.

— Je répète que vous ne pouvez pas entrer, chuchota-t-elle. Nos patients ont besoin de calme. Seuls les proches ont l'autorisation de visi... Oh, c'est vous ! se tranquillisa-t-elle en reconnaissant Thorn. M. l'intendant ne nous a pas habituées à venir avec autant de compagnie.

— Où est ma tante ?

— Mme Berenilde est en plein travail. Tout de même, dit la préposée avec un regard déconcerté pour les vieux artisans qui avaient envahi son hall, ça fait beaucoup de visiteurs pour un établissement de santé. Est-ce que vous ne pourriez...

— Ces gens sont les témoins d'une affaire importante, la coupa Thorn. Je ne veux pas les laisser dans la nature.

Placés sous la vigilance de deux gendarmes, les artisans contemplaient passivement les luxueuses étendues blanches du sanatorium. Depuis que leur chef d'atelier avait été placé en état d'arrestation, ils semblaient incapables de la moindre initiative.

Seule Gaëlle ne put contenir sa hargne plus longtemps et cracha sur les carreaux blancs.

— Appelons un boulon un boulon. Nous sommes vos otages, pas vos témoins !

— Je vous interdis de crier ici, s'indigna la préposée à voix basse. Et si vous crachez encore, je vous lave la bouche avec du détergent.

— Où est ma tante ? redemanda Thorn, imperturbable.

— Vous ne pouvez pas la voir pour le moment, monsieur l'intendant. Je vous propose de patienter

478

dans la salle d'attente... Ah non, se reprit la préposée avec un soupir, elle vient d'être entièrement réaménagée pour accueillir le seigneur Farouk. Voyez-vous, nous ne nous étions pas préparées à ce qu'il rende personnellement visite à Mme Berenilde.

— Comment va-t-elle ? l'interrompit Ophélie.

— Je ne saurais vous dire, mademoiselle. Je ne suis pas dans sa chambre, comme vous pouvez le constater.

— Mais moi, est-ce que je peux la voir ? Je suis la marraine du bébé.

Ce fut en prononçant ces mots qu'Ophélie prit conscience qu'elle avait décidé d'accepter cette responsabilité. S'il y avait un avenir pour lequel elle était prête à s'engager, c'était bien celui-là.

— Êtes-vous mariée ?

— Pardon ? s'étonna Ophélie. Eh bien... pas encore.

— Dans ce cas, non, vous ne pouvez pas la voir. Notre règlement intérieur est formel : les hommes et les jeunes filles n'ont pas le droit d'assister aux accouchements. Le seigneur Farouk, ici, vous rendez-vous compte ? reprit la préposée comme si elle n'avait pas été interrompue. Nos infirmières sont en ébullition ! Les curistes ont tous été confinés dans leurs chambres jusqu'à nouvel ordre. À ce sujet, murmura la préposée en portant une main à ses lèvres, permettez-moi de vous présenter toutes mes condoléances, monsieur l'intendant. Votre grand-mère s'est éteinte dans le courant de la nuit. Ses poumons, vous comprenez ? Je sais que le moment est mal choisi, mais pourriez-

479

vous nous aider à remplir certaines formalités ? La déclaration de décès, l'organisation des funérailles, la convocation de votre notaire, toutes ces sortes de choses. Je nous vois mal les demander à Mme Berenilde en l'état actuel et puisque vous êtes le petit-fils...

— Où est ma tante ?

Quelque chose dans la voix de Thorn incita cette fois l'infirmière à lui répondre :

— À l'étage, dans le pavillon est, chambre douze.

Les jambes d'Ophélie se mirent en mouvement toutes seules. Elle s'engagea dans l'escalier de droite et entendit, par-dessus la réverbération acoustique de ses pas, la voix de Thorn résonner derrière elle.

— Gardez les artisans dans le hall, ordonna-t-il aux gendarmes. Personne ne doit entrer dans le bâtiment ou en sortir sans que j'en sois averti.

L'escalier en colimaçon donnait inévitablement sur la rotonde de la salle d'attente, aussi Ophélie et Thorn mirent-ils à profit la colonnade du péristyle pour la contourner sans être vus. Les grandes baies vitrées avaient toutes été calfeutrées, plongeant l'étage entier dans un doux clair-obscur, un gigantesque sofa de velours avait été installé, où les favorites, étendues dans des poses langoureuses, sirotaient des becs de narguilé.

La salle d'attente du sanatorium avait pris des allures de maison close.

Ophélie n'eut aucun mal à trouver Farouk dans cette débauche de corps et de coussins. Il fixait, sans paraître le voir vraiment, un spectacle d'images animées qu'un projecteur d'illusions diffusait en boucle sur une toile. Perdu, le front plissé, il ne semblait pas avoir la plus petite idée de l'endroit où il se trouvait ni pourquoi il s'y trouvait.

Et pourtant, songea Ophélie, il était là. En dépit de toutes ses négligences et de son épouvantable mémoire, son instinct lui avait dicté de venir jusqu'ici.

Elle suivit Thorn le long du couloir qui desservait le pavillon est du sanatorium. Il leur fallut passer devant toute une procession de salles numérotées et de fenêtres rondes avant de trouver la chambre particulière de Berenilde. La pancarte « SAGES-FEMMES, FEMMES MARIÉES ET VEUVES UNIQUEMENT » avait été accrochée sur sa porte. Thorn s'empara d'une chaise de couloir et se posta près de l'entrée avec, de toute évidence, la ferme intention d'y rester.

Incapable de s'asseoir, Ophélie se sentait si fébrile que son animisme aurait fait partir n'importe quel siège au triple galop. Elle appuya son oreille contre le battant et perçut, à travers l'épaisseur du bois, des exclamations énergiques.

La voix de la tante Roseline dominait toutes les autres :

— Respirez comme un soufflet… Ainsi, c'est bien, continuez…

Le cœur battant, Ophélie retint son propre souffle pour mieux écouter. Pourquoi n'entendait-elle pas Berenilde ? Elle lutta contre la tentation d'enfreindre le règlement. L'idée d'assister à un accouchement la terrifiait, mais elle trouvait pire encore de rester dans le couloir. Lorsque la porte se mit à trépider sur ses gonds, Ophélie dut se résigner à reculer. Tant que son animisme ne serait pas calmé, il lui faudrait éviter tout contact rapproché avec des objets ; et la dernière chose dont Berenilde avait besoin, présentement, c'était d'une gamine paniquée à son chevet.

Ophélie fit les cent pas dans le couloir, nettoya plusieurs fois ses lunettes, grignota ses coutures de gant, entrouvrit les rideaux du balcon pour regarder dehors et les referma dès que le commentateur de Petit-Potin la pointa du doigt depuis l'estrade en criant dans son microphone, provoquant une pétarade de flashs photographiques.

Le carillon du sanatorium sonna dix coups, puis un, puis onze.

Ophélie se demandait comment Thorn faisait pour rester calme.

— Votre tante est rudement silencieuse, lui dit-elle.

L'intendant émergea du puits de ses pensées, puis acquiesça de façon presque imperceptible.

— Elle ne crierait pas sous la torture.

Il se tenait courbé sur sa chaise, les coudes piqués dans les genoux, les pans de son manteau pendant comme des ailes de corbeau. C'était un spectacle vraiment rare de le voir ainsi, les traits allongés, sans un froncement de sourcils ni une contorsion de bouche ni une raideur de mâchoire. Seul l'acier de ses yeux luisait intensément sous des paupières noires d'insomniaque.

Ophélie se rappela soudain la familiarité avec laquelle la préposée s'était adressée à lui. Thorn était déjà venu au sanatorium par le passé, et il était venu souvent. Quelque part dans les étages de cet établissement, à l'intérieur d'une chambre close, derrière un tatouage en forme de croix, il y avait sa mère. Une femme qui l'avait rejeté comme une expérience ratée et à laquelle il restait lié malgré tout.

Ophélie hésita. Existait-il une ramification quelconque entre la mémoire de la mère de Thorn, le Livre de Farouk et les agissements criminels qui frappaient la Citacielle ? Elle fut tentée de profiter du relâchement de Thorn pour lui poser la question, mais elle finit par estimer que ce n'était pas la meilleure façon de se réconcilier avec lui.

— Vous montez la garde, dit-elle à la place. Vous pensez que Berenilde est en danger ?

— En position de vulnérabilité. Si j'ai pu arriver jusqu'ici, n'importe qui d'autre pourrait en faire de même. La Toile n'est actuellement plus en mesure de lui garantir une protection.

Ophélie le crut sans mal. Si la Valkyrie se trouvait dans le même état que les diplomates qui titubaient dehors, elle ne serait pas d'un grand secours en cas de tentative de meurtre. Et puis, Ophélie n'oubliait pas que l'amitié de la Toile était tributaire de celle d'Archibald.

— Il ne nous reste plus que treize heures pour trouver l'ambassadeur, dit-elle en massant nerveusement son bras. J'ai l'impression que chaque seconde que je ne consacre pas à sa recherche est une forme d'abandon.

Ophélie contempla le long couloir. Des portes peintes en blanc, des murs lambrissés en blanc, des sols carrelés en blanc, des fenêtres drapées en blanc : elle trouvait cette monochromie silencieuse absolument glaçante. Sur Anima, quand une femme enfantait, l'atmosphère était différente. Les pièces fourmillaient de monde. Les voisins venaient sans cesse aux nouvelles. Les éléments du mobilier ne tenaient pas en place. Le quartier entier était survolté.

— Pourtant, murmura Ophélie au bout d'un moment, je ne peux m'empêcher de penser que notre place est ici.

Thorn détourna les yeux. Ce fut un simple mouvement oculaire, sans qu'aucun muscle du corps fût sollicité, mais c'était comme s'il se tenait soudain assis à l'autre bout du couloir.

— Je n'avais pas réalisé que vous étiez à ce point attachée à ma tante.

Ophélie faillit lui dire qu'elle avait eu la même pensée à son sujet. Thorn l'avait habituée à traiter Berenilde en adulte capable de se protéger toute seule. Pourtant, il venait de suspendre une instruction et de sauter dans un dirigeable pour elle.

— Vous auriez cependant tort de croire que nous compromettons l'enquête, poursuivit Thorn. Nous n'avions aucune chance de retrouver Hildegarde dans l'enceinte de la Citacielle. Ici, tout est encore possible.

— La Mère n'abandonne jamais ses enfants, répéta Ophélie qui comprit enfin ce que Gaëlle voulait lui dire. Les artisans... ce sont vraiment vos otages ?

— Hildegarde n'aurait jamais quitté le Pôle sans eux. Je suis convaincu qu'elle n'a pas franchi la

Rose des Vents interfamiliale et qu'elle se trouve dans les environs. Elle sortira bientôt de son terrier. Je n'ai plus qu'à attendre.

Ophélie tordit les lèvres ; Thorn et sa manie du singulier !

— Elle a une parfaite maîtrise de l'espace, lui rappela-t-elle. Ne pourrait-elle pas arracher elle-même ses employés à vos gendarmes, puis disparaître avec eux en un claquement de doigts ?

— Hildegarde n'est pas moitié aussi puissante que vous pensez. L'appréhender est difficile, mais ça n'a rien d'impossible.

Thorn s'était exprimé avec un flegme détaché. Loin de ressentir le même calme, Ophélie se remit à marcher de long en large. Malgré sa nuit blanche, ou peut-être à cause d'elle, elle ne pouvait empêcher ses pensées de ricocher furieusement les unes contre les autres. Quand bien même Thorn trouverait la Mère Hildegarde, quand bien même elle serait impliquée dans l'affaire des enlèvements, qu'est-ce qui leur garantissait qu'elle les aiderait ? Et que feraient-ils si elle ne *pouvait* pas les aider et si des gens continuaient de disparaître ? Si l'auteur des lettres employait d'autres méthodes que les sabliers bleus ? Après tout, le baron Melchior aurait été le prochain sur la liste si Archibald n'avait pas été piégé à sa place. Sans même parler d'elle, Ophélie.

À force de s'acharner dessus avec les dents, elle arracha une couture de son gant. Et pourquoi, nom de nom, ne parvenait-elle plus à traverser les miroirs ?

— Déboutonnez votre robe.

Ophélie suspendit ses pas et dévisagea Thorn. Les doigts entrecroisés devant lui, il l'observait impassiblement depuis sa chaise. Elle se demanda si elle avait bien entendu.

— La manche suffira, précisa Thorn d'une voix égale. Vous semblez être gênée par votre bras. Laissez-moi jeter un œil.

Ophélie défit les boutons de sa manche, puis la retroussa autant qu'elle le put. L'articulation de son coude avait presque doublé de volume et la peau avait pris une très vilaine coloration. Ophélie était accoutumée aux mauvais coups, mais elle ne s'était pas attendue à ce que ce fût aussi impressionnant.

— J'ai dû heurter la rampe en tombant dans l'escalier. Si le gendarme n'avait pas été là, je me serais rompu le cou.

Thorn palpa son bras tuméfié.

— Pas de luxation, même partielle, marmonnat-il entre ses dents. Arrivez-vous à tendre le bras ?

— Difficilement.

Ophélie ferma les yeux pour ne plus avoir à regarder les manipulations de Thorn. Peut-être était-ce à cause de la douleur ou de la faim, mais son estomac commençait à se contracter sur lui-même.

— Est-ce que Mme Vladislava nous escorte toujours ?

— Non, répondit Thorn sans aucune hésitation. Elle m'a alerté quand vous avez été rappelée auprès de Farouk, mais elle n'a pas pu nous rejoindre à la Citacielle. J'ignore où elle est actuellement. Quand j'appuie, ça vous fait des élancements ? Des fourmillements ?

— Les deux.

Ophélie garda les yeux résolument fermés. Elle espérait que Thorn en aurait bientôt fini ; son estomac lui propageait à présent des irradiations brûlantes dans tout le ventre.

— Je n'ai pas perdu l'équilibre dans cet escalier. J'ai été bousculée.

Les doigts et la voix de Thorn se tendirent en même temps :

— Par un Invisible ?

— Par quelqu'un que je n'ai pas vu, en tout cas. Et vous non plus, apparemment. Je ne dis pas que c'était intentionnel, mais si ce n'était pas une maladresse de Mme Vladislava, je me pose des questions. L'auteur de la lettre m'avait formellement interdit de revenir à la cour, rappela-t-elle à mi-voix. Je lui ai désobéi.

Ophélie eut une pensée fugace pour le chevalier. Cet enfant l'avait habituée à tant de mauvais tours qu'elle l'aurait cru tout à fait capable de menacer la vie des gens, y compris après avoir été mutilé et banni. Mais ils avaient sûrement affaire à une personne dont les intentions étaient bien plus complexes.

— Les états familiaux se tiennent ce soir après minuit, déclara Thorn. Les Invisibles n'auraient aucun intérêt à me provoquer alors que je défends leur dossier.

— Je sais. Ne changez rien à ce qui est prévu.

Ophélie rouvrit les yeux quand elle sentit Thorn lâcher son bras. L'une des favorites venait de fausser compagnie à Farouk pour s'engager furtivement dans le couloir. Elle s'immobilisa à l'instant

487

précis où elle aperçut Thorn et Ophélie. Surtout Thorn, en fait. Sans même chercher à cacher sa contrariété, elle fit aussitôt demi-tour dans un bruissement de diamants.

— En voilà une qui n'a pas la conscience tranquille, murmura Ophélie. Vous aviez raison, certaines personnes sont vraiment prêtes à profiter de la vulnérabilité de Berenilde.

Thorn positionna l'avant-bras d'Ophélie en angle droit, à croire que rien de notable ne s'était passé.

— Je ne pense pas à une fracture mais, dans le doute, gardez l'articulation pliée ainsi et évitez de lui faire porter le poids du bras.

Ophélie reboutonna malaisément sa manche. Elle préféra ne pas demander à Thorn d'où lui venaient ces aptitudes médicales. De toute façon, il s'était de nouveau voûté sur sa chaise. Même s'il n'en disait rien, Ophélie voyait bien qu'elle l'avait ébranlé en lui révélant ce qui s'était vraiment passé dans l'escalier de la manufacture.

Elle donna une pichenette à son écharpe qui déroula paresseusement ses anneaux, glissa de son épaule et vint lui soutenir le bras à la façon d'une bandoulière. Ophélie dut reconnaître qu'elle avait beaucoup moins mal ainsi. Pourtant, son estomac continuait d'agoniser quelque part au fond de son ventre.

— Thorn, au sujet de ce que je vous ai dit tout à l'heure...

Elle s'arrêta d'elle-même. Thorn n'avait remué ni un sourcil, ni un trait, ni une cicatrice, mais ses yeux à eux seuls avaient suffi à la couper en plein élan.

— Je suis responsable de vous et je suis loin de m'être montré à la hauteur. Vous avez eu raison sur toute la ligne, alors n'en parlons plus.

— Vous m'aviez poussée à bout. Je voudrais surtout comprendre ce qui vous a à ce point contrarié.

— Vous voudriez comprendre ce qui m'a contrarié.

Thorn avait lentement répété ces mots, son accent faisant grincer chaque « r » comme des rouages d'horlogerie. Il s'accorda un moment de réflexion, paraissant rechercher la meilleure manière de formuler sa réponse. À la surprise d'Ophélie, il finit par sortir un jeu de dés d'une poche intérieure de son manteau. C'étaient des dés de belle facture, très différents de ceux que le demi-frère de Thorn avait sculptés quand ils étaient enfants, mais Ophélie ne put s'empêcher de faire le rapprochement.

— Je ne crois ni en la chance ni au destin, déclara-t-il. Je ne me fie qu'à la science des probabilités. J'ai étudié les statistiques mathématiques, les analyses combinatoires, la fonction de masse, les variables aléatoires et elles ne m'ont jamais réservé de surprises. Vous ne semblez pas bien mesurer l'effet déstabilisant que peut produire quelqu'un comme vous sur quelqu'un comme moi.

— Je ne vous suis pas du tout, balbutia Ophélie en toute sincérité.

Thorn fit rouler les dés dans la paume de sa main, puis les rangea dans sa poche.

— Je ne peux pas tourner le dos un instant sans que vous vous retrouviez là où vous n'auriez jamais dû être. Je pense que vous avez… comment dire… une prédisposition surnaturelle aux catastrophes.

— Et c'est tout ? insista-t-elle. Il n'y a rien d'autre ? C'est à cause de ça que vous voulez que je quitte le Pôle ? C'est à cause de ça que vous vous êtes mis dans tous vos états ?

Thorn haussa les épaules et se tut, les yeux tournés vers le fin fond de ses pensées. Le silence entre eux fut tel qu'ils n'entendirent plus que les exclamations étouffées des infirmières dans la chambre de Berenilde et la lointaine musique de valse à travers les fenêtres.

Ophélie n'y tint plus :

— Êtes-vous fâché contre moi parce que je vous ai repoussé ?

— Non, répondit Thorn sans la regarder. Je suis fâché contre moi parce que j'ai eu la prétention de croire, un instant, que vous ne le feriez pas. Vous avez été très claire, le message est bien passé. Inutile de revenir sur cet épisode également.

Et sur ces mots, il se replongea dans ses réflexions comme dans une eau profonde.

Ophélie ne sut plus quoi dire. Elle eut soudain la certitude, sans en comprendre le fondement, que c'était Thorn, plus encore qu'elle, qui allait au-devant d'une catastrophe. Était-ce lié aux enlèvements ? à la mémoire de sa mère ? au Livre de Farouk ? à tout cela à la fois ? Le fait est qu'Ophélie avait soudain le pressentiment que Thorn allait finir broyé par une mécanique beaucoup trop forte pour lui. Et que c'était de cette mécanique-là, dont lui seul semblait connaître la vraie nature,

490

qu'il essayait coûte que coûte de la tenir éloignée depuis le commencement.

— Thorn... contre qui vous battez-vous exactement ?

— Je vous ai fait une promesse, murmura-t-il comme s'il se parlait à lui-même. Je ne vous dissimulerai plus rien qui vous concerne directement. Tant que je ne serai pas absolument certain qu'il existe un lien entre ce qui vous menace et ce que moi je sais, cette promesse sera respectée.

Si Ophélie s'était doutée un instant que Thorn appliquerait leur accord à la lettre, elle aurait employé une autre formule.

— Êtes-vous Mlle Ophélie ?

Une infirmière venait de surgir dans le couloir avec un plateau. Elle apportait un téléphone dont le long fil se déroulait derrière elle.

— Euh... oui ?

— Une communication pour vous, mademoiselle.

Ophélie échangea un bref regard avec Thorn, puis saisit le combiné en laiton qui avait déjà été décroché.

— Qui est à l'appareil ?

— Je suis ravie de constater que, pour une fois, Petit-Potin ne raconte pas de sottises. Vous êtes donc bien au sanatorium, ma colombe.

— Madame Cunégonde ? s'étonna Ophélie.

Thorn décrocha le second écouteur pour suivre la communication et lui fit signe de continuer.

— Je peux quelque chose pour vous ? demanda Ophélie.

— Non, non, ma colombe. En revanche, moi,

je peux quelque chose pour vous. Retrouvez-moi dans une heure devant le phare des Sables-d'Opale. Ce cher M. Thorn est évidemment invité, mais évitons les gendarmes et les journalistes, voulez-vous ?

— Je... Pardon ? bredouilla Ophélie, de plus en plus abasourdie. C'est que, pour le moment, nous ne pouvons pas tellement nous déplacer.

— Dans une heure, ma colombe. Je suis certaine que pour rien au monde vous ne rateriez un rendez-vous avec Mme Hildegarde.

Cunégonde raccrocha. Au même instant, un cri retentissant envahit tout le sanatorium. Un cri de bébé. Le cri de la vie.

Le non-lieu

Farouk avait une fille ! En quelques secondes, la nouvelle avait traversé les étages, parcouru les jardins et monopolisé les ondes radiophoniques. Il fallut moins de temps encore à tous les nobles des environs pour prendre d'assaut le sanatorium, et ce malgré les protestations désespérées des infirmières. Chacun voulut être le premier à présenter ses félicitations au père et à adresser ses compliments à la mère ; les plus empressés furent ceux qui, une heure plus tôt, enterraient déjà Berenilde.

Berenilde ? Enterrée ? Assise près du berceau, les cheveux bien coiffés, le visage rayonnant et le sourire aux lèvres, elle était déjà prête à recevoir ses visiteurs. Ce fut en tout cas la brève vision qu'en eut Ophélie, lorsque les sages-femmes ouvrirent la porte de sa chambre. Les courtisans étaient ensuite arrivés si vite et en si grand nombre qu'elle fut refoulée à l'autre bout du couloir avant même d'avoir pu apercevoir le bébé. Coincée entre les robes à crinoline et les manteaux de fourrure, toussant à cause des fumées photographiques,

493

Ophélie aurait fini asphyxiée si Thorn n'était pas venu la dégager.

— Partons, maugréa-t-il. Ma tante est maintenant capable de se défendre seule et nous sommes attendus ailleurs.

Marcher à contre-courant d'une foule, et ce dans un couloir exigu, réclamait beaucoup de persévérance. Ophélie et Thorn finirent toutefois par accéder à la salle d'attente, noire de monde, où les nobles faisaient la queue jusqu'au sofa de l'esprit de famille : sa fille venait à peine de naître que les propositions de fiançailles s'accumulaient déjà, qui mettant en avant sa fortune, qui vantant la valeur de ses fils. Tournant autour de lui un regard vide, Farouk ne comprenait visiblement pas ce que lui voulaient tous ces pères de famille.

Ophélie emprunta l'escalier à la suite de Thorn. Ils y croisèrent les gendarmes de la brigade et les vieux artisans de la manufacture, portés malgré eux par les mouvements de foule. Gaëlle s'était hissée sur la rambarde comme un marin sur le beaupré d'un navire ; au-dessus des contingences humaines, elle mâchonnait une cigarette juste à côté du panneau « INTERDICTION FORMELLE DE FUMER ».

Plusieurs bousculades furent encore nécessaires à Thorn et à Ophélie pour sortir de l'établissement. Le baron Melchior, dont l'embonpoint ne lui avait pas permis d'entrer, vint aussitôt à leur rencontre en tapotant le cadran de sa jolie montre.

— Sans vouloir vous affoler, il est midi. Nous n'avons plus que douze…

— Votre sœur a téléphoné, le coupa Thorn. Elle

a arrangé une rencontre avec Mme Hildegarde. Ne me demandez pas comment, ajouta-t-il comme le baron Melchior lâchait sa montre de surprise. Où est notre pilote ?

Hormis quelques domestiques qui mettaient de l'ordre sur les tables des buffets, il n'y avait plus personne dans les jardins. Les illusions festives commençaient à s'estomper sous un début de pluie.

— Je serai votre chauffeur !

C'était Gaëlle qui leur avait lancé cette offre, cet ordre plutôt, en soulevant du doigt la visière de sa casquette. Elle les avait suivis et écoutés sans se faire remarquer. Sans attendre d'autorisation, elle écrasa sa cigarette, grimpa la passerelle du dirigeable et leur fit signe de la rejoindre à bord.

— La patronne vous a donné rendez-vous, ne la faites pas attendre.

Quelques minutes plus tard, le dirigeable quittait le sanatorium dans un bourdonnement d'hélices. Ophélie eut un dernier regard pour la luxueuse façade, vers la douzième fenêtre du premier étage de l'aile est, là où une nouvelle vie palpitait et dont elle se sentait déjà responsable.

— Je ne lui ai même pas encore choisi de nom, murmura-t-elle.

La pluie qui crépitait contre la coque s'interrompit dès que le dirigeable survola les Sables-d'Opale. Au-dessus de lui, gravitant dans les strates supérieures du ciel, la Citacielle servait de parapluie géant à toute la station balnéaire. L'ombre qui pesait sur les toits, sur les salines et sur les rochers était si dense qu'on se serait cru en hiver au beau milieu de l'été. Gaëlle manœuvra le gouvernail de façon à éviter les vapeurs des thermes et les câbles du téléphérique, puis elle entama une descente en direction du phare. Collée à la vitre, Ophélie se demandait où elle allait faire atterrir le dirigeable, étant donné qu'il n'y avait ni plaine ni parc aux Sables-d'Opale. La Nihiliste choisit la plage de rochers la plus étendue, à une centaine de mètres de la Grande Jetée, puis elle ouvrit la passerelle. Le vent, chargé de sel et d'embruns, s'engouffra aussitôt dans la cabine de pilotage.

— Allez-y, je me charge d'amarrer l'appareil.

— En espérant que ce ne soit pas un traquenard, s'inquiéta le baron Melchior qui descendait en retenant son chapeau. Êtes-vous absolument sûrs que c'était bien la voix de ma sœur au téléphone ?

Ophélie repoussa les cheveux qui s'accrochaient dans ses lunettes et élança son regard au-delà de la grève, tout au bout de la jetée, au pied de la tour blanche du phare, à l'endroit où la mer faisait tourbillonner son écume. Une silhouette extravagante les observait.

— C'est bien elle, dit Thorn en se mettant en marche.

Tout autour d'eux, la mer grondait comme un orage liquide. Plus ils remontaient la jetée, plus la silhouette qui les attendait au pied du phare gagnait en rondeur et en excentricité. Cunégonde portait ce qu'Ophélie supposa être une tenue de villégiature. Avec son turban à plumes, ses cascades de colliers, son voile noir et sa robe de brocart d'or, elle aurait été plus à sa place dans un décor tropical.

— Je savais que je pouvais compter sur votre indéfectible ponctualité, monsieur l'intendant ! roucoula Cunégonde dès qu'ils furent à portée de voix. Du temps, voyez-vous, cette chère Hildegarde n'en dispose pas à volonté.

Et ce disant, la Mirage sortit de son voile un impressionnant trousseau de sabliers noirs.

— Enfin, Cunégonde, voudriez-vous m'expliquer ce que tout ceci signifie ? exigea le baron Melchior, ses belles moustaches mises à mal par le vent. Depuis quand frayez-vous avec Mme Hilde... C'était donc vous ! s'exclama-t-il soudain en écarquillant les yeux. L'illusionniste anonyme des sablières, c'était vous !

Cunégonde eut un sourire qui étira ses grandes lèvres rouges.

— Mes Imaginoirs font faillite, petit frère, j'ai offert mes services à qui les apprécie vraiment. Hildegarde n'est pas seulement ma concurrente, c'est aussi une excellente femme d'affaires. Bien sûr, je savais que cette collaboration serait mal perçue et c'est pourquoi je suis restée discrète, mais bon, soupira-t-elle, je suppose que ça n'a désormais plus grande importance. Les sabliers appartiennent d'ores et déjà au passé.

— J'ai tant de fois goûté à vos charmes sans le savoir ! se révulsa le baron Melchior, comme si c'était là un acte incestueux.

— C'est donc que je ne suis pas l'artiste ratée que vous croyiez.

— Où est Hildegarde ? intervint Thorn d'une voix tranchante.

Cunégonde décrocha trois sabliers noirs de son

497

trousseau et en remit un à chacun d'entre eux. Gênée par son bras en écharpe, Ophélie saisit le sien d'un geste malaisé.

— C'est une plaisanterie ? s'indigna le baron Melchior en tenant son sablier noir du bout des doigts. Pensez-vous sérieusement que nous allons dégoupiller des choses aussi douteuses par les temps qui courent ?

— Nous ne toucherons pas à ces sabliers avant d'avoir des explications, dit Thorn. Commencez déjà par nous parler de votre implication personnelle dans l'affaire des enlèvements.

Cunégonde se drapa dans une parodie de dignité, ses plumes batifolant au sommet de son turban, ses innombrables colliers s'entrechoquant, tandis qu'elle portait solennellement la main à sa volumineuse poitrine.

— Je ne suis concernée en aucune faç…

Ophélie n'entendit jamais la fin de la phrase. Cunégonde, Thorn, le baron Melchior, le phare, le vent, le ciel avaient disparu et la mer tout entière s'était tue.

Ophélie se trouvait plongée dans la pénombre d'une pièce.

Son regard hébété devina les fentes d'un plancher à ses pieds, remonta vers les poutres du plafond, puis loucha sur le sablier noir qu'elle tenait toujours en main. Elle vit, malgré le faible éclairage, que les grains avaient commencé à s'écouler. Quand Ophélie trouva la goupille accrochée dans une maille de son écharpe, elle comprit qu'elle avait déclenché le mécanisme sans même le faire exprès. Et évidemment, cela s'était passé au moment où personne ne faisait attention à elle... Combien de temps Thorn mettrait-il avant de s'apercevoir qu'elle avait disparu ?

Il fallut quelques battements de cils à Ophélie pour s'accoutumer à la pénombre et dessiner les contours de la pièce. Cette dernière était entièrement construite en madriers et sentait fort le pin humide, évoquant un vieux chalet à l'abandon. Un chalet sans porte ni fenêtres, d'après ce qu'Ophélie pouvait en juger. Tout au fond de la pièce, ramassée derrière un bureau, dans le faible contrejour d'une lampe, se tenait une ombre immobile.

Le plancher émit un grincement monstrueux dès qu'elle esquissa un pas. L'ombre remua derrière le bureau, comme arrachée à sa somnolence.

— Tu peux approcher, *niña*, murmura la voix gutturale de la Mère Hildegarde. Tu peux approcher, mais ne franchis pas la ligne.

Ophélie rangea le sablier dans une poche. Elle fit grincer le plancher jusqu'à être arrivée devant un cordon de sécurité qui la tenait à distance respectable du bureau. La Mère Hildegarde cessa d'être une ombre. Elle possédait à présent deux petits yeux noirs, enfoncés dans une vieille peau tavelée, qui la regardaient avec une attention soutenue. Les coudes sur son bureau, doigts entrelacés, elle était vêtue d'une robe affreuse à larges poches et gros boutons. Il y avait une enveloppe scellée posée devant elle, ainsi qu'un cendrier qui débordait de mégots.

— Bienvenue dans mon non-lieu. Tu es seule, *niña* ?

— Pas pour très longtemps, répondit Ophélie

en espérant de toutes ses forces qu'elle avait raison.

— Tu es nerveuse, constata la Mère Hildegarde avec satisfaction. N'envisage pas de briser ton sablier pour écourter ce rendez-vous. C'est du verre incassable de Plombor, tu resteras ici jusqu'à ce que tout le sable se soit écoulé.

Ophélie décida de ne pas tergiverser.

— Savez-vous où sont les disparus ?

— Non, mais je sais pourquoi ils ont disparu.

La réponse de la Mère Hildegarde, prononcée avec son accent très caractérisé, déçut profondément Ophélie.

— Voilà qui ne nous avance pas beaucoup. Nous savons aussi…

— Non, la coupa la Mère Hildegarde. Vous, vous savez comment. Moi, je sais pourquoi.

Les boiseries de la pièce craquèrent furieusement et une planche du mur se fissura juste derrière l'architecte. Ophélie était trop absorbée par leur conversation pour se préoccuper des caprices du non-lieu.

— Pourquoi alors, d'après vous ?

La Mère Hildegarde décroisa les doigts pour les agiter comme des marionnettes.

— De la main droite, on débarrasse la cour de ses plus grands agitateurs. De la main gauche, on fait porter le chapeau – le sablier, devrais-je dire – à maman Hildegarde.

— Ce serait donc un coup monté ? dit Ophélie, circonspecte.

— Ouais. On peut presque parler d'un coup d'État.

Il y eut un grand fracas dans la pièce. Ophélie crut un instant que Thorn la rejoignait enfin, mais ce n'était rien de plus qu'une étagère qui venait de se décrocher du mur.

— Vous connaissez l'espace comme votre poche, fit-elle remarquer en revenant à la Mère Hildegarde. Ne pourriez-vous pas au moins nous aider à retrouver Archibald et les Mirages ? Ce serait la meilleure manière de vous disculper.

— À quoi crois-tu que j'ai employé mon temps, *niña* ? Je l'ai cherché partout, ton Augustin. J'ai, hélas, un peu trop bien fait mon boulot d'architecte, la Citacielle est un vrai bric-à-brac. Autant chercher une aiguille dans du foin.

— J'ai entendu dire que le passage vers Arc-en-Terre a été condamné.

— Ouais. Je l'ai entendu dire aussi.

— Ce n'était pas de votre initiative ? s'étonna Ophélie. Votre propre famille vous a abandonnée ici ?

La Mère Hildegarde haussa les épaules, peu émue.

— C'est la règle. Au moindre danger, les douanes ferment la Rose des Vents. Je leur avais promis que le Clairdelune était l'endroit le plus sûr du Pôle. J'ai été trahie par mes propres sabliers. Celle-là, je dois dire que je l'avais pas vue venir.

— Mais les disparus, insista Ophélie. Si quelqu'un les avait fait passer sur Arc-en-Terre avant la fermeture du passage ? S'ils se trouvaient tous là-bas, à l'autre bout du monde, pendant que nous les cherchons ici ?

— Ce serait pas de bol.

Ophélie faillit passer par-dessus le cordon de sécurité. Les lattes du plancher s'étaient mises à gondoler sous ses pieds et toutes les boiseries de la pièce rugirent à l'unisson. La secousse cessa aussi vite qu'elle avait commencé. Le non-lieu semblait soumis à une pression extérieure qui essayait de le concasser comme une noix.

— Vous disiez que c'était un coup monté contre vous, murmura-t-elle en massant son bras en écharpe. Je ne vois pas à quel clan profiterait une machination aussi tordue. Et puis, qui vous détesterait à ce point ?

— Ne va pas y voir une affaire de sentiments, *niña*. L'amour et la haine n'ont pas leur place dans cette histoire. (La Mère Hildegarde coupa la tête d'un cigare, puis y mit le feu avec une allumette qui illumina toutes les rides de son visage.) C'est plutôt une partie de cache-cache. Une partie que je vais perdre, car je ne connais pas la fiole de l'autre joueur. Je me fais vieille. Il n'y a qu'à voir cet endroit, dit-elle en soufflant un nuage de tabac autour d'elle. C'est ma toute dernière création et ça rétrécit à vue d'œil. J'ai transgressé trop de lois naturelles, je ne pourrai plus me cacher ici bien longtemps. Avec tous ces gendarmes et tous ces contrôles, je me ferai arrêter au moment même de poser un pied dehors. Je suis piégée, gamine. Ce n'est plus qu'une question d'heures. L'autre joueur finira par me retrouver, et il voudra me livrer au seul maître qu'il sert.

— De quel maître parlez-vous ? murmura Ophélie, saisie.

La Mère Hildegarde lui désigna, d'un mouvement de cigare, le cordon de sécurité entre elles.

— Celui qui brûle de franchir cette ligne.

— Le Dieu des lettres ?

— Ce gars-là, ma petite, mieux vaut éviter de croiser sa route, ricana la Mère Hildegarde en guise de réponse. Et pourtant, c'est ce qui finit par arriver à ceux qui s'intéressent aux Livres d'un peu trop près.

— Les Livres ? répéta Ophélie. Parce que vous aussi...

Les petits yeux noirs de la Mère Hildegarde s'allumèrent comme des braises et son sourire propagea des ondes de rides sur toute la surface de son visage.

— Non, moi, je n'ai rien à voir avec ces histoires de bouquins. On me convoite pour une tout autre raison, mais je ne peux pas t'en parler. C'est, disons, une affaire de *familia*. Si tu veux mener une petite vie tranquille, laisse-moi te donner un bon conseil : ne pose pas de questions et fouine le moins possible. Regarde ce qui est arrivé à Augustin. Regarde ce qui arrivera bientôt à M. Thorn.

Ophélie fut parcourue d'un frisson glacé. Elle observa la Mère Hildegarde, puis l'enveloppe sur le bureau, de plus en plus troublée.

— Pourquoi nous avoir donné ce rendez-vous ?

— Je te l'ai dit, *niña*. Je suis vieille et fatiguée.

Il y eut un formidable craquement de plancher. Cette fois, c'était bien Thorn qui venait d'apparaître au milieu de la pièce, sablier en main. Sa haute silhouette se cogna contre une poutre du plafond et ses yeux, plissés à cause du changement d'éclairage, se tournèrent dans tous les sens avant de trouver Ophélie.

— Depuis combien de temps êtes-vous là ? Vous ne pouviez donc pas m'attendre ?

Le baron Melchior surgit du néant à son tour et pivota sur lui-même comme une toupie désorientée. Il sursauta de tout son corps quand le plancher se fendit sous ses jolis souliers blancs.

— Où sommes-nous ? Ah, madame Hildegarde ! soupira-t-il en l'apercevant derrière son bureau. Vous voici enfin !

Sans bouger de son fauteuil, la Mère Hildegarde écrasa son cigare dans le cendrier et en alluma aussitôt un nouveau.

— Ne franchissez pas la ligne, messieurs, *por favor*.

— Mme Hildegarde m'a appris des choses vraiment troublantes, leur dit Ophélie. Vous devriez la laisser parler.

— La *niña* a raison, ne perdons pas davantage de temps. Ceci, déclara la Mère Hildegarde en tapotant l'enveloppe scellée sur le bureau, c'est ma confession écrite. J'avoue absolument tous mes crimes. Je me suis servie de ma manufacture pour enlever des Mirages et j'ai pris la fuite dès que ça a mal tourné.

— Quoi ? balbutia Ophélie. Mais...

— J'ai agi seule de bout en bout, précisa-t-elle en lançant l'enveloppe à Thorn avec une gestuelle de discobole. Tout est écrit là-dedans. Je vous remercie donc d'avance de libérer mon chef d'atelier, de laisser mes artisans en paix et de ne pas chercher des poux à la Cunégonde.

Ophélie eut le sentiment d'avoir raté une marche. Elle savait la Mère Hildegarde capable de jouer la comédie pour protéger les siens, mais elle n'avait pas vu venir ce coup de théâtre-là.

— Ma foi, voilà qui règle la question, dit le baron Melchior en pianotant sur son ventre d'un air agréablement surpris. Peut-être, madame, pousserez-vous l'obligeance jusqu'à nous dire où sont les prisonniers ?

La Mère Hildegarde puisa une longue bouffée de tabac à son cigare.

— Ils sont très bien là où ils sont. Qu'ils y restent.

— Ne l'écoutez pas, dit Ophélie en agrippant le bras de Thorn. Ce n'est pas du tout ce dont on a parlé.

Thorn ne lui répondit pas. Ophélie sentit, sous la manche noire du manteau, que tous ses muscles s'étaient tendus comme des ressorts. Il fixait intensément le cordon de sécurité qui le séparait du bureau de la Mère Hildegarde. En fait, dès l'instant où ses yeux s'étaient posés dessus, ils ne s'en étaient plus détournés, comme si ce cordon constituait la chose la plus fascinante du monde. Il ne paraissait même pas remarquer que le non-lieu rétrécissait autour d'eux de minute en minute, centimètre après centimètre, dans un épouvantable borborygme de bois cassé.

Thorn finit par ranger l'enveloppe scellée dans une poche intérieure de son manteau.

— Madame, vous êtes en état d'arrestation. Étant donné la gravité des faits et votre propension à prendre la fuite, vous serez placée dans une cellule carcérale de sécurité maximale. Je veillerai personnellement à ce que vous ne receviez aucun visiteur aussi longtemps que l'instruction l'exigera.

Ophélie se sentit consternée par la décision de Thorn. La Mère Hildegarde en parut très amusée, au contraire.

— Oh non, je ne crois pas, mon gars. Et ne t'avise pas de franchir cette ligne, avertit-elle quand Thorn empoigna le cordon de sécurité. Tu ne ferais que précipiter l'inéluctable.

Elle savoura une ultime bouffée de cigare avant de l'écraser dans le cendrier. Cette fois, elle n'en alluma pas un autre.

— J'aimerais dire un mot à propos de tout l'espace que j'ai déformé ici ces cent cinquante dernières années. Les doublons, les raccourcis, les agrandissements et les lieux sécurisés resteront tous opérationnels. J'ai fait du bon boulot, c'est du solide. En revanche, vous pouvez faire une croix sur la Rose des Vents interfamiliale. Le passage avec Arc-en-Terre ne sera jamais rouvert.

Les moustaches du baron Melchior s'effondrèrent.

— Alors quoi ? Adieu épices, agrumes, café et cacao ?

Ophélie n'aimait pas la tournure que prenait cette conversation, mais la Mère Hildegarde poursuivit imperturbablement :

— La Citacielle ne devrait pas se décrocher du ciel avant des siècles. J'avais signé un contrat avec des gars de chez Cyclope, à l'époque. Ils vous redonneront un ou deux petits coups d'apesanteur si besoin. Quant à ce non-lieu, dit-elle en promenant ses petits yeux noirs autour d'elle, il disparaîtra de lui-même d'ici quelques heures. Vos sabliers vous feront évacuer l'endroit bien avant. (La Mère Hildegarde eut un bref ricanement.) Je n'ai jamais rien fait d'aussi raté, il était temps que je prenne ma retraite.

Tous les tendons de la main de Thorn se crispèrent autour du cordon de sécurité, comme s'il devait se faire violence pour ne pas le franchir. Ce fut d'une voix chargée d'électricité qu'il insista :

— Madame, je vous demande d'être raisonnable et de me suivre.

La Mère Hildegarde se leva péniblement de son fauteuil, ses articulations protestant aussi fort que les planches du non-lieu.

— Je commence à voir clair dans ton jeu, mon gars. Tu es grand, mais, crois-moi, tu n'as pas l'envergure. Quant à toi, *niña*, ajouta-t-elle en tournant son sourire vers Ophélie, dis à ma Gaellita qu'elle devra apprendre à peler ses propres oranges.

Sur ces mots, la Mère Hildegarde enfonça une main dans l'une de ses poches. Ce geste aurait pu rester anecdotique si tout le bras ne s'était mis à suivre le mouvement, comme aspiré par le vide. Poignet, coude, épaule, le buste entier de la Mère Hildegarde se tordit sous sa robe avec un effroyable craquement d'os. La colonne vertébrale se rompit net au moment où la tête entra à son tour dans la poche, puis le reste du corps se contorsionna, se ratatina, se disloqua jusqu'à être entièrement avalé par le vide dans un grotesque bruit de succion.

Il ne resta plus de la Mère Hildegarde qu'un gros bouton de robe qui rebondissait sur le plancher.

La scène s'était déroulée à une telle vitesse qu'Ophélie n'avait même pas eu le réflexe de crier. Lorsqu'elle réalisa ce à quoi elle venait d'assister, la pièce se mit à tournoyer autour d'elle et ce n'était pas dû cette fois à un rétrécissement de l'espace. Ophélie se retint à une chaise. Un spasme souleva son estomac. Jamais, de toute sa vie, elle n'avait été possédée par un tel sentiment d'horreur.

Le baron Melchior repoussa le cordon de sécurité avec sa canne, ramassa le bouton de la robe, puis il tourna vers Thorn des yeux chargés de reproche.

— Vous avez brusqué cette dame avec vos manières, monsieur l'intendant.

Thorn ne répondit pas. Sa main toujours cramponnée au cordon de sécurité, pétrifié sur place, il contemplait l'endroit où la Mère Hildegarde se tenait debout un instant plus tôt.

Ophélie fut incapable de lui adresser la parole, pour la simple et bonne raison que son temps de sablier venait de s'écouler. La pénombre du non-lieu vola en éclats et une bourrasque de vent salé s'engouffra dans sa bouche, dans ses cheveux et dans sa robe. Elle se retrouva à son point de départ. Seule. Cunégonde était partie et ni Thorn ni le baron Melchior ne pourraient briser leurs sabliers avant leur écoulement.

Tout était fini. La Mère Hildegarde possédait seule le pouvoir qui aurait pu localiser les disparus avant minuit, et elle venait de le retourner contre elle. Qui était donc ce Dieu, à la fin, pour qu'elle lui préférât cette mort atroce ?

Ophélie se tourna vers le dirigeable qui flottait au-dessus des rochers de la plage. Quelques curieux s'étaient rassemblés autour de la passerelle. Elle reconnut parmi eux, en dépit de la distance, la tête flamboyante de Renard qui se penchait sur Gaëlle. Gaëlle... Ophélie aurait-elle le courage de lui transmettre les derniers mots de la Mère Hildegarde ?

Elle n'eut pas le loisir d'étudier longtemps la question. Une force invisible la projeta contre le mur du phare, puis la plaqua ventre à terre. Son coude lui envoya une décharge à travers tout le corps, mais cette douleur-là ne fut rien comparée à l'affolement qui la saisit quand elle cessa de respirer.

— Cette fois votre compte est bon, haleta une voix familière contre sa nuque.

Le noir

Des étincelles dans les yeux. Un tonnerre dans les oreilles. Privée d'air, Ophélie ne voyait et n'entendait presque plus. Assis sur son dos, l'Invisible l'écrasait de son poids tout en lui serrant la gorge d'une clef de bras.

— Veuillez me pardonner… pas eu le choix… pour M. Archibald…

Ces murmures parvenaient à Ophélie à travers des kilomètres de brouillard. Elle connaissait cette voix. Mais son champ de vision rétrécissait à la vitesse d'un obturateur photographique.

Ophélie aurait fini par perdre prise avec le monde si l'air n'avait brusquement envahi ses poumons. Elle aspira, toussa, hoqueta. Pour une raison ou pour une autre, l'Invisible avait relâché son étreinte, mais son corps continuait de peser sur le sien. Aidée de son bras valide, Ophélie tenta de basculer sur le côté pour déséquilibrer l'Invisible, mais elle ne parvint qu'à tourner la tête. Ce qu'elle aperçut par-dessus son épaule lui permit au moins de comprendre ce qui l'avait sauvée.

L'écharpe serrait le vide avec la gestuelle d'un boa constricteur.

— Lâchez-moi et elle vous lâchera, promit Ophélie d'une voix enrouée.

Ce chantage était peine perdue. À en juger par les tortillements de l'écharpe, l'Invisible se débattait et ne tarderait pas à reprendre le dessus. Ophélie chercha une solution autour d'elle. Elle se trouvait trop loin de la plage pour appeler à l'aide et il n'y avait pas de gardien de phare en été. Comment attirer l'attention de Renard et de Gaëlle vers la tête de la jetée ? Elle avisa une cuve blanche à côté d'elle, reliée à une ample trompe rouge. Une corne de brume.

L'écharpe commençait à se distendre, les mailles à se déformer, comme si des doigts tiraient furieusement sur le tricot.

Ophélie étira son bras aussi loin et aussi haut qu'elle le put pour abaisser la vanne de la corne de brume. L'air comprimé de la cuve se libéra et fit vibrer le diaphragme de la trompe, mais la sirène ne retentit qu'une fraction de seconde. Une main transparente venait de s'écraser sur celle d'Ophélie.

— Pourquoi m'obligez-vous à vous faire ça ? souffla la voix familière en enroulant l'écharpe autour du cou d'Ophélie. Cette chute dans l'escalier ne vous avait donc pas suffi ? Je ne suis pas un criminel, il vous suffisait de quitter le Pôle. J'aurais rempli ma mission et M. Archibald aurait été libéré comme convenu. Vous vous êtes condamnée à mort toute seule.

L'écharpe luttait de toutes ses mailles pour ne pas étrangler sa maîtresse. Ophélie voulut frapper l'Invisible, mais elle ne pouvait que battre l'air au hasard. L'oxygène lui manqua à nouveau. Alors qu'elle se croyait perdue, elle sentit un poids se jeter sur l'Invisible et lui faire lâcher prise.

Pour la deuxième fois, Ophélie eut l'impression de tousser ses poumons. Elle tira sur l'écharpe de façon à libérer sa gorge. Au milieu des points lumineux qui pétillaient devant ses yeux, elle finit par distinguer Renard. Il avait dû remonter la jetée au pas de course en entendant la corne de brume, car il était à bout de souffle. Accroupi sur le sol, il frappait le vide avec rage. Son poing percutait les pavés trois fois sur quatre, mais quand il rencontrait l'Invisible, celui-ci laissait échapper un grognement de douleur.

Ophélie voulut aider Renard, mais ses jambes engourdies ne répondirent pas. Elle ne réussit qu'à lui lancer un râle étranglé.

— Il va t'échapper ! cria Gaëlle qui arrivait à son tour en pressant un point de côté. Assomme-le !

— Et je fais comment ? rugit Renard en balayant l'air de ses énormes mains. Je sais même pas où elle est, sa caboche ! Ouch...

Renard se plia en deux, comme s'il venait de recevoir un violent coup en plein estomac ; Andouille, qui s'agriffait jusque-là à ses cheveux, roula sur le sol en crachant. L'instant d'après, une silhouette surgit du néant. Un petit homme en redingote grise, essoufflé et contusionné, se plaquait contre le mur du phare. Ophélie eut du mal à reconnaître Philibert, le très respectable régisseur du Clairdelune. Quand ce dernier s'aperçut que tous les regards convergeaient vers lui, il parut le premier étonné d'avoir perdu son voile d'invisibilité.

Passé l'effet de surprise, Renard l'empoigna aussitôt par les revers de sa redingote et le souleva de terre.

— Ce n'était pas suffisant de me laisser moisir aux oubliettes, Papier-Mâché ? Il fallait que vous vous en preniez aussi à ma p'tite demoiselle ? Et depuis quand vous êtes un Invisible, vous, d'abord ? On dirait que votre petit pouvoir est tombé en panne, hé !

Philibert se débattit pour échapper à l'emprise de Renard mais, en perdant son camouflage, il avait aussi perdu l'avantage. Ophélie comprenait mieux à présent pourquoi cet homme lui avait toujours donné l'impression de se fondre dans le décor. À cet instant, il était méconnaissable. Sa perruque était complètement ébouriffée et ses yeux, si peu expressifs en temps normal, étincelaient de rage.

— Tu m'as trahi, siffla-t-il entre ses dents. Pour une étrangère et un sans-pouvoirs !

Ophélie ne comprit le sens de ces paroles qu'en voyant Gaëlle approcher. Le vent avait emporté sa casquette de mécanicienne et faisait tourbillonner ses boucles noires, comme s'il voulait dégager ce visage qu'elle s'efforçait continuellement de dissimuler.

À cet instant, pourtant, Gaëlle ne se cachait plus.

Elle avait ôté son monocle, révélant la vraie nature de son regard : un œil de Nihiliste, aussi noir, aussi insondable que l'autre œil était clair.

Gaëlle fixait Philibert sans ciller. Tant qu'elle le tiendrait dans le viseur de son œil, son pouvoir annulerait le sien.

— C'est toi qui nous as trahis, déclara-t-elle gravement. Depuis quand les étrangers et les sans-pouvoirs sont-ils des ennemis ? Si j'avais su ce que tu avais en tête quand je t'ai vu prendre la petite en filature, je t'aurais dénoncé plus tôt.

— Attendez, attendez, bredouilla Renard. J'ai raté quelque chose ?

Il n'en finissait plus de dévisager Gaëlle, allant de ses yeux hétérochromes au monocle qu'elle tenait entre deux doigts. Renard se mit alors à secouer Philibert tout en lui louchant dessus, comme s'il voulait le forcer à redevenir invisible, puis il expira un soupir excédé :

— Je croyais que les Nihilistes avaient tous cassé leur pipe. Ça, c'est bien ma veine. Des années que je la convoite, cette femme-là, et il fallait que ce soit une aristocrate !

Les joues de Gaëlle s'enflammèrent sous le coup de la gêne et de la colère.

— Ne m'insulte pas, Renold ! Et te mêle pas de ça, c'est une affaire entre ce traître, la petite *liseuse* et moi. La Mère ne nous a pas offert sa protection pour qu'on lui fasse honte, dit Gaëlle en revenant à Philibert. Tu as choisi de renier ton clan il y a des années, et c'était ton droit. Tu voulais une nouvelle vie : la Mère t'en a donné une. Le passé au placard, tu te rappelles ? Alors ressortir maintenant le pouvoir de ta famille pour régler tes comptes, ça, c'est inacceptable.

Philibert avait cessé de se débattre. Il pendait

maintenant comme un poids mort entre les puissantes mains de Renard et tenait ses yeux résolument baissés, de façon à ne croiser le regard de personne. Son visage était déchiré par des émotions si contradictoires – rage, détresse, culpabilité, amertume – qu'il semblait réellement fait de papier.

— La protection de la Mère ne vaut rien, dit-il d'une voix lugubre. Elle n'a pas été capable de sauver mon jeune maître, et c'est lui ma nouvelle vie. Ce rendez-vous avec les sabliers noirs, tu sais aussi bien que moi ce que ça signifie.

Une ombre passa sur le visage de Gaëlle et son œil bleu devint presque aussi obscur que l'autre.

— C'était son choix, maugréa-t-elle. La Mère est morte comme elle a vécu : jusqu'au dernier moment, elle nous a protégés.

— Elle nous a abandonnés, la contredit sombrement Philibert. J'ai été obligé de me débrouiller seul. J'ai reçu une lettre, hier. M. Archibald sera libéré si je me débarrasse de cette *liseuse*.

— Une lettre ? explosa Gaëlle. Tu étais prêt à tuer pour une lettre ?

La tête d'Ophélie lui tournait tellement qu'elle avait toutes les peines du monde à suivre cette conversation, mais elle se sentit le devoir d'intervenir. Son coude lui envoya une décharge électrique quand elle essaya de se mettre debout. Elle ne parvint qu'à s'affaler sur le parapet, la respiration sifflante.

— Ce maître chanteur... affaire à lui... moi aussi.

Ophélie inspira plusieurs fois pour retrouver un

semblant de voix. Son nez se mit à couler mais pas à cause du rhume cette fois ; il saignait abondamment. Même sa pauvre écharpe se traînait à ses pieds comme un animal blessé. Philibert n'y était vraiment pas allé de main morte.

— L'audeur de cedde leddre, reprit Ophélie en appliquant sa manche contre son nez. Si vous savez quoi que ce soit sur lui, barlez-en.

— Que se passe-t-il ici ?

Thorn venait d'apparaître au pied du phare dans un claquement de manteau noir. Il lui fallut une seconde pour photographier la scène du regard et une autre pour dégainer son pistolet. Il mit tour à tour en joue Gaëlle, Renard et Philibert.

— Lequel d'entre eux vous a mise dans cet état ? demanda-t-il à Ophélie.

Il y avait quelque chose de dangereusement méthodique dans sa voix qui incita Ophélie à ne pas lui répondre trop vite.

— Rangez d'abord votre bistolet, proposa-t-elle, le nez dans sa manche. Nous allons dous bous exbliquer calbebent.

Ce fut le moment que choisit le troisième sablier pour ramener le baron Melchior à son point de départ. Le ministre se matérialisa au beau milieu de la scène, ce qui eut pour conséquence immédiate de couper le lien visuel entre Gaëlle et Philibert. Ce dernier profita de l'effet de surprise pour redevenir invisible entre les mains de Renard.

— En voilà des manières, jeune dame ! s'indigna le baron Melchior.

Gaëlle venait de le bousculer sans ménagement, mais il était trop tard. Renard ne tenait plus qu'une redingote grise ; abandonnée par son propriétaire, elle avait aussitôt retrouvé son opacité. La Nihiliste eut beau tourner son œil noir dans toutes les directions en poussant une bordée de jurons, Philibert ne réapparut nulle part.

— C'est fichu, lui dit Renard en jetant rageusement la redingote. Soit il est caché, soit il est loin.

— De qui parlez-vous ? demanda le baron Melchior, de plus en plus interloqué. Par mes moustaches !

Il venait de remarquer Ophélie, avachie sur son coin de parapet, les cheveux en bataille, les lunettes tordues et le menton barbouillé de sang.

— C'était M. Philibert, répondit-elle d'une voix éraillée. Le régisseur d'Archibald.

— Du barbarisme ! grimaça le baron Melchior.

Il n'aurait pas employé un autre ton devant une illusion de mauvais goût. Ophélie se serait bien levée pour faire meilleure figure, mais il lui semblait que la jetée entière oscillait autour d'elle. Elle rembobina son écharpe qui se détricotait à vue d'œil et songea qu'elles devaient avoir aussi piètre allure l'une que l'autre.

— C'est lui l'Invisible qui m'a poussée dans l'escalier, dit-elle à l'intention de Thorn. Sauf qu'il ne l'a pas fait au nom de son clan. Il est aussi victime d'un chantage. (Au bord de l'extinction de voix, elle toussa plusieurs fois dans sa manche.) Ça n'excuse pas ses actes, mais ça ne fait pas non plus de lui le seul coupable.

Ophélie avait espéré que ces explications inciteraient Thorn à rengainer son pistolet. S'il avait daigné baisser le canon vers le sol, il continuait de tenir l'arme à deux mains, prêt à s'en servir à la première alerte. Ses yeux d'épervier ne cessaient de bondir d'un coin à l'autre de son champ de vision, comme si l'ennemi était partout à la fois. Son manteau et ses cheveux agités par le vent le faisaient paraître encore plus hagard. Ophélie songea que Thorn n'était pas ressorti indemne du non-lieu.

— Gaëlle et Renold m'ont sauvé la vie, lui dit-elle. Vous pouvez leur faire confiance.

Cette déclaration aurait été d'un meilleur effet si Gaëlle n'avait pas aussitôt détourné le regard pour échapper aux questions et Renard baissé le sien pour s'enfoncer dans un silence boudeur. Même Andouille ne mettait aucune bonne volonté : il se faisait furieusement les griffes sur le beau pantalon blanc du baron Melchior.

Celui-ci n'y prêta pas attention. Il tira la chaîne de sa montre, puis il contempla le dirigeable autour duquel s'attroupaient de plus en plus de curieux, à l'autre bout de la jetée. Le front plissé et les moustaches tombantes, le baron Melchior semblait profondément découragé. Ophélie vit ses doigts bagués trembler quand ils refermèrent le couvercle de sa montre. Lui aussi semblait avoir été secoué par le suicide inattendu de la Mère Hildegarde.

— Je crois que nous n'avons plus qu'à renoncer, soupira-t-il en rangeant sa montre d'un geste fataliste. Nous avons une confession écrite et, pour le reste, il n'y a plus rien à faire. À moins que vous n'ayez une suggestion, monsieur l'intendant ?

Thorn ne répondit pas. Il était entièrement

sclérosé autour de la crosse du pistolet, les yeux ouverts en grand sur une puissante réflexion intérieure. Ophélie fronça les sourcils. Le Thorn qu'elle connaissait aurait déjà repris les choses en main, mis au point un nouveau plan d'action, distribué des ordres et des coups de téléphone.

— Mademoiselle la grande *liseuse* familiale ? demanda alors le baron Melchior. Une suggestion ?

Ophélie avait l'impression d'être en possession de presque toutes les pièces du puzzle. Si seulement sa tête avait voulu arrêter de toupiller un instant, elle aurait peut-être pu les assembler…

— Je sais, déclara soudain Thorn.

L'ombre d'un sourire, un sourire qui n'était ni une grimace ni un rictus, flottait sur ses lèvres, tandis qu'il examinait son pistolet avec application.

— Ça m'aura pris du temps, poursuivit-il d'un ton posé, mais je sais enfin ce qu'il faut faire.

Non seulement Thorn avait recouvré son sang-froid, mais son corps entier semblait envahi par une détermination nouvelle. Ophélie aurait même juré qu'il venait de prendre quelques centimètres supplémentaires, avant de réaliser qu'il avait simplement cessé de se voûter.

— Vous savez vraiment ce qu'il faut faire ? répéta-t-elle, pleine d'espoir.

Lorsque Thorn se tourna vers elle, les sourcils arqués de satisfaction, Ophélie sut que ce n'était pas un effet de son imagination : il souriait. Un sourire presque imperceptible, certes, mais un sourire tout de même.

— Il me suffit de vous retirer de l'équation, lui dit-il.

Ophélie se leva sous le coup de l'émotion. L'instant d'après, le sol se mit à vaciller et tout devint noir.

L'annonce

Ophélie tendit sa tasse à Archibald pour qu'il y versât du thé, puis elle le regarda prendre place de l'autre côté de la table. Il souriait avec une joyeuse insouciance qu'elle trouvait, sans trop savoir pourquoi, quelque peu déplacée.

— Comment va votre fil ? demanda-t-elle tout en sucrant son thé.

Archibald enfonça une main dans la bouche béante de son haut-de-forme et en sortit un combiné téléphonique. Le cordon était coupé.

— On dirait que des ciseaux sont passés par là ! s'esclaffa-t-il.

Ophélie ne partageait pas son amusement ; un fil cassé, c'était toujours une affaire embêtante. Un sucre insoluble également. Elle avait beau remuer sa petite cuillère, le sien refusait de fondre. Peut-être était-ce dû au fait que sa tasse était remplie de sable.

— J'espère que vous avez prévu un monocle, dit Archibald, nonchalamment accoudé sur la table. Il commence à pleuvoir.

Ophélie suivit son regard et vit qu'en effet des matelas tombaient autour d'eux comme des météorites. Elle trempa les lèvres dans sa tasse de sable. Elle sentait bien qu'il y avait quelque chose d'étrange, mais elle n'arrivait pas à mettre le doigt dessus.

— Vous avez changé votre décoration ?

Ophélie venait effectivement de remarquer qu'il n'y avait ni sol ni murs dans la pièce. Leur table flottait au milieu du ciel, survolant de très haut une ville de l'ancien monde. Elle espérait que la pluie de matelas ne blesserait personne en bas.

— C'est cette bonne vieille Hildegarde qui a eu l'idée, expliqua Archibald en lui resservant une tasse de sable. Elle a tout refait entièrement en mémoire.

— Vous voulez dire *de* mémoire ?

— Non, *en* mémoire. La mémoire est un matériau beaucoup plus solide qu'il n'y paraît.

— Ça dépend de quelle mémoire, fit observer Ophélie avec professionnalisme. Celle de Thorn ou celle de Farouk ?

Archibald se pencha sur la table et, d'un geste plein de malice, assena un grand coup de chapeau sur la tête d'Ophélie.

— La vôtre, petite étourdie.

Déséquilibrée, elle bascula à la renverse. Il n'y avait plus ni Archibald, ni table, ni sable, ni matelas, ni ancien monde. Elle était en peignoir de nuit, devant le miroir de sa chambre d'enfant, sur Anima. Son reflet remuait les lèvres. *Libère-moi.*

Ophélie ouvrit les yeux avec un puissant battement de cœur.

Il lui était arrivé une fois de tomber d'un tramway

en marche : elle s'était réveillée à l'hôpital, dans un mélange indescriptible de douleur et de confusion. C'était peu de chose comparé à ce qu'elle ressentit à cet instant précis. Elle avait mal à la tête, mal à la gorge, mal au dos, mal au ventre, mal aux bras, mal aux genoux et elle ne conservait aucun souvenir de ce qui l'avait mise dans cet état.

Depuis son oreiller, Ophélie promena ses yeux myopes autour d'elle. La pièce baignait dans une lumière orangée qui s'introduisait par tous les interstices des volets. La mer grondait comme un volcan et une odeur d'eau sulfureuse flottait à travers l'atmosphère. Ophélie comprit qu'elle se trouvait dans sa chambre, à l'hôtel des thermes.

Sans remuer la tête, elle tourna son regard vers la porte. Malgré sa mauvaise vue, elle la devinait entrouverte et il lui semblait que la voix de Thorn lui parvenait des étages inférieurs, aussi lointaine et aussi caverneuse que la rumeur de la mer.

— Réveillée ?

Ophélie fit rouler ses yeux en sens inverse et distingua une silhouette mince et floue, assise sur le bord d'une chaise, tout près du grand lit. Elle sourit en reconnaissant son père. Ce petit homme n'était pas ce qu'on pouvait appeler un parent intrusif ; il ne posait jamais de questions personnelles et rien ne l'embarrassait davantage que d'avoir à se mêler de l'intimité de ses filles. Pourtant, à la moindre fièvre, à la première bosse, il était cramponné au chevet de son enfant.

Elle dut s'y prendre à plusieurs fois avant de pouvoir expirer une phrase audible :

— Vous étiez aussi un Passe-miroir, papa.

Déconcerté, le père d'Ophélie frotta son crâne chauve.

— Euh... j'ai traversé quelques armoires à glace dans ma jeunesse, oui, mais je n'étais pas aussi doué que toi.

— Pourquoi avez-vous arrêté ? Vous ne me l'avez jamais dit.

— Oh, ce n'était pas vraiment un choix, chuchota-t-il avec une sorte de pudeur. Plutôt... comment t'expliquer... un changement de regard. On grandit, et puis on vieillit, et voilà, du jour au lendemain, on est définitivement fâché avec son miroir.

Ophélie ramena son regard au plafond et caressa l'écharpe qui s'éveillait mollement sous ses doigts. Le temps d'un long silence, elle écouta la voix lointaine de Thorn, son timbre grave et monocorde, sans être capable de discerner un seul mot de ce qu'il disait. Elle était curieuse de savoir à qui il pouvait parler ainsi.

— Il y a quelque temps, je me suis coincée dans plusieurs miroirs, reprit-elle. Ça va vous paraître bizarre, mais ça m'a rappelé mon tout premier passage. Ou plutôt une chose qui se serait produite à ce moment-là. Comme si... comme si, en entrant dans le miroir, j'avais permis à quelqu'un d'autre d'en sortir. Ce n'est pourtant pas possible, n'est-ce pas ? Un Passe-miroir ne peut permettre à aucun être vivant de faire la traversée avec lui. Même s'il le voulait, il ne le pourrait pas.

Ophélie vit la silhouette floue de son père secouer la tête.

— Nous n'avons trouvé que toi cette nuit-là.

Pour être exact, deux parties de toi, chacune coincée dans un miroir différent, et c'était déjà bien assez à notre goût. (Il frotta une fois encore son crâne dégarni, marqua une timide hésitation, puis se pencha sur le lit.) Ma petite fille, est-ce que M. Thorn te mène la vie dure ?

— Thorn ? s'étonna Ophélie.

— On ne peut pas dire que tu étais dans ton assiette quand il t'a ramenée à l'hôtel. Il ne nous a fourni aucune explication. Tu sais… ce mariage… Si tu nous le demandes, nous ferons l'impossible avec ta mère pour tout annuler. Nous mécontenterons les Doyennes, ça c'est certain, admit son père d'une voix craintive, mais nous… eh bien… nous les mécontenterons ensemble.

Ophélie se redressa douloureusement sur son oreiller. Elle s'aperçut soudain qu'Hector, Domitille, Béatrice et Léonore dormaient profondément autour d'elle, dans un entrelacs improbable de bras, de jambes et de chemises de nuit. Ophélie avait l'impression d'avoir un moulin entre les oreilles, mais elle commençait à reprendre ses esprits. Pour que toute sa fratrie se fût senti le devoir d'envahir son lit, c'était vraiment qu'elle avait dû les inquiéter. Sa vieille histoire de miroir lui parut soudain bien secondaire.

— Qu'est-ce que je fais ici, papa ? À qui Thorn est-il en train de parler en ce moment ?

— Tu ne te souviens de rien ?

Son père lui tendit ses lunettes, comme si elles pouvaient lui rendre ses souvenirs. Ce fut efficace. Dès l'instant où elle put voir son écharpe dans les moindres détails – ses mailles déformées, sa laine détricotée, ses franges sales –, tout lui revint en mémoire.

Ignorant les protestations de son corps entier, Ophélie se délogea du lit en évitant de réveiller ses frères et sœurs, puis boutonna une robe directement sur sa chemise de nuit.

— Tu devrais encore te reposer, suggéra son père d'un ton prudent. Il est tard, nous parlerons de tout ça demain matin.

À présent qu'Ophélie le voyait clairement dans la lumière crépusculaire de la fenêtre, elle mesura à quel point il semblait anxieux. Elle se serait empressée de le rassurer si elle n'avait pas été elle-même catastrophée. Elle venait de consulter la pendule de cheminée : il ne *pouvait* pas être trois heures du matin. Farouk lui avait accordé jusqu'à minuit pour retrouver les disparus... pour retrouver Archibald. De quel droit Thorn l'avait-il laissée dormir ainsi ?

Elle enfila son écharpe et attrapa ses souliers.

— Je me suis trop reposée.

Ophélie fonça tête baissée et passa devant Renard qui se tenait juste devant sa porte, vigilant comme une sentinelle, un monocle noir enfoncé dans l'orbite. Montait-il la garde ?

Elle aurait eu beaucoup à lui dire, mais Renard appuya un doigt sur sa bouche. La voix de Thorn résonnait dans la cage d'escalier de l'hôtel comme un grondement de tonnerre :

— ... représentativité au sein du Conseil ministériel devant être proportionnelle au poids démographique de chaque branche familiale. Le Conseil comptabilise présentement cinq députés du clan des Mirages, trois députés du clan de la Toile et un député du peuple des sans-pouvoirs. Le clan des Dragons a perdu son unique délégué avec le décès de M. Vladimir au mois de mars dernier. Ces chiffres ne reflètent en rien les réalités sociales de l'arche et favorisent une situation de monopole...

Interloquée, Ophélie suivit la voix de Thorn à la trace, escalier après escalier, couloir après couloir. Son père ne cessait de lui offrir son bras, affolé à l'idée qu'elle pût perdre à nouveau connaissance.

— Ne vous éloignez pas trop de bibi, grommela Renard derrière eux. Papier-Mâché pourrait venir finir sa sale besogne. Je n'ai qu'un seul monocle pour surveiller vos arrières, moi.

— C'est Gaëlle qui vous l'a donné ? demanda Ophélie. Où est-elle ?

— Repartie avec son dirigeable. Mieux à faire ailleurs.

Ophélie observa Renard par-dessus la rampe, au détour d'un palier. Il était de si mauvaise humeur qu'il ne remarquait pas Andouille qui descendait les marches au même rythme que lui et qu'il manquait d'écraser à chaque pas.

— Vous lui en voulez tant que cela d'être ce qu'elle est ?

— Non, grogna Renard. Je lui en veux de ne me l'avoir jamais dit. Une dame du gratin, c'est pas tout à fait à ma portée, voyez.

Le père d'Ophélie n'en finissait plus de se frotter le crâne : ces histoires de monocle, de papier mâché et de gratin lui étaient incompréhensibles.

Ils atteignirent le rez-de-chaussée et s'avancèrent dans le grand hall de l'hôtel, dont tous les cuivres étincelaient à la lumière du couchant. Malgré l'heure avancée de la nuit, la salle était pleine de monde. Tous les membres adultes de la famille d'Ophélie et une partie du personnel de l'hôtel s'étaient agglutinés autour d'un gros poste de radiodiffusion, dans un mélange feutré de chuchotis. La nervosité des Animistes était d'autant plus perceptible qu'elle contaminait tous les objets du hall : les tapis frémissaient, les sièges trépignaient, les lampes clignotaient et les présentoirs répandaient leurs brochures par terre.

Ophélie s'étonna à peine de trouver Berenilde ici. Elle était installée dans un fauteuil de velours, fraîche comme une rose, à croire qu'elle n'avait pas accouché le matin même. Il était incroyable de penser que ce petit poupon pâle qu'elle tenait dans les bras était la fille du gigantesque Farouk.

Ophélie chercha Thorn des yeux avant de comprendre que sa voix émanait des énormes haut-parleurs du poste de radio :

— ... ce qui nous amène à l'état actuel des garde-manger. Les faits sont les suivants. La Rose des Vents interfamiliale ne rouvrira pas ses portes et l'importation de nourriture par voie aérienne impliquerait un coût exorbitant. Veuillez distribuer ceci, un exemplaire par personne. (Il y eut un bruit de papier et des murmures d'impatience s'élevèrent à la fois dans le poste de radio et dans le hall de l'hôtel, mais Thorn reprit imperturbablement le fil de sa conférence :) Comme vous pouvez le constater dans le document que je viens de vous communiquer, le taux de change de notre monnaie familiale ne joue pas en notre faveur. Nous devons compter sur nos propres ressources. Les pêches intensives de ces dernières années ont vidé nos lacs. La saison de la chasse commencera bientôt et la charge de grand veneur reste à ce jour vacante. Attendu que les déchus sont pour la plupart des chasseurs hautement qualifiés…

— Il va la baver, sa maudite annonce ! s'exaspéra le grand-oncle en frappant le poste du plat de la main.

— Quelle annonce ? demanda Ophélie.

Tout le monde se tourna vers elle dans un même mouvement. Il flotta quelques secondes de silence inconfortable et Ophélie se demanda si ses ecchymoses, ses cheveux en broussaille, son écharpe trouée, ses souliers à la main et les débordements de sa chemise de nuit sous sa robe n'y étaient pas pour quelque chose.

La tante Roseline fut la première à réagir. Elle obligea Ophélie à s'asseoir sur une chaise et lui enfourna d'autorité une galette de pain dans la bouche.

— Tu sautes des repas, tu découches toute une nuit, tu te fais agresser et tu t'étonnes après de tourner de l'œil ? C'est une armée entière de marraines qu'il te faut, gamine.

En un rien de temps, toute la famille qui encerclait le poste de radio se rassembla autour de la chaise d'Ophélie. Ses grand-mères lui apportèrent chacune un manteau, son beau-frère lui servit de la liqueur de sirop d'érable et ses oncles, ses tantes et ses cousins lui posèrent tellement de questions à la fois qu'Ophélie n'en comprit aucune. Agathe souleva du bout des doigts, comme s'il s'agissait d'un conglomérat d'algues, ses épais cheveux noueux.

— Oh, sœurette ! geignit-elle. Tu as une allure é-pou-van-ta-ble.

Sa mère bouscula tout le monde avec son énorme robe rouge pour être en première place.

— Mâche bien et raconte-nous, ordonna-t-elle. Est-ce que M. Thorn t'a dit quelque chose de particulier ?

Ophélie déglutit péniblement sa galette et adressa un regard de reproche au poste de radio, qui débitait à présent un interminable texte législatif, comme s'il était Thorn en personne. *Il me suffit de vous retirer de l'équation.* La seule déclaration que cet homme avait daigné lui faire, il l'avait déjà mise en application.

— Non, répondit Ophélie à la déception générale. Que se passe-t-il ?

— Nous écoutons la diffusion publique des états familiaux, en direct de la Citacielle, lui expliqua posément Berenilde depuis son fauteuil. Une assemblée plénière se tient en ce moment à la cour et ils traitent actuellement la question des déchus. Thorn a informé en début de séance qu'après sa plaidoirie en faveur de leur réhabilitation il ferait une annonce. Une annonce *personnelle*, précisa-t-elle en caressant du doigt la joue de son bébé endormi. Êtes-vous certaine qu'il ne s'est pas confié à vous, ma chère enfant ?

Le cœur d'Ophélie fit un bond de côté.

— C'est peut-être à propos des disparus !

— Vraiment, ceux-là, je m'en moque comme de

mon premier jupon, s'agaça sa mère en levant les yeux au plafond. As-tu vu un peu dans quel état tu nous es revenue ? Couverte de bleus de la tête aux pieds ! Renold nous a raconté comment tu avais été attaquée à cause de M. Thorn.

Renard tapota son monocle d'un geste embarrassé.

— Sauf votre respect, je ne crois pas avoir dit « à cause de ».

— Thorn n'y est pour rien, confirma Ophélie d'un ton catégorique.

Le grand-oncle souffla furieusement sous ses moustaches. Il empoigna la chaise d'Ophélie par son dossier et, avec une force remarquable pour son âge, il la fit pivoter tout entière vers la Rapporteuse.

— Regardez sa frimousse, une fois ! Vous êtes ici pour témoigner, hein ? Témoignez donc de ça aux Doyennes !

Assise près du poste de radio, la Rapporteuse s'abstint de tout commentaire. Elle se faisait inhabituellement discrète sous son chapeau à girouette et sa cigogne tournoyait au-dessus d'elle sans se poser nulle part, signe d'une certaine confusion.

— Ma fille était en bonne santé quand je l'ai confiée à M. Thorn ! surenchérit sa mère en désignant le poste d'un index accusateur. Ce sinistre individu me l'a ramenée complètement abîmée et il est retourné à ses petites affaires comme si de rien n'était !

— Les états familiaux ne sont pas de petites affaires, madame Sophie, la modéra Berenilde. Ils se tiennent une fois tous les quinze ans et chaque sujet qui y est traité est d'une importance capitale. C'est la première fois que mon neveu y siège en tant qu'intendant. C'est une lourde responsabilité, j'apprécierais que vous le preniez en considération.

La voix de Thorn poursuivait inlassablement :

— … Invisibles, des Narcotiques et des Persuasifs, pour ne citer qu'eux, ont été reconnus d'utilité publique. Si l'on se réfère à la loi de réhabilitation proprement dite, article 16, alinéa 4…

Ophélie tira sa chaise jusqu'au poste de radio et l'écouta avec la plus grande attention. Quelle était donc cette annonce personnelle qu'il s'apprêtait à faire ?

— Il a dû découvrir quelque chose, murmura-t-elle. La Toile a-t-elle donné des nouvelles d'Archibald ?

Berenilde échangea un regard fugace avec la tante Roseline, qui serra ses dents chevalines, avant de revenir à Ophélie dans un gracieux mouvement de boucles blondes.

— La Valkyrie responsable de ma protection a été rappelée par la Toile en début de soirée. Je n'en ai appris la raison qu'il y a deux heures, en écoutant ce radiorécepteur. Les sœurs d'Archibald ont fait une déclaration au sujet de leur frère. Une bien triste déclaration, avertit-elle en enfonçant son regard dans les lunettes d'Ophélie. Je ne connais pas tous les détails de l'affaire, mais Archibald n'a pas pu être localisé. Son état de conscience était, semble-t-il, en train de perturber toute sa famille. La Toile a procédé à la rupture de son lien au cours d'une cérémonie privée. Eh oui, ma chère enfant, murmura Berenilde en la voyant blêmir, j'ai bien peur que nous ne revoyions plus jamais notre extravagant ambassadeur.

Ophélie serra ses bras autour de son corps ; sa température corporelle avait brutalement chuté. Elle revit Archibald dans son rêve, agitant le fil coupé de son combiné téléphonique. « Une procédure irréversible qui lui sera probablement fatale », avait prévenu le diplomate, à la chambre de la Roulette.

D'abord la Mère Hildegarde. À présent Archibald. Ophélie avait froid, vraiment très froid.

— Pourquoi m'avez-vous laissée dormir ?

La tante Roseline lui resservit un peu de liqueur.

— Tu n'as rien à te reprocher, gamine. Ta mère nous a tout raconté. M. Farouk n'aurait jamais dû te mettre ça sur les bras.

— En attendant, il va falloir un autre parrain pour ma fille, soupira Berenilde en embrassant le front du bébé. Ainsi qu'un nom, ma petite Ophélie, dès que vous aurez retrouvé vos esprits. Allons, allons, ressaisissez-vous, lui dit-elle avec un sourire doux-amer. J'avais moi aussi développé une certaine affection pour ce coquin, mais nous devons rester concentrées sur notre avenir.

Gelée jusqu'aux entrailles, Ophélie se colla contre le haut-parleur du poste de radio. Elle ne pouvait s'empêcher d'attendre encore de Thorn un miracle. Il avait eu l'air si déterminé, si confiant, tout à l'heure, sur cette jetée : il avait forcément un plan derrière la tête. Ophélie se raccrocha à sa voix grave qui était en train de conclure sa démonstration par la récitation de la Constitution interfamiliale, rappelant les devoirs paternels d'un esprit de famille envers chacun des membres de sa descendance.

— Ça y est ! s'exclama le télégraphiste de l'hôtel. L'intendant a fini son discours !

Tout le monde retint son souffle autour du poste. L'argumentaire de Thorn avait été remplacé par des bruits de raclements de chaises et un brouhaha indistinct. Le silence se fit dès que la voix de Farouk s'éleva mollement du fond de la salle :

— Nous vous remercions pour cette très longue prise de parole. Votre demande de... euh...

— De réhabilitation, mon seigneur.

Ophélie reconnut le chuchotis caractéristique du jeune aide-mémoire. À présent que le lien avec Archibald avait été tranché, la Toile n'avait pas tardé à reprendre du service.

— C'est cela, dit l'esprit de famille. Votre demande de réhabilitation a bien été prise en considération et inscrite au cahier des... euh...

— Des doléances, mon seigneur.

— C'est cela. Elle va faire l'objet d'une délibération, puis d'un vote des... euh...

— Des députés, mon seigneur.

— C'est cela. Vous pouvez disposer à présent.

— J'avais une annonce à faire, rappela la voix de Thorn.

Un long bruissement de papier. Ophélie pouvait presque visualiser Farouk en train de consulter son pense-bête.

— Elle figure dans l'ordre du jour ?

— Non, répondit l'intendant. Je vous demande

de m'octroyer trois minutes supplémentaires de temps de parole. Il ne me faudra pas davantage pour ce que j'ai à déclarer.

— Soyez bref.

Le poste de radio laissa entendre un tintement de verre et un écoulement liquide. Thorn buvait un verre d'eau. Il se racla la gorge, puis reprit d'une voix clarifiée :

— Ce que je tiens ici à la main, c'est le contrat que j'ai passé avec vous l'année dernière. Je me suis engagé à épouser une *liseuse* d'Anima, à accoupler son pouvoir familial avec le mien et à vous fournir une expertise complète de votre Livre en échange d'un titre de noblesse.

— Qu'est-ce que c'est que ce brol ? s'exclama la mère d'Ophélie. C'est quoi cette histoire de contrat ?

Ophélie lui fit signe de se taire et colla davantage son oreille contre le poste. Berenilde elle-même s'était figée dans son fauteuil comme une statue de porcelaine.

— Oui, lâcha la voix de Farouk après une hésitation. Je me souviens de cela. Je trouve, soit dit en passant, cette attente interminable.

Il y eut un bruit de déchirure et des exclamations choquées s'élevèrent de toute l'assemblée.

— Voilà, déclara calmement Thorn. Je viens de détruire mon contrat. J'annule le mariage, je ne *lirai* pas votre Livre et je vous donne ma démission. Je tiens à souligner que c'est une décision que j'ai prise seul. C'est donc seul que j'en assumerai toutes les conséquences. Je vous remercie de votre attention.

535

Dans les haut-parleurs, les exclamations se transformèrent en tollé général, mais aucun cri ne fut aussi redoutable que le silence de Farouk. Des coups de maillet retentirent, tandis que quelqu'un réclamait le calme, puis la diffusion finit par être remplacée par un interlude musical.

Autour du poste de radio, la stupeur fut totale.

— Pourquoi ?

Tout le monde se tourna vers le fauteuil de Berenilde. Avec ses yeux proéminents, son menton frémissant, son front recouvert de rides, ses sourcils tordus et ses lèvres convulsives, elle était méconnaissable. Son masque de parfaite dame du monde venait de voler en éclats.

— Pourquoi ? répéta-t-elle d'une voix blanche. Pourquoi a-t-il fait cela ? Il a perdu la raison !

Elle fut parcourue de tremblements si violents qu'Agathe se précipita pour lui prendre son bébé des bras. Recroquevillée dans son fauteuil, comme si elle avait été frappée en plein ventre, Berenilde lança à Ophélie un regard implorant.

— Je vous en prie. N'abandonnez pas mon garçon.

Tout était immobile à la surface d'Ophélie : elle ne bougeait pas, ne cillait pas, ne disait rien. Pourtant, chaque molécule de son corps avait déjà commencé à se mettre en mouvement. L'annonce de Thorn venait de débloquer un frein intérieur, et la matière sombre qui lui encombrait la tête depuis des heures, depuis des jours, s'évacua soudain dans un nuage de vapeur. Ophélie prit une profonde inspiration.

Les choses lui paraissaient tout à coup formidablement claires.

Elle se leva de sa chaise et s'approcha de Berenilde qui la dévisageait d'un air éperdu.

— Je vous fais deux promesses, madame. Je n'abandonnerai pas Thorn et je trouverai un nom digne de votre fille.

— Je peux savoir ce que tu comptes faire, au juste ? s'étonna sa mère, les poings sur les hanches. Tu as entendu M. Thorn. Cette mauvaise farce est terminée, on rentre à la maison.

— Je ne rentre pas, maman. Je retourne là-haut.

La déclaration d'Ophélie propagea des réactions incrédules tout autour d'elle : on sourcilla, on grommela, on s'indigna, on alla même jusqu'à rire nerveusement, mais personne ne paraissait réaliser qu'elle était réellement sérieuse.

Personne à part Renard.

— Là-haut ? répéta-t-il, un peu paniqué. Vous voulez dire à la Citacielle ? Avec les états familiaux et tout le bastringue, y a plus un seul dirigeable, plus un seul traîneau en circulation. Même les gens de la Caravane du carnaval, là-bas à Asgard, dit Renard en pointant une fenêtre du pouce, ils n'ont pas l'autorisation de décoller pour le moment. De toute façon, votre fiancé… votre ex-fiancé m'a ordonné de ne plus vous laisser franchir la porte de l'hôtel, conclut-il en croisant ses bras musculeux. C'est devenu beaucoup trop dangereux là-dehors.

— Vous n'aurez pas à lui désobéir, le rassura Ophélie. Je ne franchirai pas cette porte. J'irai par là.

Et elle désigna un miroir du hall. Elle sentait de tout son corps qu'elle parviendrait à le passer.

Elle s'était menti à elle-même, elle en comprenait la raison, mais c'était fini à présent.

— Ah, mais non, non, non ! protesta Renard en lui agrippant les épaules. Je pourrai pas t'accompagner là-dedans, moi, gamin !

Ophélie réclama au réceptionniste un miroir de poche et un petit nécessaire à écrire. Elle remit le premier à Renard et garda le second pour elle.

— Consultez régulièrement ce miroir. Je vous enverrai des messages, vous pourrez me suivre à la trace.

Renard fronça ses sourcils, pareils à deux buissons ardents, puis il finit par ôter son monocle.

— Prenez ça en échange. Vous ferez très attention à ne plus vous laisser étrangler, hein ? bougonna-t-il. Vous êtes ma patronne, je tiens à garder mon emploi encore longtemps.

— Merci, lui dit Ophélie avec un sourire irrépressible. Pour le monocle et pour ce que vous avez fait là-bas, sur la jetée.

La mère d'Ophélie ouvrit une bouche grande comme un foyer de cheminée, mais la tante Roseline l'interrompit avant l'explosion :

— Je pense exprimer l'opinion générale en disant que ton projet est très déraisonnable. Tu penses aller où ainsi, exactement ? À l'assemblée des états familiaux ? Je doute qu'on te laisse entrer. Tous les gendarmes ont été convoqués à la cour pour assurer la sécurité.

— Tant mieux, dit Ophélie. Je ne vais pas à la cour, ça m'épargnera des contrôles.

La tante Roseline fut décontenancée.

— Alors là, je ne te suis plus du tout. Tu vas où ?

— Les matelas, expliqua-t-elle. Vous vous rappelez cet article dans le *Nibelungen* ? Celui qui parlait d'un embouteillage de matelas dans un ascenseur ? Je l'avais trouvé ridicule sur le moment, mais je viens enfin de comprendre. Quatre lits reliés à des sabliers ont été volés dans la manufacture de Mme Hildegarde. Nous savons qu'ils ont servi aux enlèvements. Ce sont eux qui ont provoqué l'embouteillage, vous saisissez ? Si je retrouve les matelas, je retrouve les disparus. Si je retrouve les disparus, je peux encore sauver Thorn. Ma décision est prise, décréta Ophélie d'une voix ferme pour mettre un terme aux protestations qui s'élevaient de toute la famille. Je pars, peu importe que vous soyez d'accord ou non.

— Ma fille est tombée sur la *tiesse* ! finit par éclater la mère d'Ophélie. Tu n'as donc pas compris qu'il t'a publiquement répudiée, ton cher M. Thorn ? Je t'interdis d'aller te mettre à nouveau en danger pour lui !

Ophélie noua solidement son écharpe autour de son cou, de façon à ne plus être gênée par ses cheveux, puis elle regarda sa mère droit dans les yeux.

— C'est vous qui n'avez pas compris, maman. Thorn n'est pas le monstre d'égoïsme que vous croyez... que je croyais aussi, fut-elle forcée de reconnaître. Je me suis persuadée qu'il voulait *lire* le Livre de M. Farouk par ambition personnelle, mais il y a autre chose, il y a toujours eu autre chose. Thorn vient d'y renoncer pour nous protéger, nous ne pouvons pas le laisser tomber maintenant.

— De quoi parlez-vous donc ? s'inquiéta Berenilde en tressaillant dans son fauteuil. Quelle est cette autre chose ?

— Je l'ignore, admit Ophélie, mais je finirai par le savoir.

Elle pressentait déjà qu'il y avait un lien avec ce que la Mère Hildegarde lui avait révélé dans le non-lieu et le Dieu des lettres. « Ce gars-là, ma petite, mieux vaut éviter de croiser sa route. Et pourtant, c'est ce qui finit par arriver à ceux qui s'intéressent aux Livres d'un peu trop près. » Plus Ophélie considérait la question, plus il lui semblait évident que Thorn enquêtait là-dessus depuis le tout début. Quand il avait voulu placer la Mère Hildegarde en état d'arrestation, c'était une protection qu'il lui avait offerte.

Tandis qu'Ophélie se dirigeait vers le miroir du hall d'un pas décidé, sa mère eut un geste impérieux du bras pour la retenir. Son père l'en dissuada.

— Je crois, ma chère, que nous devrions laisser notre fille prendre pour une fois ses propres décisions. Nous lui avons déjà trop imposé les nôtres.

La Rapporteuse, qui avait jusque-là observé la plus grande discrétion, n'y tint plus. Elle se dressa en travers du chemin d'Ophélie dans un virevoltant mouvement de robe noire. La girouette de son chapeau se braqua sur elle, tandis que ses yeux globuleux la considéraient froidement par-dessus ses bésicles d'or.

— Puisque de toute évidence tes parents n'ont aucune autorité sur toi, je me vois contrainte d'intervenir. Tu ne te mêleras pas davantage des histoires de cet individu. Si j'avais su plus tôt qu'il trempait dans des affaires louches, j'aurais adressé à nos très chères mères un rapport défavorable. Il a trompé les Doyennes et insulté toute notre famille. Tu ne traverseras pas ce miroir pour lui, tu m'entends bien, ma petite ?

Ophélie soutint durement le regard de la Rapporteuse, prête à la défier elle plus que tous les autres, mais son grand-oncle s'interposa.

— Il faudra me passer sur le corps si vous voulez l'en empêcher. Vas-y, m'fille, marmonna-t-il dans ses moustaches. Ton drôle de zigoto, il m'a l'air d'être aussi un fameux *sympathisant* dans son genre, hein ? Rien que pour ça, je t'aiderai à l'aider.

— Merci, mon oncle.

Ignorant l'expression outrée de la Rapporteuse et les regards éberlués du reste de sa famille, Ophélie s'approcha de la glace du hall jusqu'à s'y refléter. Elle regarda bien en face son visage déterminé sous les égratignures et les ecchymoses, enfin prête à affronter cette vérité qu'elle n'avait pas voulu voir.

Ce n'était pas Thorn qui avait besoin d'elle. C'était elle qui avait besoin de Thorn.

Ophélie se plongea corps et âme dans le miroir.

Les matelas

Ophélie émergea dans le service administratif de la Manufacture familiale Hildegarde & Cie. Les lumières étaient éteintes, les locaux silencieux.

Elle traversa la pénombre jusqu'à la lampe à piston, puis fouilla les tiroirs invraisemblablement profonds de la Mère Hildegarde. Après quelques petites minutes d'inspection, elle trouva ce qu'elle était venue chercher : les dépliants de transports collectifs que Thorn avait manipulés le matin même.

Installée sous la lumière de la lampe, Ophélie laissa de côté le réseau des Roses des Vents métropolitain : ces raccourcis n'avaient été installés que dans les plus hauts étages de la Citacielle et elle les savait trop étroits pour des matelas.

Elle déplia la brochure des lignes d'ascenseur de la Citacielle.

La manufacture se situait dans les bas-fonds de la ville, entre les égouts et les innombrables salles des machines. Pour des raisons de maintenance, plusieurs ascenseurs desservaient ces sous-sols et Ophélie n'avait pas le temps de tous les inspecter. Il lui fallait réduire au minimum son champ d'enquête. La manufacture ne disposait que d'un seul arrêt d'ascenseur, les deux autres lignes descendant et remontant sans desservir cet étage ; l'ascenseur de la manufacture ne permettait lui-même que d'accéder aux niveaux supérieurs.

Les voleurs de lits étaient donc forcément montés.

Ophélie avait le début de sa piste, mais il lui manquait encore un signalement, une empreinte qu'elle pourrait suivre à la trace.

Elle ouvrit la porte qui menait au hangar et se rendit sur la passerelle de l'escalier où Philibert l'avait poussée la nuit précédente. Dominant de haut les sablières qui s'alignaient dans les allées des lampadaires, Ophélie vit qu'il n'y avait plus aucune ombre derrière les rideaux de lit ; les sabliers bleus avaient déjà tous été retirés de la circulation. Elle se pencha par-dessus le garde-fou et chercha des yeux le monte-charge dont le chef d'atelier leur avait parlé. Il était beaucoup plus loin sur sa droite, hors d'accès, bloqué à mi-chemin entre le sol du hangar et une grande herse. Actuellement en révision mécanique, avait dit le chef d'atelier. Mais ce ne devait pas être le cas au mois de mai et Ophélie était certaine que les quatre lits volés avaient transité par lui pour quitter la fabrique. Restait à savoir où, exactement, débouchait ce monte-charge.

Après avoir traversé le bureau, l'atelier, le vestibule, Ophélie atterrit dans la grande cour extérieure. Heureusement, la porte n'était ni verrouillée, ni scellée par le garde des Sceaux. Des empilements de matelas usagés prenaient l'humidité ici depuis des années ; ce n'était évidemment pas ceux qu'elle cherchait. Elle longea les façades grises de la manufacture. Le service administratif et l'atelier jouxtaient un très grand bâtiment industriel ; ses hautes portes étaient fermées par une chaîne, mais Ophélie put jeter un coup d'œil dans leur entrebâillement. Elle devina, en fond de salle, la grande herse qu'elle avait aperçue depuis l'escalier du hangar. Voilà donc l'endroit précis que desservait le monte-charge ; les lits volés étaient passés par ici.

C'étaient des matelas qui avaient occasionné un embouteillage d'ascenseur, pas des lits entiers. Les voleurs s'étaient probablement débarrassés des cadres, des sommiers et des baldaquins ici même, plutôt que sous les fenêtres de l'atelier. Elle fouilla le matériel usagé qui moisissait sur les dalles et finit par trouver une étoffe de mousseline. Un rideau de lit. Il ne lui fallut pas longtemps pour mettre au jour des blocs de bois précieux de la même facture que les sablières du hangar.

Ophélie déboutonna ses gants. Il n'était pas dans ses habitudes de *lire* sans la permission du propriétaire, mais il s'agissait de débris à l'abandon et sa charge de grande *liseuse* familiale lui autorisait d'exercer sur les biens publics.

Elle sonda l'une après l'autre les pièces de lit. Comme elle s'y était préparée, les dernières personnes à les avoir manipulées étaient les voleurs eux-mêmes. Des impressions fulgurèrent dans son esprit, tandis qu'elle plongeait dans leur perception. Des gants en cuir. Des visages mangés de barbe. Des respirations rapides. Des coups d'œil répétés vers l'atelier, à l'autre bout de la cour. Ils étaient trois, peut-être quatre. Elle ne pouvait pas pénétrer leurs pensées, mais il se dégageait de ces objets un état d'esprit bien particulier : une extrême vigilance, un certain sens de la méthode et beaucoup de tension nerveuse. Elle tenait son signalement.

Un bruit la fit sursauter. Une hermine était en train de fouiner dans les décombres, sans doute à la recherche de nourriture. Par précaution, Ophélie sortit le monocle de Gaëlle de sa poche et, fermant l'œil droit, le plaqua contre le verre gauche de ses lunettes. Elle tourna plusieurs fois sur elle-même pour s'assurer qu'il n'y avait aucun Invisible caché, aucune illusion piège, puis elle se dirigea vers le seul ascenseur de l'étage.

Consultant la brochure des lignes, Ophélie se rendit compte que cet ascenseur menait uniquement vers deux étages. D'après le plan et sa légende, l'un d'entre d'eux était un local sans issue consacré au stockage de charbon. Les voleurs s'étaient vraisemblablement rendus à l'étage suivant et, de là, avaient pris une correspondance.

Elle actionna le levier, monta de deux paliers et déboucha sur une rue malodorante où un imbroglio de machines et de canalisations projetaient des jets de vapeur brûlante. C'était maintenant que commençaient les choses sérieuses : elle se trouvait à un embranchement de correspondances. Il y avait ici cinq arrêts d'ascenseur, en plus de celui où elle venait de descendre. Les voleurs de matelas avaient pu emprunter n'importe lequel d'entre eux. Ophélie n'avait d'autre option que de *lire* chaque cabine d'ascenseur pour retrouver leur piste.

Elle fouilla ses poches de robe, gribouilla une note sur son calepin et la glissa dans le petit miroir à double face que lui avait prêté l'un des fabricants de sabliers. Si Renard avait bien gardé son propre miroir sous les yeux, il devait déjà être en train de lire ce message : *Tout va bien, je progresse dans mes recherches*. Ce n'était pas de la grande prose mais, au moins, ça rassurerait toute la famille.

Ophélie se dirigea vers l'ascenseur le plus proche et tira sur le cordon d'appel. Dans les étages inférieurs de la Citacielle, il n'y avait pas de grooms qui circulaient à horaires fixes. Tout au moins Ophélie serait-elle à son aise pour faire ce qu'elle avait à faire.

Une fois dans la cabine, elle inspira un grand coup et empoigna le levier d'étages à main nue. Elle se sentit aussitôt submergée, comme si un cortège de fantômes prenaient possession de son être les uns après les autres. Elle fut tour à tour irritée, fourbue, excitée, préoccupée, fatiguée, agacée, émue, désabusée, impatiente, distraite, tourmentée, inquiète, vexée, démoralisée, lasse sans qu'une seule de ces émotions lui soit propre. Ophélie avait déjà *lu* des objets du domaine public, mais rien qui fût équivalent à ce levier d'ascenseur levé et baissé plusieurs dizaines de fois chaque jour de chaque semaine de chaque mois de chaque année. Elle ne pouvait que remonter le temps à l'envers en espérant tomber, tôt ou tard, sur le signalement de ses voleurs.

Lorsqu'elle finit par relâcher le levier, bredouille, elle mit quelques secondes avant de se rappeler qui elle était et pourquoi elle était là.

Elle quitta la cabine, fendit les vapeurs chaudes de la rue et tira le cordon d'appel de l'ascenseur suivant. Nouvelle *lecture* infructueuse.

Au troisième ascenseur, Ophélie dut s'octroyer une pause. Sa main tremblait et ses lunettes étaient devenues troubles. Toutes ces émotions étrangères la traversaient comme des courants galvaniques, mettant ses nerfs à rude épreuve. Elle commençait à douter du bien-fondé de sa démarche lorsque enfin, au quatrième ascenseur, elle reconnut le signalement. Vigilance, méthode, nervosité.

Ophélie tenait ses voleurs.

Il lui fallait maintenant affiner sa *lecture* et déterminer à quel palier, exactement, ils s'étaient rendus. Elle sonda une seconde fois le levier, remontant le cours du temps jour avant jour, semaine avant semaine, mois avant mois. Dès qu'elle retrouva le signalement, elle s'immergea aussi profondément que possible dans l'esprit des voleurs.

Enfin le dernier... Trop encombrants, ces matelas... Penser à la prime... Plus que trois... Encore les ouvriers... Ils râlent, on les met en retard... Penser à la prime... Plus que deux... Zut, des ouvriers... Pas la place de tous monter... Penser à la prime... Allez, le premier... Profitons-en, la voie est libre... Penser à la prime.

Ophélie relâcha le levier, et tous ses muscles par la même occasion. L'effort de concentration lui avait donné la migraine, mais elle avait suffisamment de matière pour reconstituer la scène. Elle examina le cadran en demi-lune de l'indicateur d'étages qu'elle avait observé à travers les yeux de ses voleurs ; ils avaient fait quatre allers-retours, un par matelas, entre le vingt-cinquième et le treizième sous-sol. Elle ferma la grille d'ascenseur et enclencha le levier pour suivre le même itinéraire.

Le treizième sous-sol inspira une impression de déjà-vu à Ophélie. C'étaient les mêmes ruelles sombres, les mêmes canalisations malodorantes, les mêmes vapeurs humides qui régnaient dans l'ensemble des bas-fonds, et pourtant elle avait le sentiment familier d'être déjà venue ici.

D'après la brochure, il n'y avait qu'une seule correspondance pour cet étage. Or, quand Ophélie procéda à une *lecture* minutieuse de la cabine d'ascenseur suivante, elle ne retrouva plus le signalement. Le mélange caractéristique de vigilance, de méthode et de nervosité avait disparu ; ce phénomène ne pouvait s'expliquer que par un changement d'état d'esprit radical.

Les voleurs s'étaient débarrassés de leur cargaison ici même, entre les deux arrêts d'ascenseur.

Ophélie sentit son cœur battre comme un métronome : une pulsation pour la joie, une pulsation pour la peur. Elle redescendit prudemment la rue, passant en revue les vitrines enfumées. Malgré l'heure tardive de la nuit, elle pouvait deviner des silhouettes en plein travail, au milieu des jets d'étincelles et des nuages de fumée. Où les matelas avaient-ils été livrés ? Dans cette fonderie de plomb ? Dans cet atelier de porcelaine ? Dans cette usine à gaz ?

Ophélie s'arrêta devant une façade aux lanternes rouges éteintes et aux vitres ensevelies sous les vieilles publicités. Ce n'était donc pas une impression, elle était déjà venue ici. Les *Délices érotiques*, l'Imaginoir que Cunégonde avait fermé pour cause de faillite.

La cachette idéale.

Il n'y avait personne de part et d'autre de la rue embrumée. L'idée d'entrer là-dedans toute seule lui asséchait la bouche, mais le temps était compté. Son écriture trembla quand elle gribouilla une nouvelle note à Renard, avant de la glisser dans son miroir de poche.

Imaginoir lanternes rouges, 13ᵉ sous-sol : je jette un coup d'œil et je reviens.

Ophélie s'était préparée à devoir entrer par effraction, aussi fut-elle déconcertée de sentir la porte céder sur une simple poussée. C'était la première fois qu'elle découvrait un Imaginoir de l'intérieur. L'éclairage était uniquement dispensé par les guirlandes de lanternes au plafond, probablement des illusions de secours en cas de coupure du gaz. Tapis rouges, tentures rouges, velours rouges, capitons rouges, escaliers rouges : le hall donnait l'impression de pénétrer dans un univers organique.

Pour le moment, Ophélie ne voyait ni matelas ni disparus nulle part.

Elle s'avança discrètement vers le comptoir de

l'entrée et décrocha le combiné du téléphone. Aucune tonalité. Ophélie calma son écharpe qui battait nerveusement l'air. Elles devraient bel et bien se débrouiller seules.

Des panneaux en forme de longs gants rouges pointaient tous vers l'unique étage de l'Imaginoir. Ils portaient des titres suggestifs, vraisemblablement des noms de salles :

LE GENTILHOMME À L'ÉVENTAIL
LA CONTREDANSE DES MAINS
LES BAS DE VELOURS NOIR
TROIS DAMES VUES DE DOS

Ophélie prit l'escalier de gauche ; celui de droite, effondré à cause de l'humidité, avait été condamné. Si l'étage baignait dans la même pénombre douce que le hall, son atmosphère était très différente. De grandes statues de marbre blanc, aux corps nus et aux visages masqués, encadraient quatre portes noires. Les lanternes projetaient leurs ombres dédoublées et distendues sur un labyrinthe de paravents.

Ophélie se faufila entre les paravents de la galerie centrale. Chacun d'eux était une œuvre d'art où des illusions coquines adressaient des clins d'œil aux visiteurs, dénudaient une épaule ou envoyaient des baisers du bout des doigts. Elle s'approcha de la porte du GENTILHOMME À L'ÉVENTAIL. Un frisson de malaise la parcourut lorsqu'elle aperçut, sous les masques, les yeux des sculptures qui suivaient ses moindres faits et gestes. Elle sortit le monocle de Gaëlle et le colla contre ses lunettes.

La réalité reprit aussitôt ses droits, réduisant les illusions à l'état de pâles images en filigrane.

Son monocle rangé, elle ouvrit la porte et entra sans un bruit.

À peine Ophélie posa-t-elle les yeux sur la salle obscure que sa migraine s'intensifia. Ses pensées s'embrouillèrent comme un enchevêtrement de fils, au point qu'elle se prit les pieds dans les coussins amoncelés sur le sol et se retint de justesse à un guéridon, renversant le vase de fleurs artificielles qui était posé dessus. Elle tourna un regard hébété autour d'elle. La pièce n'était qu'un amas fluctuant de coussins, de guéridons, de tapis, de tentures, d'ombres et de lumières.

Ophélie ne se rappelait plus pourquoi elle était entrée ici, mais elle eut la vague intuition qu'il était préférable d'en sortir.

Cramponnée à son guéridon, qui prenait de plus en plus une consistance gélatineuse, elle chercha la porte sans parvenir à la trouver. La pièce était soudain devenue hermétiquement close.

Elle chercha un miroir dans la salle avec le sentiment déplaisant de traverser d'interminables sables mouvants. Butant contre un polochon, elle tomba de tout son long, si profondément ahurie qu'elle ne prêta aucune attention à l'explosion de douleur dans son bras.

Après plusieurs battements de paupières et quelques contorsions, Ophélie dut réviser son jugement. Ce n'était pas contre un polochon qu'elle avait buté : c'était contre un homme à longue barbe et en peignoir de satin. Que faisait donc le comte Harold endormi dans un endroit aussi peu commode ?

Au fond, il avait raison. Cette mer de coussins était beaucoup trop houleuse, mieux valait rester couché par terre. Ophélie serait demeurée longtemps ainsi, étendue sur le tapis, les yeux au plafond, si son écharpe n'avait entrepris de la gifler jusqu'à déchausser ses lunettes.

« Le monocle, pensa-t-elle mollement. Je dois mettre le monocle. »

Elle fouilla sa poche, ferma son œil droit et enfonça la lentille noire dans l'autre orbite. Alors que le monde autour d'elle s'obscurcissait, ses pensées se clarifièrent, au contraire, et le sol retourna à l'état solide. Des illusions capables de provoquer les mêmes effets qu'une ivresse alcoolique : Cunégonde lui avait déjà parlé de cela.

Cet endroit était une Bulle de Confusion.

Ophélie s'agenouilla auprès du comte Harold, étendu au milieu des coussins, et l'examina du mieux qu'elle put à travers les opacités conjuguées du lieu et du monocle. Les paupières tatouées du Mirage étaient closes.

— Monsieur le comte ? murmura Ophélie.

Il ne répondit pas, plongé dans une profonde léthargie. En quelques coups de monocle, Ophélie constata qu'il bénéficiait ici de toutes les commodités : les guéridons étaient chargés de livres, de tabatières, de bonbonnières, de carafes d'eau et de bouteilles de parfum. Il y avait dans cette mise en scène quelque chose d'excessivement prévenant, d'ironiquement raffiné qui lui glaça le sang.

Elle aperçut une couchette à même le sol, probablement l'un des quatre matelas volés. Elle en eut la confirmation quand elle distingua, suspendu au-dessus du lit, tel un mobile de berceau, le sablier bleu qui lui correspondait. Sans un minimum de lucidité, il était impossible de l'atteindre et de le briser.

Quant à la porte, Ophélie comprenait maintenant pourquoi elle avait cessé de la voir en entrant dans la salle. Le monocle lui permit de mettre au jour, en léger filigrane, l'illusion de mur qui la camouflait.

Le comble de la perversité.

— Monsieur le comte ? répéta-t-elle. Vous m'entendez ?

La longue barbe blonde du Mirage ne frémit pas d'un poil. Cet homme était peut-être dur d'oreille, son manque de répondant était préoccupant. Tout en veillant à maintenir son monocle en place sous ses lunettes, Ophélie pencha une oreille jusqu'à sa bouche.

Il ne respirait plus.

Ophélie sentit son propre souffle s'affoler. Était-elle arrivée trop tard ? Le comte Harold ne portait aucun signe de blessure ou d'agonie. Avait-il succombé au choc de l'illusion ? Avec des gestes désordonnés, elle se déganta et prit le pouls au poignet, puis au cou, mais elle dut se faire une raison. L'ancien tuteur du chevalier était mort… et il était mort récemment, sa chaleur corporelle en témoignait.

Ophélie se releva. Elle ne pouvait plus rien pour lui, mais il lui était peut-être encore possible de sauver les autres.

Elle se rendit à la deuxième salle obscure, LA CONTREDANSE DES MAINS. Maintenant son monocle entre le pouce et l'index, Ophélie prit cette fois le temps d'étudier les lieux depuis le seuil de la porte. Il ne restait plus rien de ce qui avait dû être l'ancienne salle de projection. Chaque recoin avait été dépouillé du moindre reliquat, réel ou illusoire, de libertinage. C'était le même décorum respectable que chez le comte Harold : une profusion de fleurs, de tabatières, de confiseries, de coussins, de livres, de flacons et, narquoisement suspendu au-dessus d'un matelas, hors de portée, un sablier bleu à retournement automatique. Malgré le monocle qui filtrait l'illusion, Ophélie pouvait ressentir une lourdeur dans l'atmosphère qui lui faisait bourdonner le crâne. Une autre Bulle de Confusion était à l'œuvre ici. Se retrouver piégé dans ce *delirium tremens* perpétuel, au milieu de ces mille et une délicatesses, c'était une torture pire que n'importe quel châtiment corporel.

Ophélie accourut quand elle aperçut un homme effondré sur un guéridon. Elle ne reconnut pas son visage, mais il portait le tatouage des Mirages sur ses paupières fermées. Probablement le prévôt des maréchaux, la première victime des enlèvements.

Il ne respirait pas non plus. Cet homme était mort, sans une trace de sang, sans un signe de lutte, comme une marionnette dont on aurait simplement coupé les fils.

Et pourtant, sa peau était encore chaude.

Ophélie s'éloigna avec une extrême lenteur, la paume plaquée sur la bouche pour réprimer une bouffée de panique. Ce n'était pas par négligence que la porte d'entrée avait été laissée ouverte en bas. Il y avait quelqu'un d'autre dans l'Imaginoir en ce moment même. Quelqu'un venu spécialement pour achever les prisonniers.

Elle quitta précipitamment LA CONTREDANSE DES MAINS, se faufila entre les paravents et s'engagea dans l'escalier, prête à mettre le plus de distance possible entre elle et cet endroit. Elle s'immobilisa au milieu des marches. Son corps entier la poussait à s'enfuir, mais elle ne pouvait s'y résoudre. Pas si proche du but. Renoncer maintenant, ce serait abandonner à la fois Thorn et Archibald. Archibald... Il était forcément ici, dans l'une des deux salles restantes.

Avec d'infinies précautions, se préparant à déguerpir au premier bruit suspect, Ophélie remonta l'escalier et poussa la porte des BAS DE VELOURS NOIR. Elle observa les lieux à travers le prisme de son monocle. Cette salle était en tout point pareille aux deux autres. Son sang ne fit qu'un tour quand elle découvrit, au milieu des guéridons et des coussins, un corps avachi au fond d'un fauteuil, la tête pendant sur le côté.

Archibald !

Dans sa précipitation, Ophélie manqua de renverser un tourne-disque. Elle dut s'accroupir devant le fauteuil pour distinguer le visage de l'ambassadeur, écroulé sur l'épaule, derrière l'entremêlement des cheveux pâles. Il avait une mine effroyable. Ophélie le secoua si fort qu'elle faillit en perdre son monocle.

— S'il vous plaît, chuchota-t-elle. Soyez vivant, je vous en supplie.

Un bras se décrocha de l'accoudoir et tomba

mollement dans le vide. Archibald ne se réveilla pas. Ophélie chercha fébrilement son pouls. Si elle était arrivée trop tard pour lui aussi, jamais elle ne se le pardonnerait.

Elle étouffa un hoquet de soulagement. Son cœur battait encore ; faiblement, mais il battait encore. Archibald avait survécu à l'assassin de l'Imaginoir et à la rupture du lien avec la Toile.

— Je vais vous sortir de là, lui promit Ophélie.

Elle chercha, dans le fatras de coussins, le matelas par lequel Archibald avait dû arriver ici. Maintenir son monocle en place tout en gardant l'autre œil fermé devenait de plus en plus difficile. Ophélie trouva le matelas, mais il lui fallut quelques recherches supplémentaires pour repérer le sablier dégoupillé. Il avait roulé sur le tapis. On n'avait apparemment pas eu le temps de le suspendre au-dessus de la couchette, comme cela avait été fait pour les autres.

Ophélie brisa le sablier ; le corps d'Archibald disparut du fauteuil.

Restait à espérer qu'on ne tarderait pas à le trouver dans sa chambre, au Clairdelune, pour lui donner les premiers soins. Avec un peu de chance, son témoignage serait décisif pour permettre d'identifier le maître chanteur. Ophélie glissa les débris de sablier dans sa poche de robe pour une future *lecture*. Peut-être lui permettraient-ils aussi de remonter jusqu'à la source.

Restait M. Tchekhov dans la dernière salle. Ophélie aurait-elle le courage d'essayer de le sauver lui aussi ? N'était-il pas préférable de partir au plus vite, tant qu'elle le pouvait encore ?

Ophélie traversa la salle obscure sur la pointe des pieds, se glissa dans l'entrebâillement de la porte et se dissimula à la faveur des paravents en se faisant plus petite que jamais.

Toutes ces précautions s'avérèrent superflues : une silhouette en forme de montgolfière lui bloquait le passage.

— Mademoiselle la grande *liseuse* familiale, soupira le baron Melchior. J'aurais vraiment aimé nous épargner cette situation.

Le savoir-mourir

Le baron Melchior s'avança, faisant pianoter sa canne à pomme d'or contre le parquet. Il portait une ample redingote en plumes de paon qui donna l'impression à Ophélie d'être observée par des dizaines d'yeux écarquillés. Ceux du baron exprimaient un profond regret.

— Gardez vos mains bien en vue, dit-il avec une extrême douceur.

Ophélie fut forcée de relâcher le calepin qu'elle avait essayé d'atteindre dans sa poche. Elle aurait dû donner l'alerte à Renard quand elle le pouvait encore. C'était trop tard, à présent.

— Vous êtes venue seule ?

— Non, souffla-t-elle.

Les moustaches effilées du baron Melchior se redressèrent sous la poussée d'un sourire. C'était toutefois un sourire dénué d'ironie, presque peiné.

— Vous êtes venue seule. Sans vouloir vous manquer de respect, vous mentez mal.

Ophélie sentit la colère lui nouer les entrailles. Elle avait vu cet homme comme une proie, quand il n'avait cessé d'être le prédateur.

— Tel n'est pas votre cas. Vous êtes un remarquable comédien.

— Ne me jugez pas trop durement. Mes intentions ont toujours été excellentes.

— Votre sœur sait-elle à quoi est employé son Imaginoir ?

— Son ancien Imaginoir, souligna le baron Melchior. Non, Cunégonde ignore tout de ce qui se trame ici. Cet endroit était une honte avec toutes ces illusions décadentes, grimaça-t-il en montrant un paravent où une nymphe émergeait des nénuphars pour leur faire signe de la rejoindre. Je l'ai réaménagé comme j'ai pu afin de le rendre à peu près respectable.

Ophélie reculait au fur et à mesure qu'il s'avançait vers elle, jusqu'à se trouver dos au dédale de paravents. Le baron se tenait entre elle et l'escalier. Sauter par-dessus la rambarde du palier reviendrait à se briser les os en bas. L'autre cage d'escalier avait été condamnée par un barrage de planches infranchissable. Et pour ce qu'Ophélie avait pu en voir, il n'y avait aucun miroir à l'étage. Ça se présentait plutôt mal.

De sa main gantée de noir et baguée d'or, le baron Melchior signala le fronton TROIS DAMES VUES DE DOS soutenu par des statues.

— J'étais en train d'en finir avec ce cher Tchekhov, quand j'ai entendu du bruit dans la pièce voisine. Je ne m'attendais certainement pas à tomber sur vous. Qu'est-ce qui vous a conduite jusqu'ici ? Et comment avez-vous pu traverser mes Bulles de Confusion ? Vraiment, mademoiselle la grande *liseuse* familiale, vous me prenez au dépourvu.

Ophélie fut envahie par une sensation glacée. Le baron Melchior ne la laisserait pas quitter cet Imaginoir vivante.

— Et moi qui croyais que vous détestiez la violence.

— Je la hais. Si j'avais d'ailleurs su que Philibert vous maltraiterait de la sorte, jamais je n'aurais fait appel à ses services.

Ophélie dévisagea le baron dans la lumière rouge des lanternes. Il semblait sincère. Elle en aurait été ébranlée si elle n'avait pas remarqué la façon dont il se déplaçait, lentement mais sûrement, afin de lui couper toute retraite et de l'éloigner le plus possible de l'escalier.

— J'accorde beaucoup d'importance au savoir-vivre, mademoiselle, mais j'en accorde tout autant au savoir-mourir. On peut se donner la mort proprement, entre gens civilisés, et c'est ce que j'attendais de Philibert. Je m'en serais bien chargé moi-même, affirma-t-il avec un hoquet d'épaules fataliste, mais M. Thorn vous a toujours tenue à l'œil. Jusqu'à maintenant, du moins.

— Tout ça pour qu'il ne puisse pas *lire* le Livre de M. Farouk ? souffla Ophélie.

— Je trouve infiniment regrettable qu'un homme de sa compétence veuille mettre le nez où il ne faut pas. Ce mariage avec vous était une erreur, une erreur que je me suis efforcé de rattraper. Bien sûr, j'aurais pu choisir de tuer M. Thorn à votre place, admit le baron Melchior de bon gré. Ne le prenez pas trop à cœur, mais je vous trouve moins indispensable que lui.

— Ça ne me dit pas pourquoi, vous, vous avez peur du Livre.

Le baron dodelina de la tête d'un air mélancolique.

— Peur ? Allons, allons, ne parlez pas de ce que vous ne comprenez pas.

— Vous avez peur, insista-t-elle. Vous avez peur du jugement d'une autre personne. Peur de votre Dieu. Peur de décevoir ses attentes. Vous ne cessez de parler de dignité humaine, mais vous me faites penser à un esclave qui ne songe qu'à satisfaire son maître.

Il y eut un instant de silence durant lequel Ophélie entendit son cœur battre le tambour.

— Si je devais en juger par votre expression, finit par murmurer le baron Melchior, je dirais que vous avez beaucoup plus peur que moi.

Il se déplaçait avec une patience étudiée, tel un énorme paon, comme s'il s'attendait à ce qu'Ophélie se rendît d'elle-même. Allait-il lui lancer une illusion surprise au visage ? Rasant de dos les paravents, Ophélie resserra ses doigts autour du monocle qu'elle avait gardé en main, prête à s'en servir à tout instant. Il lui fallait gagner du temps pour trouver une échappatoire.

— Qui est Dieu ?

— Cela, chère mademoiselle, il ne m'appartient pas d'y répondre.

— Vous avez assassiné vos propres cousins pour lui plaire.

Le baron Melchior eut une moue offensée.

— Je l'ai fait *proprement*, insista-t-il. Pas une seule goutte de sang n'a été versée, pas une seule blessure ne leur a été infligée. Je vous promets que, si vous ne me faites pas de difficultés, vous connaîtrez une fin tout aussi esthétique. Tss-tss, attention à votre écharpe, l'avertit-il. Elle a de l'énergie à revendre pour un chiffon de laine mal tricoté.

De fait, l'écharpe s'agitait tellement qu'Ophélie avait du mal à la contenir.

— Vous la rendez nerveuse.

— C'est réciproque. Attachez-la, je vous prie.

Le baron Melchior désigna de sa canne le pied d'un paravent. Ophélie dut se débattre avec sa propre écharpe, tout en essayant de ne pas faire tomber le monocle. Elle avait espéré un instant pouvoir renverser l'un des paravents sur le baron, mais ils s'avéraient être tous vissés au parquet.

— Je ne comprends pas, murmura-t-elle. Comment avez-vous pu vous abaisser à ça ?

Le baron Melchior se vida de son air comme une baudruche.

— Je suis chagriné de vous l'entendre formuler ainsi. Je vous l'ai déjà dit : je me bats pour un avenir différent. Un meurtrier qui a versé du sang innocent et un diffamateur qui manipule l'opinion publique, énuméra-t-il en désignant tour à tour les portes du prévôt des maréchaux et du directeur du *Nibelungen*. Quant à ce déraisonnable comte Harold, non content d'avoir perverti l'enfant sous sa tutelle, ainsi qu'un chenil entier, il a tenu des propos scandaleux en public. À eux trois, ils avaient trop longtemps terni le blason des Mirages. Les états familiaux ne se déroulent qu'une fois tous les quinze ans, vous en rendez-vous compte ? C'était l'occasion de voir enfin la cour s'ouvrir à de nouveaux horizons ! Mes cousins auraient imposé leur force d'inertie, j'avais le devoir moral de les écarter.

— Et Archibald ? C'était aussi un devoir moral de le garder ici, pendant que sa famille rompait son lien ? Vous avez bien failli le tuer.

Le baron Melchior rentra la tête d'un air affligé, faisant saillir son triple menton, comme s'il était lui-même victime d'un préjudice.

— M. l'ambassadeur nous a mis tous deux dans l'embarras. Ce sablier qu'il m'a subtilisé était le seul moyen dont je disposais pour aller et venir ici à ma guise. Je suis plutôt habile de mes doigts, voyez-vous. J'avais installé un mécanisme de mon invention pour réutiliser mon sablier à volonté, sans avoir à rompre la goupille. Ce garçon s'en est servi n'importe comment ! Bien sûr, j'avais envisagé la possibilité qu'un importun puisse dégoupiller mon sablier, intentionnellement ou accidentellement, et c'est pourquoi j'avais installé une Bulle de Confusion sur place. Ce que je n'avais pas prévu, c'était que cet importun serait l'ambassadeur en personne. Sa disparition a déclenché un dispositif de sécurité maximale avec des gendarmes à chaque détour de couloir. J'ai été contraint d'attendre les états familiaux pour pouvoir enfin rendre visite à mes hôtes, sans avoir à craindre les contrôles d'identité et les questions fâcheuses ! Je crois que votre écharpe est suffisamment bien attachée, déclara soudain le baron Melchior d'un ton aimable. Relevez-vous, je vous prie, les mains toujours en évidence. Ah, la, la, croyez bien que cette situation ne me plaît pas plus qu'à vous !

Ligotée, l'écharpe se tortillait comme une anguille, aggravant le trou de son tricot. Ophélie s'écarta en feignant d'éviter ses ruades. Ce pas de côté lui permit de se repositionner ; elle n'était plus acculée contre les paravents, ce qui lui dégageait une ouverture à la gauche du baron Melchior. Il était lourd, il était lent : si Ophélie parvenait à le contourner, elle pourrait atteindre l'escalier avant lui.

— Je pense que cette situation vous plaît, au contraire.

Les moustaches du baron s'effondrèrent.

— Comment pouvez-vous prétendre cela ?

— La mise en scène des salles. Le ton de vos lettres. La façon dont vous avez endossé votre rôle de parfait adjoint. Vous avez poussé la malice jusqu'à nous parler, à Thorn et à moi, juste devant cet Imaginoir, à quelques pas de vos victimes. (Mot après mot, centimètre après centimètre, Ophélie se déplaçait de façon à agrandir l'écart entre eux.) Vous dites que vous désapprouvez notre union ? Je vous ai entendu une fois vous proposer pour confectionner ma robe de mariée. La vérité, c'est que vous jouez avec nous comme un enfant joue à la poupée. Est-ce que ça vous donne l'impression d'être moins poupée vous-même ?

Le baron Melchior ne se départit pas de son calme, mais Ophélie aurait juré que le plumage de sa redingote s'était mis à frémir. Il serra sa canne des deux mains jusqu'à en faire grincer le jonc.

— Vous n'étiez pas si désapprobatrice lorsque j'ai fait le nécessaire pour neutraliser notre impétueux chevalier. Puisque vous voulez tout savoir, mademoiselle, je n'avais pas planifié de tuer qui que ce soit. Mon projet initial était de tenir mes cousins bien au calme, ici, jusqu'à la fin des états familiaux. C'était pareil pour vous, ma chère : j'espérais que vous seriez assez raisonnable pour quitter le Pôle de votre propre initiative. J'ai envoyé des lettres à chacun d'entre vous, des lettres amicales, pour éviter une confrontation pénible entre nous tous. Vous n'avez pas idée de toutes les précautions que j'ai déployées depuis des mois pour échapper à la sagacité de vos petites mains. J'admets avoir pris un risque en vous permettant de *lire* la goupille de mon sablier, mais je le savais minime.

— Si le meurtre n'était qu'une option parmi d'autres, rétorqua Ophélie, pourquoi l'avoir choisie ?

La lueur de tristesse qui brillait dans le regard du baron Melchior s'éteignit comme une flamme de bougie.

— Vous rappelez-vous ce que je vous ai dit hier ? « À nous d'assumer nos choix jusqu'au bout. » En ignorant mes lettres, vous avez tous accepté l'idée d'être tués. J'ai donc accepté, moi, celle d'être votre tueur.

L'écharpe eut un violent soubresaut qui détourna, l'espace d'un court instant, l'attention du baron Melchior. Ophélie n'aurait peut-être pas d'autre chance. Elle s'élança vers l'escalier aussi vite que le permettaient ses jambes.

Elle avait compté sur la pesanteur du baron Melchior. Ce fut pourtant d'un geste souple, presque nonchalant, qu'il la retint par le poignet, puis la renversa sur le parquet. Ophélie poussa un cri quand il lui tordit méthodiquement le coude derrière le dos ; l'os, déjà malmené par la chute dans l'escalier, émit un horrible craquement.

— Je vous ai cassé le bras, constata-t-il avec ennui. Vous auriez pu vous épargner cela en obtempérant bien gentiment.

À travers les larmes de douleur qui lui embuaient les yeux, Ophélie vit le monocle noir rouler sur le parquet et tournoyer comme une pièce de monnaie. Sans même relâcher son étreinte, le baron Melchior le brisa d'un coup de canne.

— Un monocle de Nihiliste, commenta-t-il d'une voix appréciatrice. J'ignorais qu'il en existait encore. Ces choses-là sont infaillibles contre les illusions à déclenchement optique. Voilà donc comment vous avez réussi à aller et venir dans mes Bulles de Confusion ! Alors, mademoiselle la grande *liseuse* familiale, murmura-t-il en s'appuyant de tout son poids sur Ophélie, pensez-vous toujours que j'ai peur ? Je vous concède que vous avez peut-être eu raison sur un point. (Il se pencha davantage, ses moustaches lui caressant l'oreille.) Au fond, cette situation ne me déplaît pas tant que cela.

— Permettez-moi pourtant de vous interrompre.

Écrasée contre le parquet, le bras tordu en arrière, Ophélie leva les yeux vers l'ombre qui gravissait l'escalier.

Le cœur

Ophélie ne distinguait que le reflet des lanternes rouges sur les boutons d'un uniforme. Était-ce bel et bien Thorn qui se tenait ainsi dans l'escalier ou était-elle victime d'une illusion ?

Le baron Melchior dut se poser la même question, car il lui fallut plusieurs secondes avant de retrouver son sens de la repartie :

— Pour un couple si mal assorti, vous êtes décidément inséparables. Je vous croyais à des dizaines d'étages d'ici, monsieur Thorn. Comment nous avez-vous trouvés ?

Thorn monta les dernières marches qui le séparaient du palier, tranquillement, sans se presser. Depuis le parquet, Ophélie fut incapable de hausser les yeux jusqu'à son visage ; en revanche, elle avait une vue imprenable sur ses chaussures.

— Grâce à cette femme que vous clouez au sol, répondit la voix grave de Thorn au-dessus d'elle. Elle a communiqué sa position à son assistant qui me l'a communiquée par télégramme prioritaire. J'ai dû fausser compagnie à une cohorte de fonctionnaires et de gendarmes pour vous rejoindre. Ne vous inquiétez pas, je suis venu seul. Je souhaite parlementer avec vous, sans témoins gênants.

Ophélie n'en croyait pas ses oreilles. Avec tous les gendarmes présents aux états familiaux, Thorn avait décidé de n'en ramener aucun ? Elle se mordit la langue lorsque le baron Melchior tira sur son bras pour la forcer à se relever, sans se soucier de la douleur insupportable qu'il lui occasionnait. Il serra Ophélie contre le plumage de son ventre, dans une parodie de valse.

— Ainsi, ce sera plus confortable pour *parlementer*. Je vous écoute, monsieur Thorn.

Les cheveux d'Ophélie s'étaient déversés sur son visage, mais elle y voyait assez pour remarquer que Thorn évitait soigneusement de la regarder.

— Pourquoi ?

— Pourquoi me demandez-vous pourquoi ? répliqua le baron Melchior, sur ses gardes.

— Je bénéficie de votre appui depuis le début de ma carrière. Je ne serais probablement jamais devenu intendant si vous n'aviez pas glissé un bon mot dans la bonne oreille au bon moment. Vous m'avez souvent aidé, pour des procès et des affaires où vous n'aviez aucun intérêt personnel en jeu. Et jamais, à aucun moment, vous n'êtes venu me réclamer des comptes. Pourquoi ?

Le baron Melchior s'adoucit, ses traits soudain empreints d'une bienveillance paternelle, ce qui ne l'empêcha pas de broyer le bras d'Ophélie.

— Parce que j'ai toujours pressenti les merveilles que vous étiez capable d'accomplir. Je crois en vous, mon garçon, plus qu'en n'importe quel Mirage.

— Vous croyez en moi, répéta Thorn.

Il maintenait entre eux une distance respectable. Sans bouger d'un talon, il observa autour de lui les paravents dont les illusions lui adressaient des œillades aguicheuses, puis les quatre portes encadrées par leurs statues masquées. Ophélie comprit qu'il essayait de déterminer s'il y avait des complices cachés dans la place.

— Cette goupille de sablier que vous avez miraculeusement trouvée sur le lit d'Archibald, reprit Thorn après un silence. Vous l'avez trouvée, car vous saviez qu'elle serait là. Vous avez saisi cette occasion pour me pousser à perquisitionner la manufacture, et si ça n'avait pas été la goupille, vous auriez imaginé un autre stratagème. Vous comptiez évidemment sur moi pour mettre au jour la falsification des registres et, par voie de conséquence, l'implication de la manufacture dans les enlèvements. Chaque nuance de votre comportement m'a dicté ma conduite jusqu'à l'inculpation de Mme Hildegarde. Vous ne m'avez pas appuyé dans ma carrière parce que vous croyiez en moi, conclut-il d'un ton posé. Vous l'avez fait pour pouvoir mieux me manipuler le moment venu.

— Allons donc, soupira le baron Melchior. Êtes-vous en train de me dire que je vous ai déçu aussi, monsieur l'intendant ?

— Je ne suis plus intendant. Et cette femme, ajouta Thorn sans même un regard pour Ophélie, n'est plus ma fiancée. Ses parents l'attendent pour la ramener sur Anima. Nos petites affaires de famille ne la concernent en rien désormais. Discutons entre nous, juste vous et moi, voulez-vous ?

Le baron s'accorda un temps de réflexion au cours duquel Ophélie eut tout le loisir d'entendre craquer davantage les os de son bras.

— Avez-vous définitivement renoncé au mariage ?

— Et à la *lecture* du Livre, oui. C'est bien ce que vous cherchiez à obtenir de moi, n'est-ce pas ? Vous n'avez plus rien à craindre de cette Animiste.

— À la bonne heure ! s'exclama joyeusement le baron Melchior. (Il ne libéra pas Ophélie pour autant, resserrant son étreinte au point de l'étouffer dans son jabot de dentelle.) Vous possédez trois qualités essentielles, monsieur Thorn. Vous êtes efficace, intègre et pacifique. La façon dont vous vous êtes impliqué dans l'affaire des déchus a été ex-em-plai-re ! Ces guerres de clans, ces vengeances sempiternelles, tout ce sang versé pour trois fois rien, énuméra-t-il d'une voix vibrante d'indignation, nous devons en venir à bout. Nous avons besoin d'hommes tels que vous, capables de résoudre les problèmes les plus épineux avec les rouages d'une administration civilisée.

— Je ne suis plus intendant, rappela Thorn. Et je resterai à jamais un bâtard.

Le baron Melchior balaya l'air de sa canne avec une telle fougue qu'Ophélie entendit l'air siffler tout près d'elle.

— Un détail ! Je vous offre, moi, une nouvelle vie ! Ou plutôt, devrais-je dire, une nouvelle responsabilité, qui vous placera au-dessus du seigneur Farouk et à l'abri de son obsession maladive pour son Livre. Vous bénéficierez d'une protection absolue et vous n'aurez plus jamais à vous inquiéter ni pour vous, ni pour votre tante. Me comprenez-vous bien, monsieur Thorn ? Je ne vous propose pas d'être mon pion. Je vous propose d'être mon partenaire.

Thorn arqua lentement les sourcils et sa cicatrice parut s'agrandir davantage.

— Ma mère bénéficiait également de cette responsabilité et de cette protection. Voyez où elle est aujourd'hui. J'aimerais savoir, enchaîna-t-il avec une extrême gravité : est-ce vous qui me faites cette offre ou est-ce le Dieu que vous servez ?

Le baron Melchior éclata de rire, toutes ses plumes de paon se trémoussant avec lui. Ophélie se mordit les lèvres pour ne pas crier ; chaque secousse lui donnait l'impression que son bras allait exploser en des milliers de morceaux.

— Ah, monsieur Thorn, si votre mère avait eu la moitié de votre clairvoyance, elle n'aurait pas fini déchue et mutilée, s'enthousiasma le baron Melchior. La rumeur est donc vraie, vous avez hérité de ses souvenirs ? Cela fait de vous un initié tout désigné. Nous réussirons, *vous réussirez*, là où elle a échoué. Vous et moi, nous sauverons le Pôle de toute cette corruption qui le gangrène. De même que nous sauverons le seigneur Farouk de ses mauvaises influences. (Ce disant, il tambourina l'épaule d'Ophélie du pommeau de sa canne.) À présent, monsieur Thorn, je vous pose une question que peu d'élus ont le privilège d'entendre : désirez-vous rencontrer Dieu ?

— C'est mon vœu le plus cher.

Ophélie dévisagea Thorn dans l'espoir de capter enfin son attention. Il avait répondu avec une telle spontanéité, son regard brillait d'un intérêt si vif qu'elle voyait bien qu'il était très sérieux.

— Je vous arrangerai une rencontre, promit le baron Melchior. Ça me permettra au moins de compenser celle que je n'ai pas pu arranger avec Mme Hildegarde. Dans l'immédiat, nous devons nous occuper de cette jeune demoiselle, soupira-t-il en relevant le menton d'Ophélie de sa canne. Le meurtre me répugne autant qu'à vous, mais je crains qu'elle n'en ait trop vu et trop entendu.

Thorn caressa sa lèvre inférieure de son index. Contrairement à Ophélie, dont les lunettes bleuissaient à vue d'œil, il ne s'affolait pas le moins du monde.

— Je partage votre avis, mais je vous suggère plutôt de falsifier sa mémoire. Je suis en partie Chroniqueur, je peux faire en sorte qu'elle ait oublié tout ce qui s'est passé ici.

Ophélie savait que c'était faux. De son propre aveu, Thorn n'avait jamais versé dans ce genre de pratiques, mais elle devait admettre qu'à cet instant il était très convaincant. Le baron Melchior parut considérer la question avec soin, faisant tournoyer sa canne autour de son index. Il finit par replacer le bras d'Ophélie dans son angle naturel, mettant un terme au supplice, et poussa la galanterie jusqu'à lui faire un baise-main.

— J'ai été, mademoiselle, honoré de faire votre connaissance.

Sur ces mots, il la laissa partir d'un geste théâtral, comme un oiseau qu'on a sorti de sa cage et qu'on restitue au ciel.

Loin d'éprouver du soulagement, Ophélie avait tous les nerfs à vif. D'un pas incertain, elle se dirigea vers Thorn qui l'attendait impassiblement devant l'escalier. Plus Ophélie mettait de distance entre elle et le baron Melchior, plus elle pressentait qu'il allait se raviser et la briser d'un coup de canne, comme le monocle de Gaëlle.

Il n'en fit rien.

Elle sentit que quelque chose ne tournait pas rond. Son bras la gênait terriblement, et ce n'était pas seulement à cause de la fracture. Une chaleur intense remontait vers l'épaule et la poitrine. Le baisemain du baron avait comme allumé sous sa peau un incendie. Le cœur d'Ophélie battait si fort et si vite que ça en devenait incommodant.

À l'instant où Thorn remarqua la façon dont elle se contractait, il la saisit par les épaules.

— Que lui avez-vous fait ?

— Vous avez peut-être le pouvoir de modifier ses souvenirs, vous n'avez pas celui de changer le fond même de sa nature, répondit nonchalamment le baron Melchior. Cette enfant est dotée d'une curiosité et d'une obstination qui l'amèneront tôt ou tard à nous refaire des difficultés. N'y voyez pas d'offense, cher partenaire, mais je préfère mes méthodes.

Ophélie l'entendit à peine. La chaleur se transformait peu à peu en douleur, comme si une lame de couteau s'enfonçait lentement entre ses côtes. Elle glissa des mains de Thorn pour tomber à genoux.

— C'est une illusion de ma fabrication, expliqua le baron Melchior en s'approchant d'un pas aussi placide que son ton. Je l'inocule directement à l'intérieur de l'organisme. Ça vous affole le cœur jusqu'à l'arrêt cardiaque. Une mort propre, sans violence, sans bavure, en bonne et due forme. Bien sûr, nous la maquillerons ensuite en accident afin d'éviter tout problème. Le Grand Tribunal interfamilial ne plaisante pas avec ces choses-là.

Prostrée sur le parquet, en proie à des sueurs froides, Ophélie enserra sa poitrine de ses bras pour en contenir les battements. « C'est une illusion, une *illusion*, se répéta-t-elle. Ce n'est pas réel. Mon cœur se porte parfaitement bien. C'est une illusion, une illusion, une illusion, une illusion. »

La douleur lui paraissait intolérablement réelle.

— Alors, au sujet de mon offre ? dit le baron en tendant sa main à Thorn. Marché conclu, cher partenaire ?

Un jet de sang éclaboussa les lunettes d'Ophélie. Elle vit cinq doigts gantés tomber sur le parquet, juste à côté d'elle, dans une avalanche de bagues.

Le baron Melchior contempla sa main mutilée d'un air incrédule.

— Je... Quoi ?

— Annulez votre illusion.

La voix de Thorn provenait des tréfonds de son ventre, pareille à un grondement animal. Il n'avait pas remué un doigt, mais, malgré son chaos intérieur, Ophélie perçut l'électricité statique dont il s'était subitement chargé.

Le baron Melchior écarquilla les yeux, de plus en plus éberlué. La vue de son propre sang, coulant à flots sur sa redingote, son pantalon et ses souliers, le fit pâlir. Alors seulement il poussa une exclamation horrifiée, comme s'il prenait enfin conscience de la douleur.

— Vous avez utilisé vos griffes contre moi ? Avez-vous perdu l'esprit ? J'allais exaucer votre vœu le plus ch…

Thorn l'empoigna par son jabot de dentelle avec une telle violence qu'il lui coupa la respiration.

— J'ai renoncé à ce vœu à l'instant même où j'ai donné ma démission, siffla-t-il entre ses dents. Annulez votre illusion !

De blême, le baron Melchior devint écarlate. Il cingla la joue de Thorn d'un coup de canne rageur.

— Vous n'avez jamais prévu de vous allier à moi, jamais ! Vous m'avez abusé pour récupérer votre petite souillon. Une souillon quand, moi, je vous offrais Dieu ! Je répands du sang partout, regardez-moi ça, s'indigna-t-il en agitant sa main mutilée. C'est du dernier mauvais goût, monsieur Thorn, vous me décevez profondément.

Le baron Melchior s'apprêtait à abattre sa canne sur Thorn une seconde fois, mais elle tomba sur le parquet avec le reste de ses doigts. Les griffes de Thorn avaient encore frappé. Déséquilibré par la surprise et la douleur, le baron tituba en arrière jusqu'à la balustrade du palier ; cette dernière pencha dangereusement sous son poids, uniquement retenue par quelques boulons.

Agenouillée au sol, Ophélie assistait à la scène à travers le désordre de ses cheveux et les éclaboussures de sang sur ses lunettes. Sa vue se troublait de plus en plus. Son cœur, pris de folie furieuse, ne tiendrait plus longtemps.

— Annulez votre illusion ! ordonna Thorn.

Le baron Melchior fut secoué par un rire sceptique, ses deux mains dégoulinant de sang, à croire que tout ceci était une plaisanterie douteuse.

— Allons, allons, vous n'envisagez pas de tuer le ministre des Élégances et le délégué de Dieu. Ce serait un parfait manque de savoir-mourir.

D'un coup de pied en pleine panse, Thorn le projeta contre la balustrade qui, cette fois, céda sous son poids. Ophélie ferma les yeux en entendant le bruit de la chute, mélange de résonance métallique et d'os cassés.

Dans les ténèbres de ses paupières, elle sentit un grand silence l'envahir. Son sang reflua comme une décrue de fleuve. L'incendie sous sa peau s'éteignit à petit feu. La douleur s'atténua jusqu'à se dissiper entièrement. Son rythme cardiaque décéléra, pulsation après pulsation. *Une illusion disparaît avec son créateur*. Le cœur d'Ophélie vivrait, car celui du baron Melchior s'était arrêté.

Quand elle rouvrit les yeux, Thorn se tenait agenouillé face à elle.

Il repoussa ses cheveux, décrocha ses lunettes et soumit ses pupilles à un examen scrupuleux, sans prononcer un seul mot. D'une gestuelle médicale, un peu brusque, il fit pivoter son menton dans un sens, puis dans l'autre, pour vérifier que son regard restait bien accroché au sien.

Ophélie espérait que Thorn ne s'apercevrait pas qu'elle était au bord des larmes. Même sans ses lunettes, elle voyait qu'il portait lui-même une vilaine plaie en travers de la joue, croisant le tracé de son ancienne cicatrice, là où la canne du baron Melchior l'avait frappé. Ses sourcils étaient tellement froncés, ses mâchoires tellement contractées qu'Ophélie aurait préféré qu'il explosât pour de bon au lieu de contenir sa colère.

Sa question fut laconique :

— Votre cœur ?

— Il va bien, balbutia-t-elle. L'illusion est passée. Je me sens m…

Ophélie ne termina pas sa phrase. Thorn avait refermé ses bras sur elle avec une force qui lui coupa le souffle. Elle ouvrit grands les yeux sur cette obscurité qui produisait des battements précipités. Elle ne comprenait pas. Thorn aurait dû l'accabler de reproches, la secouer furieusement. Pourquoi la serrait-il contre lui ?

— Quand je vous ai dit que vous aviez une prédisposition surnaturelle aux catastrophes, ce n'était pas une invitation à me donner raison.

Ophélie ne put retenir ses sanglots plus longtemps. Les bras de Thorn se raidirent de surprise lorsqu'elle se cramponna à lui. Elle colla son visage contre son torse et hurla comme jamais, de toute sa vie, elle n'avait hurlé ; c'était un cri qui lui venait du plus profond des entrailles et qui remontait le long de son corps comme une tornade. Thorn la laissa sangloter, hoqueter, renifler contre son uniforme jusqu'à ce qu'elle se fût entièrement vidée de son souffle. Ils demeurèrent un long moment silencieux sur le parquet de l'Imaginoir, enveloppés par la lumière rouge des lanternes.

— Je voulais vous aider, finit par dire Ophélie d'une voix rauque. J'ai tout gâché.

— Vous avez des regrets ? Moi pas.

Dépouillé de sa froideur hivernale, son accent avait une sonorité très différente.

— Vous vous êtes mis nos deux familles à dos et vous venez de tuer un homme, lui murmura-t-elle. Tout ça à cause de moi.

Elle sentit les doigts de Thorn effleurer ses cheveux, sa nuque, ses omoplates avec indécision, comme s'il ignorait où et comment les poser. Il ne lui était pas souvent arrivé d'avoir à consoler quelqu'un.

—- Je n'aurais jamais dû vous impliquer dans mes affaires. Je savais que ce serait dangereux. Je me suis convaincu que j'avais la situation sous contrôle et cette erreur a bien failli vous coûter la vie. (Thorn observa un long silence qu'Ophélie supposa être une hésitation, à la façon dont il retenait sa respiration.) Il y a une chose que j'ai plusieurs fois essayé de vous dire. Je ne suis pas très à l'aise avec ces formalités, alors finissons-en et n'en parlons plus. (Il se racla la gorge, comme si les mots s'y étaient coincés, puis il finit par grommeler :) Je vous demande pardon.

Ophélie contempla l'obscurité chaude où elle se tenait blottie. À cette seconde, elle sut enfin avec une absolue certitude où se trouvait sa place. Ce n'était pas au Pôle, ce n'était pas sur Anima. C'était à l'endroit précis où elle se tenait maintenant. Aux côtés de Thorn.

Elle trouva sa propre voix changée en demandant :

— Qui est Dieu ?

Thorn garda le silence, mais Ophélie sentit les muscles de ses bras se tendre.

— La mémoire de votre mère, répondit-elle pour lui. En vous transmettant ses souvenirs, elle a fait de vous un témoin, n'est-ce pas ? C'est sur ce passé que vous enquêtez confidentiellement ? Vous avez découvert l'existence d'une personne plus puissante encore que les esprits de famille ? Le Livre de M. Farouk contiendrait une information à ce sujet ?

— Ce que vous avez entendu cette nuit, l'interrompit Thorn, ne le répétez à personne et efforcez-vous de l'oublier. Melchior n'était que le maillon d'une très, très longue chaîne. Je suis convaincu qu'il y a d'autres maillons sur chaque arche, dans chaque famille.

Avec un choc, Ophélie se remémora soudain l'« étranger étrange » dont lui avait parlé une fois la Rapporteuse, un homme capable d'influencer les décisions des Doyennes. Ainsi, son intuition avait été la bonne : il existait bien un dénominateur commun entre les événements qui se passaient au Pôle et ceux qui se passaient sur Anima.

— Vous m'avez promis, dit-elle. Vous m'avez promis de ne plus rien me dissimuler qui me concerne directement. Je suis plus que concernée à présent. Vous me devez la vérité.

— Je romps cette promesse, décréta Thorn sans la moindre hésitation. C'est beaucoup plus qu'une intrigue de cour, insista-t-il d'une voix lourde. C'est un engrenage où il suffit de mettre le doigt pour ne plus jamais connaître la paix, et je parle en connaissance de cause. Il est encore temps pour vous de faire machine arrière.

Ophélie n'en avait aucune envie. Elle revint cependant aux réalités immédiates quand elle entendit l'écharpe, toujours ligotée à son paravent, claquer le sol d'impatience.

Avec un élancement douloureux dans le bras, Ophélie s'écarta de Thorn et remit ses lunettes en place. Elle avait la vue brouillée d'avoir trop pleuré, mais ses idées, elles, étaient parfaitement claires.

— Nous ne pouvons pas rester ici. Il y a trois cadavres dans cet Imaginoir, quatre en comptant le baron. J'ai pu libérer Archibald à temps, mais il a subi les effets d'une Bulle de Confusion : il ne faut pas compter sur lui pour témoigner. Nous devons fuir.

— Non, répondit Thorn.

— Non ? Vous avez une autre idée ?

À travers les taches de sang sur ses lunettes, Ophélie croisa le regard inflexible de Thorn.

— Il n'y a plus de « nous ». Le mariage est annulé. Vous rentrez chez vos parents et vous menez la vie que je n'aurais jamais dû interrompre. Je vais, quant à moi, me rendre à la justice du Pôle et assumer les conséquences de mes actes. C'était de toute façon ce que je m'apprêtais à faire quand j'ai reçu le télégramme de votre assistant. En ce qui concerne cet individu, ajouta Thorn en regardant l'endroit où la balustrade avait cédé, j'ai fait ce que j'avais à faire. Ce n'est pas la première fois que je tue quelqu'un en légitime défense, ça ne m'a jamais empêché de prendre mes responsabilités.

— C'est différent, et vous le savez, protesta Ophélie. Il s'agit d'un Mirage et, pour tous ces gens, vous n'êtes que... qu'un...

Thorn eut cette torsion de lèvres qu'il était si difficile d'interpréter.

— Un bâtard, oui. Je ne me fais aucune illusion, je n'aurai pas droit à un procès impartial. Je me suis battu pour empêcher les nobles de se placer au-dessus des lois, coupa-t-il Ophélie d'un ton catégorique, alors qu'elle entrouvrait la bouche. Je ne fuirai pas la justice aujourd'hui. (Il la saisit par les épaules de façon à plonger son regard tout au fond du sien.) Respecterez-vous ma décision ?

Après un long silence buté, elle acquiesça.

— Je la respecterai.

Le marché

À la cour, la confusion avait atteint son point d'ébullition. Qu'ils fussent sous les jardins suspendus, au milieu des vapeurs des thermes, aux balcons de l'Opéra familial ou dans les salles de jeu de la Jetée-Promenade, les nobles ne tenaient plus en place. Ils se rassemblaient fréquemment autour des kiosques à gazettes pour suivre chaque révélation de la retentissante « affaire de l'Imaginoir », où Thorn jouait tour à tour le rôle du traître, de l'assassin et du menteur. Les Mirages, particulièrement choqués, étaient avides de détails, mais ils n'avaient pas le temps de faire leur deuil. Leur monde changeait et il changeait vite.

Du jour au lendemain, une nouvelle population avait fait son apparition dans le décor. Les Invisibles, les Narcotiques et les Persuasifs, anciennement déchus, s'affichaient partout la tête haute. Trois nouveaux clans, trois nouveaux rivaux dans la course aux faveurs de Farouk. C'était une noblesse d'un genre très différent, qui avait connu les affres du froid et de la faim sur plusieurs générations. Ces gens-là ne possédaient ni le raffinement des Mirages ni la diplomatie de la Toile, préférant l'épée à la dentelle, l'action à la conversation, la chasse aux salons. Ils avaient tellement le sens des réalités qu'à peine revenus à la cour ils revendiquaient déjà leurs anciennes possessions familiales, depuis longtemps redistribuées à d'autres branches aristocratiques.

Et comme si l'ambiance n'était pas suffisamment fébrile, la troupe de la Caravane du carnaval avait débarqué à la Citacielle sans que personne sût qui, exactement, était à l'initiative de son invitation. On ne pouvait plus faire un pas dans les hauts quartiers sans croiser un noble furieux, un avocat hystérique ou un dresseur de chimères.

Seul Farouk brillait par son absence. À l'issue des états familiaux, il s'était enfermé dans ses appartements privés avec ordre de ne laisser entrer personne.

C'était pourtant lui qu'Ophélie était venue trouver aujourd'hui d'un pas résolu.

Elle remontait la Jetée-Promenade où le faux soleil se couchait sans fin sur la fausse mer. Chaque bousculade était un calvaire pour son bras en écharpe, mais Ophélie continuait de marcher à vive allure et, dès qu'un courtisan l'assaillait de questions, elle replongeait dans la foule. Elle avait déjà répété sa version des faits à sa famille, aux brigadiers, à la justice et à la presse, elle n'avait à présent plus une seconde à perdre.

La tante Roseline surgit juste au moment où le groom s'apprêtait à refermer la grille de l'ascenseur privé de Farouk. Ophélie la croyait à l'hôtel avec les autres Animistes.

— Tu as peut-être encore réussi à fausser compagnie à toute ta famille, mais à moi tu ne me referas pas deux fois le coup du miroir. Tu as plus que jamais besoin d'un chaperon, gamine.

— M. Farouk souhaite me rencontrer seule, lui dit Ophélie.

— Ça ne m'empêchera pas de t'escorter jusqu'au dernier moment.

La cabine, aménagée en salle de réception, s'éleva lentement en faisant tinter ses lustres de cristal.

— La Rapporteuse garde sa girouette braquée sur toi, l'avertit la tante Roseline. Elle a envoyé son compte rendu aux Doyennes et attend leur réponse d'un instant à l'autre. Le Familistère d'Anima n'approuvera pas ce que tu envisages de faire. Je ne suis déjà pas certaine de l'approuver moi-même.

— Tant que leur télégramme ne nous est pas parvenu, je n'ai encore désobéi à personne, rétorqua Ophélie d'un ton ferme. C'est pour cette raison que j'ai demandé un rendez-vous de toute urgence.

— M. Farouk a accepté beaucoup trop vite, ça ne m'inspire rien de bon. Berenilde a demandé cent fois à le voir sans même qu'il lui fasse la politesse d'une réponse. La propre mère de son enfant ! Elle en est réduite à courir de salon en salon, son bébé dans les bras, à la recherche d'appuis. Berenilde qui supplie, te rends-tu compte ? Je ne l'ai jamais vue aussi désespérée. (La tante Roseline s'aperçut qu'Ophélie se tenait obstinément silencieuse, la main crispée autour de son bras en écharpe, le regard fixé droit devant elle.) Je n'ai pas beaucoup de sympathie pour M. Thorn, ajouta-t-elle d'une voix radoucie, mais ce qui lui arrive est révoltant. Aucun droit de visite, interdiction de comparaître et un procès si sommaire que les jurés n'ont probablement pas eu le temps de s'asseoir. Même les déchus… les anciens déchus, pardon, se désolidarisent tous de lui. Je comprends que tu sois bouleversée.

Ophélie ne répondit pas, laissant le soin à la musique du phonographe de remplir le silence à sa place.

Bouleversée ? C'était au-delà de ça. Il ne lui était pas souvent arrivé de haïr quelqu'un, mais ce qu'elle éprouvait en pensant au baron Melchior, fût-ce *post mortem*, s'en rapprochait d'heure en heure.

Personne à la cour n'avait voulu croire qu'un homme aussi paisible eût organisé l'enlèvement de ses propres cousins et l'assassinat d'une jeune fille ; en revanche, tout le monde s'accordait à dire que Thorn en était, lui, parfaitement capable. La mauvaise impression qu'il avait produite en donnant sa démission à Farouk et en rompant l'alliance diplomatique avec Anima n'avait pas joué en sa faveur. Thorn était devenu le coupable par excellence, celui qui n'était plus seulement inculpé pour le meurtre du ministre des Élégances, mais aussi pour celui du comte Harold, du directeur du *Nibelungen*, du prévôt des maréchaux et même de la Mère Hildegarde, disparue dans des circonstances tout à fait obscures. Les aveux écrits de cette dernière avaient mystérieusement disparu.

Ophélie avait évidemment demandé à témoigner, mais on ne l'avait pas autorisée à le faire dans l'enceinte du tribunal. Un greffier s'était contenté de recueillir sa déposition et elle était convaincue que ce papier n'avait jamais quitté le tiroir où il avait été rangé.

Le verdict était tombé tôt ce matin-là avec la rapidité d'un couperet. Déclaré traître à sa famille, Thorn avait été condamné à la Mutilation de ses deux pouvoirs familiaux, à la suite de quoi il serait jeté hors des murailles. Livré aux Bêtes sans ses griffes et sans sa mémoire. Et comme si cette mécanique judiciaire n'était pas suffisamment expéditive, l'application de la sentence avait été arrêtée pour la semaine suivante.

Ophélie ravala la bouffée de panique et de colère qui lui remontait du ventre. Elle ne le permettrait pas. Quand Thorn avait choisi de se rendre à la justice, elle lui avait dit qu'elle respecterait sa décision ; à aucun moment elle n'avait promis de ne pas s'en mêler.

— Le gynécée ! annonça le groom.

Ophélie allait lui demander de poursuivre son élévation, mais quelqu'un tira la sonnette de la grille pour monter à bord.

C'était Archibald.

— Mes hommages, salua-t-il en soulevant son vieux haut-de-forme.

Mal peigné, mal rasé, mal habillé : on aurait dit un vagabond. Le groom lui-même ne put réprimer un froncement de sourcils en le voyant prendre place dans l'ascenseur.

— Vous avez une mine pitoyable, lui dit la tante Roseline. Comment vous sentez-vous ?

— Pareil à ma mine, chère madame.

Le sourire plaisantin d'Archibald laissa place à ses yeux éteints. Il ne ressemblait pas à un vagabond ; il ressemblait au fantôme d'un vagabond. Non seulement la Toile avait rompu son lien, mais elle continuait de porter son deuil, à croire que sa présence corporelle ne suffisait plus à faire de lui un vivant. Ses propres sœurs le traitaient comme un étranger, son régisseur avait disparu dans la nature et la Mère Hildegarde, qui faisait partie intégrante de son univers depuis sa naissance, était morte. Son monde à lui aussi avait changé du jour au lendemain. Ophélie aurait voulu se sentir désolée pour lui, mais elle n'en avait pas le temps.

— Avez-vous du nouveau ? demanda-t-elle.

Archibald se servit une coupe de champagne au buffet de l'ascenseur.

— Je viens de *m'entretenir*, pour le dire décemment, avec Mme Nadia. Elle s'est d'abord montrée plutôt réservée quand elle a su ce qui m'amenait. Thorn n'a jamais été aussi impopulaire. Fort heureusement, tel n'est pas mon cas : personne ne résiste longtemps à Archibald !

Ophélie le crut volontiers. Aucun autre homme n'aurait pu entrer dans le gynécée de Farouk et en ressortir impunément, comme il venait de le faire.

— Mme Nadia est une favorite très intéressante, poursuivit Archibald après une gorgée de champagne. Elle n'a pas seulement les plus jolies jambes de la cour, elle a aussi le bras formidablement long. En quelques appels téléphoniques, elle a pu m'obtenir une rencontre de cinq minutes au parloir. Pour une prison d'État, je ne pouvais pas espérer davantage.

— Nous allons pouvoir parler à Thorn ? s'écria Ophélie qui sentit son estomac se recroqueviller sur lui-même.

La tante Roseline la considéra avec un léger tressaillement, un peu troublée, mais elle ne dit rien.

L'ambassadeur secoua la tête, sourire en coin.

— Pas vous, non. Mme Nadia n'a accepté de rendre ce service qu'à moi. J'emploierai au mieux ces cinq minutes, promit-il en faisant un effort pour paraître sérieux. Si Thorn a un message pour vous, je m'engage à vous le communiquer.

— Dites-lui que nous ne l'abandonnons pas, murmura Ophélie en serrant fort la manche d'Archibald. C'est très chic de votre part, ce que vous faites. Thorn appréciera.

Archibald battit des paupières. Ses yeux se mirent à pétiller comme sa coupe de champagne avant de s'éteindre à nouveau, brève résurgence de son ancien regard.

— Thorn appréciera ? répéta-t-il. Jusqu'à cette seconde, je ne pensais même pas qu'il était possible d'accorder ces deux mots. Qu'il n'y ait aucun malentendu, Ophélie, je ne fais pas cela pour lui. J'ai une dette envers vous et je déteste cette idée. C'est beaucoup plus amusant quand les rôles sont inversés.

C'était sa façon de lui dire merci.

Depuis qu'Archibald avait refait surface, ils ne s'étaient pas beaucoup parlé et Ophélie le soupçonnait d'avoir un peu honte. Il n'avait conservé de son séjour à l'Imaginoir qu'un souvenir délirant. La dernière fois qu'il avait eu affaire au baron Melchior, c'était au Clairdelune, quand il lui avait subtilisé son sablier. Archibald avait vu en lui la prochaine victime de la Mère Hildegarde dont il s'était convaincu, à tort évidemment, qu'elle était la responsable des enlèvements. Il avait décidé de dégoupiller le sablier en secret, sans prévenir personne, croyant qu'il le conduirait jusqu'à l'architecte. Il avait pensé qu'une fois sur place il lui serait possible de la ramener à la raison et de régler cette situation sans faire d'éclaboussures.

Aujourd'hui encore, il payait cette erreur de jugement.

— Dernier étage ! annonça le groom en bloquant le frein de l'ascenseur et en ouvrant la grille d'or. Les appartements privés du seigneur Farouk. Seule mademoiselle a l'autorisation de passer.

La tante Roseline pinça l'épaule d'Ophélie pour la retenir un instant.

— Je me suis trompée, tu n'es plus une gamine… Allez, dit-elle d'un ton bourru en la relâchant. Montre à M. Farouk ce dont une Animiste est capable.

Ophélie n'avait vraiment pas le cœur à sourire, mais elle ne put retenir celui qui lui vint aux lèvres.

— Comptez sur moi.

Elle s'avança sur le carrelage d'une antichambre. Le groom referma la grille et Ophélie vit l'ascenseur redescendre en emportant avec lui Archibald qui leva sa coupe en son honneur et la tante Roseline qui lui adressa des gestes d'encouragement.

C'était la première fois qu'elle mettait les pieds au septième étage de la tour. En pénétrant dans l'antre de l'esprit de famille, elle s'était attendue à découvrir la quintessence du confort et de l'extravagance. L'antichambre se résumait à une pièce sans meubles, plus haute que large, très fraîche et dont l'unique vocation était de donner sur une immense porte d'or. Comme il n'y avait aucun domestique et qu'Ophélie n'était pas d'humeur à attendre, elle ouvrit la porte sans avoir été annoncée.

Les appartements de Farouk se révélèrent plus surprenants encore que son antichambre. De gigantesques rayonnages de livres quadrillaient la salle en formant des couloirs vastes comme des rues. Le pas d'Ophélie résonna sur le carrelage en damier, tandis qu'elle marchait entre les rangées de volumes dont la hauteur faisait trois fois sa taille. Cette collection privée était presque digne de la grande Bibliothèque familiale d'Anima où travaillaient ses parents. Certains livres étaient en si mauvais état, malgré les rafistolages apparents, qu'ils semblaient sur le point de tomber en morceaux.

Ophélie se sentait sans repères dans ce monde uniquement composé de lignes verticales et horizontales.

— Ohé ? appela-t-elle.

Sa voix rebondit entre le carrelage en damier et le haut plafond sans recevoir de réponse.

Ophélie finit tout de même par trouver Farouk dans l'une des dernières allées de livres. Il se tenait debout, complètement absorbé par la lecture d'un ouvrage, si silencieux, si immobile et si blanc qu'Ophélie l'avait d'abord pris pour une statue de marbre.

— Monsieur ?

Avec une infinie lenteur, Farouk détacha ses yeux pâles de son livre pour les abaisser sur Ophélie. La puissance de son psychisme déferla aussitôt sur elle comme une pluie verglaçante.

— Je vous remercie d'avoir accepté de me recevoir, monsieur.

Comme il ne répondait pas, Ophélie sentit l'écharpe se tendre nerveusement autour de son bras cassé.

— Votre aide-mémoire n'est pas ici ? demanda-t-elle en cherchant le jeune homme des yeux.

— Je l'ai congédié. Je voulais être seul avec vous.

La voix flasque de Farouk propagea des frissons sur toute la peau d'Ophélie, mais elle ne se laissa pas dominer par la peur. Pas cette fois.

— Monsieur, je suis venue vous voir parce que...

— Regardez.

Farouk lui avait coupé la parole pour lui montrer le livre qu'il tenait en main. Ophélie s'aperçut que c'était son pense-bête. L'esprit de famille avait collé sur la toute dernière page, plutôt maladroitement du reste, une photographie découpée dans un journal. Un bébé à la peau pâle et aux yeux clos. L'écriture manuscrite de Farouk avait succinctement commenté, entre deux pâtés d'encre : « Petite de Berenilde ».

Ophélie devait admettre qu'elle ne s'était pas attendue à cela.

— Monsieur, je suis venue…

— Je voudrais oublier cette môme, la coupa à nouveau Farouk en se replongeant dans la contemplation méditative de sa photographie. Les enfants sont si bruyants, si ennuyeux, si faciles à faire pleurer, énuméra-t-il avec mollesse. Je ne supporte pas leur compagnie en général, mais je voudrais oublier cette môme plus encore que tous les autres. Elle a pris ma place dans l'existence de Berenilde et je pressens qu'elle va me causer tout un tas de désagréments. Je voudrais vraiment l'oublier, alors pourquoi est-ce que je n'arrive pas à me la sortir de la tête ?

Il referma son carnet et le rangea sur le rayon en face de lui. Ophélie réalisa alors que la bibliothèque était uniquement composée de pense-bêtes ; des centaines, des milliers de pense-bêtes. Cet endroit était la mémoire écrite de Farouk.

— Monsieur, insista-t-elle, je suis venue vous proposer…

La fin de sa phrase mourut sur ses lèvres. Farouk s'était penché sur elle dans un interminable mouvement de peau, de fourrure et de cheveux blancs ; Ophélie eut l'impression de voir foncer sur elle une avalanche de neige. Il souleva ses lunettes d'un doigt pour la dévisager avec une curiosité qui confinait à la fascination. La proximité de son psychisme était à présent si oppressante qu'Ophélie sentit ses oreilles se boucher, comme si elle venait de passer sous un tunnel ferroviaire.

— Il en va de même pour vous, petite d'Artémis, murmura Farouk en découpant lentement, très lentement chaque syllabe. Je n'arrive plus à vous sortir de ma tête. Vous avez l'air fâché, constata-t-il soudain.

Ophélie libéra le souffle qu'elle avait trop long-temps retenu.

— L'homme que j'aurais dû épouser sera mutilé et jeté aux Bêtes dans une semaine. Thorn vous a toujours servi avec la plus grande honnêteté et, vous, vous ne vous êtes pas soucié un instant de lui garantir un procès équitable.

Farouk lâcha les lunettes qui retombèrent brusquement sur le nez d'Ophélie. Son visage séraphique, sans un pli, sans une ride, sans une imperfection, s'était durci comme de la glace.

— Je ne suis pas rancunier, pour la simple et bonne raison que j'ai une très mauvaise mémoire. La façon dont cet ingrat a rompu sa promesse envers moi, gronda-t-il avec un orage au fond de la gorge, je ne suis cependant pas près de le lui pardonner. J'espère dans votre intérêt, petite d'Artémis, que vous n'êtes pas venue me demander de le gracier. Je ne vous apprécie pas au point de m'humilier pour vous.

La menace, à peine chuchotée, fut accompagnée d'une onde psychique qui déclencha une névral-gie dans tout le corps d'Ophélie. Elle sut qu'il était absolument inutile d'expliquer à Farouk que Thorn avait déchiré son contrat pour la protéger, elle, et non pas le défier, lui.

— Non, répondit-elle avec aplomb. J'ai demandé à vous voir pour vous proposer un marché. (Avec des gestes rendus encore plus maladroits par son bras cassé, Ophélie déplia une feuille qu'elle avait précieusement gardée sur elle.) C'est le fac-similé du contrat de Thorn, expliqua-t-elle, celui où il s'était engagé à m'épouser, à s'approprier mon pouvoir familial et à déchiffrer votre Livre. Je viens honorer ce contrat à sa place.

Farouk fronça mollement les sourcils, comme s'il produisait soudain un effort de concentration exceptionnel. Il prit un temps infini à parcourir le fac-similé, cherchant un vice de forme ou une clause cachée. Quand il releva les yeux vers Ophélie, une lueur dangereuse s'y était allumée.

— Vous voulez *lire* mon Livre ?

— Je veux faire respecter ce qui était convenu dans ce contrat, rectifia Ophélie. En échange de ma prestation de *liseuse*, vous maintenez le mariage pour aujourd'hui.

— Vous n'avez pas d'autres exigences ?

— Non, monsieur.

Un sourire se déplia lentement, très lentement sur le visage de Farouk. Loin d'en adoucir les lignes, il les rendit plus dures et plus glacées encore.

— Marché conclu.

La lecture

Avec une lenteur pachydermique, Farouk invita Ophélie à franchir une immense porte qui menait vers une autre région de ses appartements.

L'univers ordonné et rectiligne de la bibliothèque céda la place à l'apocalypse. Des tapis de toutes les couleurs étaient ensevelis sous un bric-à-brac d'objets hétéroclites : des meubles aux proportions gigantesques, des automates à taille humaine, des pyramides de cassettes, des narguilés grands comme des arbres et un lit aussi vaste qu'une maison. Les murs avaient entièrement disparu sous des superpositions de feuilles d'imagiers mal découpées.

Ophélie trébucha plusieurs fois contre d'énormes pièces de puzzle et sa semelle resta collée à ce qui avait dû être autrefois des bonbons au caramel ; elle commençait à comprendre pourquoi Farouk vivait la naissance de sa fille comme une rivalité.

— Installez-vous ici, dit-il. Vous serez plus à votre aise.

Il remit d'aplomb un fauteuil renversé et, d'un puissant balayage de la main, débarrassa une table de tout ce qui l'encombrait : théière, sucrier, crémier, soucoupes et tasses sales se déversèrent sur le tapis dans un fracas de porcelaine.

Ophélie se hissa péniblement sur le fauteuil beaucoup trop haut pour elle, tandis que Farouk posait le Livre sur la table. Il passa sa main dessus comme pour le dépoussiérer : la reliure incrustée de pierres précieuses, qui n'était en réalité qu'une illusion, s'évapora dans un nuage de fumée, laissant la peau du Livre entièrement nue.

Concentrée, Ophélie remonta ses lunettes sur son nez, puis plia et déplia ses doigts pour assouplir son gant de *liseuse* ; elle avait revêtu une paire neuve pour la circonstance. L'impatience lui tenaillait le ventre, mais elle mettrait cette émotion-là entre parenthèses tant qu'elle n'aurait pas rempli sa part du contrat. Le sort de Thorn dépendait de sa prestation.

Avec des gestes professionnels, elle souleva la première page. Le Livre de Farouk ressemblait de façon troublante à celui qu'Artémis avait déposé aux Archives familiales d'Anima. Il paraissait entièrement fait en peau, une texture souple et lisse sur laquelle il n'y avait aucune trace de moisissure, pas même une légère odeur, et pourtant cet objet datait de plusieurs siècles. À la lumière de la lampe de table, le Livre de Farouk semblait plus pâle que celui d'Artémis, mais cette différence tenait à une nuance vraiment infime.

Ophélie se pencha pour examiner le texte. Était-ce seulement un texte ? Cet alphabet-là, tout en arabesques sophistiquées et signes diacritiques, n'avait aucun équivalent connu. Il avait été imprimé de façon indélébile dans la peau du Livre, suivant une technique semblable à celle du tatouage. Certains symboles revenaient parfois en tête de ligne, mais c'était le seul indice d'une logique au milieu de ce chaos littéraire.

Au détour d'une page, Ophélie fronça les sourcils.

— Eh bien ? demanda Farouk.

Il s'était installé en bout de table, un pense-bête flambant neuf ouvert devant lui, un stylographe à la main, prêt à consigner tout ce que sa mémoire personnelle ne lui permettrait pas de retenir. C'était un spectacle étonnant de voir cet empereur gigantesque en posture d'écolier. Ses longs cheveux blancs, qui s'écoulaient tout autour de lui comme une rivière de lait, laissaient à peine entrevoir le faisceau fixe de son regard.

— Ce Livre a-t-il été détérioré depuis qu'il est en votre possession ? demanda-t-elle.

Farouk ne répondit pas. Ophélie fit glisser son doigt ganté sur une longue déchirure à peine visible le long de la reliure, entre deux feuilles. Le peu de peau qu'il y restait ressemblait à une plaie mal cicatrisée.

— Une page manque. J'ai déjà eu l'occasion de manipuler plusieurs fois le Livre d'Artémis et il présente la même anomalie au même endroit. Avouez que la coïncidence est étrange.

Farouk demeura impassible pendant un long moment, puis son stylographe gratta lentement le papier de son pense-bête.

— Est-ce là tout ce que vous avez à m'apprendre ? dit-il d'une voix aussi traînante que son écriture. Ce serait très, très décevant.

— C'était une simple observation. Je n'ai pas encore commencé.

Ophélie déboutonna son gant et appuya sa paume sur le Livre, peau contre peau.

Rien.

Le Livre de Farouk était aussi *illisible* que l'aurait été un organisme vivant. Ce n'était pas inattendu dans l'absolu, puisque le Livre d'Artémis possédait cette même particularité, mais comment Ophélie était-elle censée faire son expertise ? Elle prit beaucoup de soin à ne pas montrer sa déconvenue devant Farouk, dont elle sentait l'attention soutenue à l'autre bout de la table. Ophélie tourna les pages une par une, palpant chaque centimètre de peau, sans parvenir à rien ressentir d'autre que sa propre inquiétude. Thorn n'aurait jamais proposé une *lecture* si la chose n'avait pas été possible. Il y avait forcément une faille à exploiter.

Elle finit par la trouver après avoir tourné la dernière page, incrustée dans le dos même du Livre : une petite pointe de métal, si ancienne qu'elle avait complètement rouillé.

— Cette incrustation est d'origine ? s'étonna Ophélie.

Farouk l'observa depuis l'entrebâillement de ses cheveux, son stylographe suspendu au-dessus du pense-bête.

— Il me semble que c'est plutôt à vous de me le dire.

— Bon. Je ne peux pas garantir de vous faire une traduction du contenu textuel de cet ouvrage, mais je vais remonter le temps aussi loin que me mènera cet éclat de métal.

Il se tut si longuement, son aura se chargea d'une telle tension qu'Ophélie craignit un refus. Aussi fut-elle déconcertée en entendant sa réponse :

— Il y a, à propos de ce Livre, un je-ne-sais-quoi que j'ai oublié et que je n'aurais pas dû oublier. Je pressens que c'est d'une importance primordiale. Si vous m'aidez à découvrir ce que c'est, petite d'Artémis, je considérerai votre contrat comme honoré.

Ophélie dénoua son écharpe, qui risquait de la déconcentrer. Elle positionna son bras cassé comme elle put ; il lui faudrait faire abstraction de la douleur jusqu'à la fin de sa *lecture*.

— Pouvez-vous détourner les yeux, monsieur ?

Farouk haussa les sourcils dans un mouvement interminable.

— Pourquoi ?

— Votre pouvoir familial est trop fort. Chaque fois que vous me regardez, c'est… perturbant, expliqua-t-elle en choisissant bien ses mots. Si vous voulez une expertise de qualité, relâchez un peu votre attention.

Après un silence inconfortable, Farouk tourna la tête jusqu'à adopter un angle qui aurait brisé les vertèbres de n'importe quel humain normalement constitué.

À peine Ophélie posa-t-elle le doigt sur le petit éclat rouillé qu'elle sut que cette *lecture* serait parmi les plus longues et les plus éprouvantes de sa carrière. La plupart des objets traversaient des périodes d'inactivité : on les oubliait sur une étagère, dans un tiroir, au fond d'une malle, et ces longues plages de silence permettaient aux *liseurs* de faire quelques haltes au cours de leur voyage temporel. Il n'en allait pas ainsi avec ce Livre. À force de le porter contre son cœur, jour après jour, mois après mois, année après année, décennie après décennie, siècle après siècle, Farouk avait chargé l'incrustation métallique d'une accumulation de vécu aussi profonde et aussi dense qu'une succession de couches géologiques.

Qui suis-je ? Que suis-je ?

Plus Ophélie remontait le cours du temps, plus elle se sentait sombrer dans un abysse dont les eaux troubles auraient été uniquement composées d'insatisfaction. Ce sentiment d'inachevé lui donnait l'impression de se dissoudre dans un éternel non-accomplissement, comme si elle était condamnée à ne jamais être ni rien ni quelque chose. Oui, Ophélie le ressentait pleinement à présent, dans sa chair, dans son ventre, dans ses veines : il manquait une pièce centrale au puzzle de Farouk, un vide qui aspirait désespérément à être comblé.

Parfois, durant un bref instant, elle changeait de point de vue. Curiosité scientifique, espoir d'une récompense, profonde perplexité : c'étaient les empreintes passagères de tous les experts qui avaient précédé Ophélie.

Qui suis-je ? Que suis-je ?

Ophélie remontait le fleuve du temps pendant ce qui lui parut une éternité lorsque, sans signe annonciateur, une souffrance intolérable lui coupa le souffle. C'était une sensation atroce, comme si une main invisible s'était plongée dans son ventre pour en sortir des viscères. « Ma page ! » pensa

Ophélie, emplie par une terreur qui n'était pas la sienne. *La* page, rectifia-t-elle aussitôt. La page manquante du Livre : Farouk avait vécu son arrachement comme une amputation de lui-même. Ophélie eut beau s'efforcer au recul, garder sa position de spectatrice, se répéter que cette souffrance et cette terreur étaient celles de Farouk autrefois, il y avait extrêmement longtemps, elle faillit lâcher prise. Elle pensa à Thorn. Elle vit l'immense main de Farouk sur sa tête lui aspirer ses pouvoirs familiaux, le vider de sa mémoire, lui voler jusqu'au souvenir de lui-même et le jeter, aussi vulnérable qu'un enfant, entre les pattes d'un ours polaire géant.

Elle serra les dents et poursuivit sa *lecture*.

La souffrance cessa aussi brutalement qu'elle avait commencé et Ophélie eut l'impression étourdissante que sa vision intérieure s'était considérablement clarifiée. Le brouillard qui avait enveloppé l'existence de Farouk des siècles durant s'était dissipé : il y avait eu un avant et un après la page arrachée. Ophélie visualisa la belle main blanche de l'esprit de famille en train de caresser rêveusement l'éclat de métal dans la peau du Livre, plus rouillé du tout. Elle se sentait emplie par des émotions plus puissantes, des idées plus limpides. Elle ne pouvait pas voir le visage de Farouk, puisqu'elle revivait le passé à travers le crible de sa perception, mais elle sentit sa jeunesse, ses espoirs, ses doutes, ses questionnements au plus profond d'elle-même, tandis qu'il contemplait fixement son Livre.

Qui suis-je ? Que suis-je ?

Ophélie fut traversée par des images fugaces d'une forte intensité. Un soldat sans tête dressé sous le soleil. Des éclats de voix dans les couloirs d'une ancienne école. Et un parfum, un parfum qu'Ophélie n'avait jamais senti de sa vie, mais qu'elle fut pourtant capable d'identifier avec certitude : celui des mimosas dorés.

Tout à coup, après un soubresaut de temps, Ophélie vit Farouk. Ou plutôt une version adolescente de Farouk, à mi-chemin entre l'enfance et l'âge adulte. Il se tenait ramassé sur le sol et levait vers elle un visage où des émotions contradictoires se livraient bataille : défi et crainte, révolte et adoration, orgueil et désarroi. Elle le voyait parce qu'elle avait cessé d'être lui. Le Livre avait changé de mains et ce nouveau protagoniste examinait tantôt l'éclat de métal pris dans la chair, tantôt Farouk à ses pieds qui la dévorait des yeux. Ophélie était devenue quelqu'un d'autre sans même s'en apercevoir, comme si elle s'était simplement glissée dans une peau plus ancienne d'elle-même, à croire que c'était elle, elle en personne dans cet autrefois, qui était en train de se pencher sur le jeune Farouk. Elle n'avait jamais rien vécu d'équivalent et le choc qu'elle en éprouva recouvrit un instant la scène de sa propre émotion.

— Pourquoi ? lui demanda Farouk en la défiant du regard. Pourquoi dois-je faire ce qui est écrit ? Qu'est-ce que je suis pour toi, Dieu ?

Dieu ? s'étonna la voix intérieure d'Ophélie par-dessus celle de Farouk. Elle aurait voulu rembobiner la scène, la repasser en boucle à la façon du projecteur à illusions du vieil Éric. Au lieu de cela, elle fut entraînée plus profondément dans le passé, jusqu'à cette nuit où Farouk avait poignardé son propre Livre avec un couteau de cuisine, y logeant la pointe de métal. Cette nuit-là, tandis que la douleur lui transperçait le corps, il réalisa pleinement qui il était, ce qu'il était. Et il sut aussi que jamais, jamais il ne l'accepterait.

Ophélie relâcha enfin la pression de son doigt sur le petit éclat métallique, puis avec des gestes lents, un peu tremblants, elle enfila son gant de *liseuse*. Sa prestation était terminée. Et sa vie ne serait jamais plus tout à fait la même.

Elle se racla la gorge. Farouk repositionna sa tête dans un angle humainement acceptable, son stylographe toujours en suspens au-dessus du pense-bête.

— Je vous écoute.

Ophélie endura la pression psychique de son regard sans ciller. Elle ne lui rendit pas son Livre comme l'usage le voulait après une expertise, préférant le laisser sur la table. À présent qu'elle savait à quoi elle avait affaire, elle ne pourrait plus y toucher sans avoir le sentiment de profaner quelque chose de suprêmement intime.

— Ce « je-ne-sais-quoi » que vous avez oublié à propos de ce Livre, j'ai découvert ce que c'était.

— Je vous écoute, répéta Farouk.

Les mots étaient les mêmes, mais sa voix avait complètement changé : plus grave de quelques octaves, presque inaudible.

Sans doute Ophélie aurait-elle dû prendre des précautions, le préparer en douceur à ce qu'elle avait à lui annoncer, mais elle n'en avait ni le temps ni le talent. Elle s'entendit réciter ce que sa *lecture* lui avait révélé, avec l'impression d'écouter une parfaite étrangère :

— Ce Livre est un prolongement de votre propre corps. Sa chair est votre chair, son histoire est votre histoire. Il décrit jusque dans les moindres détails ce que vous êtes et ce que vous serez amené à devenir.

Farouk ne remua pas une ligne de sa figure, ne prit aucune note dans son pense-bête.

— En d'autres termes, insista-t-elle avec toujours ce curieux sentiment de s'entendre parler de loin, vous n'avez pas été conçu par des voies naturelles. Il en est probablement ainsi pour tous les esprits de famille.

Silence obstiné à l'autre bout de la table. Ophélie avait elle-même peine à croire qu'elle était bel et bien en train de dire ce qu'elle disait.

— Se pose la question de la page manquante. On vous a, à un moment de votre passé, amputé d'une partie de vous-même. J'ai toutes les raisons de supposer que cette page contenait des... euh... des *instructions* relatives au fonctionnement de votre mémoire. Ça n'a pas affecté votre pouvoir familial, puisque vous avez pu transmettre de grandes capacités de mémorisation à plusieurs de vos descendants.

Farouk semblait s'être changé pour de bon en statue. Ophélie, elle, s'était changée en phonographe et son disque continuait de tourner tout seul :

— Ce que j'essaie de vous dire, monsieur, c'est que vos problèmes d'amnésie ont été délibérément provoqués. Ceux d'Artémis également, puisqu'il manque la même page à son Livre, et je ne crois pas trop m'avancer en affirmant que tous les esprits de famille ont été victimes de la même amputation. Quelqu'un, par le passé, a voulu tous vous condamner à l'oubli perpétuel.

Farouk demeura impassible.

— J'ignore qui est ce quelqu'un, poursuivit Ophélie. Peut-être est-ce celui-là même qui a conçu les Livres… qui vous a conçus, vous, les esprits de famille. (Elle déglutit, avant de conclure :) Celui que vous appeliez « Dieu ».

Ophélie eut un choc : Farouk venait de coller son visage juste contre le sien. Il avait empoigné le dossier de son fauteuil de façon à le faire pencher en arrière, et Ophélie tout entière avec lui. Comment un géant aussi lent pouvait-il se mouvoir à une vitesse aussi prodigieuse ? Le bois du siège craquait sous la force de ses doigts, mais ce n'était rien en comparaison de la pression que son esprit exerçait sur celui d'Ophélie. Il lui semblait que son crâne allait exploser comme une coquille de noix.

— Donne-moi une raison de ne pas te tuer ici et maintenant.

La voix de Farouk n'était plus qu'un murmure ; ses yeux, deux fentes prédatrices. Il se tenait si près d'Ophélie que son souffle projetait de la buée sur ses lunettes quand il lui parlait.

— Tu m'as volé ma mémoire, chuchota-t-il. Tu m'as dépossédé de moi-même. Qu'est-ce que je suis pour toi ?

— Vous me prenez pour quelqu'un d'autre, dit Ophélie d'une voix infime.

La lueur effrayante qui brillait dans le regard de Farouk vacilla, puis elle se ralluma de plus belle.

— Ce que vous m'avez dit, petite d'Artémis, ce n'est pas ce que je voulais entendre. Il y a forcément autre chose.

— Vous vouliez connaître le secret renfermé dans votre Livre. Je vous l'ai révélé.

Le bois du dossier d'Ophélie craqua davantage sous les doigts de Farouk. La proximité entre eux était trop écrasante, Ophélie ne le supporterait pas longtemps. Ses oreilles bourdonnaient, sa vue se dédoublait, elle avait l'impression qu'une lame invisible essayait de lui transpercer le crâne. Elle avait survécu de justesse à une chute d'escalier, une tentative d'étranglement et un arrêt cardiaque, mais son corps avait quand même ses limites.

— Vous me faites mal, dit-elle d'un ton ferme.

Farouk relâcha le fauteuil qui retomba brutalement sur ses quatre pieds et Ophélie crut qu'il allait lui donner le coup de grâce. Au lieu de cela, il se détourna. Avec des gestes lents, presque méthodiques, il renversa un par un tous les objets d'art de sa chambre : vases, lampes, armoires, horloges, méridiennes, narguilés, drageoirs, automates et cassettes vinrent se briser en mille morceaux sur le sol. Quand Farouk eut fini, seuls le fauteuil d'Ophélie et la table tenaient encore debout.

— Un problème, mon seigneur ? demanda une petite voix polie.

C'était l'aide-mémoire. Sa silhouette jeune et délicate se découpait dans l'encadrement de la porte. Il posait sur le chaos environnant un regard parfaitement neutre. Jamais Ophélie n'avait été aussi heureuse de voir un membre de la Toile.

— Raccompagne la petite d'Artémis, murmura Farouk.

Il se dressait à l'écart, poings serrés, résolument tourné vers un mur tapissé d'images, ses longs cheveux blancs dissimulant l'expression de son profil. Ophélie fut certaine qu'à cet instant quiconque aurait croisé son regard se serait retrouvé foudroyé sur place.

Elle enfila comme elle put son écharpe épouvantée autour de son bras, puis se laissa glisser du fauteuil. Ses jambes la portaient à peine, mais elle ne pouvait pas s'en aller avant d'être certaine d'avoir obtenu gain de cause.

— Tiendrez-vous votre promesse ? demanda-t-elle.

Il y eut un léger remous dans les cheveux de Farouk, mais il demeura face au mur.

— Quelle promesse ?

— Le contrat, monsieur, rappela Ophélie avec toute la patience dont elle se sentait encore capable. Vous vous étiez engagé à maintenir mon mariage avec Thorn aujourd'hui en échange de la *lecture*.

Bruissement de papier. Farouk venait de ressortir le fac-similé de son manteau de fourrure pour le relire une fois encore. Cela lui prit un temps considérable.

— Épousez M. Thorn, déclara-t-il enfin.

Ophélie aspira une profonde bouffée d'air. Elle avait attendu le verdict avec une telle appréhension qu'elle en avait oublié de respirer.

— Merci.

— Épousez M. Thorn, répéta Farouk sans se détourner ni de son fac-similé ni de son mur. Communiquez-lui votre pouvoir. Je lui donne jusqu'à demain matin pour apprendre à s'en servir.

— Apprendre à s'en servir ? répéta Ophélie, abasourdie.

— Ce que vous m'avez dit, murmura-t-il en détachant chaque syllabe, ce n'est pas ce que je voulais entendre. Il y a autre chose. Vous n'avez donc pas entièrement honoré votre contrat. Je confie à votre mari la tâche de l'achever à votre place demain matin. S'il réussit, je le gracie. S'il échoue, je le mutile. Aide-mémoire ?

— Oui, mon seigneur ?

— Veille à ce que ma décision soit appliquée à la lettre. Partez, à présent.

Ophélie était épouvantée.

— Vous demandez l'impossible ! Mon expertise était déjà très complète. Thorn ne pourra jamais devenir un *liseur* professionnel en l'espace d'une seule nuit. Vous ne pouvez pas…

— Je peux tout, la coupa Farouk.

Le ton de sa voix, tandis qu'il rangeait le fac-similé du contrat dans son manteau, n'admettait plus aucune réplique.

Ophélie répliqua quand même :

— Vous êtes la personne la mieux placée au monde pour savoir ce que c'est d'être privé de mémoire. Comment pouvez-vous condamner Thorn au même sort ?

— Un mot de plus, petite d'Artémis, et je ne lui accorde aucun délai. À demain.

Ophélie contempla longuement le dos de Farouk, puis le Livre sur la table. Elle dut se résoudre à suivre l'aide-mémoire qui la raccompagna jusqu'à l'ascenseur. Il rapporta au groom ce qui s'était passé, le chargeant de transmettre la nouvelle à tous les étages, puis il pivota vers Ophélie dans un gracieux glissement de talons.

— Rendez-vous à l'hôtel de police, mademoiselle. Je me charge des formalités.

Ophélie se trouvait dans un tel état de choc qu'elle ne prêta attention ni à la grille dorée qui se refermait sur elle, ni aux vibrations cristallines de la cabine. Elle ne remarqua pas davantage les brusques à-coups de l'ascenseur, imputables à la maladresse inhabituelle du groom qui semblait se servir de son levier comme un novice. Tout au long de l'interminable descente vers les étages inférieurs, Ophélie écarquilla les yeux sans être capable de voir autre chose que l'indicible sentiment d'horreur qui s'était emparé d'elle.

Lorsque le groom lui ouvrit la grille pour lui permettre de descendre, elle quitta l'ascenseur d'un pas mécanique.

— Scelle tes charmes.

Après une hésitation, Ophélie se retourna vers le groom. C'était le même homme qui les avait amenées au septième étage, la tante Roseline et elle, et pourtant il était à peine reconnaissable. Il tenait son levier dans une position improbable qui lui pliait le bras à l'envers et ses lèvres se tordaient en un sourire bizarre, comme s'il avait perdu tout son professionnalisme.

— Je vous demande pardon ?

— Scelle tes charmes, répéta le groom. Je veux dire sèche tes larmes. Ce qui est fait est fait et ce qui doit être fait sera fait.

Le groom referma la grille et remonta avec l'ascenseur. Ophélie n'avait absolument rien compris.

Bribe : cinquième reprise

Et un jour, où Dieu se sentait de très mauvaise humeur, il a fait une énorme bêtise.

Une porte qui claque. C'est sur cette vision-là que s'amorce le souvenir. Il repasse la scène en boucle plusieurs fois, revoit ce claquement de porte, encore et encore, dans l'espoir de mettre au jour le détail qui déclenchera une nouvelle dynamique de mémoire. Qui claque cette porte ? Est-ce lui ? Non. Lui, il assiste au claquement de porte. C'est donc quelqu'un d'autre.

Bon.

La porte claque avec violence. De la colère ? Oui, le souvenir se précise. Dieu est en colère. C'est lui qui claque la porte. Qu'est-ce qui a mis Dieu en colère ? Il ne se rappelle pas.

Bon.

Procéder avec méthode, une question après l'autre. Dieu claque-t-il la porte en arrivant ou en partant ? Cette fois, la réponse s'impose d'elle-même : en partant. Oui, ça lui revient à présent. Le jour de la porte claquée a été un jour de séparation. La vie n'a plus jamais été la même après.

Bon.

Où est parti Dieu ? Est-il allé dehors ou est-il entré ailleurs ? Cela, impossible de se le rappeler. Pourtant, il sent que c'est essentiel. Il doit absolument savoir ce qui se trouve de l'autre côté de la porte.

Bon.

Aborder le souvenir sous un autre angle. Lui, Odin, où se trouve-t-il à cet instant précis ? Là encore, la réponse surgit avec évidence : dans la maison. À peine cette pensée se forme-t-elle dans son esprit qu'il parvient à y associer des images. Des éclats de verre sur le sol. Des miroirs brisés. Des fenêtres éventrées. Les cuillères ont toutes été jetées. Même l'eau a été coupée. Pourquoi ? Que s'est-il passé ?

Il doit ouvrir la porte.

Il va ouvrir la porte.

Il ouvre la porte.

Le vide.

De l'autre côté de la porte, là où est parti Dieu, ce n'est que du ciel à perte de vue. Un ciel sans terre. Un monde déchiré.

Le souvenir s'achève ici.

Nota bene : « Scelle tes charmes. » Qui a prononcé ces paroles et que signifient-elles ?

La mémoire

L'hôtel de police était un grand établissement, orné d'un frontispice digne des temples
antiques. Il se trouvait au cœur de la Citacielle
et était desservi par huit ascenseurs suffisamment grands pour transporter plusieurs bri-
gades. Ce fut sous l'escorte de l'une d'entre elles
qu'Ophélie gravit le grand escalier principal et
traversa la salle des pas perdus. L'aide-mémoire
avait été d'une efficacité remarquable : elle se
voyait ouvrir toutes les portes sans avoir à prononcer un mot.

Après avoir quitté Farouk, elle avait été immédiatement prise en charge par les gendarmes. Ils
ne l'avaient autorisée ni à passer un appel téléphonique, ni à envoyer un télégramme, ni à prendre
la parole en public. Ophélie avait désespérément
cherché la tante Roseline parmi le cortège de
curieux qui s'était créé autour d'elle, mais elle
n'avait trouvé que des courtisans en train de la
scruter à travers leurs lorgnons d'or.

On allait la marier en prison dans le dos de sa
propre famille.

Ophélie fut conduite jusqu'aux sous-sols, là où les prisonniers d'État étaient détenus. Après avoir été fouillée par une vieille dame, elle fut invitée à patienter dans une salle d'attente sous la vigilance de quatre gendarmes. Elle s'assit sur la banquette de marbre, aussi froide que de la glace, et contempla la grande horloge à balancier qui résumait l'ensemble du mobilier à elle seule. Trois cent dix-sept minutes plus tard, le chef de brigade revint en compagnie d'un jeune magistrat en toge noire et perruque blanche.

— Ah, voici l'heureuse élue ! s'exclama-t-il en voyant Ophélie, frigorifiée sur sa banquette. Veuillez me suivre, chère mademoiselle, je serai votre célébrant. Oh, je vois que vous êtes blessée. Ce n'est pas la main avec laquelle vous écrivez, j'espère ? J'ai tout un tas de papiers à vous faire signer. (Il tapota le porte-documents en cuir rouge qu'il tenait sous le bras.) Je vous prie de nous excuser pour cette petite attente, nous avons dû apprêter le prisonnier, convoquer le maître de cérémonie et les témoins, toutes ces sortes de choses. Un mariage reste un mariage et la loi c'est la loi ! chantonna-t-il joyeusement.

Ophélie traversa plusieurs couloirs de haute sécurité, gardés par une succession de portes blindées, avant d'arriver à la cellule de Thorn. La dernière d'entre elles fut la plus impressionnante qu'elle avait jamais vue. C'était une porte ronde qui devait bien faire trois mètres de diamètre et qui paraissait entièrement moulée dans un or si pur qu'on pouvait s'y refléter ; elle était verrouillée par un mécanisme complexe de barres et de rouages, à croire qu'elle renfermait l'ennemi public numéro un.

Ophélie eut la surprise d'apercevoir Archibald parmi les agents de sécurité, les mains au fond des poches, aussi décontracté qu'un touriste. On avait dû le faire entrer par un autre circuit que celui qu'elle avait elle-même emprunté.

Le magistrat s'inclina devant lui avec déférence.

— Merci de vous être porté volontaire, monsieur l'ambassadeur ! Vous vous êtes entretenu avec le prisonnier il y a de cela seulement quelques heures. C'est tout à votre honneur de vous être déplacé une seconde fois jusqu'ici pour célébrer ce mariage improvisé. Ainsi va la cour ! Les coups de théâtre sont notre pain quotidien. Colonel, enchaîna-t-il solennellement en s'adressant cette fois au chef de brigade, vous pouvez donner l'ordre d'ouvrir.

La porte de la chambre forte nécessitait trois hommes, chacun manipulant une clef et un volant, pour être déverrouillée. Le puissant cliquetis métallique se réverbéra sur tous les marbres de la salle.

— Que faites-vous ici, monsieur l'ambassadeur ? murmura Ophélie pendant la manœuvre d'ouverture.

Archibald appuya son vieux haut-de-forme sur sa poitrine.

— Je suis votre maître de cérémonie et vos témoins.

— À vous tout seul ?

— À moi tout seul. Si vous rêviez d'un mariage en grande pompe, vous risquez d'être déçue.

— Je suis contente que vous soyez là, déclara Ophélie avec une telle spontanéité qu'Archibald haussa les sourcils. Mais... la cérémonie du Don ? Vous allez pouvoir ?

Le sourire d'Archibald s'accentua et son regard, dans un effet inverse, parut plus vide encore.

« Mon fil avec la Toile est brisé, répondit-il en pensée, je n'ai pas perdu mon pouvoir familial pour autant. Vous et Thorn serez bientôt unis par des liens plus intéressants que ceux du mariage. »

La porte de la chambre forte, épaisse de plusieurs dizaines de centimètres, fut enfin ouverte. Elle donnait elle-même sur une grille dorée que le chef de brigade déverrouilla avec sa clef.

L'intérieur de la cellule était conçu dans le même marbre et le même revêtement d'or que l'ensemble des sous-sols. Ophélie sentit toutes ses entrailles se tordre quand elle vit Thorn au milieu de la pièce. Il avait été assis à une table trop basse pour lui et les sangles de cuir qui harnachaient ses poignets l'obligeaient à se voûter. Il portait sur la figure des traces de coups qu'on avait essayé de dissimuler sous plusieurs couches de poudre. Même la belle chemise blanche qu'on lui avait fait enfiler n'était pas à sa taille et ses manches déboutonnées lui arrivaient à la moitié des avant-bras, mettant à nu ses anciennes cicatrices.

C'était cela, « apprêter le prisonnier » ?

— Veuillez vous asseoir, mademoiselle, dit le magistrat en présentant une chaise à Ophélie. Nous allons pouvoir commencer.

Il se tenait à bonne distance de Thorn, comme s'il craignait d'être décapité d'un coup de griffe. Les gendarmes et les agents de sécurité avaient investi les lieux, gourdin à la main, prêts à intervenir à la première alerte. Quant à Archibald, il louchait sur l'orteil qui débordait d'un trou à sa chaussure ; pour quelqu'un qui était supposé témoigner, il n'était pas très attentif.

Ophélie prit place de l'autre côté de la table. Quand elle croisa le regard de Thorn, en face d'elle, elle le trouva aussi indéchiffrable que celui d'un oiseau de proie. Le seul éclairage de la pièce provenait d'une lampe à incandescence, posée sur la table, et soufflait des ombres inquiétantes derrière les angles de sa figure.

Le magistrat entonna son discours :

— Nous nous sommes tous rassemblés aujourd'hui pour célébrer le mariage de M. Thorn, descendant de notre seigneur Farouk, encore que par les voies d'un lignage peu conventionnel, et de Mlle Ophélie, descendante de Mme Artémis. Le mariage est plus que la fête de la famille, il en est à la fois la base et le couronnement, il est la famille même dans son essence et dans sa perpétuité !

Le magistrat se lança dans un exposé sans fin sur les devoirs du mariage, puis il enchaîna avec la récitation d'un très long texte législatif. Il ne ménageait décidément aucun effet pour perdre le plus de temps possible.

Prise dans les glaces du regard de Thorn, Ophélie ne s'était jamais sentie aussi mal dans ses bottines. Non seulement elle lui avait désobéi, mais en plus elle n'avait rien arrangé à la situation. Au moment de devoir signer les documents notariés, elle était si nerveuse qu'elle brisa la plume d'un stylo, déchira une feuille et renversa deux fois l'encrier. Thorn, pour sa part, signa chaque papier d'un geste mécanique, à peine gêné par ses sangles, sans prononcer un mot ni cesser de fixer Ophélie.

— Je vous déclare mari et femme ! s'exclama le magistrat. Je laisse à M. l'ambassadeur le soin de procéder à la cérémonie du Don.

Archibald s'avança vers la table avec désinvolture.

— Approchez votre chaise de votre mari, mademoiselle Oph... madame Thorn. Ainsi, ce sera parfait. Je vais à présent servir de passerelle entre vous afin de permettre à vos pouvoirs familiaux de se conjuguer. Vous ressentirez peut-être un léger inconfort, mais il se dissipera vite.

Ophélie se tortilla sur sa chaise. Elle avait passé les derniers mois à redouter cet instant et, à présent, elle en espérait un miracle. Si Farouk disait vrai, s'il y avait « autre chose » dans le Livre qu'elle n'avait pas été capable de trouver, alors il fallait que Thorn devînt un meilleur *liseur* qu'elle. Et qu'il le devînt vite : à force de faire traîner les choses, le magistrat leur avait déjà volé une partie de la nuit.

Archibald posa une main sur la tête d'Ophélie et une autre sur celle, absolument sinistre, de Thorn. Ophélie tressaillit quand le pouce d'Archibald fit pression sur son front, entre les sourcils, à l'endroit où il portait lui-même un tatouage. Elle ne perçut rien de particulier au début, puis, petit à petit, une bouffée de chaleur envahit son corps qui semblait traversé par un courant électrique dont l'intensité augmentait de seconde en seconde. Ophélie leva les yeux vers Thorn. Le sentait-il, lui aussi ? Voûté en face d'elle, sanglé à sa table, il ne laissait transparaître aucune émotion. Ophélie se contracta, tandis qu'un fourmillement se répandait le long de toutes ses veines, à croire que c'était la nature même de son sang qui était en train de changer. Le fourmillement finit par se circonscrire juste sous son front, à l'endroit précis où appuyait le pouce d'Archibald. Des images dont elle ne connaissait ni la nature ni la provenance s'écoulèrent dans son esprit à une vitesse si étourdissante qu'elle ne parvint à en saisir aucune.

Quand enfin Archibald retira sa main, Ophélie sentit une puissante migraine lui tambouriner les tempes.

— Bien, bien, bien, chantonna le magistrat en rangeant les papiers dans son porte-documents. Je crois que tout est en ordre. Nous allons nous retirer pour vous laisser… ma foi… faire ce que vous avez à faire. Le chef de brigade viendra vous libérer demain matin, à six heures, chère madame, conclut-il en se tournant vers Ophélie.

— Six heures ? s'indigna-t-elle. Nous avons besoin de plus de temps.

— Le règlement est le règlement, chère madame, répondit le magistrat en s'éloignant dans une envolée de toge.

Archibald souleva son haut-de-forme pour prendre congé à son tour.

— Je me charge de prévenir vos parents et Berenilde. Tous mes compliments, monsieur l'ex-intendant ! félicita-t-il en serrant la main sanglée de Thorn. Profitez bien de votre courte lune de miel !

— Éloignez-vous du prisonnier, monsieur l'ambassadeur, recommanda le chef de brigade. Il est dangereux.

Il attendit qu'Archibald, le magistrat et les gendarmes fussent sortis de la cellule pour détacher les poignets de Thorn, puis refermer la grille à clef. Il jeta un coup d'œil tourmenté à Ophélie, comme s'il l'abandonnait aux griffes d'un criminel de la pire espèce. Il lui signala un appareil de téléphonie fixé au mur de la cellule.

— Si vous avez le moindre problème, madame, appelez la sécurité.

La lourde porte blindée se referma sur la chambre forte et, après d'innombrables cliquetis de rouages, un silence assourdissant tomba.

Ophélie se retrouva seule face à Thorn et son regard de plomb. Bien que ses sangles eussent été ôtées, il se tenait encore les poings sur la table, le dos voûté, la lumière de la lampe soulignant les plaies et les bosses sous la poudre de sa figure.

— Ce n'est pas du tout ce que je voulais, laissa-t-elle enfin échapper. Enfin si, je voulais maintenir le mariage, mais je ne voulais pas précipiter votre sentence. Je comptais absolument sur cette semaine de délai pour faire appel, vous comprenez ? Le baron Melchior avait parlé du Grand Tribunal interfamilial et... et ça m'a donné une idée.

Ce n'est pas seulement à moi que vous êtes lié, à présent, c'est à tous les Animistes. Je vous jure que si M. Farouk m'en avait laissé le temps, j'aurais obtenu qu'on vous place sous une autre juridiction. Vous auriez eu droit à un vrai procès, personne ne vous aurait maltraité, j'aurais témoigné et… et… Thorn, chuchota-t-elle en rapprochant sa chaise, ce que j'ai *lu* dans ce Livre, je ne sais même pas par où commencer.

Ophélie fit un récit embrouillé de tout ce qui s'était passé au septième étage de la tour. Le marché qu'elle avait conclu avec Farouk. La grande plongée dans le passé. La véritable nature des esprits de famille et de leurs Livres. La page manquante responsable de leurs trous de mémoire. Elle lui parla aussi du soldat sans tête, de l'ancienne école et du parfum des mimosas dorés, convaincue que même ces détails saugrenus avaient leur importance.

Thorn l'écouta sans desserrer les dents. Il n'eut pas même un sourcillement quand Ophélie lui raconta sa vision de « Dieu ».

— Je garde de ce souvenir-là une incertitude, admit-elle. J'ai l'impression d'être passée à côté de quelque chose et c'est ce quelque chose que vous allez devoir trouver à ma place. Pensez-vous que ça puisse avoir un rapport avec ce dont vous parliez avec Melchior ?

Ophélie sursauta lorsque Thorn se redressa enfin, mettant à mal les coutures de sa chemise trop étriquée.

— Pourrais-je avoir un verre d'eau ?

— Euh… oui, bien sûr, balbutia Ophélie.

Elle se prit les pieds dans le fil de la lampe, heurta son genou contre le cadre en fer du lit, puis se cogna au lavabo de porcelaine. Sa migraine la rendait plus maladroite que jamais. Était-ce dû à l'inoculation du nouveau pouvoir familial en elle ? Elle dévisagea son reflet hagard dans le mur, fait du même or réfléchissant que le blindage de la porte. Ses lunettes n'avaient pas bonne mine mais, à part cela, elle ne se sentait pas différente.

Se tournant vers Thorn, Ophélie manqua de renverser le gobelet sur le sol. Elle ne l'avait pas remarqué jusqu'à cet instant, mais la ligne osseuse de sa jambe gauche était horriblement déformée.

— Qu'est-ce que... qu'est-ce qu'ils vous ont fait ?

Thorn remua malaisément sur sa chaise et sa jambe prit un angle plus effroyable encore.

— Le baron Melchior avait beaucoup d'amis, dit-il d'un ton peu concerné. Si vous n'aviez pas « précipité ma sentence », pour reprendre vos mots, mon squelette entier aurait subi le même traitement. Ne me regardez pas ainsi, grommela-t-il. J'ai une excellente résistance à la douleur.

Ophélie tremblait comme une feuille : elle n'osait pas imaginer à quoi ressemblait la jambe sous le pantalon.

— Je ne voudrais pas vous presser, mais nous devrions commencer votre leçon, s'inquiéta-t-elle avec un coup d'œil pour l'horloge de la cellule.

Thorn prit tout son temps pour boire son eau, une gorgée après l'autre. Ophélie ne comprenait pas comment il faisait pour rester aussi calme dans un moment pareil ; en ce qui la concernait, elle fournissait des efforts considérables pour ne pas céder à la panique.

Quand il eut fini de boire, Thorn plongea son regard au fond de son gobelet vide, son autre main toujours serrée en poing sur la table. Il parut se perdre dans une profonde réflexion.

— Au commencement, nous étions un, déclara-t-il soudain. Mais Dieu nous jugeait impropres à le satisfaire ainsi, alors Dieu s'est mis à nous diviser.

— Pardon ? balbutia Ophélie, complètement déconcertée.

— Ma mère a été mutilée il y a quinze ans, poursuivit Thorn d'une voix lointaine. Ça s'est passé peu après les précédents états familiaux. La dernière fois que je l'ai vue, c'était ici même, dans cette prison. J'ignore encore pourquoi elle m'a choisi, sachant que je n'ai jamais rien représenté pour elle. Je présume qu'elle n'a pas eu d'autre choix. Le fait est qu'elle a mis à profit les trois minutes de visite qui lui avaient été accordées pour me communiquer une fraction de sa mémoire. Une toute petite fraction, articula Thorn en contemplant le vide contenu dans son gobelet, mais ça a été suffisant pour changer ma vie à jamais. (Il releva les yeux vers Ophélie dans un scintillement de métal.) Les souvenirs personnels de Farouk. Quelques bribes du moins, que j'ai passé des années à décortiquer afin d'en extraire toute la substance. Ce que votre *lecture* vous a appris, je le savais déjà à quelques détails près. Un peu plus que cela, même.

Subjuguée, Ophélie inspira profondément après avoir trop longtemps retenu son souffle.

— Un peu plus que cela ?

— Dieu a cassé le monde.

Thorn avait annoncé cela comme d'autres com-
menteraient le temps qu'il fait. Prise de tournis,
Ophélie dut s'appuyer à la table.

— La Déchirure... ce serait l'œuvre d'une seule
personne ?

— J'ignore comment, mais Dieu a cassé le
monde, répéta Thorn avec un calme souverain.
Il a depuis une mainmise absolue sur les débris
qu'il en reste. Melchior lui a vendu son âme, et
ce n'est pas un cas isolé. Des hommes et des
femmes veillent dans l'ombre à ce que les esprits
de famille, ainsi que l'ensemble de leur descendance, agissent conformément au plan défini par
Dieu. Ma mère était de ceux-là et ça l'a corrompue
jusqu'à la moelle, au point que Dieu lui-même a
fini par la renier. Je ne serais pas étonné que vos
Doyennes en soient aussi, peut-être même des
membres de votre propre famille, et c'est pourquoi
je vous invite à la plus extrême prudence.

Ophélie ferma les yeux. Sa migraine prenait
des proportions d'orage dans sa tête, comme si
quelque chose en elle était en train de refaire surface.

— Qui est Dieu, à la fin ?

— *Qu'est-ce qu'il est* serait la question appro-
priée, rectifia Thorn en abandonnant son gobelet
sur la table. Je me la pose depuis le jour où j'ai
hérité la mémoire de ma mère et, à l'heure qu'il
est, je n'ai aucune réponse satisfaisante. Je sais
seulement qu'il détient une science sans commune mesure avec la nôtre. Il a créé les esprits

de famille, mis le monde en pièces et placé l'humanité sous tutelle. Il est doté d'une longévité exceptionnelle et, pour une raison ou une autre, il ne veut pas qu'on connaisse son véritable visage. Malheureusement, les rares souvenirs que je partage en commun avec Farouk sont brouillés dès qu'il s'agit de Dieu.

— C'est donc pour cela que vous vouliez tant *lire* son Livre ? murmura Ophélie.

Thorn fronça les sourcils. Peut-être était-ce un effet de la lampe de table, mais un éclair menaçant traversa le ciel plombé de ses yeux.

— Chaque homme devrait avoir le droit de jouer sa vie aux dés. Ils génèrent des résultats aléatoires qui dépassent toutes les prédéterminations. Cela n'a plus aucun sens si les dés sont pipés. La cour tout entière triche. Il ne peut en être autrement puisque notre esprit de famille, le moule même de notre société, est un tricheur. Farouk distribue les faveurs et les disgrâces au gré de ses humeurs, et non pour faire respecter les règles. Ce qui se trame avec ce casseur de monde est pire encore, siffla Thorn entre ses dents. Il a volé les dés de l'humanité sans jamais, absolument jamais sortir de l'ombre.

Ophélie se sentit intimidée. C'était la première fois qu'il se confiait à elle de cette façon. Il lui parlait enfin pour de vrai, yeux dans les yeux, d'égal à égal.

— Vous enquêtiez donc sur Dieu depuis le début, dit-elle. Et ensuite ? Que prévoyiez-vous de faire ?

Thorn haussa les épaules comme si c'était une évidence.

— Rendre ses dés au monde. Ce que le monde en aurait fait par la suite, ce n'était pas mon problème.

Ophélie était de plus en plus époustouflée.

— Vous voulez dire… affronter Dieu ?

— Je n'ai rien négligé pour attirer son attention sur moi. Melchior était prêt à toutes les extrémités pour m'empêcher de *lire* le Livre de Farouk. Et pour cause : Farouk et Dieu ont un passé commun. J'espérais secrètement provoquer une rencontre en empiétant sur ce terrain-là. Dieu a forcément un point faible, tout le monde en a un. Il me suffisait de trouver lequel et l'affaire aurait été réglée.

— Mais pourquoi vous ? insista Ophélie. Pourquoi serait-ce à vous, et à vous seul, de la régler, cette affaire-là ?

Thorn grimaça en essayant de changer de position. Des gouttes de sueur perlaient à la racine de ses cheveux. Il avait beau dire, sa jambe devait lui faire endurer un véritable calvaire.

— Déformation professionnelle, finit-il par grogner. Voyez-y un ridicule sens du devoir ou une incurable rigidité intellectuelle.

Fascinée, Ophélie considéra longuement Thorn dans la lumière crépusculaire de la lampe. Jamais elle ne s'était sentie aussi petite et jamais il ne lui avait paru aussi grand : qu'elle se tînt debout et lui plié en trois sur sa chaise n'y changeait rien. Cet homme était un parfait misanthrope, mais il pensait tout en plus vaste, en plus profond que les autres, bien au-delà de ses intérêts personnels.

— Vous avez gardé tout cela pour vous depuis quinze ans ?

Thorn acquiesça, ses yeux amincis en deux éclats argentés.

— Je refuse catégoriquement de mêler ma tante à cela. L'ignorance est moins dangereuse que la connaissance. Dans votre cas, ça a cessé d'être vrai depuis que vous avez *lu* le Livre. Gardez cependant à l'esprit que la vérité a un prix, et il est élevé. N'oubliez jamais ce qui est arrivé à Hildegarde. Elle en savait vraisemblablement davantage que moi et elle a préféré se suicider plutôt que d'accepter ma protection. Je ne cesse de me demander pourquoi Melchior tenait tant à ce que Dieu la rencontre, ajouta-t-il d'un ton pensif. Il a emporté ce secret-là aussi dans la tombe.

Un éclair jaillit soudain au milieu de la migraine d'Ophélie. Avec un déclic à retardement, le pouvoir familial de Thorn se déversa en elle et souffla sur les braises de sa propre mémoire. Elle revit le jeune Farouk agenouillé à ses pieds, levant vers elle un regard avide, comme s'il attendait d'elle, d'elle et d'elle seule, un sens à sa vie. *Pourquoi dois-je faire ce qui est écrit ? Qu'est-ce que je suis pour toi, Dieu ?* D'innombrables petits détails lui revenaient, des détails qu'elle était certaine de ne pas avoir perçus au cours de sa *lecture* : des fenêtres vidées de leurs carreaux, des miroirs recouverts de draps et elle, Dieu, en train de s'adresser à Farouk, de lui expliquer quelque chose d'essentiel.

Les coups de l'horloge ramenèrent brutalement Ophélie au moment présent.

— Nous ne devrions pas perdre davantage de temps.

— Je ne perds jamais mon temps, affirma Thorn en arquant les sourcils. Tout ce que je vous ai dit, je devais vous le dire maintenant. Il vous appartiendra d'en faire un meilleur usage que moi.

Sur ces mots, il déplia les doigts qu'il avait tenus fermés en poing : ils renfermaient un petit pistolet de poche. Ophélie eut un coup au cœur en le voyant. Elle était certaine que Thorn avait les mains vides au moment de signer les papiers du magistrat.

— Archibald, finit-elle par comprendre. Lorsqu'il vous a félicité…

— À défaut d'être amusant, il est efficace. Je lui ai demandé cette faveur pendant sa visite au parloir.

Ophélie se sentit devenir tour à tour glaciale et brûlante.

— Pourquoi lui avoir demandé une arme ?

— Je n'ai aucune intention de finir comme ma mère, décréta Thorn d'un ton catégorique. Je veux être le seul à décider quand et comment mourir.

— Vous ne finirez pas comme votre mère, je vous le promets, alors jetez ça immédiatement.

Elle s'était exprimée avec un tel emportement que les traits sévères de Thorn se distendirent sous l'effet de la surprise.

— Vous n'avez rien à me promettre. Il y a un détail au sujet de cet objet qui ne manquera pas de vous intéresser. (Thorn posa un regard incisif sur le pistolet de poche qui étincelait à la lumière de la lampe.) Depuis que je le tiens en main, je ne l'ai pas encore *lu*.

— Comment ?

— Je ne le *lis* pas, répéta Thorn. Je le touche, mais je ne ressens rien de spécial. Je ne suis évidemment pas un expert, mais j'ai tendance à penser que ce n'est pas bon signe.

Ophélie avisa le gobelet de fer-blanc sur la table et le poussa devant lui. Thorn s'en empara, le fit tournoyer entre ses doigts, puis le reposa.

— Rien.

— Soyez bien concentré, lui recommanda-t-elle en s'efforçant de ne pas montrer son affolement. *Lire* un objet, c'est comme décrocher le téléphone. Il faut se mettre à l'écoute de ce qu'il va vous raconter.

Thorn reproduisit la manipulation, cette fois avec le bouton de la lampe qu'il fit tourner dans un sens, puis dans l'autre, augmentant et diminuant la luminosité de l'ampoule.

— Rien.

— Pas de vision ? bredouilla Ophélie. Pas de sensation particulière ? Pas même une vague impression ?

— Non.

Elle retira ses lunettes.

— Tenez. Il est plus facile de *lire* un objet qui n'est pas déjà imprégné de notre propre état d'esprit.

Thorn lui rendit ses lunettes après quelques palpations.

— Toujours rien. C'est plutôt ironique, mais il semblerait que je ne sois vraiment pas doué pour la *lecture*. À présent, prêtez-moi toute votre attention. J'ai un service à vous demander.

— Non.

La réponse s'était échappée d'Ophélie presque malgré elle, ce qui n'empêcha pas Thorn de poursuivre imperturbablement :

— Emmenez ma tante avec vous sur Anima. Vous ne devez ni l'une ni l'autre subir les foudres de Farouk à ma place. Ne parlez de ce que vous savez à personne et vivez votre vie comme avant. La vérité est un lourd fardeau, elle n'est pas à mettre sur toutes les épaules.

— Non, répéta Ophélie.

Elle chercha autour d'elle tous les objets qui pourraient encore servir de *lecture*, mais la cellule de prison n'offrait pas beaucoup de choix.

Thorn glissa son petit pistolet dans une poche de sa chemise.

— Je ne me servirai pas de cette arme devant vous. Appelez la sécurité et allez-vous-en.

Ophélie secoua la tête avec tant de force que son chignon céda et ses cheveux déferlèrent dans son dos. La terreur commençait à la gagner.

— Non, non, non, bégaya-t-elle avec une incrédulité croissante. Vous devez encore essayer... Nous devons encore essayer. Je vais convaincre M. Farouk de me laisser *lire* son Livre une seconde fois. Il y a forcément une solution, il y a toujours une solution.

— Ophélie.

Les mains de Thorn enveloppèrent son visage pour l'obliger à le regarder en face. Mal assis sur sa chaise, il l'observait avec une extrême gravité. Les cicatrices qui sillonnaient ses bras luisaient comme des croissants de lune dans le faible éclairage de la pièce.

— Ne me rendez pas la tâche plus pénible. Aucun de nous n'est capable de satisfaire Farouk, et vous le savez. Il va m'évider de ma mémoire et, avec elle, de tout ce que je suis. Je ne veux pas finir comme ma mère, vous comprenez ? (Ses doigts pressèrent davantage les joues d'Ophélie.) Je ne souffrirai pas, lui promit-il.

— Je vous en prie...

La voix d'Ophélie ne fut plus qu'un chuchotis implorant. Thorn la dévisagea avec une franche perplexité, puis il eut une convulsion des lèvres, mi-sourire mi-grimace. D'un mouvement hésitant, un peu timide, il invita Ophélie à se rapprocher de sa chaise, de façon à trouver le meilleur compromis entre son bras cassé à elle et sa jambe brisée à lui. Quand elle fut suffisamment près, il appuya son front sur son épaule.

— La première fois que je vous ai vue, je me suis fait une piètre opinion de vous. Je vous croyais sans jugeote et sans caractère, incapable de tenir jusqu'au mariage. Ça restera à jamais la plus grosse erreur de ma vie.

Ophélie se sentit déchirée entre la détresse et la fureur. Il n'avait pas le droit ! Il n'avait pas le droit d'entrer dans son existence ainsi, de tout mettre sens dessus dessous, puis de s'en aller comme si de rien n'était.

Elle eut l'impression qu'elle se brisait de l'intérieur lorsque Thorn resserra son étreinte autour d'elle.

— Ne tombez plus dans les escaliers, évitez les

objets tranchants et surtout, surtout, gardez-vous des personnes peu recommandables, entendu ?

Une larme roula sur la joue d'Ophélie. Les mots de Thorn lui creusaient un vide abyssal dans le corps. Elle savait avec une absolue certitude qu'à l'instant où ils se sépareraient, elle ne connaîtrait plus jamais la chaleur.

Thorn déglutit contre son épaule.

— Ah, et au fait : je vous aime.

Ophélie s'étrangla dans un sanglot. Elle ne parvenait plus à parler. Respirer lui faisait mal.

Les mains de Thorn se perdirent dans la masse épaisse de ses boucles. Son souffle se fit plus court. Il serra son corps contre le sien, aussi près que c'était physiquement possible, puis il se dégagea d'elle avec une vivacité presque brutale.

Il se racla la gorge, soudain enroué.

— C'est... c'est un peu plus difficile que je ne le pensais.

Il repoussa ses cheveux pâles en arrière, son regard fuyant résolument celui d'Ophélie. La bordure de ses paupières avait rougi : cette vision, plus que tout le reste, la bouleversa comme jamais encore elle n'avait été bouleversée.

— Partez, maintenant, marmonna Thorn. J'ai les adieux larmoyants en horreur.

Il décrocha la main d'Ophélie qui s'était cramponnée à sa chemise. Elle aurait voulu avoir ses deux bras pour mieux se retenir à lui.

— Allez-vous-en, insista Thorn d'une voix sourde en voyant qu'elle ne bougeait pas. Plus vous vous attardez ici, plus ce sera dur pour moi de...

La fin de sa phrase mourut sur ses lèvres. Il

écarquilla lentement les yeux et sa cicatrice faciale s'allongea à n'en plus finir. Ophélie se retourna en sursaut et le vit aussi.

Un pied avait jailli du blindage doré de la porte.

Le parent

Ophélie ne rêvait pas. Un corps était bel et bien en train de traverser les quarante centimètres d'épaisseur de la porte. L'or luisait comme de la lave en fusion et, pourtant, l'homme qui s'en extrayait ne portait aucune trace de brûlure ; une fois dans la cellule, il épousseta ses habits des paillettes dorées qui s'y étaient déposées. Sa peau était noire et il portait un tartan caractéristique du clan alchimiste de Plombor. Le métal de la porte avait déjà repris une consistance solide, mais une croûte disgracieuse s'était formée là où, une minute plus tôt, l'or était impeccablement lisse.

L'homme posa un regard placide sur Ophélie et Thorn, à travers les barreaux de la grille de sécurité, à croire qu'il n'y avait rien d'inhabituel à passer à travers une porte de prison comme dans du beurre. Il se mit alors à pâlir, ses yeux se bridèrent et ses habits s'orientalisèrent. En l'espace d'un instant, il devint une tout autre personne. Il s'introduisit entre les barreaux avec une souplesse surnaturelle, comme si son corps entier était fait en caoutchouc.

— Nous nous retrouvons encore, petite Animiste, chantonna-t-il d'une voix musicale.

Ophélie entrouvrit la bouche, mais ses lèvres formèrent les trois mots sans laisser échapper un son : le Mille-faces ! Qu'un membre de la Caravane du carnaval fût venu se perdre dans un endroit aussi improbable, cela dépassait son entendement. Sa surprise était toutefois sans commune mesure avec celle qui avait saisi Thorn. Il s'était appuyé à la table pour tenter de se camper sur sa jambe valide et cette manœuvre à elle seule était en train de tremper sa chemise de sueur. Les mâchoires serrées comme des tenailles, il contemplait le Mille-faces d'un regard étincelant.

Avec une souveraine indifférence, le Mille-faces s'empara d'une chaise. Entre l'instant où il amorça un mouvement d'assise et celui où il prit place sur le siège, son corps s'était agrandi à la façon d'un élastique. De grosses moustaches en guidon lui poussèrent sur le visage comme un champignon, ses habits se muèrent en uniforme à brandebourgs et l'un de ses yeux dévia à l'intérieur de son orbite. De plus en plus éberluée, Ophélie reconnut le gendarme strabique qui l'avait rattrapée dans l'escalier de la manufacture de sabliers.

Il croisa les jambes et enroula les doigts autour de son genou dans une attitude qui n'avait plus rien de militaire.

— J'ai suivi les verniers édénements... les derniers événements avec une certaine curiosité, dit-il d'une voix complètement différente, marquée cette fois par l'accent du Nord. Vous deux, en particulier. Vous m'intriguez depuis un certain temps.

Le cœur d'Ophélie manqua un battement. Thorn prononça pour elle, d'un murmure presque inaudible, la pensée invraisemblable qui venait de se former dans son esprit :

— Vous êtes Dieu.

Les moustaches en guidon du Mille-faces se relevèrent sous la poussée d'un sourire. C'était le sourire le moins humain dont Ophélie avait jamais été témoin et elle frissonna de toute sa peau quand elle s'aperçut que c'était à elle qu'il était adressé.

— Ainsi, tu as *lu* le Livre de mon fils. Tu as essayé du moins. Mes œuvres ne sont pas à la portée de la première *liseuse* venue.

Le Mille-faces promena son regard strabique sur la cellule, puis il dirigea toute son attention sur Thorn. Celui-ci déployait des efforts considérables pour rester debout ; il avait empoigné le bord de la table avec une telle force que ses phalanges semblaient sur le point de se rompre.

— Toi, en revanche, tu n'es pas le premier *liseur* venu. Utiliser ta mémoire comme un amplificateur, c'était une idée audacieuse.

Ce disant, le Mille-faces eut un hoquet bruyant et porta la main à sa bouche. Il en sortit, le plus naturellement du monde, un petit morceau de métal rouillé.

Ophélie se sentit emportée dans un tourbillon d'effarement, d'effroi et de fureur. La dernière fois qu'elle avait vu cet objet, c'était dans la chair du Livre de Farouk. S'il était entré en possession de cet individu, peu importait que celui-ci s'appelât « Dieu » ou « Mille-faces », c'était un ennemi :

il venait de rendre toute *lecture* définitivement impossible.

— Je détiens plus de connaissances que toutes les bibliothèques réunies, déclara le Mille-faces. Mais ce petit détail, dit-il en contemplant tranquillement la pointe rouillée du couteau entre ses doigts, je dois admettre qu'il a échappé à mon attention.

Il la ravala avec un bruit mouillé de déglutition.

— Le groom d'ascenseur, murmura Ophélie. C'était vous, n'est-ce pas ? Vous êtes allé voir M. Farouk après moi.

Le Mille-faces abaissa à demi ses paupières dans l'ombre de son bicorne.

— D'ordinaire, j'évite de me mêler des affaires de mes enfants, mais Odin me pose des problèmes depuis sa ponctuation... sa conception. Il n'a jamais eu la docilité de ses frères et sœurs. Je pense que la leçon d'aujourd'hui n'aura pas été inutile : il fera désormais tout ce que je lui écrirai de faire.

Les yeux déviants du Mille-faces se haussèrent vers Thorn qui se cramponnait à sa table, sa jambe brisée traînant comme un poids mort dans un désordre atroce d'angles cassés, à croire que se tenir debout ici et maintenant primait désormais sur tout le reste.

— À l'heure où nous parlons, Odin se dirige par ici. Il vient pour exécuter ta sentence, mon garçon. Tu as hué un tome... tué un homme. Et pas n'importe quel homme.

Ce disant, le corps du Mille-faces enfla sur sa chaise, ses moustaches s'effilèrent comme des points d'exclamation, son bicorne se changea en haut-de-forme et son uniforme de gendarme céda la place à la plus élégante des redingotes. Ophélie sentit son estomac se soulever. De voir le baron Melchior assis ici, juste devant eux, c'était spectaculairement morbide.

— Se posent deux questions intéressantes, reprit le Mille-faces avec la voix roucoulante du baron. La première : cet homme méritait-il de vivre ? La seconde : mérites-tu, toi, de mourir ? En fait, je pense que tu ferais un bien meilleur Tuteur que lui.

Ophélie retint son souffle et leva les yeux vers Thorn. En équilibre précaire sur sa jambe, il se tenait obstinément silencieux. Ses mâchoires étaient tellement crispées, leur ossature saillant sous la peau, qu'il semblait incapable de les desserrer.

Le Mille-faces tordit dangereusement l'inclinaison de sa tête à triple menton, de façon à examiner son interlocuteur sous un angle différent. Ophélie fut frappée par la similitude entre ses poses grotesques et celles de Farouk, comme s'ils étaient tous les deux pourvus d'un corps qui ne répondrait pas aux mêmes lois naturelles que le commun des vertébrés.

— Tu hésites ? Tu ne sembles pas bien mesurer l'honneur que je te fais. Les Tuteurs sont les élus parmi les élus, les seuls à qui j'accorde une abstinence conflue... une confiance absolue. Il n'y a que sur cette arche que je n'ai pas encore trouvé d'enfants dignes de me représenter. Ils ont tous été tellement décevants. Melchior a outrepassé son devoir et s'est servi de mon nom à tort et à travers. Quant à ta mère… (Au moment précis où il articula ces deux syllabes, le Mille-faces se mit à perdre du poids. Son corps s'affina jusqu'à prendre l'apparence d'une femme à la beauté anguleuse. Elle portait sur le front le tatouage en spirale des Chroniqueurs.) Ta mère, reprit-il d'une voix féminine, avait négligé le sien.

Ophélie crut un instant que Thorn allait perdre l'équilibre pour de bon. Il s'était décoloré jusqu'à devenir livide, tandis qu'il contemplait cette version rajeunie de sa mère, sans sa marque d'infamie ni ses troubles de mémoire.

— Sois le Tuteur de mon fils, dit le Mille-faces. Sois mes yeux et mes oreilles sur cette arche. Aide-moi à remettre ma famille sur le choir demain… le droit chemin. Deviens mon enfant chéri entre tous.

Ophélie sentit tout son sang s'embraser. Se servir de la bouche d'une mère pour proférer de telles paroles, c'était d'une cruauté inouïe. Le Mille-faces plia un sourire qui déforma ses belles lèvres de femme sans parvenir à leur insuffler la moindre sensualité.

— Qu'en penses-tu, mon garçon ? Dois-je suggérer à Odin de te gracier ? Es-tu prêt à me donner ta vie ou dois-je, moi, te donner la mort ?

— Ce que j'en pense, répéta Thorn.

Ophélie écarquilla les yeux en le voyant sortir le pistolet de sa poche de chemise pour mettre le Mille-faces en joue. De son autre main, il se raccrochait à la table qui tremblait sous l'extrême tension de ses doigts.

— J'en pense qu'il est grand temps pour l'humanité de récupérer ses dés.

Le Mille-faces fixa le canon du pistolet sans ciller.

— Tu n'as donc pas compris, mon garçon ? Je suis l'humanité.

— Foutaises ! cracha Thorn entre ses dents. Vous reproduisez l'apparence et le pouvoir des autres pour mieux dissimuler votre propre visage et votre propre faiblesse. Je viens enfin de comprendre pourquoi Hildegarde avait placé ce cordon de sécurité, ajouta-t-il dans un murmure haineux. Vous convoitiez sa maîtrise de l'espace, n'est-ce pas ? Vous la convoitiez, car vous ne la possédez pas. Vous n'êtes pas tout-puissant.

Ophélie eut un haut-le-corps en entendant la détonation : Thorn avait tiré en plein dans le visage de sa mère. Sa stupeur se mua en horreur quand le Mille-faces roula des yeux, louchant vers l'impact de la balle qui était allée se loger au milieu de son front, exactement là où se situait le tatouage clanique. Aucune goutte de sang ne s'écoula du trou et la peau se referma jusqu'à ce qu'il ne restât aucune trace de blessure.

— Tu es aussi décevant que ta mère. Tu es aussi décevant qu'Odin.

Thorn se décomposa. Il tira une deuxième balle, puis une troisième jusqu'à vider son barillet, visant tous les organes vitaux du Mille-faces, mais le corps de ce dernier absorbait les impacts comme s'il était fait en crème.

Quand Thorn n'eut plus de cartouches, le Mille-faces se leva de sa chaise dans un mouvement de robe dépourvu de grâce.

— La guerre, soupira-t-il. Toujours la guerre. Que dois-je faire pour débarrasser ma progéniture de cette vilaine manie ?

Thorn jeta son arme, empoigna Ophélie par son écharpe et la repoussa de toutes ses forces.

— Fichez le camp !

Sans laisser le temps au Mille-faces de réagir, Thorn prit appui des deux mains sur la table et relâcha toutes les griffes dont son réseau nerveux était hérissé. En l'espace de quelques secondes, le visage, la gorge et les bras de sa mère furent recouverts de plaies béantes, comme si des dizaines de ciseaux invisibles s'étaient jetés sur chaque parcelle de peau nue. À peine une entaille se résorbait-elle qu'une autre s'ouvrait ailleurs, laissant la chair continuellement à vif. Certaines coupures infligées par les griffes de Thorn étaient si profondes que des lambeaux entiers de muscles se détachaient, mais les capacités de régénération du Mille-faces lui permettaient de reconstruire son corps au fur et à mesure.

Dos au mur, Ophélie n'osait plus se déplacer que pas à pas. C'était la première fois qu'elle voyait le pouvoir d'un Dragon à son plein potentiel et elle n'aurait su dire, de Thorn ou du Mille-faces, lequel l'impressionnait le plus. Elle avait le sentiment d'être une petite personne insignifiante prise en tenailles entre les forces de la création et les forces de la destruction.

Quand elle réussit enfin à atteindre l'appareil de téléphonie, Ophélie décrocha le combiné pour appeler à l'aide et supplier les gendarmes de rouvrir la porte, mais elle n'entendit en réponse que le son de sa propre voix. La ligne était coupée. Elle eut un coup au cœur au moment où ses yeux croisèrent les siens dans la paroi dorée qui lui faisait face. Elle se voyait elle, elle voyait Thorn, mais elle ne voyait personne d'autre dans la cellule. Le Mille-faces n'avait pas de reflet ?

Ophélie n'eut pas le temps de s'attarder sur la question. Une force prodigieuse, semblable à une violente bourrasque de vent, la plaqua contre le mur. Le blindage en or lui glaça la joue. Ses lunettes se tordirent. Son bras en écharpe lui rentra dans l'estomac. Elle avait l'impression d'être soudain une épingle magnétisée par un aimant. Le combiné téléphonique qu'elle tenait encore à la main s'était également collé au mur, lui écrasant les doigts.

Tous les meubles s'étaient précipités aux quatre coins de la pièce. Le lit avait basculé dans un grincement d'acier, les chaises se tenaient rivées au plafond et la table avait enchevêtré ses pieds aux barreaux de la grille de sécurité. Seule la lampe de bureau flottait dans les airs, retenue à son fil électrique comme un ballon de fête foraine, son abat-jour tournoyant sur lui-même. Elle projetait une lumière oscillante sur le Mille-faces qui avait pris cette fois l'apparence d'un enfant au crâne rasé, caractéristique des habitants de Cyclope. Les maîtres du magnétisme et de la gravité.

Où était Thorn ? À force de se contorsionner, Ophélie aperçut son grand corps recroquevillé sous le lavabo. Son crâne avait brisé la porcelaine de la cuvette et la tuyauterie déversait sur lui un mélange impétueux d'eau et de sang. Immobilisé par la force de répulsion du Mille-faces, il était cloué moitié au mur, moitié au sol.

— Destructeur de monde.

Ophélie frémit en voyant le Mille-faces s'approcher de Thorn et s'accroupir devant lui. La lampe le suivait docilement, suspendue en apesanteur comme une méduse.

— Je n'ai pas déduit le montre... détruit le monde, dit le Mille-faces d'une petite voix fluette. Je l'ai sauvé. Je suis le père et la mère des esprits de famille, je suis votre parent à tous. Je n'ai toujours voulu que votre bien. Tu as choisi le mauvais adversaire, mon petit.

Thorn s'arc-bouta sur ses coudes pour se décoller du mur, mais le Mille-faces mima une chiquenaude et l'intensité de la force gravitationnelle le repoussa violemment en arrière.

— Penses-tu toujours que je suis faible ?

À cet instant, le Mille-faces ressembla réellement à un enfant : un enfant qui aurait attrapé une sauterelle et qui s'apprêterait à lui arracher les pattes.

Ophélie s'appuya contre le mur pour se dégager ; son bras cassé, replié contre son ventre, lui rentrait dans les côtes. La gravité était tellement faussée qu'elle ne distinguait plus la verticalité de l'horizontalité.

Elle contempla son reflet dans le blindage en or. Un miroir. Les murs de cette chambre forte étaient des miroirs comme les autres.

Se laissant entièrement engloutir par le revêtement, Ophélie rejaillit par le mur d'en face, juste à côté de Thorn. Le champ de répulsion qui émanait du Mille-faces lui comprima aussitôt les poumons.

— Ça suffit, expira-t-elle. Vous avez fait votre offre, Thorn a refusé, tenez-vous-en là.

Ophélie sentit sur elle le regard interdit de Thorn, mais elle concentra toute son attention sur l'enfant accroupi devant eux. Le Mille-faces se tourna vers elle d'un air plus ennuyé que curieux, comme il aurait observé un paysage monotone derrière la vitre d'un train. Pourtant, petit à petit, son regard changea. Dans un même mouvement d'expansion, ses paupières, ses sourcils, son front et l'ensemble de sa tête rasée se soulevèrent. Pour la première fois, une véritable émotion apparut à la surface de son visage.

— Tu es une mare-pissoir... une passe-miroir. Je le savais. Je sentais bien qu'il y avait quelque chose de familier en toi. Tu portes sa marque.

— Marque ?

Si Ophélie n'avait pas été concassée par les caprices de la gravitation, elle aurait articulé une vraie question. Elle sentit son souffle se libérer, tandis que le Mille-faces changeait à nouveau de forme. À force de fixer Ophélie, il avait fini par adopter son apparence. Des flots de boucles sombres jaillirent de son crâne rasé et des lunettes émergèrent de son visage enfantin. Derrière lui, tous les meubles qui s'étaient agglutinés aux murs et au plafond retombèrent sur le marbre comme une grêle de météorites. La lampe s'éteignit après sa chute, plongeant la cellule dans une totale obscurité durant plusieurs secondes, puis l'ampoule se ralluma d'un clignotement hésitant.

— C'est toi qui lui as permis de s'échapper, dit la seconde Ophélie d'une voix indéchiffrable. Tu as libéré l'Autre. À cause de toi, la balance de ce monde a été ébranlée.

Sitôt délivré de l'emprise magnétique, Thorn s'était agrippé au lavabo pour se remettre debout, mais les paroles du Mille-faces le figèrent en plein mouvement et l'eau de la tuyauterie continua de s'écouler sur sa figure stupéfaite.

Il fallut à Ophélie quelques battements de cœur chaotiques avant de comprendre de quoi lui parlait le Mille-faces.

Libère-moi.

— Mon premier passage de miroir, chuchota-t-elle. Ainsi, ce n'était pas un effet de mon imagination. Cette nuit-là, il y avait bien quelqu'un de l'autre côté. (Ophélie voulut se relever pour regarder son sosie en face, mais elle dérapa sur le marbre mouillé et ne parvint qu'à se faire plus mal au bras.) En admettant que vous ayez raison, dit-elle avec une grimace de douleur, qui est cet Autre et que faisait-il dans la glace de ma chambre ?

Le Mille-faces parut réfléchir intensément. D'être jaugée avec une telle sévérité par son propre visage mettait Ophélie profondément mal à l'aise.

— L'Autre provoquera l'effondre chant des armes… l'effondrement des arches. Ça a déjà commencé et ça ne va cesser d'empirer. Plus longtemps l'Autre restera en liberté, plus le monde ira en s'effondrant.

Ophélie crut d'abord qu'il se moquait d'elle, puis elle sentit un frisson d'épouvante se propager jusque dans son écharpe. Elle venait de se rappeler le morceau de terre qui s'était décroché du bord du Pôle quatre ans plus tôt. « Celui-là n'était pas si grand, lui avait dit Thorn. Un bloc de plusieurs kilomètres s'est décroché d'une arche mineure d'Héliopolis il y a deux ans. »

Non.

Cela ne pouvait pas être à cause de son passage de miroir. Cela ne pouvait pas être à cause d'elle.

Le Mille-faces se tourna lentement vers l'horloge de la cellule, miraculeusement rescapée du chaos environnant. Pour quelqu'un qui venait de prédire l'apocalypse, il ne paraissait pas particulièrement nerveux. Il se transforma en un vieil homme à la peau cuivrée, puis fit descendre sur Thorn un regard indifférent.

— Odin va arriver. Je vais le laisser se charger de ton sort, comme il s'est chargé de celui de ta mère il y a quinze ans. Quant à toi, ajouta le Mille-faces en s'adressant cette fois à Ophélie, tu devras refaire ce que tu as défait. Vous êtes désormais liés, l'Autre et toi. Tôt ou tard, que tu le veuilles ou non, tu me mêleras à nuit… tu me mèneras à lui. Je te garderai à l'œil jusque-là.

Sur ces paroles prophétiques, le vieux corps du Mille-faces passa de l'état solide à l'état gazeux. Il s'éleva dans l'air comme un ectoplasme rouge, puis disparut par la grille de ventilation.

La sentence

Dans la chambre forte, Ophélie n'entendit plus que son propre battement cardiaque, l'écoulement de l'eau sur le sol, le clignotement de la lampe renversée et, çà et là, le gargouillis des meubles sens dessus dessous. Elle était tellement choquée par ce qui venait de se passer qu'il lui aurait fallu des mois, des années, une vie entière pour s'en remettre. Dans l'immédiat, une seule évidence s'imposait à elle :

— Je dois parler à M. Farouk.

Ophélie se tourna vers Thorn qui demeurait étonnamment silencieux. Son regard était dissimulé par sa main, contractée sur sa figure comme une grande araignée.

— Thorn ? s'inquiéta-t-elle.

Il crispa davantage ses longs doigts osseux, plongeant sa figure dans leur ombre. Sa poitrine se mit à tressauter, comme s'il luttait contre une quinte de toux, sa pomme d'Adam s'agita et, soudain, il éclata de rire. C'était un son âpre, parfaitement incongru, qui semblait provenir des tréfonds de son corps.

Effarée, Ophélie se demanda s'il n'avait pas perdu l'esprit. Toutefois, quand sa grande main retomba enfin, elle révéla un regard affûté comme une flèche. Une flèche qui aurait enfin trouvé sa cible.

— Ce simulacre divin m'a donné une leçon des plus instructives. (À travers les mèches de cheveux que l'eau et le sang avaient plaquées sur son front, les yeux de Thorn brillaient d'un éclat intense.) Et vous aussi, déclara-t-il. Vous m'avez beaucoup appris.

Son rictus se brisa à l'instant où il voulut changer de position. Ses blessures venaient de se rappeler à lui.

— Ne bougez plus, lui dit Ophélie. Je vais chercher de l'aide. Je vais parler à M. Farouk.

Ses bottines patinèrent en vain sur la flaque d'eau : Thorn s'était agrippé à sa robe pour la retenir.

— Non. Laissez-le venir jusqu'ici. Ça n'a plus d'importance. (Il ferma les yeux, prit une profonde inspiration, puis ses paupières s'entrebâillèrent de façon à ne laisser filtrer qu'une étincelle.) Écoutez-moi bien. Dieu ne sera pas le seul à garder un œil sur vous.

Ophélie n'avait pas la moindre idée de ce qu'il essayait de lui dire, et elle ne voulait pas le savoir. Peut-être était-ce la fébrilité liée aux derniers événements, mais une bouffée de détermination lui remonta du fond du ventre comme une vapeur brûlante. Elle tira sur sa robe d'un geste brusque pour obliger la main de Thorn à lâcher prise.

— Nous en rediscuterons quand vous serez

sorti d'affaire, pas avant. J'empêcherai M. Farouk de s'en prendre à vous. Je vous le promets, alors promettez-moi, vous, de ne rien faire d'inconsidéré d'ici à mon retour.

Thorn appuya sa tête contre le mur dans un mouvement d'abandon et son regard parut se perdre vers un lointain horizon intérieur. L'eau du tuyau cassé continuait de charrier son sang sur le marbre du sol. Il évoqua à Ophélie un pantin désarticulé et elle eut soudain peur de le laisser seul.

— Promettez-moi, insista-t-elle.

Le grand nez de Thorn expira un soupir.

— Je ne fais jamais rien d'inconsidéré.

Sans plus perdre un instant, Ophélie se plongea dans l'or du mur, puis rejaillit par le revêtement extérieur de la porte. Elle vit la croûte de métal fondu à l'endroit où le Mille-faces était entré et se demanda comment les agents de sécurité avaient pu ne pas la remarquer. Elle le sut à l'instant où elle trébucha sur un corps en uniforme : le gendarme en faction était étendu par terre. Ophélie s'aperçut qu'il respirait profondément, mais elle fut incapable de le réveiller. Le Mille-faces avait dû recourir à la narcolepsie pour le plonger dans un sommeil artificiel.

Pour éviter d'avoir à ouvrir toutes les portes blindées qu'elle avait dû emprunter à l'aller, Ophélie se servit de leurs panneaux dorés comme de miroirs et passa directement de la première à la dernière. Si le Mille-faces disait vrai, Farouk était déjà en chemin pour l'hôtel de police ; restait à savoir où, précisément, il se trouvait en ce moment même.

La réponse lui parvint sous la forme d'un puissant brouhaha, alors qu'elle gravissait l'escalier de marbre qui s'extrayait des sous-sols. Au sommet des marches, un cortège de courtisans arrivait en sens inverse, véritable avalanche de perruques, de redingotes et de robes. Ils se tenaient tous dans le sillage de Farouk qui descendait l'escalier avec une infinie lenteur. Les gendarmes avaient beau tenter d'endiguer cette marée de visiteurs, ils étaient submergés par leur nombre.

— Je vous en prie, mon seigneur !

C'était la belle voix de Berenilde qui s'élevait par-dessus toutes les autres. La longue traîne de sa robe glissant de marche en marche, elle levait un visage implorant vers Farouk.

— Accordez un sursis à mon neveu. Songez à tout ce qu'il a déjà accompli pour vous dans le cadre de ses fonctions.

Elle plissait douloureusement le front, agitait ses boucles d'oreilles avec fièvre et écarquillait de grands yeux troubles. Jamais Ophélie ne l'avait vue se montrer aussi vulnérable en présence de la cour.

Si Berenilde était l'émotion personnifiée, Farouk incarnait l'indifférence même. Sans même lui consentir un regard, il descendait impassiblement l'escalier, à croire qu'il était fait du même marbre que lui.

Quand Berenilde avisa Ophélie en bas des marches, elle s'immobilisa et tout le cortège l'imita dans un désordre de souliers. Quelques voix murmurèrent à l'arrière : « Que se passe-t-il ? Pourquoi n'avance-t-on plus ? », mais cette rumeur impatiente finit par s'éteindre et le silence qui tomba sur l'escalier fut bientôt absolu.

Seul Farouk poursuivait mollement sa descente, les yeux mi-clos, sa longue chevelure blanche ondoyant comme une cape de soie.

Ophélie monta les marches pour venir à sa rencontre. Elle devait offrir un spectacle pitoyable avec sa robe dégoulinante, ses boucles éparses et son bras cassé, mais cela lui importait peu. Elle hissa son regard aussi haut que possible, cherchant celui de Farouk sous ses paupières en abat-jour.

— Je l'ai rencontré moi aussi, déclara Ophélie d'une voix amplifiée par l'acoustique des marbres. Je sais ce qu'il attend de vous, mais vous n'avez pas à lui obéir.

Les courtisans échangèrent des regards médusés et Berenilde elle-même ouvrit une bouche interloquée. Ophélie était consciente qu'il n'y avait pas grand monde ici à pouvoir comprendre à qui et à quoi elle faisait allusion. Farouk continuait de descendre vers elle, une marche après l'autre, au ralenti, tel un gigantesque somnambule. Il était si près, à présent, qu'elle s'étonna de ne pas ressentir encore les premières vagues de son pouvoir. Ce n'était pas bon signe : elle n'avait pas toute son attention.

— Affirmez votre liberté, insista-t-elle. Affirmez-la en épargnant Thorn.

Plus Farouk s'approchait d'elle, plus Ophélie avait l'impression paradoxale qu'il se tenait loin. Il maintenait son regard hors de sa portée et, lorsque enfin il lui répondit, sa voix résonna comme dans une crevasse de glacier :

— Je dois faire ce qui est écrit.

Ophélie comprit dès lors que non seulement l'esprit de famille ne cesserait pas de descendre, mais qu'il ne ferait rien non plus pour le contourner. Elle aurait fini sous ses pieds si Berenilde ne l'avait écartée de son chemin à temps.

Le cortège de courtisans reprit sa procession à la suite de Farouk. Les favorites frissonnaient sous leurs parures de diamants, impropres à l'univers glacial de l'hôtel de police. Même l'aide-mémoire, qui serrait le pense-bête entre ses bras, jetait tout autour de lui des coups d'œil incertains. Quand Farouk fut parvenu en bas des marches, les gendarmes ouvrirent les portes blindées sans plus argumenter.

Berenilde entraîna Ophélie dans un recoin d'escalier où elles ne seraient pas trop bousculées. Elle prit ses mains dans les siennes comme une naufragée se raccrocherait à un radeau.

— Je ne reconnais plus notre seigneur ! Il n'est pas dans son état normal. « Je dois faire ce qui est écrit » : il n'a que ces mots-là à la bouche. On dirait… on dirait qu'il ne songe qu'à punir mon pauvre garçon. Pourquoi lui avez-vous adressé ces paroles ? Comprenez-vous ce qui lui arrive ? Que va-t-il advenir de Thorn ?

— Je les vois ! s'exclama une voix surpuissante. Laissez-moi passer ! C'est ma fille !

À la vive surprise d'Ophélie, sa mère jaillit de la foule de nobles dans une explosion de robe rouge. Son père, son grand-oncle, la tante Roseline et sa sœur Agathe se pressaient derrière elle.

— C'est donc pas des carabistouilles ?

— Ils t'ont vraiment mariée à M. Thorn ?

— En prison ?

— Sans nous autres ?

— Sans cérémonie ?

— Sans robe de dentelle ?

Archibald émergea à son tour du cortège, son haut-de-forme sur le point de chavirer par l'arrière. Il portait le bébé de Berenilde à bout de bras, comme si on lui avait confié un feu d'artifice sur le point de s'allumer.

— Nous ne devons pas rester ici. Thorn m'a demandé de vous faire évacuer les lieux si les choses devaient mal tourner. (Archibald posa un regard appréciateur sur le flot de nobles qui s'engouffraient dans les sous-sols.) De mon point de vue, elles ne tournent pas bien du tout.

— Rentrons à la maison, sœurette ! supplia Agathe en tirant sur l'écharpe de sa sœur. La cour, ce n'est vraiment pas ainsi que je l'imaginais !

Étourdie, Ophélie leur tourna le dos à tous, ferma les paupières, fit abstraction du bruit et verrouilla son esprit. Farouk était-il réellement devenu inaccessible ?

Elle pivota vers son grand-oncle, qui jurait en patois chaque fois qu'un noble le bousculait.

— Les contes d'objets que vous m'avez envoyés... Aucun n'a autant troublé M. Farouk que celui de la poupée.

— La poupée ? bredouilla le grand-oncle dans ses moustaches. La poupée qui rêvait de devenir une actrice ?

Ophélie acquiesça, plus pour elle-même que pour lui. À la fin du conte, la poupée découvrait que le rêve qu'elle voulait réaliser était en fait celui de sa propriétaire.

— M. Farouk confond sa propre histoire avec celle du conte. J'aurais dû lui inventer une autre fin.

À l'instant précis où Ophélie prononça ces paroles, un éclair de douleur lui traversa le front de part en part. La mémoire de sa *lecture* se débloqua sous la poussée du pouvoir familial de Thorn. Le soldat sans tête. L'ancienne école. Le parfum des mimosas. Les fenêtres éventrées. Les miroirs drapés. Ophélie fut aspirée par le tourbillon du temps et revit le jeune Farouk agenouillé à ses pieds, levant vers elle un regard avide. *Pourquoi dois-je faire ce qui est écrit ? Qu'est-ce que je suis pour toi, Dieu ?*

— Je sais, murmura Ophélie en se tournant vers Berenilde. Je sais enfin ce que je dois lui dire. Emmenez votre bébé loin de cet endroit. Je vous rejoindrai plus tard.

Alors qu'elle redescendait déjà précipitamment les marches, sa mère la retint par la manche.

— Minute, papillon !

D'un regard inflexible, Ophélie la mit au défi de l'empêcher de repartir, mais sa mère s'approcha et, avec des gestes fatalistes, resserra le nœud de l'écharpe autour de son bras et repoussa ses cheveux broussailleux de façon à bien dégager son visage.

— C'est un fameux numéro, ton M. Thorn. On ne m'ôtera pas de l'esprit que tu t'accroches à lui parce que, moi, je ne peux pas l'encadrer. Mais bon, c'est ton mari à présent et ta place est à ses côtés. Ma place à moi est de t'attendre ici. Sois prudente, surtout.

Ophélie comprima la main de sa mère avant de la relâcher.

— Merci, maman.

Tandis qu'elle se frayait un passage dans la foule, Ophélie songeait que le message dont elle était porteuse contredisait tout ce qu'elle avait vu de Dieu cette nuit. Pourtant, elle savait avec une absolue certitude qu'il n'y avait pas d'erreur possible. C'était cela, cela et rien d'autre, qu'elle devait dire à Farouk.

Elle finit par l'apercevoir à l'autre bout du couloir, dominant la mer de perruques comme un pic enneigé. Farouk se tenait devant la chambre forte de Thorn et attendait son ouverture. Il régnait sur place un climat de confusion générale : les gendarmes venaient de découvrir leur confrère endormi sur le sol et la croûte d'or fondu sur la porte. Le mot « évasion » filait déjà de bouche en bouche, mais le chef de brigade fut formel :

— La cellule est restée hermétiquement close, mon seigneur. Il y a eu une tentative d'effraction, mais la porte est toujours verrouillée de l'extérieur. Son ouverture nécessite trois clefs spéciales et je détiens personnellement l'une d'elles.

Parvenue aux premiers rangs, Ophélie vit le chef de brigade brandir fièrement le trousseau qui étincelait à son cou. Elle aurait pu lui expliquer qu'il existait tout un tas de façons d'entrer dans cette cellule et d'en sortir sans posséder de clefs, mais cela n'aurait probablement pas servi ses intérêts.

— Ouvrez-moi, ordonna Farouk d'une voix atone.

— Attendez !

À force de jouer du coude, Ophélie réussit à s'extraire du cortège, puis à s'interposer entre Farouk et la porte blindée, ignorant les murmures de désapprobation qui se propageaient autour d'elle. Elle leva la tête à s'en dévisser le cou et se hissa sur la pointe des pieds dans l'espoir d'accrocher enfin les yeux de Farouk, tout là-haut, au sommet de son interminable stature. Elle n'y parvint pas. Il regardait droit devant lui, depuis le morne entrebâillement de ses paupières. Ophélie aurait pu aussi bien être une carpette.

— Veuillez libérer le passage, madame, intervint le chef de brigade.

Il avait donné cet ordre d'une voix polie, mais autoritaire. L'espace d'un instant, ses sourcils s'étaient haussés, alors qu'il se demandait vraisemblablement comment Ophélie avait quitté la cellule ; il dut décider que la gendarmerie s'était suffisamment ridiculisée pour aujourd'hui, car il s'abstint de tout commentaire sur ce point.

— Hier, je n'ai pas été capable d'honorer le contrat, dit-elle en se concentrant uniquement sur Farouk. Il y avait une chose que vous vouliez vous rappeler au sujet de votre Livre, et je ne l'ai pas trouvée. Je sais à présent ce que c'était.

Farouk ne daigna pas baisser les yeux sur elle. Il continuait de contempler l'immense porte circulaire, toute d'acier renforcé, de rouages et de verrous.

— Je dois faire ce qui est écrit, articula-t-il lentement, sans la moindre intonation de voix.

Les lunettes d'Ophélie s'assombrirent. Elle ne devinait que trop bien la façon dont le Mille-faces s'y était pris pour replacer Farouk sous son emprise. Il avait touché à son Livre. Ce qu'Ophélie ne comprenait pas, c'était pourquoi il l'avait fait. Ça allait complètement à l'encontre de la vérité qu'il avait cherché à lui transmettre autrefois.

— Vous n'êtes pas une poupée, affirma Ophélie avec tout le souffle dont elle était emplie. Vous n'avez pas à réaliser le rêve d'un autre.

— Je dois faire ce qui est écrit, répéta imperturbablement Farouk. Ouvrez la porte.

Les trois gendarmes responsables du méca-nisme d'ouverture s'avancèrent vers Ophélie, mais elle se campa sur ses jambes et les mots de Dieu lui sortirent du corps, comme s'ils avaient inex-plicablement toujours été là, tapis dans un recoin de son être, attendant leur heure :

— Ton Livre n'est que le début de ton histoire, Odin. Il n'appartient qu'à toi d'en écrire la fin.

Des exclamations de surprise jaillirent de toutes les gorges. L'effet produit par les paroles d'Ophé-lie fut aussi soudain que spectaculaire. Farouk tituba en arrière et porta une main à sa poitrine, à l'endroit précis où il rangeait son Livre sous son manteau impérial ; on aurait pu croire que c'était son cœur qui venait de se briser en morceaux. Il tomba à genoux dans une débâcle de cheveux et de fourrure. Son impassibilité vola en éclats et ses yeux, écarquillés par une émotion trop forte, s'ouvrirent en grand sur Ophélie, comme s'il la voyait enfin.

Elle aurait dû avoir peur : peur de ce qu'elle lui

avait fait, peur de ce qu'il aurait pu lui faire, lui. Il n'en était rien. La mémoire de sa *lecture* avait fait pénétrer Ophélie si intimement dans l'histoire personnelle de Farouk qu'elle ne faisait plus de distinction entre son passé à lui et son passé à elle.

Elle s'approcha de lui et, d'un geste qui scandalisa toute la cour, elle repoussa ses longs cheveux blancs exactement comme sa mère l'avait fait avec elle dans l'escalier. Agenouillé sur le marbre, sa main crispée contre son Livre, le visage de Farouk exprimait une confusion indescriptible. Son psychisme irradiait à nouveau autour de lui comme une puissante aura invisible. Ophélie sentit des élancements de douleur la parcourir, alors que son système nerveux encaissait l'onde de choc, mais elle tint bon. Farouk avait cessé d'être un empereur immortel ; il n'était plus qu'un enfant perdu et lui tourner le dos à cet instant aurait pu lui être fatal.

— Petite d'Artémis, murmura-t-il d'une voix déboussolée, qu'est-ce… qu'est-ce que je dois faire ?

— À vous de nous le dire.

Ophélie fit signe à l'aide-mémoire de s'approcher ; après une brève hésitation, le jeune homme apporta le pense-bête avec son professionnalisme accoutumé. Alentour, gendarmes et courtisans échangeaient des regards circonspects, partagés entre le désir d'intervenir et celui de s'enfuir.

Avachi sur le marbre, Farouk ouvrit son pense-bête, puis en tourna lentement les pages. Il y avait là le compte rendu du procès de Thorn, le fac-similé de son contrat de *lecture* et un mélange de gribouillis à peine déchiffrables. Farouk relut ses notes avec une expression hagarde ; il semblait en proie à une déchirure intérieure, tiraillé par des instructions contradictoires. À part le froissement des pages sous ses doigts et quelques toux nerveuses dans la foule, un silence de caveau était tombé sur les lieux.

Soudain, Farouk se figea au milieu de sa lecture. Ses yeux s'étaient immobilisés sur une coupure de presse qu'il avait extraite d'une gazette. Bien qu'elle ne pût que la voir à l'envers, Ophélie reconnut la silhouette de Berenilde assise à côté d'un berceau.

Il y eut un sursaut général quand Farouk, enfin, referma son pense-bête et se releva.

— Ouvrez la porte, ordonna-t-il.

Ophélie cessa un instant de respirer. Elle sentit la gigantesque main de Farouk se poser de tout son poids sur sa tête, mais c'était là un geste d'apaisement et non de domination. Les rôles venaient de s'inverser : il était le parent et elle était l'enfant.

— Vous avez honoré le contrat, petite d'Artémis. J'accorde à M. Thorn un titre nobiliaire et je l'affranchis de sa condition bâtarde. Par voie de conséquence, il sera soumis à un nouveau procès, cette fois en bonne et due forme. Ouvrez la porte, répéta Farouk à l'intention des gendarmes.

Les murmures de protestation qui s'élevèrent parmi les Mirages s'éteignirent comme des bougies sous le regard hivernal de Farouk. Le cœur battant le tambour, Ophélie le considéra pour la première fois comme un véritable esprit de famille. Son soulagement fut si brutal que ses jambes mollirent comme du beurre et il lui fallut tout ce qui lui restait de volonté pour tenir debout. Bientôt, elle reverrait Thorn. Il pourrait être soigné, il pourrait être jugé équitablement et ensemble, elle et lui, ils pourraient repartir sur de nouveaux rails.

Pendant que la lourde porte en or, manœuvrée par ses trois gendarmes, émettait d'interminables cliquetis de métal, Ophélie ne se raccrocha qu'à cette idée. Elle ne voulait penser ni au Mille-faces, ni aux Tuteurs, ni à cet *Autre* qu'elle avait prétendument libéré et qui provoquerait l'effondrement des arches. Non, elle ne voulait pas encore penser à tout cela. Elle voulait juste savourer cet instant de joie pure avec Thorn, fût-il éphémère.

Lorsque la porte s'ouvrit enfin sur la chambre forte, Ophélie sentit son sang se figer dans ses veines.

Elle vit les meubles renversés aux quatre coins de la pièce.

Elle vit la lampe clignoter pitoyablement sur le sol.

Elle vit l'eau s'écouler sans fin du lavabo.

Thorn, lui, n'était nulle part.

Le Passe-miroir

Le vent agitait l'écharpe d'Ophélie comme un étendard. Sa petite valise à la main, elle marcha le long du quai sans pouvoir détacher son regard du paysage. L'embarcadère des dirigeables était perché au bord de la Citacielle, offrant une vue plongeante sur l'arche en contrebas. Ophélie ignorait quand elle reverrait ces forêts de sapins et ces montagnes blanches, aussi se fit-elle un devoir de remplir une dernière fois ses poumons de ce vent unique où se mêlaient la résine, la neige, le sel et le charbon.

Et Thorn dans tout ça ? Où se trouvait-il ?

« Vous aussi, lui avait-il dit. Vous m'avez beaucoup appris. »

Cela avait pris du temps à Ophélie, mais elle avait fini par comprendre le sens de ces paroles. Elle avait échoué à faire de Thorn un *liseur*, mais elle en avait fait un Passe-miroir. Il était sorti de sa cellule de prison de la même manière qu'elle, en se servant de la surface réfléchissante des murs. Par quel miroir était-il ressorti ensuite et comment avait-il réussi à disparaître de la circulation avec une jambe brisée ? Cela, en revanche, demeurait un mystère.

Le premier coup de sifflet du chef de quai ramena Ophélie à la réalité. Elle confia sa valise à son petit frère qui insistait pour la porter et rejoignit la passerelle du dirigeable que gravissaient, un par un, tous les membres de sa famille. Sa gorge se serra quand elle vit le comité qui s'était rassemblé au bout du quai pour lui dire au revoir.

Archibald s'avança en premier et lui adressa un petit coup de chapeau, dont le fond s'ouvrit et se referma comme un clapet.

— Je songerai à réclamer vos services la prochaine fois que je me ferai enlever. De grâce, madame Thorn, ne faites pas cette tête-là, dit-il en se penchant sur elle avec un clin d'œil. Si vous ne revenez pas vite au Pôle, le Pôle viendra à vous, parole d'ambassadeur !

Ophélie lui sourit sans grande conviction, puis elle tendit sa main à Renard qui la bouda résolument.

— S'il vous plaît, Renold, ne nous quittons pas fâchés.

Le vent ébouriffait tout ce qu'il possédait de roux – ses sourcils, ses favoris, ses cheveux, jusqu'au poil d'Andouille sur sa tête – et lui donnait l'air encore plus hargneux qu'il ne l'était déjà.

— Ah ben, faut pas trop m'en demander quand même, grogna-t-il. Vous êtes ma patronne, je vous rappelle. À quoi qu'elle va ressembler, ma vie, si je ne vous accompagne pas partout où vous allez ?

— C'est provisoire, lui promit Ophélie.

En prononçant ces mots, elle sentit sa gorge se

resserrer davantage. En vérité, elle était dans l'impossibilité de quantifier ce provisoire-là. Ophélie décocha un coup d'œil nerveux à la Rapporteuse qui l'attendait à quelques pas de là, dressée dans sa robe noire comme la justice personnifiée, la girouette de son chapeau sévèrement pointée sur elle. Dès l'instant où elles avaient été informées des derniers événements, les Doyennes avaient ordonné son rapatriement immédiat sur Anima et Ophélie n'avait d'autre choix que de leur obéir. Thorn n'avait plus donné signe de vie, pas même par télégramme, depuis qu'il avait disparu de sa cellule ; il était devenu officiellement un hors-la-loi et le Familistère d'Anima s'était emparé de ce prétexte pour rappeler Ophélie. Elle ne pouvait désobéir sans exacerber les tensions diplomatiques entre Anima et le Pôle. Elle suspectait cependant une tout autre motivation derrière ce durcissement de ton. En retombant sous la coupe des Doyennes, elle ferait l'objet d'une surveillance assidue.

« Dieu ne sera pas le seul à garder un œil sur vous. »

Thorn pensait-il aux Doyennes quand il avait lancé cet avertissement à Ophélie ?

— Votre place est ici, ajouta-t-elle en tendant obstinément sa main à Renard. Dites à Gaëlle, quand vous la verrez, que je lui dois un monocle.

L'énorme main de Renard avala la sienne.

— Non. Vous devrez revenir pour le lui dire vous-même.

Le chef de quai siffla une deuxième fois. Ophélie se tourna vers Berenilde et son joli landau blanc. Elle oublia aussitôt les mots qu'elle avait soigneusement préparés pour l'occasion.

— Madame, je… Vous allez me…

Berenilde la serra dans ses bras, si fort que son parfum l'enveloppa comme une seconde robe.

— Je sais, lui murmura-t-elle à l'oreille. Je sais que vous ne m'avez pas tout dit et je sais que vous ne pouvez pas encore me le dire. Je ne comprends pas tout, Ophélie, mais je vous accorde mon entière confiance, comme Thorn vous a accordé la sienne.

La Rapporteuse émit une petite toux sèche, et Ophélie sentit sa résistance se fêler.

— Vous ne voulez vraiment pas venir avec moi sur Anima ? demanda-t-elle à Berenilde, enfouie contre elle.

— Mon devoir exige ma présence ici. Vous avez eu une influence plutôt remarquable sur notre cher seigneur, mais il est tellement oublieux ! Nous devons rester auprès de lui, ma fille et moi, pour lui rappeler ce que vous lui avez appris. Et puis, ajouta Berenilde d'une voix encore plus basse, je dois aussi rester pour Thorn. J'ignore où il se trouve à l'heure où nous parlons, mais ne vous inquiétez pas : ce garçon est maladive-ment ponctuel. Quand l'heure sera venue, il nous reviendra. D'ici là, s'il vous plaît, ne l'oubliez pas.

Ophélie essuya ses yeux sous ses lunettes en libérant un petit rire.

— Thorn aurait répondu : « Je n'oublie jamais rien. » Et puisque nous parlons de cela, je n'ai pas oublié la promesse que je vous ai faite. Je dois un nom à ma filleule.

Le chef de quai siffla une troisième et dernière fois. Ophélie allait devoir embarquer à bord du dirigeable. Ignorant la toux de plus en plus impatiente de la Rapporteuse et l'appel de sa mère sur la passerelle, elle se pencha sur le landau du bébé. Sa peau était aussi blanche que celle de Farouk.

Ophélie fit une promesse silencieuse à sa filleule. Elle retrouverait Thorn. Et s'il fallait pour cela qu'elle défiât les Doyennes, le Dieu de l'humanité ou un briseur de monde, elle le ferait.

— Elle s'appellera Victoire.

Bribe : *post-scriptum*

Ça me revient, Dieu a été puni. Ce jour-là, j'ai compris que Dieu n'était pas tout-puissant. Je ne l'ai plus jamais revu depuis.

« Scelle tes charmes. » Thorn comprend, à présent. Ça a été les derniers mots de Dieu avant qu'il ne disparaisse de sa vie. Scelle tes charmes. Sèche tes larmes. Dieu gouverne le monde et il fait des lapsus.

Il manque désormais une dernière pièce au puzzle de Thorn, celle qui l'empêche par son absence de voir enfin la vérité dans son ensemble. Pourquoi Farouk s'est-il persuadé que Dieu a été puni ? Parce que, dans l'éventualité où il aurait raison, cette question en soulèverait une autre, infiniment plus troublante.

Par qui ?

Avertissement de l'auteure

J'ai écrit cette histoire en l'animant de toutes mes émotions personnelles : excitation, doute, fébrilité, désarroi, euphorie et j'en passe. Pour votre propre confort, je vous invite à manipuler cet ouvrage avec des gants de *liseur*. Si malgré vos précautions vous constatez un dysfonctionnement (livre qui pince les doigts, pages qui tournent trop vite, etc.), je vous invite à consulter le site www.passe-miroir.com

REMERCIEMENTS

Pour mon cher et tendre, Thibaut, qui m'a épaulée durant chaque mot de chaque phrase de chaque page de ce livre. Pour nos familles respectives, véritables bataillons d'anges gardiens. Pour mes excellentes conseillères Stéphanie Barbaras, Svetlana Kirilina et Célia Rodmacq, ainsi que tous mes amis de Plume d'Argent, de France et de Belgique. Pour l'équipe entière de Gallimard Jeunesse qui a permis à la Passe-miroir de prendre son envol. Pour Laurent Gapaillard qui fait les plus belles couvertures du monde. Enfin, pour toutes les *liseuses* et tous les *liseurs* qui me motivent chaque jour avec leur enthousiasme, leurs remarques et leurs interrogations. Sans vous tous, ce livre n'aurait pas été le même.

La *liseuse*

LES CLANS DU PÔLE

ARTÉMIS
Esprit de famille
d'Anima

Archibald et ses sœurs
L'aide-mémoire
Les Valkyries

Gaëlle

Le chevalier
Dame Cunégonde
Le baron Melchior
Le conteur Éric
Le prévôt des maréchaux
Le directeur du Nibelungen
Le comte Harold

Les Doyennes

Berenilde

Ophélie

Thorn

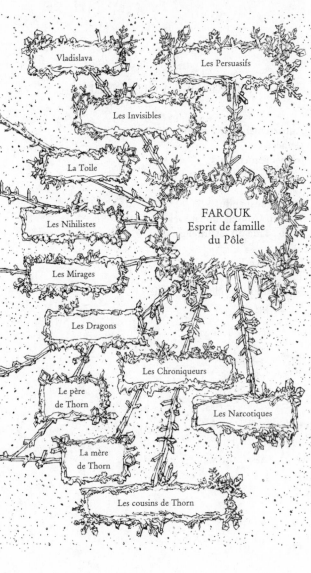

Vladislava

Les Persuasifs

Les Invisibles

La Toile

Les Nihilistes

FAROUK
Esprit de famille
du Pôle

Les Mirages

Les Dragons

Les Chroniqueurs

Le père
de Thorn

Les Narcotiques

La mère
de Thorn

Les cousins de Thorn

À BORD DE LA CITACIELLE

7 Appartements de Farouk
6 Gynécée
5 Jetée-Promenade
4 Opéra familial
3 Thermes
2 Jardins suspendus
1 Salle du Conseil ministériel
0 Ambassade du Clairdelune

a Intendance
b Hôtel de police
c Manufacture Hildegarde & Cie

LA CARTE DES ROSES DES VENTS ET LEURS DESTINATIONS

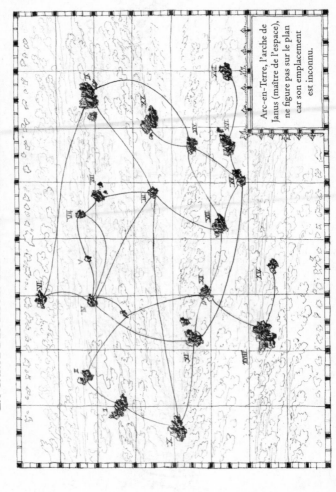

Arc-en-Terre, l'arche de Janus (maître de l'espace), ne figure pas sur le plan car son emplacement est inconnu.

CHRISTELLE DABOS est née en 1980 sur la Côte d'Azur. Installée en Belgique, elle se destine à être bibliothécaire quand la maladie survient. L'écriture devient alors une évasion hors de la machinerie médicale, puis une lente reconstruction et enfin une seconde nature. Elle bénéficie pendant ce temps de l'émulation de Plume d'Argent, une communauté d'auteurs sur Internet. C'est grâce à leurs encouragements qu'elle décide de relever son tout premier défi littéraire : s'inscrire au Concours du Premier roman jeunesse (2013), organisé par Gallimard Jeunesse, *Télérama* et RTL. Elle en devient la grande lauréate grâce à *La Passe-miroir*, Livre I : *Les Fiancés de l'hiver*. Depuis, ont paru le Livre II : *Les Disparus du Clairdelune*, le Livre III : *La Mémoire de Babel*, et le Livre IV : *La Tempête des échos*.

Retrouvez l'univers de La Passe-miroir sur :
www.passe-miroir.com

Retrouvez la suite des aventures d'Ophélie, en découvrant dès maintenant le premier chapitre du Livre III de la saga *La Passe-miroir* :

Il sera une fois,
dans pas si longtemps,
un monde qui vivra enfin en paix.

En ce temps-là,
il y aura de nouveaux hommes
et il y aura de nouvelles femmes.

Ce sera l'ère des miracles.

Extrait

L'absent

La fête

L'horloge fonçait à toute allure. C'était une immense comtoise montée sur roulettes avec un balancier qui battait puissamment les secondes. Ce n'était pas tous les jours qu'Ophélie voyait un meuble de cette stature se précipiter sur elle.

— Veuillez l'excuser, chère cousine ! s'exclama une jeune fille en tirant de toutes ses forces sur la laisse de l'horloge. Elle n'est pas si familière d'habitude. À sa décharge, maman ne la sort pas souvent. Puis-je avoir une gaufre ?

Ophélie observa prudemment l'horloge dont les roulettes continuaient de crisser sur le dallage.

— Je vous mets du sirop d'érable ? demanda-t-elle en piochant une gaufre croustillante sur le présentoir.

— Sans façon, cousine. Joyeuses Tocantes !

— Joyeuses Tocantes.

Ophélie avait répondu sans conviction en regardant la jeune fille et sa grande horloge se perdre dans la foule. S'il y avait un événement qu'elle n'avait pas le cœur à fêter, c'était bien celui-là.

Assignée au stand de gaufres, au beau milieu du marché artisanal d'Anima, elle n'en finissait pas de voir défiler des pendules à coucou et des réveille-matin. La cacophonie ininterrompue des tic-tac et des « Joyeuses Tocantes ! » se répercutait sur les grandes vitres de la halle. Ophélie avait l'impression que toutes ces aiguilles tournaient uniquement pour lui rappeler ce qu'elle n'avait pas envie de se rappeler.

— Deux ans et sept mois.

Ophélie observa la tante Roseline qui avait jeté ces mots en même temps que des gaufres fumantes sur le présentoir. À elle aussi, les Tocantes donnaient des idées noires.

— Crois-tu que *madame* répondrait à nos lettres ? siffla la tante Roseline en agitant sa spatule. Ah, çà, je suppose que *madame* a mieux à faire de ses journées.

— Vous êtes injuste, dit Ophélie. Berenilde a probablement essayé de nous contacter.

La tante Roseline reposa sa spatule sur le moule à gaufres et s'essuya les mains dans son tablier de cuisine.

— Bien sûr que je suis injuste. Après ce qui s'est passé au Pôle, ça ne m'étonnerait pas que les Doyennes sabotent notre correspondance. Je ne devrais pas me plaindre en ta présence. Ces deux ans et sept mois ont été encore plus silencieux pour toi que pour moi.

Ophélie n'avait pas envie d'en parler. Le simple fait d'y penser lui donnait l'impression d'avoir avalé les aiguilles d'une horloge. Elle s'empressa de servir un bijoutier, paré de ses plus belles montres.

— Eh bien, eh bien ! s'agaça-t-il lorsque ses montres se mirent toutes à claquer frénétiquement du couvercle. Où sont passées vos bonnes manières, mesdemoiselles ? Vous voulez donc que je vous ramène à la boutique ?

— Ne les grondez pas, dit Ophélie, c'est moi qui leur fais cet effet. Du sirop ?

— La gaufre suffira. Joyeuses Tocantes !

Ophélie regarda le bijoutier s'éloigner et reposa sur la table la bouteille de sirop qu'elle avait failli renverser.

— Les Doyennes n'auraient pas dû me confier un stand de fête. Je ne sers qu'à distribuer des gaufres que je suis incapable de préparer moi-même. Et encore, j'en ai fait tomber une demi-douzaine par terre.

La maladresse pathologique d'Ophélie était de notoriété familiale. Personne ne se serait risqué à lui demander du sirop d'érable avec toute cette horlogerie dans les parages.

— Ça me fait mal de l'admettre, mais pour une fois je ne donnerais pas tort aux Doyennes. Tu fais peur à voir et je pense que c'est une bonne chose que tu t'occupes un peu les mains.

La tante Roseline appuya un regard sévère sur sa nièce, soulignant son visage tiré, ses lunettes décolorées et sa tresse si embrouillée qu'aucun peigne n'en venait à bout.

— Je vais bien.

— Non, tu ne vas pas bien. Tu ne sors plus, tu manges n'importe quoi, tu dors n'importe quand.

Tu n'es même pas retournée au musée, ajouta gravement la tante Roseline, comme si ce détail-là était le plus préoccupant de tous.

— En fait, j'y suis allée, contredit Ophélie.

Elle s'était précipitée là-bas à son retour du Pôle, sitôt descendue du dirigeable, avant même de déposer sa valise à la maison. Elle avait voulu voir de ses propres yeux les vitrines vidées de leurs collections d'armes, la rotonde vidée de ses avions militaires, les murs vidés de leurs étendards impériaux et les alcôves vidées de leurs armures de parade.

Elle en était ressortie déchirée et n'y était plus jamais retournée.

— Ce n'est plus un musée, murmura-t-elle entre ses dents. Raconter le passé en refusant de raconter la guerre, c'est mentir.

— Tu es une *liseuse*, la rabroua la tante Roseline. Tu ne vas quand même pas rester les doigts croisés jusqu'à… jusqu'à… Bref, tu dois aller de l'avant.

Ophélie s'abstint de rétorquer qu'elle ne se croisait pas les doigts et qu'aller de l'avant ne l'intéressait pas. Elle avait beaucoup enquêté ces derniers mois, sans quitter son lit, le nez plongé dans des ouvrages de géographie. C'était *ailleurs* qu'elle devait aller, sauf qu'elle n'en avait pas la possibilité. Pas tant que les Doyennes la surveillaient.

Pas tant que Dieu la surveillait.

— Il vaudrait mieux laisser ta montre à la maison pendant les Tocantes, déclara soudain la tante Roseline. Elle agite les autres.

Des horloges s'étaient en effet attroupées devant

le présentoir de gaufres. Ophélie posa instinctivement la main sur sa poche, puis elle fit signe aux
cadrans d'aller pulser ailleurs.

— C'est bien Anima, ça. On ne peut pas porter
sur soi une montre déréglée sans sentir la désapprobation de toutes celles des environs.

— Tu devrais la faire soigner par un horloger.

— Je l'ai fait. Elle n'est pas en panne, juste très
perturbée. Joyeuses Tocantes, mon oncle.

Engoncé dans son vieux manteau d'hiver, ses
moustaches lourdes de neige fondue, le grand-
oncle venait de surgir de la foule.

— Ouais, ouais, bonne fête, tic tac et compagnie, marmonna-t-il en passant directement de
l'autre côté du comptoir et en se servant lui-
même une gaufre chaude. Ça devient ridicule, ce
brol ! Fête de l'Argenterie, fête des Instruments
de musique, fête des Bottes, fête des Chapeaux...
Chaque année, y a une nouvelle guindaille dans
le calendrier ! Bientôt, verrez qu'on fêtera les pots
de chambre. D'mon temps, on ne gâtait pas les
objets comme aujourd'hui, et après on s'étonne
qu'ils nous fassent des caprices. Cache ça vite,
chuchota-t-il soudain en remettant une enveloppe
à Ophélie.

— Vous en avez trouvé une autre ?

Tandis qu'elle glissait l'enveloppe dans sa poche
de tablier, Ophélie sentit son cœur battre plus vite
que toutes les horloges de la fête.

— Et pas des moindres, m'fille. En dégoter,
c'est pas si difficile. Le faire à l'insu des Doyennes,
ça, c'est une autre affaire. Elles louchent sur moi
presque autant que sur toi. Gaffe d'ailleurs, grom-

mela le grand-oncle en ébrouant ses moustaches. J'ai vu la Rapporteuse et son satané piaf rôder dans les parages.

La tante Roseline serra ses longues dents en assistant à leur échange. Elle était parfaitement au courant de leurs petites manigances, et si elle ne les approuvait pas, craignant qu'Ophélie ne se mît dans de nouveaux ennuis, elle se faisait souvent leur complice.

— Je commence à manquer de pâte à gaufres, dit-elle d'un ton sec. Va m'en chercher, s'il te plaît.

Ophélie se faufila dans le local à provisions sans se faire prier. Il faisait glacial ici, mais elle y était à l'abri des regards. Elle calma l'écharpe qui s'impatientait sur sa patère, vérifia qu'il n'y avait personne, puis ouvrit l'enveloppe du grand-oncle.

Elle contenait une carte postale.

La légende indiquait : XXIIe Exposition inter-familiale et le cachet de la poste remontait à plus de soixante ans. En digne archiviste familial, le grand-oncle avait dû faire jouer ses relations pour se procurer cette carte. C'était la photographie qui intéressait Ophélie. L'image en noir et blanc, rehaussée çà et là de couleurs artificielles, montrait les estrades des exposants et les curiosités exotiques sur les promenoirs d'un immense bâtiment. On aurait dit la halle d'Anima, en cent fois plus imposant. Remontant ses lunettes sur son nez, la jeune fille approcha la carte postale de la lumière. Elle trouva enfin ce qu'elle cherchait : à travers les grands vitrages du bâtiment, presque invisible dans le brouillard extérieur, se dressait une statue décapitée.

Pour la première fois depuis longtemps, les lunettes d'Ophélie se colorèrent d'émotion. Le grand-oncle venait de lui apporter la confirmation de toutes ses hypothèses.

— Ophélie ! appela la tante Roseline. Ta mère te réclame !

À ces mots, elle cacha précipitamment la carte postale. La bouffée d'excitation qui l'avait envahie reflua aussitôt pour céder la place à la frustration. C'était même au-delà de ça. L'attente, l'interminable attente lui creusait un trou à l'intérieur du corps. Chaque nouvelle journée, chaque nouvelle semaine, chaque nouveau mois agrandissaient ce trou. Ophélie se demandait quelquefois si elle n'allait pas finir par tomber à l'intérieur d'elle-même.

Elle sortit la montre à gousset et en ouvrit le couvercle avec d'infinies précautions. Cette pauvre mécanique était déjà assez souffrante ainsi, Ophélie ne pouvait pas se permettre d'être maladroite. Depuis qu'elle l'avait récupérée dans les affaires de Thorn, juste avant d'être rapatriée de force sur Anima, la montre n'avait jamais donné l'heure. Ou plutôt, elle donnait un peu trop d'heures à la fois. Toutes ses aiguilles pointaient tantôt dans un sens, tantôt dans un autre, sans aucune logique apparente : quatre heures vingt-deux, sept heures trente-huit, une heure cinq... et plus le moindre tic-tac.

Deux ans et sept mois de silence.

Ophélie n'avait reçu aucune nouvelle de Thorn après son évasion. Pas un seul télégramme, pas une seule lettre. Elle avait beau se répéter qu'il ne pouvait pas courir le risque de se manifester, que c'était un homme recherché par la justice, peut-être par Dieu en personne, elle se consumait de l'intérieur.

— Ophélie !

— J'arrive.

Elle attrapa un pot de pâte à gaufres et sortit du local à provisions. De l'autre côté du stand se tenait sa mère dans son énorme robe bouffante.

— Ma fille qui daigne enfin quitter son lit ! Il était temps, encore un peu et tu te changeais en table de chevet. Joyeuses Tocantes, ma chérie. Sers les petits, veux-tu ?

La mère désigna la longue file d'enfants qui l'accompagnait. Ophélie aperçut parmi eux son frère, ses sœurs, ses neveux, ses petits-cousins et la pendule du salon. Ils n'étaient pas tellement « petits », de son point de vue. Hector avait fait une telle poussée de croissance ces derniers mois qu'il avait allègrement rattrapé Ophélie. À les voir tous ainsi, avec leurs hautes tailles, leurs cheveux flamboyants et leurs taches de rousseur, elle se demandait parfois si elle faisait vraiment partie de la même famille.

— J'ai discuté de ton cas avec Agathe, dit la mère d'Ophélie en se penchant de tout son buste par-dessus le stand. Ta sœur est de mon avis, tu dois songer à te trouver une situation. Elle en a parlé avec Charles, ils sont d'accord pour que tu viennes travailler à la fabrique. Regarde-toi une fois, ma fille ! Tu ne peux pas continuer ainsi. Tu es si jeune ! Rien ne t'enchaîne encore à... tu sais... *lui*.

La mère d'Ophélie avait articulé ce dernier mot sans le prononcer. Personne ne mentionnait

jamais Thorn dans la famille, comme s'il s'agissait
d'un sujet honteux. De façon générale, personne
ne mentionnait jamais le Pôle. Il y avait des jours
où Ophélie se demandait si tout ce qu'elle avait
vécu là-bas était bien réel, à croire qu'elle n'avait
jamais été ni valet de chambre, ni vice-conteuse,
ni grande *liseuse* familiale.

— Vous remercierez Agathe et Charles, maman,
mais c'est non. Je ne me vois pas travailler dans
la dentelle.

— Je peux la prendre avec moi aux archives,
grogna le grand-oncle dans ses moustaches.

La mère d'Ophélie pinça si fort les lèvres que
son visage ressembla à un soufflet.

— Vous avez sur elle une influence déplorable,
mon oncle. Le passé, le passé, toujours le passé !
Ma fille doit songer à son avenir.

— Ah ça ! ironisa-t-il. Tu la voudrais aussi
bien-pensante que les gentils petits bouquins
de la bibliothèque, hein ? Autant l'envoyer à
Houtesiplou-les-Berdouilles, ta gamine.

— J'aimerais surtout qu'elle se fasse bien voir
des Doyennes et d'Artémis, pour changer.

Ophélie se sentit si exaspérée qu'elle tendit par
inadvertance une gaufre à la pendule de la famille.

Rien n'y faisait : elle avait beau répéter à chacun qu'une Doyenne était indigne de confiance,
on ne l'écoutait pas. Elle aurait voulu les mettre
en garde contre tellement d'autres choses encore !
Contre Dieu, en particulier. Elle n'avait pourtant
parlé de lui à personne : ni à ses parents, qui la
questionnaient sans cesse, ni à la tante Roseline,
qui s'inquiétait de son mutisme, ni au grand-oncle,

qui l'aidait dans ses recherches. Toute la famille savait qu'il s'était passé quelque chose dans la cellule de Thorn – les moins renseignés croyant que c'était Ophélie qui avait fait de la prison – mais personne n'avait jamais obtenu d'elle le fin mot de cette histoire. Elle ne pouvait pas le dire, pas après ce qu'elle avait découvert sur Dieu.

La Mère Hildegarde s'était tuée à cause de lui.

Le baron Melchior avait tué pour lui.

Thorn avait failli être tué par lui.

L'existence même de Dieu était une vérité dangereuse. Aussi longtemps qu'il le faudrait, Ophélie en garderait le secret.

— Je sais que vous vous tracassez tous pour moi, déclara-t-elle enfin, mais c'est de *ma* vie qu'il est question. Je n'ai de compte à rendre à personne, pas même à Artémis, et je me contrefiche de ce que pensent les Doyennes.

— Grand bien te fasse, ma chère petite !

Ophélie se raidit en voyant une femme entre deux âges s'approcher subrepticement du stand. Elle ne portait aucune montre, ne promenait aucune horloge, mais elle était affublée d'un chapeau invraisemblable, au sommet duquel une girouette en forme de cigogne tournoyait à toute vitesse. Ses bésicles dorées agrandissaient davantage deux yeux globuleux qui épiaient les moindres faits et gestes des Animistes en général et d'Ophélie en particulier.

Si les Doyennes étaient les complices de Dieu, la Rapporteuse était celle des Doyennes.

— Ta fille est une libre-penseuse, ma petite Sophie, dit-elle avec un sourire bienveillant pour la mère d'Ophélie. Il en faut dans toutes les familles ! Elle ne veut pas reprendre son travail au musée ? Respectons son choix. Elle ne veut pas travailler dans la dentelle ? Ne lui forçons pas la main. Laisse-la voler de ses propres ailes... Peut-être a-t-elle besoin de dépaysement ?

Dans un même mouvement, le regard et la girouette de la Rapporteuse se tournèrent vers Ophélie. Cette dernière dut se faire violence pour s'empêcher de vérifier que la carte postale du grand-oncle ne dépassait pas de sa poche de tablier.

— Vous m'incitez à quitter Anima ? demanda-t-elle avec méfiance.

— Oh, nous ne t'incitons à rien du tout ! s'empressa d'affirmer la Rapporteuse, coupant la mère d'Ophélie qui ouvrait déjà une bouche toute ronde. Tu es une grande fille, à présent. Tu es libre de tes mouvements.

Cette femme manquait décidément de subtilité ; c'était la raison pour laquelle elle ne serait jamais Doyenne elle-même. Ophélie savait pertinemment qu'à la seconde où elle monterait à bord d'un dirigeable on la ferait suivre et on la garderait à l'œil. Elle voulait retrouver Thorn, oui, mais elle n'avait aucune intention de mener Dieu jusqu'à lui. Dans ces moments plus que jamais, elle regrettait de ne pas être en mesure de se servir des miroirs pour quitter Anima : son pouvoir avait malheureusement ses limites.

— Je vous remercie, dit-elle après avoir fini de distribuer des gaufres aux enfants. Je crois que je préfère encore ma chambre. Joyeuses Tocantes, madame.

Le sourire de la Rapporteuse se crispa.

— Nos très chères mères te font un immense honneur – un immense honneur, tu entends ? – en se préoccupant de ta petite personne. Cesse donc tes cachotteries et confie-toi à elles. Elles pourraient t'aider, et beaucoup plus que tu ne le penses.

— Joyeuses Tocantes, répéta Ophélie d'un ton sec.

La Rapporteuse eut un brusque mouvement de recul, comme si elle avait été traversée par une décharge électrique. Elle dévisagea Ophélie avec stupéfaction d'abord, puis avec indignation, avant de tourner les talons. Elle rejoignit un cortège de vieilles dames au milieu de la procession des horloges. Des Doyennes. Elles se contentèrent de hocher la tête en écoutant la Rapporteuse, mais le regard qu'elles adressèrent de loin à Ophélie fut glacial.

— Tu l'as fait ! s'exclama furieusement la mère d'Ophélie. Tu as utilisé cet horrible pouvoir ! Sur la Rapporteuse en personne !

— Pas délibérément. Si les Doyennes ne m'avaient pas forcée à quitter le Pôle, Berenilde aurait pu m'apprendre à contrôler mes griffes.

Ophélie avait marmonné ces mots en passant un coup de chiffon agacé sur le stand. Elle ne se faisait pas à ce nouveau pouvoir. Elle n'avait blessé personne jusqu'à présent – elle n'avait découpé aucun nez ni tranché aucun doigt –, mais, si quelqu'un lui inspirait une trop forte antipathie, c'était toujours le même phénomène : *quelque chose* en elle se mettait en mouvement pour le repousser. Et ce n'était certainement pas la meilleure façon de régler un différend.

— Tu ne t'en tireras pas ainsi, siffla la mère d'Ophélie en pointant un ongle rouge sur elle. J'en ai par-dessus le chapeau de te voir traîner dans ton lit et défier nos très chères mères. Demain matin, tu iras à la fabrique de ta sœur et puis c'est tout !

Ophélie attendit que sa mère fût partie avec les enfants pour s'appuyer des deux mains au présentoir de gaufres et prendre une profonde inspiration. Le trou qu'elle avait l'impression de sentir à l'intérieur de son ventre venait de se creuser davantage.

— Ta maman dira ce qu'elle voudra, grommela le grand-oncle, tu peux venir travailler aux archives.

— Ou à l'atelier de restauration avec moi, renchérit la tante Roseline d'une voix encourageante. Je ne connais rien de plus gratifiant que de désinfecter un papier de ses vers et de ses moisissures.

Ophélie ne leur répondit pas. Elle n'avait envie d'aller ni à la fabrique de dentelles, ni aux archives familiales, ni à l'atelier de restauration. Ce qu'elle désirait du plus profond de son être, c'était échapper à la vigilance des Doyennes pour se rendre à l'endroit qui figurait sur la carte postale.

Là où se trouvait peut-être Thorn en ce moment même.

« Premier entresol. »

« Toilettes pour hommes. »

« N'oubliez pas votre écharpe : vous partez. »

Ophélie se redressa si vivement qu'elle renversa le flacon de sirop d'érable sur l'étal. Les joues en feu, elle chercha au milieu des horloges de cuisine et des pendules astronomiques celui qui lui avait soufflé ces trois pensées dans la tête. Il était déjà hors de vue.

— Quelle épingle te pique ? s'étonna la tante Roseline en voyant Ophélie enfiler précipitamment son manteau par-dessus son tablier.

— Je dois aller aux toilettes.

— Tu es malade ?

— Je ne me suis jamais sentie aussi bien, dit Ophélie avec un grand sourire. Archibald est venu me chercher.